O INFINITO EM UM JUNCO

IRENE VALLEJO

O INFINITO EM UM JUNCO

A invenção dos livros no mundo antigo

Tradução de Ari Roitman e Paulina Wacht

Copyright © Irene Vallejo Moreu, 2019

TÍTULO ORIGINAL
El infinito en un junco

PREPARAÇÃO
Elisa Menezes

REVISÃO
Alvanísio Damasceno
João Sette Câmara
Eduardo Carneiro

ADAPTAÇÃO DE PROJETO GRÁFICO E DIAGRAMAÇÃO
Julio Moreira | Equatorium Design

CAPA
Elisa von Randow

IMAGEM DE CAPA
Ilustração egípcia. Domínio público. Rawpixel.com

CIP-BRASIL. CATALOGAÇÃO NA PUBLICAÇÃO SINDICATO NACIONAL DOS EDITORES DE LIVROS, RJ

V273i
    Vallejo, Irene, 1979-
        O infinito em um junco: a invenção dos livros no mundo antigo / Irene Vallejo ; tradução Ari Roitman, Paulina Wacht. - 1. ed. - Rio de Janeiro : Intrínseca, 2022
        496 p. ; 23 cm.

        Tradução de: El infinito en un junco : la invención de los libros en el mundo antíguo
        Inclui bibliografia e índice
        ISBN 978-65-5560-468-9

        1. Livros - História. 2. Bibliotecas - História. 3. Bibliotecas e sociedade - História. 4. Bibliofilia. I. Roitman, Ari. II. Wacht, Paulina. III. Título.

22-76747   CDD: 002.075
                                CDU: 027(091)

Meri Gleice Rodrigues de Souza - Bibliotecária - CRB-7/6439

[2022]
Todos os direitos desta edição reservados à
Editora Intrínseca Ltda.
Rua Marquês de São Vicente, 99, 6º andar
22451-041 – Gávea
Rio de Janeiro – RJ
Tel./Fax: (21) 3206-7400
www.intrinseca.com.br

*A minha mãe,
mão firme de algodão*

"Parecem desenhos, mas dentro das letras estão as vozes. Cada página é uma caixa infinita de vozes."
        Mia Couto, *Mulheres de cinzas*

"Os signos inertes de um alfabeto tornam-se significados cheios de vida na mente. Ler e escrever alteram a nossa organização cerebral."
        Siri Hustvedt, *Living, Thinking, Looking*

"Gosto de imaginar como o bom Homero, quem quer que ele fosse, teria ficado surpreso ao ver suas epopeias na prateleira de um ser tão inimaginável para ele como eu, no meio de um continente do qual não se tinha notícia."
        Marilynne Robinson, *When I Was a Child I Read Books*

"Ler é sempre uma translação, uma viagem, um ir embora para se encontrar. Ler, mesmo sendo normalmente um ato sedentário, leva-nos de volta à nossa condição de nômades."
        Antonio Basanta, *Leer contra la nada*

"O livro é, acima de tudo, um recipiente onde o tempo repousa. Uma prodigiosa armadilha com a qual a inteligência e a sensibilidade humanas venceram a condição efêmera, fluida, que levava a experiência do viver para o vazio do esquecimento."
        Emilio Lledó, *Los libros y la libertad*

Sumário

Prólogo   13

I – A GRÉCIA IMAGINA O FUTURO   21

A cidade dos prazeres e os livros   23
Alexandre: o mundo não é o bastante   28
O amigo macedônio   32
Equilíbrio à beira do abismo: a Biblioteca e o
     Museu de Alexandria   40
Uma história de fogo e passadiços   67
A pele dos livros   79
Uma tarefa detetivesca   91
Homero como enigma e como ocaso   94
O mundo perdido da oralidade:
     uma tapeçaria de ecos   98
A pacífica revolução do alfabeto   119
Vozes que saem da névoa, tempos indecisos   129
Aprender a ler sombras   139
O sucesso das palavras rebeldes   145
O primeiro livro   147

As livrarias ambulantes	151
A religião da cultura	156
Um homem de memória prodigiosa e um grupo de jovens vanguardistas	160
Tecedoras de histórias	176
É o outro quem me conta a minha história	191
O drama do riso e nossa dívida com o lixo	206
Uma relação apaixonada com as palavras	216
O veneno dos livros. Sua fragilidade	232
As três destruições da Biblioteca de Alexandria	239
Botes salva-vidas e borboletas pretas	255
Assim começamos a ser tão estranhos	268

II – OS CAMINHOS DE ROMA 275

Uma cidade de má reputação	277
A literatura da derrota	283
O umbral invisível da escravidão	295
No princípio eram as árvores	303
Escritores pobres, leitores ricos	305
Uma jovem família	318
Livreiro: ofício de risco	328
Infância e sucesso dos livros de páginas	346
Bibliotecas públicas nos palácios da água	362

Dois hispânicos: o primeiro fã e o escritor maduro   371
Herculano: a destruição que preserva   376
Ovídio em conflito com a censura   381
A doce inércia   386
Viagem ao interior dos livros e como nomeá-los   388
O que é um clássico?   396
Cânone: história de um junco   407
Cacos de vozes femininas   418
O que se julgava eterno se revelou efêmero   424
Atreva-se a lembrar   434

Epílogo: Os esquecidos, as anônimas   439
Agradecimentos   443
Notas   447
Bibliografia   473
Índice onomástico   485

PRÓLOGO

Misteriosos grupos de homens a cavalo percorrem os caminhos da Grécia. De suas terras ou das portas de suas cabanas, os camponeses os observam com desconfiança. A experiência já lhes ensinou que só gente perigosa viaja: soldados, mercenários e traficantes de escravos. Eles franzem a testa e resmungam até que veem os homens desaparecerem no horizonte. Não gostam de forasteiros armados.[1]

Os cavaleiros galopam sem reparar nos aldeões. Durante meses subiram montanhas, cruzaram desfiladeiros, atravessaram vales, vadearam rios, navegaram de ilha em ilha. Seus músculos e sua resistência se enrijeceram desde o dia em que receberam essa estranha missão. Para cumprir sua tarefa, precisam se aventurar pelos territórios violentos de um mundo em guerra quase permanente. São caçadores em busca de presas de um tipo muito especial. Presas silenciosas, astutas, que não deixam rastro nem pegadas.

Se esses inquietantes emissários se sentassem em uma taverna de algum porto para tomar vinho, comer polvo assado, conversar e se embebedar com desconhecidos (nunca fazem isso, por prudência), poderiam contar grandes histórias de viagem. Eles entraram em terras açoitadas pela peste. Atravessaram regiões assoladas por incêndios, viram as cinzas quentes da destruição e a brutalidade de rebeldes e mercenários em guerra. Como ainda não existem mapas de regiões extensas, já se perderam e vagaram sem rumo dias inteiros sob a fúria do sol e das tempestades. Tiveram que beber águas repugnantes que lhes causaram monstruosas diarreias.[2] Sempre que chove, as carroças e as mulas atolam na lama; aos gritos e maldições, eles as empurram com força até caírem de joelhos no chão e beijarem a lama. Quando a noite os surpreende distantes de um abrigo qualquer, apenas a capa que cada um traz os protege dos escorpiões. Já conheceram o tormento enlouquecedor dos piolhos e o medo constante dos bandoleiros que infestam os caminhos. Muitas vezes, cavalgando por imensos vazios, o sangue gela quando imaginam um grupo de bandidos escondidos em alguma curva à espreita, prendendo a respiração para pular sobre eles, assassiná-los a sangue-frio, roubar-lhes as bagagens e largar os cadáveres ainda quentes entre os arbustos.

Faz sentido que tenham medo. O rei do Egito lhes confiou grandes somas ao enviá-los para cumprir suas ordens no outro lado do mar. Naquele tempo, poucas décadas depois da morte de Alexandre, viajar carregando uma grande fortuna era muito arriscado, quase suicida. E, embora os punhais dos ladrões, as doenças contagiosas e os naufrágios ameacem levar aquela missão tão importante ao fracasso, o faraó insiste em mandar seus agentes partirem do país do Nilo em todas as direções, atravessando fronteiras e grandes distâncias. Deseja apaixonadamente, com impaciência e uma dolorosa sede de posse, essas presas que seus caçadores secretos rastreiam para ele, enfrentando perigos ignotos.

Tanto os camponeses, que se sentaram à porta de suas cabanas para observar, quanto os mercenários e os bandidos certamente abririam os olhos de espanto e a boca de incredulidade se soubessem o que aqueles estrangeiros a cavalo estavam perseguindo.

Livros, eles procuravam livros.[3]

Era o segredo mais bem guardado da corte egípcia. O Senhor das Duas Terras, um dos homens mais poderosos da época, daria a vida (a dos outros, claro; com os reis é sempre assim) para conseguir reunir todos os livros do mundo em sua Grande Biblioteca de Alexandria.[4] Perseguia o sonho de uma biblioteca absoluta e perfeita, a coleção que conteria todas as obras de todos os autores desde o princípio dos tempos.

* * *

Para mim é sempre assustador escrever as primeiras linhas, atravessar o umbral de um livro novo. Quando já percorri todas as bibliotecas, quando os cadernos estão quase estourando de anotações febris, quando já não me ocorrem pretextos razoáveis, nem mesmo insensatos, para continuar esperando, ainda levo vários dias, durante os quais entendo muito bem o que significa ser covarde. Simplesmente, não me sinto capaz. Já deveria estar tudo ali — o tom, o senso de humor, a poesia, o ritmo, as promessas. Os capítulos ainda não escritos já deveriam ser adivinhados, lutando para nascer, na sementeira das palavras escolhidas para começar. Mas como se faz isso? Neste momento, minha bagagem são as dúvidas. Em cada livro, eu volto ao ponto de partida e ao coração agitado da primeira vez. Escrever é tentar saber aquilo que escreveríamos se escrevêssemos, é como define Marguerite Duras, passando do infinitivo ao futuro do pretérito e depois ao subjuntivo, como se sentisse o solo rachando sob seus pés.

No fundo, isso não é tão diferente de todas as coisas que começamos a fazer antes de saber fazê-las: falar outra língua, dirigir, ser mãe. Viver.

Depois de todas as agonias da dúvida, depois de esgotar todos os adiamentos e álibis, numa tarde quente de julho finalmente enfrento a solidão da página em branco. Decidi começar meu texto com a imagem de caçadores enigmáticos espreitando a presa. Eu me identifico com eles, gosto de sua paciência, seu estoicismo, seus tempos perdidos, da lentidão e da adrenalina da busca. Trabalhei por anos como pesquisadora, consultando fontes, procurando documentos e tentando conhecer o material histórico. Mas, na hora da verdade, a história real e documentada que vou descobrindo me parece tão assombrosa que invade meus sonhos e adquire, involuntariamente, a forma de um relato. Sinto a tentação de entrar na pele dos buscadores de livros pelas estradas de uma Europa antiga, violenta e convulsionada. E se eu começar narrando essa viagem? Pode funcionar, mas como manter a distinção entre o esqueleto das informações sob o músculo e o sangue da imaginação?

Esse ponto de partida me parece tão fantástico quanto a viagem em busca das minas do rei Salomão ou da Arca Perdida, mas os documentos testemunham que o projeto realmente existiu na mente megalomaníaca dos reis do Egito. Talvez tenha sido essa, no século III a.C., a única e última vez que foi possível realizar o sonho de reunir todos os livros do mundo, sem exceção, numa biblioteca universal. Hoje, nos parece o enredo de um fascinante conto abstrato de Borges — ou, talvez, sua grande fantasia erótica.

Na época do grande projeto alexandrino, não existia nada parecido com o comércio internacional de livros. Estes podiam ser comprados em cidades de grande vida cultural, mas não na jovem Alexandria. Os textos contam que os reis usaram as enormes vantagens do poder absoluto para enriquecer sua coleção. O que não podiam comprar, confiscavam. Se fosse preciso fatiar pescoços ou arrasar colheitas para conseguir um livro cobiçado, dariam tal ordem dizendo a si mesmos que o esplendor do país era mais importante do que os pequenos escrúpulos.

A fraude, naturalmente, fazia parte do repertório de coisas que estavam dispostos a fazer para atingir seus objetivos. Ptolomeu III ansiava pelas versões oficiais das peças de Ésquilo, Sófocles e Eurípides conservadas no arquivo de Atenas desde que estrearam nos festivais de teatro. Os embaixadores do faraó pediram os valiosos rolos emprestados para que seus minuciosos amanuenses fizessem cópias. As autoridades atenienses exigiram a exorbitante garantia de 15 talentos de prata, que equivalem a milhões de dólares de hoje. Os egípcios lhes entregaram o dinheiro, agradeceram com pomposas reverências, fizeram juramentos solenes de devolver o material emprestado antes que transcorressem — digamos — doze luas, proferiram maldições truculentas contra si mesmos se os livros não voltassem em perfeito estado e depois, naturalmente, se apropriaram deles, abrindo mão da garantia. Os dirigentes de Atenas tiveram que engolir esse abuso. A orgulhosa capital dos tempos de Péricles havia se transformado numa cidade provinciana de um reino que não podia rivalizar com o poderio do Egito, que dominava o comércio de cereais — o petróleo da época.

Alexandria era o principal porto do país e seu novo centro vital. Como sempre acontece, uma potência econômica dessa magnitude pode cometer excessos tranquilamente. Qualquer navio, de qualquer procedência, que fizesse escala na capital da biblioteca era revistado de imediato. Os fiscais aduaneiros se apoderavam de todos os escritos que encontrassem a bordo, mandavam copiá-los em papiros novos, devolviam as cópias e ficavam com os originais.[5] Esses livros assim saqueados foram parar nas prateleiras da biblioteca com uma breve anotação que informava sua procedência ("dos barcos").[6]

Quando você está no topo do mundo, não existem favores excessivos. Dizem que Ptolomeu II enviou mensageiros aos soberanos e governantes de todos os países da Terra. Numa carta[7] selada, solicitava que fizessem o obséquio de enviar para a sua coleção simplesmente tudo: as obras dos poetas e escritores em prosa do seu reino, de oradores e filósofos, de médicos e adivinhos, de historiadores e todos os demais.

Além disso — e esta foi a minha porta de entrada na história —, os reis mandaram agentes atravessar os perigosos caminhos e mares de todo o mundo conhecido com os alforjes recheados e a ordem de comprar a maior quantidade possível de livros, encontrando, onde quer que estivessem, suas cópias mais antigas. Esse apetite por livros e os valores que chegavam a pagar por eles atraíram espertalhões e falsificadores que ofereciam valiosos rolos de textos falsos,[8] envelheciam o papiro, fundiam várias obras numa só para aumentar a extensão do volume e habilmente inventavam manipulações de todo tipo. Um sábio com senso de humor se divertiu escrevendo obras bem forjadas, autênticas fraudes calculadas especialmente para atrair a cobiça dos Ptolomeus. Os títulos eram bastante engraçados; poderiam ser comercializados hoje em dia com facilidade — por exemplo, "O que Tucídides não disse".[9] Substituindo Tucídides por Kafka ou Joyce, imaginemos a expectativa que o falsário deve ter provocado quando apareceu na biblioteca com as falsas memórias e os segredos inconfessáveis do escritor debaixo do braço.

Apesar das prudentes suspeitas de fraude, os compradores da biblioteca não queriam deixar escapar algum livro que fosse valioso, arriscando-se a enfurecer o faraó. Volta e meia o rei passava em revista os rolos da sua coleção, com o mesmo orgulho que sentia diante dos seus desfiles militares. Perguntava a Demétrio de Faleros, o encarregado de administrar a biblioteca, quantos livros já tinham.[10] E Demétrio atualizava o número: "Há mais de vinte dezenas de milhares, ó rei; e estou me esforçando para completar em breve o que falta para 500 mil." A fome de livros que se desatou em Alexandria começava a virar um surto de loucura apaixonada.

Eu nasci num país e numa época em que os livros são objetos fáceis de conseguir. Na minha casa, estão em toda parte. Em períodos de trabalho intenso, quando trago dúzias deles das diversas bibliotecas que sofrem minhas incursões, costumo deixá-los empilhados como torres em cima das cadeiras ou mesmo no chão. E também abertos, de bruços, como um telhado de duas águas em busca de uma casa para cobrir. Atualmente, para evitar que meu filho de 2 anos amasse as páginas, formo pilhas em cima do encosto do sofá e, quando me sento para descansar, sinto o contato de suas quinas na nuca. Comparando o preço dos livros com o do aluguel na cidade onde moro, vejo que meus livros são inquilinos caros. Mas acho que todos eles, dos grandes volumes de fotografia até os velhos exemplares de bolso com capa colada que estão sempre querendo se fechar como se fossem mexilhões, tornam minha casa mais acolhedora.

A história dos esforços, viagens e sacrifícios necessários para preencher as prateleiras da Biblioteca de Alexandria pode parecer atraente pelo exotismo. São acontecimentos estranhos, aventuras, como as fabulosas navegações às Índias em busca de especiarias. Aqui e agora os livros são tão comuns, tão desprovidos da aura de novidade tecnológica, que não faltam profetas do seu desaparecimento. Uma vez por outra leio, desolada, certos textos jornalísticos que vaticinam a extinção dos livros, substituídos por dispositivos eletrônicos e derrotados pelas imensas possibilidades de ócio. Os mais agourentos sustentam que estamos à beira do fim de uma época, com um verdadeiro apocalipse de livrarias fechando e bibliotecas vazias. Parecem insinuar que muito em breve os livros serão exibidos nas vitrines dos museus etnológicos, ao lado das pontas de lança pré-históricas. Com essas imagens ainda na cabeça, passo os olhos pelas minhas séries intermináveis de livros e pelas fileiras de discos de vinil me perguntando se um velho e querido mundo está prestes a desaparecer.

Será que está mesmo?

O livro resistiu à prova do tempo, demonstrou ser um maratonista. Todas as vezes ao longo da história que nos despertamos do sonho das nossas revoluções ou do pesadelo das nossas catástrofes humanas, ele continuava lá. Como diz Umberto Eco, o livro pertence à mesma categoria que a colher, o martelo, a roda e a tesoura. Uma vez inventados, não se pode fazer nada melhor.

Sem dúvida, a tecnologia é deslumbrante e tem força suficiente para destronar as antigas monarquias. No entanto, todos nós sentimos falta das coisas que perdemos — fotos, arquivos, trabalhos antigos, recordações — devido à velocidade com que os produtos tecnológicos envelhecem e ficam obsoletos. Primeiro foram as músicas das nossas fitas cassete, depois os filmes gravados em fitas VHS. Fazemos esforços frustrantes para colecionar aquilo que a tecnologia se empenha em deixar fora de moda. Quando surgiu o DVD, diziam que tínhamos resolvido em definitivo nossos problemas de arquivo, mas sempre nos tentam com novos discos, de formato menor, que invariavelmente exigem a compra de novos aparelhos. O mais curioso é que ainda podemos ler um manuscrito pacientemente copiado há mais de dez séculos, mas não conseguimos mais acessar uma fita de vídeo ou um disquete de alguns anos atrás, a menos que tenhamos conservado no quarto de despejo em casa todos os sucessivos computadores e aparelhos de reprodução que já tivemos, como um museu da caducidade.

Não podemos esquecer que o livro vem sendo nosso aliado, há muitos séculos, numa guerra que os manuais de história não registram: a luta para preservar nossas valiosas criações — as palavras, que são um simples sopro de ar; as ficções que inventamos para dar sentido ao caos e sobreviver nele; os conhecimentos verdadeiros, falsos e sempre provisórios que vamos arranhando na rocha firme da nossa ignorância.

Foi por isso que decidi mergulhar nesta pesquisa. A princípio, só tinha perguntas, muitas perguntas. Quando surgiram os livros? Qual é a história secreta dos esforços para multiplicá-los ou aniquilá-los? O que se perdeu no caminho e o que se salvou? Por que alguns se tornaram clássicos? Quantas baixas causaram os dentes do tempo, as unhas do fogo, o veneno da água? Que livros foram queimados com ódio e quais foram copiados da forma mais apaixonada? Os mesmos?

Este relato é uma tentativa de continuar a aventura daqueles caçadores de livros. Eu gostaria de ser, de algum modo, sua improvável companheira de viagem, em busca de manuscritos perdidos, histórias desconhecidas e vozes prestes a emudecer. Talvez esses grupos de exploradores tenham sido apenas uns esbirros a serviço de reis possuídos por uma obsessão megalomaníaca. Talvez não entendessem a transcendência da sua tarefa, achassem um absurdo e, nas noites que passavam ao relento, depois de apagarem os rescaldos da fogueira, resmungassem à boca pequena que estavam cansados de arriscar a vida pelo sonho de um louco. Certamente prefeririam receber uma missão com mais possibilidades de promoção, como sufocar uma revolta no deserto da Núbia ou fiscalizar o carregamento das barcaças do Nilo. Mas desconfio que, ao seguir o rastro de todos os livros como se fossem peças de um tesouro perdido, esses viajantes estavam construindo, sem saber, os alicerces do nosso mundo.

I

A GRÉCIA IMAGINA O FUTURO

A CIDADE DOS PRAZERES E OS LIVROS

1

A mulher do mercador, jovem e entediada, dorme sozinha. Ele havia zarpado da ilha mediterrânea de Cós rumo ao Egito fazia dez meses e ainda não chegara nenhuma carta do país do Nilo. Ela tem 17 anos, ainda não deu à luz e não está aguentando a monotonia da vida isolada no gineceu, à espera de que aconteça alguma coisa, sem sair de casa para evitar falatórios. Não há muito o que fazer. Tiranizar as escravas parecia divertido no começo, mas não basta para preencher seus dias. Por isso gosta de receber visitas de outras mulheres. Não importa quem bata à sua porta, ela precisa desesperadamente se distrair para aliviar o grande peso das horas.

Uma escrava anuncia a chegada da velha Gílide. A mulher do mercador prevê um pouco de diversão: sua velha babá, Gílide, é desbocada e fala obscenidades muito divertidas.

— Mama Gílide! Há meses você não aparece em minha casa!

— Você sabe que eu moro longe, filha, e agora tenho menos força do que uma mosca.

— Bem, bem — diz a mulher do mercador —, mas ainda tem forças para dar uma boa sacudida em mais de uma pessoa.

— Pode caçoar! — responde Gílide. — Isso é só para vocês, mocinhas.

Com um sorriso malicioso e preâmbulos astutos, a anciã desembucha finalmente o que veio lhe contar. Um jovem forte e bonito que ganhou duas vezes o prêmio de luta nos Jogos Olímpicos reparou na mulher do mercador, está morrendo de desejo e quer ser seu amante.

— Não fique zangada e ouça a proposta. Ele está com o ferrão da paixão enfiado na carne. Permita-se ter um momento alegre com ele. Vai ficar aqui, esquentando a cadeira? — pergunta Gílide, tentadora. — Quando abrir os olhos, você estará velha e as cinzas terão comido o seu viço.

— Cale-se, cale-se...

— E o que anda fazendo o seu marido no Egito? Não escreve, se esqueceu de você, e na certa já molhou os beiços em outra taça.

Para vencer a última resistência da jovem, Gílide descreve com lábia tudo que o Egito, em especial Alexandria, oferece ao marido distante e ingrato: riquezas, o encanto de um clima sempre quente e sensual, ginásios, espetáculos, manadas de filósofos, livros, ouro, vinho, adolescentes e tantas mulheres atraentes quanto estrelas brilhando no céu.

Traduzi livremente o início de uma breve peça de teatro grega, escrita no século III a.C., com um cheiro intenso de vida cotidiana. Obras curtas como essa certamente não eram representadas, a não ser em algum tipo de leitura dramatizada. Humorísticas, às vezes picarescas, elas abrem a janela para um mundo proscrito de escravos açoitados e senhores cruéis, proxenetas, mães à beira do desespero por causa de seus filhos adolescentes ou mulheres sexualmente insatisfeitas. Gílide é uma das primeiras fofoqueiras da história da literatura, uma cafetina profissional que conhece os segredos do ofício e aponta, sem hesitar, o ponto mais frágil de suas vítimas: o medo universal de envelhecer. Mas dessa vez, apesar do seu talento cruel, Gílide fracassa. O diálogo termina com uns insultos carinhosos da jovem, que é fiel ao marido ausente, ou talvez não queira correr os riscos terríveis do adultério. Você ficou de miolo mole?, pergunta a mulher do mercador a Gílide, mas, por outro lado, também a consola, oferecendo-lhe um gole de vinho.

Somado ao seu humor e tom atrevido, esse texto é interessante porque nos revela a visão que as pessoas comuns tinham da Alexandria dessa época: a cidade dos prazeres e dos livros; a capital do sexo e da palavra.[1]

2

A lenda sobre Alexandria não parou de crescer. Dois séculos depois de o diálogo entre Gílide e a jovem tentada ser escrito, Alexandria foi palco de um dos grandes mitos eróticos de todos os tempos: a história de amor de Cleópatra e Marco Antônio.

Roma, que à época já havia se tornado o centro do maior império mediterrâneo, ainda era um labirinto de ruas tortuosas, escuras e enlameadas quando Marco Antônio desembarcou pela primeira vez em Alexandria. De repente, ele se viu em uma cidade embriagadora cujos palácios, templos, amplas avenidas e monumentos irradiavam grandeza. Os romanos se sentiam seguros do seu poder militar e donos do futuro, mas não podiam competir com a sedução de um passado dourado e daquele luxo decadente. Com um misto de excitação, orgulho e cálculo tático, o poderoso general e a última rainha do Egito construíram uma aliança política e sexual que escandalizou os romanos conservadores. Para piorar as coisas, dizia-se que Marco Antônio ia transferir a capital do império de Roma para Alexandria. Se o casal tivesse vencido a guerra pelo controle do Império Romano, possivelmente as multidões de turistas iriam hoje ao Egito para tirar fotos na Cidade Eterna, com seu Coliseu e seus foros.

Tal como sua cidade, Alexandria, Cleópatra encarna uma peculiar fusão de cultura e sensualidade. Plutarco diz que, na realidade, ela não era uma grande beleza. As pessoas não paravam na rua para olhá-la. Mas, em compensação, transbordava de magnetismo, inteligência e lábia. O timbre de sua voz tinha tal doçura que encantava todos que a ouviam. E sua língua, prossegue o historiador, se adaptava ao idioma que quisesse como um instrumento musical de muitas cordas. Era capaz de falar sem intérprete com etíopes, hebreus, árabes, sírios, medos e partos. Astuta e bem informada, Cleópatra ganhou vários embates na luta pelo poder dentro e fora do seu país, embora tenha perdido a batalha decisiva. O problema é que só se falou dela pelo lado do inimigo.

Os livros também desempenham um papel importante nessa história tempestuosa. Quando Marco Antônio se considerava prestes a governar o mundo, quis deslumbrar Cleópatra com um grande presente. Sabia que nem ouro, nem joias, nem banquetes conseguiriam acender uma luz de fascínio nos olhos da sua amante, que estava acostumada à fartura dessas coisas no seu dia a dia. Certa vez, num gesto de ostentação provocativa durante uma madrugada regada a álcool, ela dissolveu em vinagre uma pérola de um tamanho fabuloso e bebeu-a.[2] Por isso, Marco Antônio escolheu um presente que Cleópatra jamais desdenharia com uma expressão de tédio: pôs aos pés dela 200 mil volumes para a Grande Biblioteca.[3] Em Alexandria, os livros eram combustível para as paixões.

Dois escritores mortos durante o século XX foram os nossos guias pelos meandros da cidade, incorporando camadas de pátina ao mito de Alexandria. Konstantínos Kaváfis foi um obscuro funcionário público de origem grega que trabalhou na administração britânica do Egito, no Serviço de Irrigação do Ministério de Obras Públicas, sem nunca ter sido promovido. À noite, mergulhava num mundo de prazeres, gente cosmopolita e gandaia internacional. Conhecia como a palma de sua mão o labirinto de bordéis alexandrinos, único refúgio para sua homossexualidade "proibida e severamente desprezada por todos", como ele mesmo escreveu. Kaváfis era um leitor apaixonado dos clássicos e poeta quase secreto.

Em seus poemas mais conhecidos, os personagens reais e fictícios que povoavam Ítaca, Troia, Atenas ou Bizâncio revivem. Aparentemente mais pessoais, outros poemas escavam, entre a ironia e a aflição, sua própria experiência de maturidade: a nostalgia da juventude, o aprendizado do prazer e a angústia pela passagem do tempo. Essa diferenciação temática é, na verdade, artificial. O passado lido e imaginado emocionava Kaváfis tanto quanto suas lembranças. Quando circulava por Alexandria, via a cidade ausente pulsar sob a cidade real. A Grande Biblioteca havia desaparecido, mas seus ecos, sussurros e cochichos continuavam vibrando na atmosfera. Para Kaváfis, essa grande comunidade de fantasmas tornava habitáveis as ruas frias por onde andam, solitários e atormentados, os vivos.

Os personagens de *O quarteto de Alexandria*, Justine, Darley e sobretudo Balthazar, que diz tê-lo conhecido, evocam constantemente Kaváfis, "o velho poeta da cidade". Por sua vez, os quatro romances de Lawrence Durrell, um desses ingleses que se sentem sufocados pelo puritanismo e pelo clima de seu país, ampliam a ressonância erótica e literária do mito alexandrino. Durrell conheceu a cidade nos anos turbulentos da Segunda Guerra Mundial, quando o Egito tinha sido ocupado por tropas britânicas e era um ninho de espiões, conspirações e, como sempre, prazeres. Ninguém descreveu com mais precisão as cores e as sensações físicas que Alexandria despertava. O silêncio esmagador e o céu claro do verão. Os dias de calor calcinante. O luminoso azul do oceano, os quebra-mares, a costa amarela. No interior, o lago Mareotis, que às vezes surge impreciso como uma miragem. Entre as águas do porto e do lago, incontáveis ruas onde redemoinham a poeira, os mendigos e as moscas. Palmeiras, hotéis luxuosos, haxixe, embriaguez. O ar seco carregado de eletricidade. Entardeceres cor de limão-siciliano e violeta. Cinco raças, cinco línguas, uma dúzia de religiões, o reflexo de cinco frotas na água oleosa. Em Alexandria, escreve Durrell, a carne acorda e sente as grades da prisão.

A Segunda Guerra Mundial arrasou a cidade. No último romance do *Quarteto*, Clea descreve uma paisagem melancólica. Tanques enguiçados nas praias feito esqueletos de dinossauros, grandes canhões que lembravam árvores caídas de um bosque petrificado, beduínos perdidos entre as minas explosivas. A cidade, que sempre foi perversa, parece então um enorme urinol público — conclui. Lawrence Durrell não voltou mais a Alexandria desde 1952. As milenares comunidades judia e grega da cidade fugiram depois da guerra do canal de Suez, o fim de uma época no Oriente Médio. Viajantes que retornam de lá me contam que a cidade cosmopolita e sensual emigrou para a memória dos livros.

ALEXANDRE: O MUNDO NÃO É O BASTANTE

3

Não existe apenas uma Alexandria. Uma série de cidades com esse nome marca a rota de Alexandre Magno, da Turquia até o rio Indo. Os diferentes idiomas desfiguraram o som original, mas às vezes ainda se distingue a melodia longínqua. Alexandreta, İskenderun, em turco. Alexandria na Carmânia, ou Quermã, no Irã. Alexandria na Margiana, agora Marve, no Turquemenistão. Alexandria Escate, que poderíamos traduzir como Alexandria do Fim do Mundo, hoje Cujanda, no Tajiquistão. Alexandria Bucéfala, a cidade fundada em memória do cavalo que acompanhou Alexandre desde criança, depois chamada Jelapur, no Paquistão. A guerra no Afeganistão nos familiarizou ainda com outras antigas Alexandrias: Bagram, Herate, Candaar.

Plutarco conta que Alexandre fundou setenta cidades.[4] Queria marcar sua passagem por elas, assim como meninos que picham o nome nas paredes ou nas portas dos banheiros públicos ("Eu estive aqui", "Eu venci aqui"). O atlas é o extenso muro no qual o conquistador inscreveu repetidas vezes seu nome para a posteridade.

A força que movia Alexandre, a razão de sua energia irrefreável, capaz de levá-lo a comandar uma expedição de conquista de 25 mil quilômetros, era sua sede de fama e admiração. Ele acreditava profundamente nas lendas dos heróis; mais do que isso, vivia e competia com eles. Tinha um vínculo obsessivo com o personagem de Aquiles, o guerreiro mais poderoso e temido da mitologia grega. Aquiles era seu preferido desde criança, quando seu professor Aristóteles lhe apresentou os poemas homéricos, e Alexandre queria ser parecido com ele. Sentia a mesma admiração apaixonada por Aquiles que os meninos de hoje sentem por seus ídolos do esporte. Contam que só dormia com o seu exemplar da *Ilíada* e uma adaga debaixo do travesseiro.[5] Essa imagem nos faz sorrir, pensando no garoto que adormece com o álbum de figurinhas aberto em cima da cama e sonha que venceu um campeonato e está em meio aos gritos entusiasmados da torcida.

Só que Alexandre realizou de fato as suas mais desenfreadas fantasias de êxito. O histórico de suas conquistas, obtidas em apenas oito anos — Anatólia, Pérsia, Egito, Ásia Central, Índia —, o leva ao topo das façanhas bélicas. Em comparação a ele, Aquiles, que perdeu a vida no cerco de uma década a uma única cidade, parece um simples principiante.

A Alexandria do Egito nasceu, como não podia deixar de ser, de um sonho literário, um sussurro homérico.[6] Durante o sono, Alexandre sentiu um velho de cabelos grisalhos se aproximar. Quando parou ao lado dele, o misterioso desconhecido recitou versos da *Odisseia* que falam de uma ilha chamada Faros,[7] envolta pelo balanço sonoro do mar, em frente à costa egípcia. A ilha realmente existia, ficava nas proximidades da planície aluvial onde o delta do Nilo se funde com as águas do Mediterrâneo. Alexandre, seguindo a lógica daqueles tempos, julgou que sua visão era um presságio e fundou nesse local a cidade predestinada.

Achou o lugar bonito. Ali, o deserto de areia tocava o deserto de água, como duas paisagens solitárias, imensas, variáveis, esculpidas pelo vento. Ele mesmo desenhou com farinha o traçado externo da cidade, em forma de um retângulo quase perfeito, mostrando onde deveria ser construída a praça pública, quais deuses teriam templo e por onde passaria o perímetro da muralha. Com o tempo, a pequena ilha de Faros acabaria unida ao delta por um extenso dique e abrigaria uma das sete maravilhas do mundo.

Quando a construção teve início, Alexandre prosseguiu sua viagem, deixando ali um pequeno grupo de gregos, judeus e pastores que residiam havia muito nas aldeias dos arredores. Os egípcios nativos, segundo a lógica colonial de todas as épocas, foram incorporados como cidadãos de status inferior.

Alexandre nunca mais viu a cidade. Menos de uma década depois, apenas seu cadáver retornaria. Mas em 331 a.C., quando fundou Alexandria, ele tinha 24 anos e sentia-se invencível.[8]

4

Era jovem e implacável. A caminho do Egito, tinha vencido duas vezes seguidas o exército do Rei dos Reis persa. Depois se apoderou da Turquia e da Síria, afirmando que as libertava do jugo persa. Conquistou a faixa da Palestina e a Fenícia; todas as cidades se renderam a ele sem oferecer resistência, menos duas: Tiro e Gaza. Quando caíram, após sete meses de cerco, o libertador castigou-as brutalmente. Seus últimos sobreviventes foram crucificados ao longo da costa — uma fileira de 2 mil corpos agonizando à beira-mar. As crianças e as mulheres acabaram vendidas como escravas. Alexandre mandou amarrar o governador da torturada Gaza num veículo e arrastá-lo até a morte, como fizeram com o corpo de Heitor na *Ilíada*. Com certeza gostava de pensar que estava vivendo seu próprio poema épico, e de vez em quando imitava algum gesto, símbolo ou alguma crueldade lendária.

Outras vezes achava mais heroico ser generoso com os vencidos. Quando capturou a família do rei persa Dario, respeitou as mulheres e abriu mão de usá-las como reféns. Ordenou que elas continuassem vivendo em seus alojamentos e conservassem seus vestidos e joias, sem serem incomodadas. Também permitiu que enterrassem seus mortos caídos na batalha.[9]

Ao entrar no pavilhão de Dario, Alexandre viu ouro, prata, alabastro, sentiu o cheiro perfumado da mirra e seus eflúvios, a ornamentação de tapetes, de mesas e aparadores, uma abundância que não se conhecia na corte provinciana da sua Macedônia natal. Comentou com os amigos: "Era nisto que consistia, ao que parece, reinar." Então lhe trouxeram um cofre, o objeto mais precioso e excepcional dos pertences de Dario. "O que pode ser tão valioso que deva ser guardado aqui?", perguntou a seus homens. Cada qual deu uma sugestão: dinheiro, joias, essências, especiarias, troféus de guerra. Alexandre negou com a cabeça e, após um breve silêncio, mandou guardarem naquela caixa a sua *Ilíada*, da qual nunca se separava.[10]

5

Nunca perdeu uma batalha. E sempre enfrentou como todos os outros, sem privilégios, o sacrifício das campanhas. Seis anos depois de suceder a seu pai como rei da Macedônia, aos 25 anos, já havia derrotado o maior exército de seu tempo e se apoderado dos tesouros do Império Persa. Mas isso não era suficiente para ele. Avançou até o mar Cáspio, atravessou os atuais Afeganistão, Turquemenistão e Uzbequistão, cruzou os desfiladeiros nevados da cordilheira do Indocuche e, depois, um deserto de areia movediça até o rio Oxus, atualmente Amu Dária. Avançou por regiões onde nenhum grego jamais havia posto os pés (Samarcanda e Punjab). Depois, como não conseguia mais vitórias brilhantes, passou a se desgastar numa extenuante luta de guerrilhas.

A língua grega tem uma palavra para descrever sua obsessão: *póthos*. É o desejo de algo que está ausente ou é inalcançável, um desejo que faz sofrer porque é impossível de aplacar. Evoca a inquietude dos apaixonados não correspondidos e também a angústia do luto, quando sentimos a falta insuportável de uma pessoa morta. Alexandre não descansava em sua ânsia de ir sempre além, para fugir do tédio e da mediocridade. Ainda não havia completado 30 anos e já começava a temer que o mundo não fosse grande o suficiente para ele. O que iria fazer se um dia acabassem os territórios a conquistar?

Aristóteles lhe ensinara que o ponto mais extremo da Terra ficava do outro lado das montanhas do Indocuche, e Alexandre queria chegar até o último confim. A ideia de ver a beira do mundo o atraía como um ímã. Será que ele encontraria o grande Oceano Externo de que seu professor lhe falara? Ou as águas do mar caindo em cascata sobre um abismo sem fundo? Ou o fim seria invisível, apenas uma névoa espessa que se funde em branco?

Mas os homens de Alexandre, doentes e contrariados sob as chuvas da estação das monções, negaram-se a continuar avançando na Índia.[11] Tinham ouvido notícias de um enorme reino indiano desconhecido além do Ganges. O mundo não dava sinais de terminar.

Um veterano falou em nome de todos: sob as ordens do seu jovem rei, tinham percorrido milhares de quilômetros, massacrando ao menos 750 mil asiáticos pelo caminho. Tiveram que enterrar seus melhores amigos caídos em combate. Suportaram fome, frio glacial, sede e travessias pelo deserto. Muitos morreram nas valetas como cães, vítimas de doenças desconhecidas, ou ficaram terrivelmente mutilados. Os poucos sobreviventes não tinham mais a mesma força de quando eram jovens. Os cavalos então mancavam com as patas doloridas e as carroças de abastecimento atolavam nos caminhos enlameados por causa da monção. Até as fivelas dos cinturões estavam corroídas, e as rações apodreciam por causa da umidade. Calçavam botas furadas havia anos. Agora queriam voltar para casa, acariciar suas mulheres e abraçar os filhos, que mal se lembrariam deles. Tinham saudades da terra onde nasceram. Se Alexandre decidisse prosseguir com aquela expedição, que não contasse com seus macedônios.

Alexandre ficou furioso e, como fez Aquiles no começo da *Ilíada*, retirou-se para sua barraca de campanha proferindo ameaças. Começou então uma guerra psicológica. A princípio, os soldados ficaram em silêncio, mas depois se atreveram a vaiar seu rei por ter perdido as estribeiras. Não estavam dispostos a ser humilhados depois de darem a ele os melhores anos de suas vidas.

A tensão durou dois dias. Depois, o formidável exército deu meia-volta e rumou de volta à pátria. Alexandre, finalmente, perdeu uma batalha.

O AMIGO MACEDÔNIO

6

Ptolomeu foi companheiro de expedição e amigo íntimo de Alexandre. Por sua origem, não tinha o menor vínculo com o Egito. Nascido na Macedônia em uma família nobre mas sem brilho, ele nunca imaginou que um dia chegaria a ser faraó no rico país do Nilo, onde pôs os pés pela primeira vez quase aos 40 anos, sem conhecer a língua, os costumes, nem a complexa burocracia locais. Mas as conquistas de Alexandre e suas enormes consequências foram uma surpresa histórica dessas que nenhum especialista prevê, pelo menos até que aconteçam.

Embora os macedônios fossem orgulhosos, sabiam que o restante do mundo considerava seu reino arcaico, tribal e insignificante. Dentro do mosaico de Estados independentes gregos, eles certamente estavam muitos degraus abaixo do *pedigree* dos atenienses ou dos espartanos. Mantinham uma monarquia tradicional, enquanto a maioria das cidades-Estado da Hélade havia experimentado formas de governo mais sofisticadas; para piorar a situação, falavam um dialeto de difícil compreensão para os outros. Quando um dos reis da Macedônia quis competir nos Jogos Olímpicos, só recebeu permissão depois de uma cuidadosa avaliação. Em outras palavras, os macedônios eram admitidos a contragosto como sócios do clube grego. Para o restante do mundo, eles simplesmente não existiam. Naquele tempo, o Oriente era o foco da civilização, bem iluminado pela história, e o Ocidente, um território escuro e selvagem onde viviam os bárbaros. No atlas das percepções e dos preconceitos geográficos, a Macedônia ocupava a periferia do mundo civilizado. Provavelmente poucos egípcios saberiam localizar no mapa a pátria do seu próximo rei.

Alexandre acabou com essa atitude de menosprezo. Foi um personagem tão poderoso que todos os gregos o adotaram como próprio. De fato, tornou-se um símbolo nacional. Durante os séculos em que a Grécia foi submetida à dominação turco-otomana, os gregos teceram lendas nas quais o grande herói Alexandre voltava à vida para libertar sua pátria da opressão estrangeira.

Napoleão também foi promovido de corso provinciano a incontestavelmente francês à medida que ia conquistando a Europa: o sucesso é um passaporte ao qual ninguém faz objeções.

Ptolomeu estava sempre ao lado de Alexandre. Escudeiro do príncipe na corte macedônia, ele também acompanhou sua meteórica campanha de conquistas, alistado no exclusivo regimento de cavalaria dos Companheiros do Rei, e foi um de seus guarda-costas de confiança. Depois do motim no Ganges, enfrentou as asperezas da viagem de volta, que superaram as piores previsões: as tropas sofreram um ataque conjunto de malária, disenteria, tigres, serpentes e insetos venenosos. Os povos rebeldes da região do Indo atacavam aquele exército exaurido pela pesada marcha sob o úmido calor tropical. No inverno em que regressaram, só restava um quarto dos homens que haviam chegado à Índia.

Depois de tantas vitórias, sofrimentos e mortes, a primavera do ano 324 a.C. foi agridoce. Ptolomeu e o restante das tropas estavam em um breve período de descanso na cidade de Susa, no sudoeste do atual Irã, quando o imprevisível Alexandre decidiu promover uma festa grandiosa que, de surpresa, incluiu na programação casamentos coletivos para ele e seus oficiais.[12] Em festejos espetaculares que duraram cinco dias, casou oitenta generais e achegados com mulheres, mais provavelmente meninas, da aristocracia persa. Ele próprio acrescentou à sua lista de esposas — os costumes macedônios permitiam a poligamia — a primogênita de Dario e outra mulher de um poderoso clã oriental. Num gesto teatral e muito calculado, estendeu aquelas cerimônias à sua tropa. Dez mil soldados receberam um dote real por se casarem com mulheres orientais. Foi um esforço para estimular casamentos mistos numa escala que nunca mais foi tentada. Na mente de Alexandre borbulhava a ideia de um império mestiço.

Ptolomeu também participou dos casamentos em massa na cidade de Susa. Coube a ele a filha de um rico sátrapa iraniano. Como a maioria dos oficiais, talvez preferisse uma condecoração pelos serviços prestados e cinco dias de farra sem complicações. De maneira geral, os homens de Alexandre não tinham a menor vontade de confraternizar e, muito menos, de criar laços de parentesco com os persas, que pouco antes estavam massacrando no campo de batalha. No novo império começavam a surgir tensões, que em breve estourariam, entre os patriotismos e a fusão cultural.

Alexandre não teve tempo para impor seu ponto de vista. Morreu no começo do verão seguinte, aos 32 anos, ardendo de febre na Babilônia.

7

Enquanto dita suas memórias em Alexandria, um Ptolomeu já ancião, com a fisionomia de Anthony Hopkins, confessa ao escriba um segredo que o persegue e atormenta: a morte de Alexandre não foi por causas naturais. Ele e outros oficiais o tinham envenenado. O filme — *Alexandre*, de 2004, dirigido por Oliver Stone — faz de Ptolomeu um homem sombrio, um Macbeth grego, o guerreiro leal às ordens de Alexandre que mais tarde se torna seu assassino. No final do longa-metragem, o personagem arranca a máscara e revela um rosto taciturno. É possível que tenha acontecido dessa forma? Ou será que Oliver Stone está fazendo um aceno, como em *JFK*, às teorias conspiratórias e à fascinação popular por líderes assassinados?

Certamente, os oficiais macedônios de Alexandre estavam nervosos e ressentidos no ano 323 a.C. A essa altura, a maioria dos soldados de seu exército era de iranianos ou hindus. Alexandre permitia a entrada de bárbaros até nos regimentos de elite, dava títulos de nobreza a alguns deles. Obcecado pela exaltação homérica da coragem, ele queria recrutar os melhores, independentemente da origem étnica. Seus antigos companheiros de batalha achavam essa política ofensiva e detestável. Mas isso seria motivo suficiente para romper uma lealdade profunda e correr o enorme risco de eliminar o rei?

Nunca saberemos com certeza se Alexandre foi assassinado ou se morreu de um processo infeccioso (como malária ou uma simples gripe) que consumiu seu corpo exaurido, gravemente ferido em nove lugares diferentes durante suas campanhas e submetido a um esforço quase desumano. Na época, essa morte repentina se transformou numa arma que seus sucessores usaram sem escrúpulos na luta pelo poder, culpando uns aos outros pelo suposto magnicídio. O boato do envenenamento se espalhou rapidamente; era a versão mais impactante e dramática dos fatos. Em meio ao emaranhado de panfletos, acusações e interesses sucessórios, os historiadores não têm como resolver o enigma, só podem avaliar os prós e os contras de cada hipótese.

A figura de Ptolomeu, amigo fiel ou talvez traidor, ficou para sempre num território de penumbra.

8

Frodo e Sam, os dois hobbits, chegaram a um local sinistro nas escadas de Cirith Ungol, nas montanhas ocidentais de Mordor. Para superar o medo, conversavam sobre sua inesperada vida de aventuras. Isso acontece perto do fim abrupto de *As duas torres*, o segundo volume de *O Senhor dos Anéis*, de J. R. R. Tolkien. Samsagaz, cujos maiores prazeres no mundo são uma comida gostosa e uma grande história, diz: "Eu me pergunto se algum dia vamos aparecer em canções ou histórias. É óbvio que estamos em uma, mas o que quero dizer é se seremos colocados em palavras, para serem contadas perto do fogo ou lidas em um grande livro com letras vermelhas e pretas, muitos e muitos anos depois. E as pessoas vão dizer: 'Sim, essa é uma das minhas histórias favoritas.'"

Era o sonho de Alexandre: se tornar uma lenda, entrar nos livros para permanecer na memória. E conseguiu. Sua breve vida é um mito no Oriente e no Ocidente, o Corão[13] e a Bíblia[14] têm ecos dele. Nos séculos posteriores à sua morte, foi sendo tecido em Alexandria um relato fantástico de suas viagens e aventuras, escrito em grego e depois traduzido para o latim, o siríaco e dezenas de outras línguas. Esse relato ficou conhecido como "O romance de Alexandre" e chegou até nossos dias com sucessivas variações e supressões. Delirante e disparatado, alguns estudiosos acreditam que, exceto certos textos religiosos, foi o livro mais lido no mundo pré-moderno.

No século II, os romanos acrescentaram-lhe ao nome o cognome Magno ("o grande"). Em contrapartida, os seguidores de Zoroastro o chamavam de Alexandre, o Maldito. Nunca o perdoaram por ter incendiado o Palácio de Persépolis,[15] o que fez arder em chamas a biblioteca do rei. Ali queimou, entre muitos outros, o livro sagrado dos zoroastristas, o *Avesta*. Mais tarde, os fiéis tiveram que reescrever toda a obra de memória.

Os contrastes e as contradições de Alexandre já aparecem nos historiadores do mundo antigo, que nos oferecem uma galeria de retratos muito diferentes. Arriano é fascinado por ele, Cúrcio Rufo aponta áreas de sombra, Plutarco não resiste a um episódio emocionante, seja sombrio, seja luminoso. Todos eles fantasiam. Deixam a biografia de Alexandre escorregar para a ficção, cedendo ao instinto do escritor que fareja uma grande história. Um viajante e geógrafo da época romana disse com ironia que quem escreve sobre Alexandre sempre prefere o maravilhoso à verdade.[16]

A visão dos historiadores contemporâneos depende do grau de idealismo e da época em que escrevem. No começo do século XX, os heróis ainda gozavam de boa saúde; depois da Segunda Guerra Mundial, do Holocausto, da bomba atômica e da descolonização, ficamos mais céticos. Agora há autores que deitam Alexandre no divã e diagnosticam megalomania furiosa, crueldade e indiferença às suas vítimas. Alguns o compararam a Adolf Hitler. O debate continua, matizado por novas sensibilidades.

Eu acho surpreendente e fascinante que a cultura popular não o tenha abandonado como um fóssil de outros tempos. Nos lugares mais inesperados, esbarrei com admiradores incondicionais de Alexandre capazes de desenhar num guardanapo um esboço rápido dos movimentos de tropas em suas grandes batalhas. A música do seu nome continua soando. Caetano Veloso dedica a ele "Alexandre" em seu disco *Livro*, enquanto os britânicos do Iron Maiden deram o título "Alexander the Great" a uma de suas canções mais míticas. O fervor por essa peça de *heavy metal* é quase sagrado: a banda de Leyton nunca a interpreta ao vivo, e entre os fãs circula o boato de que só será tocada em sua última apresentação. Em quase todo o mundo as pessoas continuam chamando seus filhos de Alexandre — ou Sikander, que é a versão árabe do nome —, em homenagem ao guerreiro. Sua efígie é impressa todo ano em milhões de produtos que o verdadeiro Alexandre nem sequer saberia usar, como camisetas, gravatas, capas de celular ou videogames.

Alexandre, o caçador da imortalidade, irradiou uma lenda tal como ele sonhava. No entanto, se me perguntassem — como dizia Tolkien — qual é minha história favorita para contar ao lado do fogo, eu não escolheria as vitórias nem as viagens, mas a extraordinária aventura da Biblioteca de Alexandria.

9

"O rei morreu", anotou em sua tabuleta astrológica um escriba babilônio. Por um acaso, o documento chegou quase intacto até nós. Foi no dia 10 de junho do ano 323 a.C., e não era preciso ler a pauta das estrelas para adivinhar que iriam começar tempos perigosos. Alexandre deixava dois herdeiros frágeis: um meio-irmão que todos consideravam um pouco idiota e um filho ainda não nascido no ventre de Roxana, uma de suas três esposas. O escriba babilônio,[17] escolado em história e nos mecanismos da monarquia, talvez tenha refletido, naquela tarde cheia de augúrios, sobre o caos das sucessões que desencadeiam guerras confusas e cruéis. Era isso que muita gente temia na época, e foi exatamente o que aconteceu.

O derramamento de sangue começou logo. Roxana assassinou as outras duas viúvas de Alexandre para garantir que seu filho não tivesse competidores.[18] Os generais macedônios mais poderosos declararam guerra uns aos outros.[19] Ao longo de anos, numa carnificina metódica, foram matando todos os membros da família real: o meio-irmão idiota, a mãe de Alexandre, sua mulher Roxana e seu filho, que não completou 12 anos. Enquanto isso, o império se desintegrava. Seleuco, um dos oficiais de Alexandre, vendeu os territórios conquistados na Índia a um caudilho nativo pelo incrível preço de quinhentos elefantes de guerra,[20] os quais empregou para continuar a luta contra seus rivais macedônios. Durante décadas, exércitos de mercenários se ofereceram ao melhor proponente. Depois de anos de combates, ferocidade, vinganças e muitas vidas ceifadas, sobraram três senhores da guerra: Seleuco, na Ásia; Antígono, na Macedônia; e Ptolomeu, no Egito. Dos três, Ptolomeu foi o único que não teve uma morte violenta.

Ptolomeu se estabeleceu no Egito, onde passaria o resto da vida. Durante décadas, lutou a ferro e fogo contra seus antigos companheiros para conservar o trono. E, nos momentos de pausa nas guerras civis entre os macedônios, tentava conhecer o imenso país que estava governando. Tudo lá era assombroso: as pirâmides; os íbis; as tempestades de areia; as ondas de dunas; o galope dos camelos; os estranhos deuses com cabeça de animal; os eunucos; as perucas e as cabeças rapadas; a aglomeração humana nos dias de festa; os gatos sagrados, que era delito matar; os hieróglifos; o cerimonial do palácio; os templos em escala sobre-humana; o enorme poder dos sacerdotes; o escuro e lamacento Nilo se arrastando em seu delta rumo ao mar; os crocodilos; as planícies onde as colheitas abundantes se nutrem dos ossos dos mortos; a cerveja; os hipopótamos; o deserto, onde nada é permanente exceto o tempo destruidor; o embalsamamento; as múmias; a vida ritualizada; o amor ao passado; o culto à morte.

Ptolomeu deve ter ficado desorientado, confuso, isolado. Não falava a língua egípcia, era inapto nas cerimônias e desconfiava que os cortesãos riam dele. Não obstante, havia aprendido com Alexandre a se comportar com ousadia. Se você não entende os símbolos, invente outros. Se o Egito o desafia com sua antiguidade fabulosa, transfira a capital para Alexandria — a única cidade sem passado — e transforme-a no centro mais importante de todo o Mediterrâneo. Se os seus súditos desconfiam das novidades, faça confluir em seu território toda a audácia do pensamento e da ciência.

Ptolomeu empregou grandes riquezas para erguer a Biblioteca de Alexandria e o Museu.

EQUILÍBRIO À BEIRA DO ABISMO:
A BIBLIOTECA E O MUSEU DE ALEXANDRIA

10

Embora não haja registro disso, eu me atrevo a imaginar que a ideia de criar uma biblioteca universal nasceu na cabeça de Alexandre. O plano tem as dimensões de sua ambição e a marca da sua sede de totalidade. "A Terra", proclamou Alexandre num dos primeiros decretos que promulgou, "eu a considero toda minha".[21] Reunir todos os livros que existem é outra forma — simbólica, mental, pacífica — de possuir o mundo.

A paixão do colecionador de livros é parecida com a do viajante. Toda biblioteca é uma viagem; todo livro é um passaporte sem data de validade. Alexandre percorreu as rotas da África e da Ásia sem se separar do seu exemplar da *Ilíada*, ao qual recorria em busca de conselhos, segundo dizem os historiadores, e para alimentar seu desejo de transcendência. A leitura, como uma bússola, lhe abria os caminhos do desconhecido.

Num mundo caótico, adquirir livros é um ato de equilíbrio à beira do abismo. Walter Benjamin chega a essa conclusão em seu esplêndido ensaio intitulado "Desempacotando minha biblioteca". "Renovar o mundo velho — este é o desejo mais profundo do colecionador quando sente o impulso de adquirir algo novo", escreve Benjamin. A Biblioteca de Alexandria era uma enciclopédia mágica que reuniu todo o saber e as ficções da Antiguidade para impedir sua dispersão e sua perda. Mas também foi concebida como um espaço novo, de onde partiriam as rotas para o futuro.

As bibliotecas anteriores eram privadas e especializadas em matérias úteis para seus donos. Até mesmo aquelas que pertenciam a escolas ou grupos profissionais amplos eram apenas instrumentos a serviço de suas necessidades particulares. A antecessora que mais se aproximou dela — a Biblioteca de Assurbanipal, em Nínive, no norte do atual Iraque — se destinava ao uso do rei. A Biblioteca de Alexandria, variada e completíssima, abrangia livros sobre todos os assuntos, escritos em todos os recantos da geografia conhecida. Suas portas estavam abertas a todas as pessoas ávidas de saber, aos estudiosos de qualquer nacionalidade e a todo aquele que tivesse aspirações literárias comprovadas. Foi a primeira biblioteca do seu tipo, e a que chegou mais perto de ter todos os livros existentes em seu tempo.

Além disso, aproximou-se do ideal de império mestiço dos sonhos de Alexandre. O jovem rei, que se casou com três mulheres estrangeiras e teve filhos semibárbaros, planejava, segundo conta o historiador Diodoro, deslocar populações da Europa para a Ásia e vice-versa, para construir uma comunhão de amizade e vínculos familiares entre os dois continentes.[22] Sua morte inesperada impediu-o de realizar esse projeto de deportações, uma curiosa mistura de violência e desejos fraternais.

A biblioteca se abria para a vastidão do mundo exterior. Incluía as obras mais importantes de outras línguas,[23] traduzidas para o grego. Um tratadista bizantino escreveu sobre aquele tempo: "De cada povo se recrutavam sábios que, além de dominar a própria língua, conheciam perfeitamente o grego; a cada grupo foram confiados os respectivos textos e, assim, todos foram traduzidos." Saiu de lá a conhecida versão grega da Torá judaica conhecida como Bíblia dos Setenta.[24] A tradução dos textos iranianos atribuídos a Zoroastro,[25] com mais de 2 milhões de versos, ainda era lembrada séculos depois como um empreendimento memorável. Um sacerdote egípcio chamado Manetão[26] fez uma lista, para a biblioteca, das dinastias faraônicas e suas façanhas desde os tempos míticos até a conquista de Alexandre. Para escrever esse compêndio de história egípcia em língua grega, ele procurou, consultou e resumiu documentos originais conservados em dezenas de templos. Outro sacerdote bilíngue, Beroso,[27] conhecedor da literatura cuneiforme, verteu para o grego as tradições babilônias. Não podia faltar na biblioteca um tratado sobre a Índia,[28] e este foi escrito, com base em fontes locais, por um embaixador grego na corte de Pataliputra, cidade do nordeste da Índia, localizada nas margens do Ganges. Nunca antes se havia empreendido um trabalho de tradução de tal envergadura.

A biblioteca realizou a melhor parte do sonho de Alexandre: sua universalidade, seu afã por conhecimento, seu desejo pouco comum de fusão. Nas prateleiras de Alexandria foram abolidas as fronteiras e nelas conviveram, finalmente em harmonia, as palavras dos gregos, dos judeus, dos egípcios, dos iranianos e dos hindus. Esse território mental foi talvez o único espaço hospitaleiro para todos eles.

11

Borges também se encantou com a ideia de abraçar a totalidade dos livros. Seu conto "A Biblioteca de Babel" nos coloca dentro de uma biblioteca prodigiosa, o labirinto completo de todos os sonhos e palavras. Logo percebemos, porém, que esse lugar é inquietante. Vemos ali as nossas fantasias se tingindo de pesadelo, transformadas em oráculo dos medos contemporâneos.

O UNIVERSO (que alguns chamam de a Biblioteca), diz Borges, é uma espécie de colmeia monstruosa que existe desde sempre e se compõe de intermináveis galerias hexagonais idênticas que se comunicam por escadas em espiral. Em cada hexágono encontramos luminárias, prateleiras e livros. À direita e à esquerda do patamar há dois cubículos, um deles serve para dormir em pé e o outro é um mictório. A isto se reduzem todas as necessidades: luz, leitura e latrinas. Nos corredores vivem uns estranhos funcionários que o narrador, um deles, define como bibliotecários imperfeitos. Cada um se encarrega de determinado número de galerias daquele circuito geométrico infinito.

Os livros da Biblioteca contêm todas as combinações possíveis de 23 letras e dois sinais de pontuação, ou seja, tudo que se pode imaginar e exprimir em todos os idiomas, lembrados ou esquecidos. Portanto, diz-nos o narrador, a crônica da tua morte se encontra em algum lugar das prateleiras. E a história minuciosamente detalhada do futuro. E as autobiografias dos arcanjos. E o catálogo verdadeiro da Biblioteca, assim como milhares e milhares de catálogos falsos. Os habitantes da colmeia têm as mesmas limitações que nós: só dominam duas ou três línguas e seu tempo de vida é breve. Por isso, as possibilidades estatísticas de que alguém localize na imensidão daqueles túneis o livro que procura, ou simplesmente um livro compreensível para ele, são remotíssimas.

E esse é o grande paradoxo. Pelos hexágonos da colmeia circulam garimpeiros de livros, místicos, fanáticos destrutivos, bibliotecários suicidas, peregrinos, idólatras e loucos. Mas ninguém lê. Em meio a toda essa cansativa superabundância de páginas imprevisíveis, o prazer da leitura se extingue. Todas as energias são consumidas na busca e na decifração.

Podemos entender esse conto simplesmente como um relato irônico urdido a partir de mitos bíblicos e bibliófilos que transitam por arquiteturas inspiradas nas prisões de Piranesi ou nas escadas sem fim de Escher. No entanto, a Biblioteca de Babel fascina os leitores de hoje como uma alegoria profética do mundo virtual, do excesso de internet, essa rede gigantesca de informações e de textos filtrada pelos algoritmos dos mecanismos de busca, em que nos extraviamos como fantasmas num labirinto.

Num anacronismo surpreendente, Borges prevê o mundo atual. O conto abriga, sem dúvida, uma intuição contemporânea: a rede eletrônica, o conceito que hoje denominamos web, é uma réplica do funcionamento das bibliotecas. Nos primórdios da internet, palpitava o sonho de estimular uma conversa mundial. Era preciso criar itinerários, avenidas, rotas aéreas para as palavras. Cada texto exigia uma referência — um link —, com o qual o leitor poderia encontrá-lo a partir de qualquer computador em qualquer ponto do mundo. Timothy John Berners-Lee, o cientista responsável pelos conceitos que estruturaram a web, buscou inspiração no espaço organizado e ágil das bibliotecas públicas. Imitando seus mecanismos, atribuiu a cada documento virtual um endereço que era único e permitia alcançá-lo a partir de outro computador. Esse localizador universal — chamado de URL em linguagem de computação — é o equivalente exato do registro em uma biblioteca. Depois, Berners-Lee idealizou o protocolo de transferência de hipertexto —

mais conhecido pela sigla http —, que funciona como as fichas que preenchemos para pedir ao bibliotecário que traga o livro desejado. A internet é uma emanação — multiplicada, vasta e etérea — das bibliotecas.

Imagino a experiência de entrar na Biblioteca de Alexandria como algo parecido ao que senti quando naveguei pela primeira vez na internet: a surpresa, a vertigem dos espaços imensos. Parece que estou observando um viajante que desembarca no porto de Alexandria, apertando o passo em direção ao reduto de livros. Alguém parecido comigo no apetite de leitura, dominado, quase cego, pelas possibilidades emocionantes daquela abundância que já começa a vislumbrar a partir dos pórticos da biblioteca. Cada qual em sua época, nós dois pensamos a mesma coisa: em nenhum outro lugar existiu tanta informação reunida, tanto conhecimento possível, tantos relatos com os quais experimentar o medo e o deleite de viver.

12

Voltemos no tempo. A biblioteca ainda não existe. As bravatas de Ptolomeu sobre a grande capital grega no Egito contrastavam com uma realidade imunda. Duas décadas depois de ser fundada, Alexandria ainda era uma pequena cidade em construção, habitada por soldados, marinheiros, um grupo reduzido de burocratas que lutava contra o caos e uma peculiar fauna de negociantes astutos, delinquentes, aventureiros e vigaristas cheios de lábia atrás de oportunidades numa terra virgem. As ruas retas, traçadas por um arquiteto grego, viviam sujas e cheiravam a excremento. Os escravos tinham as costas marcadas por chicotadas. Respirava-se um ambiente de faroeste, violência, energia e pilhagem. O letal *khamsin*,[29] vento do leste que séculos depois atormentaria as tropas de Napoleão e de Rommel, sacudia a cidade no começo da primavera. A distância, as tempestades do *khamsin* pareciam manchas sangrentas no céu claro. Depois, a escuridão apagava a luz e a areia começava sua invasão, erguendo sufocantes e cegantes blocos de poeira que entravam pelas frestas das casas, secavam a garganta e o nariz, irritavam os olhos, provocavam loucura, desespero e crimes. Depois de horas de tempestade opressiva, desabavam no mar, acompanhados por um soluço do ar áspero.

Ptolomeu decidiu se estabelecer justamente ali com toda a sua corte e atrair os melhores cientistas e escritores da época para aquele lugar ermo na periferia do nada.

Começaram as obras frenéticas. Mandou fazer um canal para unir o Nilo ao lago Mareotis e ao mar. Projetou um porto grandioso. E na orla, protegido por um quebra-mar, ordenou a construção de um palácio, uma fortaleza enorme onde poderia se entrincheirar em caso de invasão; uma pequena cidade proibida à qual poucos teriam acesso, lar de um rei inesperado em sua cidade improvável.

Para concretizar seus sonhos, gastou muito, muito dinheiro. Ptolomeu não ficou com a maior fatia, mas com a mais suculenta do império de Alexandre. O Egito era sinônimo de riqueza. As margens férteis do Nilo geravam colheitas fabulosas de grãos, a mercadoria que permitia dominar os mercados naquela época tal como hoje ocorre como o petróleo. Além disso, o Egito exportava o material de escrita mais utilizado nessa época: o papiro.

O junco de papiro afunda suas raízes nas águas do Nilo.[30] O caule tem a grossura do braço de um homem e chega a uma altura que varia de três a seis metros. Com suas fibras flexíveis, o povo humilde fabricava cordas, esteiras, sandálias e cestos. Os relatos antigos recordam: era de junco de papiro, untado com betume e piche, o cestinho no qual o pequeno Moisés foi deixado às margens do Nilo.[31] No terceiro milênio antes de Cristo, os egípcios descobriram que com aqueles juncos podiam fabricar folhas para escrever, e no primeiro milênio já haviam espalhado esse achado entre os povos do Oriente Próximo. Durante séculos, os hebreus, os gregos e depois os romanos escreveram sua literatura em rolos de papiro. À medida que as sociedades mediterrâneas se alfabetizavam e ficavam mais complexas, precisavam de cada vez mais papiro, e os preços subiam ao calor da demanda. A planta era muito rara fora do Egito, o que, como o nióbio dos nossos smartphones, a transformou em um bem estratégico. Chegou a existir um poderoso mercado que distribuía o papiro por rotas comerciais através da África, da Ásia e da Europa. Os reis do Egito se apropriaram do monopólio da manufatura e do comércio das folhas; os especialistas em língua egípcia acreditam que a palavra "papiro" tem a mesma raiz que "faraó".

Vamos imaginar uma manhã de trabalho nas oficinas faraônicas. Um grupo de trabalhadores do rei chega às margens do rio de madrugada para cortar junco e o sussurro dos passos acorda os pássaros adormecidos, que levantam voo do matagal. Os homens trabalham no ar fresco da manhã e ao meio-dia levam para a oficina grandes braçadas de junco. Com movimentos precisos, arrancam a casca e cortam o caule triangular da planta em tiras finas de uns trinta ou quarenta centímetros de altura. Colocam uma camada de tiras verticais em uma tábua plana, e depois outra, de tiras horizontais em ângulo reto em relação à primeira. Batem com uma marreta de madeira nas duas camadas superpostas, para que a seiva segregada atue como cola natural. Depois, alisam a superfície das folhas desbastando-as com pedras-pomes ou conchas. Por fim, com uma massa de farinha e água, colam as lâminas de papiro pelas bordas, enfileiradas uma atrás da outra, até formar uma longa tira que guardam enrolada. O mais comum é unir umas vinte lâminas e polir as juntas com cuidado até obter uma superfície lisa em que o cálamo do escriba não esbarre. Os comerciantes não vendem folhas soltas, apenas rolos; quem precisar escrever uma carta ou um documento breve tem que cortar o pedaço desejado. Os rolos têm de treze a trinta centímetros de largura e o comprimento habitual oscila entre 3,2 e 3,6 metros. Mas essa extensão é tão variável quanto o número de páginas dos nossos livros. Por exemplo, o rolo mais longo da coleção egípcia do Museu Britânico, o papiro Harris, media originalmente 42 metros.

O rolo de papiro foi um avanço fantástico. Depois de séculos de busca por suportes e de escrita humana sobre pedra, argila, madeira ou metal, a linguagem finalmente encontrou seu lar na matéria viva. O primeiro livro da história nasceu quando a palavra, apenas escrita no ar, encontrou abrigo na medula de uma planta aquática. E, comparado a seus antepassados inertes e rígidos, o livro já nasceu como um objeto flexível, leve, apto para a viagem e a aventura.

Rolos de papiro contendo longos textos manuscritos traçados com cálamo e tinta: eis o aspecto dos livros que começam a chegar à nascente Biblioteca de Alexandria.

13

Depois da morte de Alexandre, seus generais ficaram enfeitiçados por ele. De repente, começaram a imitar seus gestos, seu vestuário, o chapéu que gostava de usar, sua maneira de inclinar a cabeça. Continuavam realizando os banquetes do jeito que ele gostava e estampavam sua imagem nas moedas que cunhavam. Um dos Companheiros do Rei deixou crescer uma cabeleira cacheada que usava displicentemente solta para se parecer com Alexandre.[32] O comandante Eumenes dizia que o rei aparecia em seus sonhos e falava com ele.[33] Ptolomeu espalhou o boato de que era meio-irmão de Alexandre por via paterna.[34] Em determinada ocasião, vários herdeiros rivais aceitaram se reunir numa tenda de campanha presidida pelo trono vazio e o cetro do falecido rei;[35] enquanto deliberavam, tiveram a sensação de que o ausente continuava a guiá-los.

Todos sentiam falta de Alexandre e acariciavam seu fantasma, mas ao mesmo tempo estavam ocupados despedaçando o império mundial que ele havia deixado como legado, liquidando os familiares mais próximos um após outro e traindo as lealdades que os uniram. Devia ser em amores desse tipo que Oscar Wilde pensava quando escreveu, em *A balada do cárcere de Reading*, que "todo homem mata o que ama".

Também na disputa pela memória de Alexandre, Ptolomeu tomou a dianteira com astúcia. Uma das suas jogadas mais brilhantes foi apoderar-se do cadáver do jovem rei. Ele havia entendido melhor do que ninguém o incalculável valor simbólico de exibir seus restos mortais.

No outono do ano 322 a.C., partiu da Babilônia uma comitiva em direção à Macedônia com o intuito de enterrar Alexandre em sua terra natal. Levavam o corpo, embalsamado com mel e especiarias, dentro de um ataúde de ouro, num carro fúnebre que as fontes descrevem como um comovente mostruário *kitsch* de baldaquinos: cortinas púrpura, borlas, esculturas douradas, bordados e coroas. Ptolomeu tinha feito amizade com o oficial que estava no comando do cortejo. Com a ajuda desse cúmplice, conseguiu desviar a rota para Damasco, foi ao encontro da comitiva com um grande exército e se apoderou do caixão.[36] O comandante Pérdicas, que já havia preparado o túmulo real na Macedônia, rangeu os dentes quando soube do rapto e empreendeu um ataque contra o Egito, mas acabou executado por seus próprios homens após uma campanha desastrosa. Ptolomeu venceu a disputa. Levou o cadáver para Alexandria, onde o expôs num mausoléu aberto ao público. Tal como o túmulo de Lênin na praça Vermelha de Moscou, esse lugar se tornou uma grande atração e ponto de turismo necrófilo.[37] O primeiro imperador romano, Augusto, chegou a visitá-lo nesse local. Na ocasião, pôs uma grinalda sobre a tampa de vidro do sarcófago e pediu para tocar no corpo.[38] Segundo as más línguas, quando foi lhe dar um beijo, quebrou acidentalmente o nariz[39] — beijar uma múmia envolve certos riscos. O sarcófago foi destruído numa das grandes revoltas populares que abalaram Alexandria, e, apesar dos rumores, os arqueólogos nunca encontraram pistas do túmulo. Há quem pense que o cadáver teve um final digno do cosmopolita Alexandre (fatiado e transformado em milhares de amuletos espalhados pelo vasto mundo que ele um dia conquistou).

Contam que quando Augusto foi homenagear Alexandre em seu mausoléu, perguntaram se ele também queria ver o túmulo dos Ptolomeus. "Vim ver um rei, não mortos", respondeu. Essas palavras condensam o drama dos diádocos, como eram chamados os sucessores de Alexandre — todos os consideravam um bando de suplentes medíocres, um apêndice apagado da lenda. Não contavam com a legitimidade do carisma, e somente vinculando-se a um morto podiam infundir um respeito autêntico. Por isso se fantasiavam de Alexandre de todas as formas possíveis, na ânsia de serem confundidos com ele, como os meticulosos imitadores de Elvis dos nossos dias.

Dentro desse jogo de semelhanças e analogias, o rei Ptolomeu quis que Aristóteles fosse professor dos seus filhos, como havia sido de Alexandre. Mas o filósofo tinha morrido no ano 322 a.C., poucos meses depois do seu famoso aluno. Um tanto decepcionado por ter que baixar os padrões, Ptolomeu mandou seus mensageiros à escola de Aristóteles em Atenas, o Liceu, para oferecer trabalho em Alexandria — generosamente pago — aos sábios mais brilhantes do momento. Dois deles aceitaram a proposta: um educaria os príncipes e o outro organizaria a Grande Biblioteca.

O novo encarregado de aquisição e ordenação dos livros se chamava Demétrio de Faleros. Esse homem inventou o ofício, até então inexistente, de bibliotecário. Seus anos de mocidade o haviam preparado para tarefas intelectuais e para comandar. Foi aluno do Liceu e depois, durante uma década, participou do redemoinho da política. Em Atenas, conheceu a primeira biblioteca organizada segundo um sistema racional: a coleção do próprio Aristóteles, que era apelidado de "o leitor".[40] Aristóteles, em mais de duzentos tratados, abordou a estrutura do mundo e a dividiu (física, biologia, astronomia, lógica, ética, estética, retórica, política, metafísica). Ali, entre as prateleiras do seu mestre e a quietude de suas classificações, Demétrio deve ter entendido que possuir livros é um exercício de equilíbrio na corda bamba. Um esforço para unir pedaços dispersos do universo e formar um conjunto dotado de sentido. Uma arquitetura harmoniosa frente ao caos. Uma escultura de areia. O refúgio onde protegemos tudo aquilo que tememos esquecer. A memória do mundo. Um dique contra o tsunami do tempo.

Demétrio levou para o Egito o modelo de pensamento aristotélico, que naquela época estava na vanguarda da ciência ocidental. Dizia-se que Aristóteles ensinou aos alexandrinos como organizar uma biblioteca.[41] Essa frase não pode ser entendida literalmente, porque o filósofo nunca viajou ao país do Nilo. Sua influência se deu por caminhos indiretos, por intermédio do seu aluno de destaque, que desembarcou naquela jovem cidade fugindo dos golpes políticos. No entanto, apesar de suas boas intenções, Demétrio sucumbiu às intrigas da corte de Ptolomeu. Conspirou, caiu em desgraça e foi preso. Mas sua passagem por Alexandria deixou marcas duradouras. Graças a ele, um fantasma protetor se instalou na biblioteca: o fantasma de Aristóteles, o apaixonado pelos livros.

14

Demétrio enviava regularmente a Ptolomeu um relatório sobre o progresso de sua missão, que começava assim: "Ao grande rei, da parte de Demétrio. Obedecendo à sua ordem de acrescentar à coleção da biblioteca, para completá-la, os livros que ainda faltam, e de restaurar adequadamente aqueles que foram maltratados pelos acasos da fortuna, executei cuidadosamente minha tarefa e agora venho prestar contas."[42]

E não era uma tarefa simples. Era quase impossível conseguir livros gregos sem percorrer longas distâncias; havia muitos rolos nos templos, palácios e mansões do país, mas eram escritos em egípcio, e Ptolomeu não se rebaixaria a aprender o idioma dos seus súditos. Apenas Cleópatra, a última da sua estirpe e, segundo as testemunhas, uma poliglota incrível, chegou a falar e ler a língua faraônica.

Demétrio mandou emissários com o alforje cheio e armas na cinta para a Anatólia, as ilhas do mar Egeu e a Grécia, em busca de obras em grego. Nessa mesma época, como já contei, os fiscais aduaneiros receberam a instrução de revistar todos os barcos que atracavam no porto de Alexandria e confiscar todo e qualquer texto que encontrassem a bordo. Os rolos recém-comprados ou confiscados iam parar em depósitos em que os ajudantes de Demétrio os identificavam e faziam o inventário. Esses livros eram cilindros de papiro, sem capa nem lombada — e sem as sobrecapas e faixas vermelhas que nos lembram como é elogiada, vibrante e magistral a obra em questão. Era difícil identificar o conteúdo à primeira vista; e, quando alguém possuía mais de uma dúzia de livros e pretendia consultá-los com frequência, era uma verdadeira amolação. Para uma biblioteca, esse problema representava um grande desafio, que era resolvido de uma forma imperfeita. Antes de empilhar os livros nas prateleiras, colocava-se na extremidade de cada rolo um pequeno letreiro — muito propenso a cair no chão — que indicava o autor, a obra e a procedência do exemplar.

Contam que, numa visita do rei à biblioteca, Demétrio lhe propôs incorporar à coleção os livros da Lei judaica, numa versão cuidadosa. "O que o impede de fazer isso?", perguntou o rei, que antes lhe dera autorização. "Precisamos de uma tradução, porque estão escritos em hebraico."

Pouca gente na época entendia o hebraico, até mesmo em Jerusalém, onde a maioria da população falava aramaico, a língua em que Jesus pregaria séculos depois. Os judeus de Alexandria — uma comunidade poderosa que ocupava um bairro inteiro da cidade — começaram então a traduzir para o grego suas Escrituras Sagradas, mas de forma lenta e fragmentária, porque os fiéis mais ortodoxos se opunham às inovações. Era um debate inflamado nas sinagogas da época, tal como foi para os católicos o fim das missas em latim. Por isso, se o encarregado da biblioteca queria uma versão completa e cuidadosa da Torá, precisaria encomendá-la.

Segundo a tradição, Demétrio pediu autorização para escrever a Eleazar,[43] sumo sacerdote de Jerusalém. E, em nome de Ptolomeu, pediu-lhe que enviasse a Alexandria eruditos conhecedores da Lei capazes de traduzi-la. Eleazar respondeu com alegria a essa carta e aos presentes que a acompanhavam. Após um mês de viagem pelas areias escaldantes do Sinai, chegaram ao Egito 72 sábios hebreus, seis de cada tribo, a nata da doutrina rabínica, e foram alojados numa mansão da ilha de Faros, em frente à praia, "mergulhada numa paz profunda". Demétrio os visitava frequentemente com seu pessoal para acompanhar o avanço do trabalho. Nesse retiro tranquilo, eles concluíram a tradução do Pentateuco em 72 dias e depois voltaram para as respectivas cidades. Lembrando essa história, a Bíblia grega ficou conhecida como "Bíblia dos Setenta".[44]

Quem narra tais acontecimentos, um tal de Aristeas, afirma ter presenciado tudo pessoalmente. Hoje sabemos que esse documento é uma falsificação, mas há fatos escondidos entre os meandros da fábula. O mundo estava em mutação e Alexandria era o seu espelho. A língua grega ia se tornando a nova língua franca. Não era, claro, o idioma de Eurípides e Platão, tratava-se de uma versão mais acessível chamada *koiné*, algo parecido com o inglês capenga utilizado por muitas pessoas com o propósito de se comunicarem nos hotéis e aeroportos durante as férias. Os reis macedônios haviam decidido impor o grego em todo o império como símbolo de domínio político e supremacia cultural, deixando para os outros o esforço de aprender sua língua se quisessem ser atendidos. Apesar disso, um pouco da universalidade de Alexandre e Aristóteles se impregnou em sua orgulhosa mente chauvinista. Eles sabiam que precisavam entender seus novos súditos para poder governá-los. É desse ponto de vista que se explicam os esforços econômicos e intelectuais empregados para traduzir seus livros, particularmente os textos religiosos, que são mapas das almas. A Biblioteca de Alexandria não nasceu apenas para ser um refúgio do passado e sua herança. Era também a ponta de lança de uma sociedade que poderíamos considerar globalizada, como a nossa.

15

Essa globalização primitiva se chamou "helenismo". Costumes, crenças e formas de vida comuns criaram raízes nos territórios conquistados por Alexandre, da Anatólia até o Punjab. A arquitetura grega era imitada em lugares remotos como a Líbia ou a ilha de Java. O idioma grego servia para se comunicar com asiáticos e africanos. Plutarco afirma que na Babilônia lia-se Homero e que as crianças da Pérsia, de Susa e de Gedrósia — região hoje dividida entre o Paquistão, o Afeganistão e o Irã — cantavam as tragédias de Sófocles e Eurípides.[45] Pelas vias do comércio, da educação e da miscigenação, grande parte do mundo passava por uma curiosa assimilação cultural. Toda a paisagem entre a Europa e a Índia estava salpicada de cidades com características reconhecíveis (ruas amplas que se cruzavam em ângulo reto segundo o traçado hipodâmico, ágoras, teatros, ginásios, inscrições em grego e templos com frontões decorados). Eram os sinais distintivos daquele imperialismo, como hoje são a Coca-Cola, o McDonald's, os anúncios luminosos, os shoppings, o cinema de Hollywood e os produtos da Apple, que uniformizam o mundo.

Tal como em nossa época, havia fortes correntes de descontentamento. Entre os povos conquistados, muitos súditos resistiam à colonização dos invasores. Mas também havia gregos rabugentos que não esqueciam os velhos tempos de aristocrática independência e não se adaptavam à nova sociedade cosmopolita. Ah, a pureza perdida do passado... Agora, de repente, existiam estrangeiros piolhentos por toda parte. Num mundo de horizontes ampliados, a imigração crescia enquanto os salários do trabalho livre sofriam com a concorrência dos escravos orientais. O medo do outro, do diferente, cresceu. Um gramático chamado Apião reclamava de os judeus ocuparem o melhor bairro de Alexandria,[46] ao lado do palácio real, e Hecateu, um grego que visitou o Egito na época de Ptolomeu, deplorava a xenofobia judaica.[47] Também houve atritos, às vezes sangrentos, entre comunidades. O historiador Diodoro relata que uma multidão furiosa de egípcios linchou um estrangeiro por ter matado um gato,[48] animal sagrado para eles.

As mudanças provocavam ansiedade. Muitos gregos, que durante séculos tinham vivido em pequenas cidades administradas pelos próprios cidadãos, de repente se viram incorporados a reinos imensos. Passou a imperar a sensação de desarraigamento, de deslocamento, de viver perdido num universo excessivamente grande governado por poderes distantes e inacessíveis. O individualismo se desenvolveu e o sentimento de solidão aumentou.

A civilização helenística — angustiada, frívola, teatral, estremecida, aturdida pelas rápidas transformações — cultivava impulsos contraditórios. Parafraseando Dickens, "era o melhor dos tempos; era o pior dos tempos". Floresceram ao mesmo tempo o ceticismo e a superstição;

a curiosidade e os preconceitos; a tolerância e a intolerância. Algumas pessoas passaram a se considerar cidadãs do mundo, ao passo que outras exacerbaram o nacionalismo. As ideias repercutiam e viajavam além das fronteiras, embaralhando-se com facilidade. Triunfava o ecletismo. O pensamento estoico, que se impôs durante todo o helenismo e a época imperial romana, ensinava a evitar o sofrimento por meio da serenidade, da ausência de desejos e do fortalecimento interno. Os budistas orientais podiam perfeitamente se identificar com esse programa de autoajuda.

O fracasso dos ideais do passado gerou entre os gregos uma intensa nostalgia dos velhos tempos e, concomitantemente, a diversão de parodiar os antigos relatos heroicos. Se Alexandre conquistara o mundo sem largar seu exemplar da *Ilíada*, pouco tempo depois um poeta anônimo parodiou aquelas lendas numa epopeia cômica, a *Batracomiomaquia*, que narra a batalha entre as tropas de Papo-de-vento, rei das rãs, e Rouba-migalha, príncipe dos ratos. A fé nos deuses e nos mitos se extinguia, deixando para trás uma esteira de irreverência, desconcerto e saudade. Décadas depois, Apolônio de Rodes, um nostálgico bibliotecário de Alexandria, homenageou a épica antiga em seu poema sobre as aventuras de Jasão e os argonautas. Os cinéfilos contemporâneos encontrarão hoje a mesma tensão entre o *western* crepuscular *Os imperdoáveis*, de Clint Eastwood, e o sorriso iconoclasta e irônico de Tarantino dinamitando o gênero em *Django livre*. A piada e a melancolia conviviam num amálgama que é muito reconhecível em nossos dias.

16

Ptolomeu atingiu seus objetivos. Até ser superada por Roma, Alexandria foi o centro dessa civilização que atravessava fronteiras. Era, também, a capital do poder econômico. O novo farol, uma das maravilhas do mundo, desempenhava a mesma função simbólica que as Torres Gêmeas do World Trade Center de Nova York.

No sul de Alexandria, celeiros enormes e escuros atravessavam a linha do horizonte. Ali eram armazenadas as colheitas das ricas planícies de aluvião banhadas pelo Nilo. Milhares de sacos eram transportados até as docas por uma rede de canais. Os barcos egípcios zarpavam quase transbordando rumo às principais cidades portuárias da época, onde a carga era esperada com ansiedade para conjurar o fantasma da fome. Os grandes centros urbanos da Antiguidade tinham crescido mais do que as possibilidades de abastecimento das zonas rurais circundantes. Alexandria lhes garantia o pão, que era sinônimo de estabilidade e condição indispensável do poder. Se os egípcios decidissem aumentar os preços ou reduzir o fornecimento, um país inteiro podia afundar com a violência e os motins.

Embora Alexandria fosse uma cidade jovem e poderosa, a nostalgia se ocultava em seus alicerces. O rei sentia saudades dos tempos passados que ele não conheceu, mas que são sua obsessão — a época dourada de Atenas, os dias efervescentes de Péricles, os filósofos, os grandes historiadores, o teatro, os sofistas, os discursos, a concentração de indivíduos extraordinários numa pequena capital orgulhosa que se proclamou "a escola da Grécia".[49] Em seu quase bárbaro país ao norte da Grécia, os macedônios tinham ouvido falar durante séculos do esplendor de Atenas — e essas notícias e rumores os fascinavam. Convidaram o velho Eurípides para passar seus últimos anos entre eles e conseguiram também atrair Aristóteles para a corte. Esses convidados ilustres eram a sua esperança. Tentavam imitar o refinamento de Atenas, queriam se sentir cultos e perder a fama humilhante de ser menos gregos do que os outros. Esse olhar fronteiriço, periférico e de admiração ampliava o mito.

Neste ponto, me recordo de *O jardim dos Finzi-Contini*, livro de Giorgio Bassani. Li e reli muitas vezes esse romance, acho que é um dos meus livros favoritos. A grande mansão dos judeus ricos de Ferrara, com seu jardim, sua quadra de tênis e os altos muros em volta, representa um lugar no qual você quer ser aceito, mas onde se sente um arrivista inseguro quando é convidado. Você não pertence a esse mundo, por mais apaixonado que esteja por ele. Poderá frequentá-lo durante um único verão encantado, desfrutar longas partidas de tênis, explorar o jardim, cair nas redes do desejo, mas depois as portas voltarão a se fechar. E esse lugar ficará ligado para sempre à sua melancolia. Quase todos nós, em algum momento da vida, espiamos de fora um jardim dos Finzi-Contini. Para Ptolomeu, era Atenas. Com a memória ferida pela cidade inalcançável, ele fundou o Museu de Alexandria.[50]

Para um grego, um museu era um recinto sagrado destinado a honrar as musas, as filhas da Memória, deusas da inspiração.[51] A Academia de Platão e, mais tarde, o Liceu de Aristóteles tinham sua sede em florestas consagradas às musas, porque o exercício do pensamento e a educação podiam ser entendidos como gestos metafóricos e luminosos de culto às nove deusas. O museu de Ptolomeu foi mais longe: tornou-se uma das instituições mais ambiciosas do helenismo, uma versão primitiva dos nossos centros de pesquisa, universidades e laboratórios de ideias. Eram convidados para o museu os melhores escritores, poetas, cientistas e filósofos da época. Os selecionados mantinham o cargo por toda a vida, livres de qualquer preocupação material, para que pudessem dedicar toda a sua energia a pensar e criar.[52] Ptolomeu lhes dava salário, moradia gratuita e uma mesa num luxuoso refeitório coletivo. Além disso, os eximia de pagar impostos, talvez o melhor presente num tempo de arcas reais vorazes.

Durante séculos o museu reuniu, como Ptolomeu desejava, uma resplandecente constelação de nomes: o matemático Euclides, que formulou os teoremas da geometria; Estratão, o melhor físico da época; o astrônomo Aristarco; Eratóstenes, que calculou o perímetro da Terra com uma exatidão espantosa; Herófilo, pioneiro da anatomia; Arquimedes, descobridor da hidrostática; Dionísio de Trácia, que escreveu o primeiro tratado de gramática; e os poetas Calímaco e Apolônio de Rodes. Em Alexandria nasceram teorias revolucionárias, como o modelo heliocêntrico do Sistema Solar, que, resgatado no século XVI, provocaria a revolução copernicana e a condenação de Galileu. Quebrou-se o tabu das dissecações de cadáveres — e também, segundo as más línguas, de presos vivos dos calabouços —, que fizeram a medicina avançar. Desenvolveram-se novos ramos do saber, como a trigonometria, a gramática e a conservação de manuscritos. O estudo filológico decolou. Foram feitos grandes inventos, como o parafuso sem fim, que ainda hoje é usado para bombeamento. E, dezessete séculos antes do cavalo de força de Watt, Heron de Alexandria descreveu uma máquina a vapor, muito embora só a utilizasse para impulsionar o movimento de bonecos mecânicos e outros brinquedos. Sua obra a respeito dos autômatos é considerada um antecedente precoce da robótica.

A biblioteca ocupava um lugar essencial naquela pequena cidade de sábios. Poucas vezes na história se fez um esforço parecido, consciente e deliberado de reunir as mentes mais brilhantes da época em um só lugar. E nunca antes os melhores pensadores tiveram acesso a tantos livros, à memória do saber anterior, aos sussurros do passado que ensinam o ofício de pensar.

O museu e a biblioteca faziam parte do conjunto do palácio, protegidos pelos muros da fortaleza. A vida daqueles primeiros pesquisadores profissionais transcorria no isolamento desse espaço fortificado. Sua rotina consistia em conferências, aulas e discussões públicas, mas imperava, acima de tudo, a pesquisa silenciosa. O diretor da biblioteca também era professor dos filhos do rei. Ao entardecer, todos jantavam juntos em uma sala, e às vezes o próprio Ptolomeu participava do banquete para ouvir suas conversas, seus debates engenhosos, seus achados e suas vaidades. Talvez ele pensasse ter conseguido criar sua própria Atenas, o seu jardim amuralhado.

Graças a um autor satírico da época, conhecemos os costumes dos membros do museu, estudiosos de vida tranquila, livres de toda e qualquer preocupação e protegidos das intempéries da época. "Na populosa terra do Egito, muitos eruditos engordam rabiscando seus livros e se bicando na gaiola das musas",[53] diz o poeta e humorista. Outro poema fazia um escritor voltar do mundo dos mortos para aconselhar os habitantes do museu a não ficarem tão ressentidos uns com os outros.[54] As bicadas eram, de fato, coisa corriqueira entre aqueles sábios de vida descansada, distantes dos ruídos do mundo. As fontes históricas apontam discórdias, ciúmes, cólera, rivalidades e maledicência entre eles. Nada que não aconteça em nossos atuais departamentos universitários, com suas pequenas e intermináveis disputas.

17

Nos dias atuais houve uma furiosa competição para construir o arranha-céu mais alto do mundo. Alexandria, em seu tempo, entrou nessa disputa: o farol da cidade foi, durante muitos séculos, uma das construções mais altas do mundo. Era o emblema da vaidade real, um edifício icônico, desses que são o sonho erótico dos governantes, como a Ópera de Sydney ou o Museu Guggenheim de Bilbao. E tornou-se, além do mais, símbolo de uma época de ouro da ciência.

A princípio, "farol" era um lugar; chamava-se Faros a ilha do delta do Nilo com que Alexandre sonhou e onde decidiu fundar a cidade. No mar Báltico, há outra pequena ilha que também se chama Fårö. Foi lá que Ingmar Bergman rodou seu filme *Através de um espelho* — entre muitos outros — e depois se aposentou quando decidiu viver como um eremita. Mas atualmente não nos lembramos mais do topônimo original; a construção se apropriou do nome geográfico e, por herança do grego, a palavra *farol* ainda perdura nas línguas atuais.

Antes de começar a obra, Ptolomeu encarregou um engenheiro grego de unir a ilha de Faros às docas por meio de um dique de mais de um quilômetro de comprimento, que dividiu o porto em dois cais separados: um para os navios mercantes e outro para os militares. No centro do enxame de navios foi erguida a grande torre branca. Os árabes que chegaram a vê-la, na época medieval, a descreveram como uma estrutura de três corpos — quadrado, octogonal e cilíndrico — ligados por rampas.[55] No topo, a uma altura de cerca de 120 metros, havia um espelho que refletia o sol de dia e o resplendor de uma fogueira à noite. No silêncio da noite, os escravos subiam as rampas levando o combustível que mantinha o fogo queimando.

Uma lenda envolve o espelho do farol. Naquele tempo, as lentes eram um produto de alta tecnologia, objetos fascinantes capazes de transformar o olhar e o mundo. Entre os cientistas do museu, que buscavam abrir todos os caminhos do conhecimento, também havia especialistas em óptica; sob as ordens deles seria talhado o grande espelho. Não se pode saber exatamente o que conseguiram, mas muitos séculos depois os relatos de viajantes árabes falam de lentes que permitiam vigiar a grande distância, de cima do farol, os navios que se dirigiam a Alexandria. Diziam que de seu topo era possível ver a cidade de Constantinopla refletida no espelho. A partir dessas lembranças confusas — em parte verdadeiras, em parte exageradas —, poderíamos talvez considerar esse farol um antepassado do telescópio, um grande olho capaz de chegar às lonjuras do mar e das estrelas.

Foi a última e a mais moderna das sete maravilhas da Antiguidade. Ele simbolizava o que Alexandria queria ser: a cidade-farol, o centro do eixo de coordenadas, a capital de um mundo ampliado, o marco luminoso que guiava e dirigia o rumo de todas as navegações. E, embora tenha sido destruído pelas sacudidas dos sucessivos terremotos que ocorreram entre os séculos X e XIV, podemos intuir sua marca em todos os faróis posteriores, que seguiram o mesmo modelo arquitetônico.

Mas nenhum autor antigo nos ajuda a imaginar a biblioteca, que em certo sentido também era um farol. Em todos os textos, os detalhes sobre seu espaço, a distribuição de salas e pátios, as atmosferas e recantos são muitos imprecisos, como se tudo estivesse refletido num espelho no escuro.

18

Ler é um ritual que implica gestos, posições, objetos, espaços, materiais, movimentos, modulações de luz. Para imaginar como os nossos antepassados liam, precisamos conhecer, em cada época, essa rede de circunstâncias que cercam o cerimonial íntimo de entrar num livro.

A manipulação de um rolo em nada se parece com a de um livro com páginas. Quando se abria um rolo, os olhos se deparavam com uma fileira de colunas de texto na face interna do papiro, uma atrás da outra, da esquerda para a direita. À medida que avançava, o leitor ia desenroscando o rolo com a mão direita para acessar o texto novo, enquanto com a esquerda enrolava as colunas já lidas. Um movimento pausado, rítmico, interiorizado; uma dança lenta. Ao fim da leitura, o livro estava enrolado ao contrário, do fim para o começo, e a cortesia exigia rebobiná-lo — como as fitas cassete — para o leitor seguinte. Há cerâmicas, esculturas e relevos que reproduzem esses gestos, representando homens e mulheres cativados pela leitura. Estão em pé ou sentados com o livro no colo. E com as duas mãos ocupadas; eles não podem manusear o rolo com uma só. Suas posições, atitudes e gestos são diferentes das nossas e, ao mesmo tempo, as evocam: as costas se curvam levemente, o corpo se dobra sobre as palavras, o leitor se ausenta do mundo por um tempo e embarca numa viagem, transportado pelo movimento lateral das pupilas.

A Biblioteca de Alexandria recebeu muitos desses viajantes imóveis, mas não sabemos bem que ambiente e espaços oferecia para a leitura. Temos apenas algumas descrições, que são estranhamente vagas. Só podemos conjecturar o que esses silêncios escondem. A informação fundamental de que dispomos vem de um autor nascido na atual Turquia, Estrabão, que chegou de Roma no ano 24 a.C. para trabalhar num grande tratado geográfico em Alexandria, com o qual queria complementar suas pesquisas em história. Na crônica de sua passagem pela cidade — onde conheceu o farol, o grande dique, o porto,[56] as ruas em forma de tabuleiro, os bairros, o lago Mareotis e os canais do Nilo —, ele nos conta que o museu faz parte do enorme palácio real. Com a passagem dos séculos, o palácio foi se ampliando, pois cada rei acrescentava novas dependências e prédios, até que o conjunto chegou a ocupar, segundo Estrabão, um terço da cidade. Nessa vasta fortaleza proibida, à qual poucos tinham acesso, Estrabão encontrou um agitado microcosmo. Após percorrê-lo com o olhar atento, escreveu uma descrição do museu e do mausoléu de Alexandre sem dizer uma única palavra sobre a biblioteca.

O museu — explica ele — compreende o perípato (uma galeria coberta adornada com colunas), a exedra (uma área semicircular ao ar livre, com assentos) e um grande salão, onde os sábios comem juntos. Eles vivem em comunhão de bens e têm um sacerdote, que é o chefe do museu, anteriormente nomeado pelos soberanos e, agora, por Augusto.

E mais nada.

Onde estava a biblioteca? Talvez seja inútil procurá-la, pode ser que esteja diante dos nossos olhos e não a enxerguemos porque não corresponde às nossas expectativas. Alguns especialistas supõem que Estrabão não menciona a biblioteca, na qual sem dúvida trabalhou, porque não era um prédio independente. Talvez fosse um conjunto de nichos feitos nos muros da grande galeria do museu. Ali, empilhados em prateleiras, estariam os rolos, ao alcance dos pesquisadores. Em salas anexas seriam armazenados documentos e livros de uso menos frequente, os mais valiosos e exóticos.

Essa é a hipótese mais verossímil sobre as bibliotecas gregas: não eram salas, e sim prateleiras. Não havia instalações para os leitores, que iam trabalhar num pórtico contíguo, ensolarado e protegido das inclemências, muito semelhante ao claustro de um monastério. Se tudo isso acontecia conforme imaginamos, os leitores do Museu de Alexandria deviam escolher um livro e procurar na exedra um lugar para se sentar. Ou se retiravam para os respectivos alojamentos a fim de ler deitados. Ou liam andando vagarosamente entre as colunas diante do olhar cego das estátuas.[57] E assim transitavam pelos caminhos da invenção e pelas rotas da memória.

19

Hoje, em contrapartida, alguns dos edifícios mais fascinantes da arquitetura contemporânea são justamente bibliotecas, espaços abertos à experimentação e ao jogo com a luz. Pensemos na admirável Staatsbibliothek de Berlim, projetada por Hans Scharoun e Edgar Wisniewski. Foi lá que

Wim Wenders filmou uma cena de *Asas do desejo*. A câmera desliza pela enorme sala aberta de leitura, sobe a escada e chega ao impressionante espaço vertical daquelas passarelas superpostas que flutuam no ar como os camarotes suspensos de um teatro. As pessoas se aglomeram sob a luz zenital, entre os blocos paralelos de estantes, abraçando pilhas de livros contra a barriga. Ou estão sentadas com atitudes variadas de concentração (a mão embaixo do queixo, a bochecha apoiada no punho, uma caneta girando entre os dedos como uma hélice...).

Sem ninguém notar, entra na biblioteca um grupo de anjos envergando aquela memorável estética dos anos 1980: grandes casacões escuros, pulôveres de gola alta e, no caso de Bruno Ganz, o cabelo preso em um pequeno rabo de cavalo. Como os humanos não podem vê-los, os anjos se aproximam deles com liberdade, sentam-se ao seu lado ou pousam a mão em seu ombro. Intrigados, olham os livros que estão lendo. Acariciam o lápis de um estudante, sopesando o mistério de todas as palavras que saem desse pequeno objeto. Ao lado de umas crianças, imitam sem entender seu gesto de acompanhar as linhas com o dedo indicador. Observam em volta, com curiosidade e assombro, os rostos ensimesmados e os olhares mergulhados nas palavras. Querem entender o que os vivos sentem nesses momentos e por que os livros captam-lhes a atenção com tanta intensidade.

Os anjos têm o dom de ouvir o pensamento das pessoas. Embora ninguém esteja falando, eles captam um murmúrio constante de palavras sussurradas. São as sílabas silenciosas da leitura. Ler constrói uma comunicação íntima, uma solidão sonora que os anjos acham surpreendente e milagrosa, quase sobrenatural. Dentro da cabeça das pessoas, as frases lidas ressoam como um canto à capela, como uma prece.

Tal como nessa sequência do filme, a Biblioteca de Alexandria também devia ser povoada por rumores e sussurros a meia-voz. Na Antiguidade, quando os olhos reconheciam as letras, a língua as pronunciava, o corpo entrava no ritmo do texto e o pé batia no chão como um metrônomo. A escrita era ouvida. Poucos imaginavam que fosse possível ler de outra maneira.

Vamos falar um pouco de você, que lê estas linhas. Neste momento, com o livro aberto nas mãos, está praticando uma atividade misteriosa e inquietante, mas não se surpreende com o que está fazendo por causa do hábito. Pense bem. Você está em silêncio, percorrendo com o olhar umas fileiras de letras que fazem sentido em sua mente e lhe comunicam ideias independentes do mundo à sua volta neste exato momento. Você se retirou, por assim dizer, para um aposento interno onde ouve pessoas ausentes, isto é, fantasmas que ninguém mais vê (neste caso, o meu eu espectral) e onde o tempo passa no ritmo do seu interesse ou do seu desinteresse. Você criou uma realidade paralela parecida com a ilusão do cinema, uma realidade que não depende de mais ninguém. A qualquer momento pode tirar os olhos destes parágrafos e voltar a participar da ação e do movimento do mundo externo. Mas enquanto isso não acontece, você permanece à margem, onde escolheu ficar. Há uma aura quase mágica em tudo isso.

Não pense que sempre foi assim. Desde os primeiros séculos da escrita, e até a Idade Média, a norma era ler em voz alta, para si mesmo ou para os outros, e os escritores iam pronunciando as frases à medida que as escreviam, ouvindo sua musicalidade. Os livros não eram uma canção que se canta com a mente, como agora, mas uma melodia que brota dos lábios e se ouve em voz alta. O leitor se tornava um intérprete que lhe empresta suas cordas vocais. Um texto escrito era entendido como uma partitura muito básica, e por isso as palavras vinham uma atrás da outra, numa corrente contínua sem separações nem sinais de pontuação — era necessário pronunciá-las para entender. Costumava haver testemunhas quando se lia um livro. Eram frequentes as leituras em público, e os relatos que mais agradavam circulavam de boca em boca. Não devemos imaginar os pórticos das bibliotecas antigas em silêncio, mas tomados pelas vozes e os ecos das páginas. Salvo exceções, os leitores antigos não tinham a liberdade que você tem de ler à vontade as ideias ou fantasias escritas nos textos, de parar, refletir ou sonhar acordado quando bem entende, de escolher e esconder o que escolheu, de interromper ou largar a leitura, de criar seus próprios universos. Essa liberdade individual, a sua, é uma vitória do pensamento independente sobre o pensamento tutelado, e foi conquistada pouco a pouco ao longo do tempo.

Talvez por essa razão, os primeiros a ler como você faz, em silêncio, numa conversa muda com o escritor, chamaram muita atenção. No século IV, Agostinho ficou tão intrigado quando presenciou o bispo Ambrósio de Milão lendo dessa forma que anotou o fato em suas *Confissões*.[58] Era a primeira vez que via alguém fazendo algo assim. É óbvio que achou aquilo fora do comum. Quando ele lê — conta com surpresa —, seus olhos se movimentam pelas páginas e sua mente entende o que elas dizem, mas sua boca se cala. Agostinho percebe que aquele leitor não está ao lado dele, apesar da grande proximidade física; tinha fugido para outro mundo mais livre e mais fluido, por opção, e está viajando sem sair do lugar e sem revelar a ninguém onde pode ser encontrado. Esse espetáculo lhe pareceu desconcertante e o deixou fascinado.

Portanto, você é um tipo muito especial de leitor e descende de uma genealogia de inovadores. Este diálogo silencioso entre nós, livre e secreto, é uma invenção extraordinária.

20

Ao morrer, Ptolomeu deixou resolvidas as incertezas profissionais de mais de dez gerações de herdeiros. A dinastia que ele iniciou duraria quase trezentos anos, até que os romanos anexaram o Egito ao seu império. Todos os reis da família — chegou a haver catorze — se chamavam Ptolomeu, e os historiadores antigos nem sempre se esforçam para diferençar um do outro (ou talvez percam a conta). Lendo as fontes, surge a miragem de um único soberano vampiresco que vive por três séculos, enquanto em torno dele o mundo helenístico — hedonista, nostálgico e subjugado — cambaleia e troca de mãos.

A época de ouro da biblioteca e do museu coincide com o reinado dos quatro primeiros Ptolomeus. Nos oásis entre as batalhas e as conspirações da corte, os quatro desfrutaram a companhia um tanto excêntrica da sua particular coleção de sábios. Tinham preferências intelectuais: Ptolomeu I quis ser historiador da grande aventura que vivera e escreveu uma crônica das conquistas de Alexandre; Ptolomeu II se interessou por zoologia; Ptolomeu III, por literatura; e Ptolomeu IV era dramaturgo nas horas vagas. Depois, o entusiasmo pouco a pouco foi decaindo e a esplêndida Alexandria começou a apresentar fissuras. De Ptolomeu X, conta-se que enfrentou dificuldades econômicas e, para pagar o soldo de seus soldados, mandou substituir o sarcófago de ouro de Alexandre[59] por um ataúde mais barato de alabastro ou cristal de rocha. Fundiu o metal para cunhar moeda e sair do aperto, mas os alexandrinos nunca o perdoaram pelo sacrilégio. Por um punhado de dracmas, acabou assassinado no exílio algum tempo depois.

Mas os bons tempos duraram décadas, e os livros continuaram chegando a Alexandria aos borbotões. Tanto que Ptolomeu III fundou uma segunda biblioteca fora do distrito do palácio, no Serapeu, o santuário do deus Serápis. A Grande Biblioteca ficou reservada aos estudiosos, enquanto a biblioteca filial ficou à disposição de todos. Como disse um professor de retórica que a conheceu pouco antes de sua destruição, os livros que havia no Serapeu "deixavam a cidade inteira em condições de filosofar".[60] Talvez tenha sido a primeira biblioteca pública realmente aberta a ricos e pobres; elites e desfavorecidos; livres e escravos.

A filial se alimentava de cópias da biblioteca principal. Chegavam ao museu milhares de rolos, de todas as procedências, que os sábios estudavam, cotejavam e corrigiam, preparando exemplares definitivos e esmerados a partir deles. Cópias dessas edições definitivas alimentariam o acervo da biblioteca filha.

O Templo de Serápis era uma pequena acrópole, encarapitada num promontório estreito com vista para a cidade e o mar. Chegava-se quase sem fôlego ao topo, depois de subir uma escada monumental. Uma extensa galeria coberta rodeava o prédio, e era ao longo dela, em nichos ou pequenas salas abertas ao público, que ficavam os livros. A biblioteca filha, como provavelmente a mãe, não tinha sede própria; era inquilina do pórtico.

Tzetzes, um escritor bizantino, afirma que a biblioteca do Serapeu chegou a reunir 42.800 rolos. Eu gostaria muito de saber o número real de livros que havia nas duas bibliotecas — é uma questão apaixonante para historiadores e investigadores. Qual seria a quantidade de livros no mundo naquela época? É difícil acreditar nos autores antigos, porque os números variam escandalosamente de uns para outros — tal como acontece nos cálculos das manifestações atuais, quando o governo faz as contas e depois os organizadores contra-atacam.[61] Vejamos rapidamente os números precisos do desacordo. Sobre a Grande Biblioteca, Epifânio menciona a cifra surpreendentemente exata de 54.800 rolos;[62] Aristeas, 200 mil;[63] Tzetzes, 490 mil; Aulo Gélio e Amiano Marcelino, 700 mil.[64]

De uma coisa sabemos com certeza: a unidade de medida dos cálculos na biblioteca era o rolo. Trata-se de um sistema ambíguo de cômputo — por um lado, devia haver muitos títulos repetidos; por outro, a maioria das obras não cabia num único rolo, geralmente abrangia vários. Além do mais, a quantidade de rolos certamente variava — aumentando com as aquisições e diminuindo com incêndios, acidentes e perdas.

As bibliotecas antigas — quando ainda não haviam sido desenvolvidos métodos de inventário e não se contava com ajuda tecnológica — não podiam saber exatamente (e talvez nem se preocupassem muito com isso) quantos títulos diferentes possuíam a cada momento. Os números que chegaram até nós, na minha opinião, são simples projeções do fascínio que a Biblioteca de Alexandria despertava. Tendo nascido como um sonho — o desejo de reunir todos os saberes conhecidos —, ela acabou adquirindo proporções de lenda.

21

Vivi uma das etapas mais estranhas da minha vida numa cidade habitada por milhões de livros. Uma cidade que, talvez inspirada nessa peculiar comunidade de papel, decidiu existir num passado inventado.

Eu me lembro da minha primeira manhã em Oxford. Com todas as credenciais em ordem, orgulhosa da minha bolsa de pesquisa, pretendia entrar diretamente na Biblioteca Bodleiana e dedicar algumas horas ao prazer da primeira visitação. No entanto, fui interceptada no salão. Um funcionário da biblioteca, depois de ouvir minhas explicações, levou-me para uma sala afastada, como se o meu comportamento fosse tão suspeito e minhas pretensões tão obscuras que era preciso tratá-los a portas fechadas, sem contaminar a inocência dos turistas e dos estudiosos. Sentado do outro lado de uma escrivaninha, havia um homem calvo que me interrogou sem fazer contato visual. Respondi às suas perguntas, justifiquei minha presença e mostrei todos os documentos que me pediu com uma cortesia um tanto intimidante. Houve um longo silêncio, enquanto ele ia introduzindo a informação a meu respeito em sua vasta base de dados, e depois, com os dedos ainda no teclado, deu uma surpreendente pirueta no tempo e se transportou para o passado medieval anunciando pomposamente que tinha chegado a hora do juramento. E então me entregou um pequeno maço de cartões plastificados que continham, cada um num idioma diferente, as palavras que eu deveria pronunciar. Foi o que fiz. Jurei obedecer às normas. E que não ia roubar, nem danificar, nem desfigurar nenhum livro. Que não ia atear fogo na biblioteca nem provocar um incêndio para apreciar com um prazer diabólico o estalar das chamas engolindo seus tesouros até reduzi-los a cinzas. Todas essas etapas preliminares pareciam governadas pela lógica distorcida dos territórios de fronteira; é como nos voos para os Estados Unidos, quando distribuem formulários surreais de imigração perguntando se você pretende atentar contra a vida do presidente.

De qualquer modo, meu juramento não bastou; tive que me submeter aos detectores, autorizar que verificassem o conteúdo das minhas bolsas e deixar a mochila em um depósito antes de poder finalmente atravessar a catraca metálica da entrada. Enquanto era submetida ao restante dos controles de segurança, pensei naquelas bibliotecas da Idade Média em que os livros eram acorrentados às estantes ou às mesas para evitar roubos. Também me lembrei das fantásticas maldições dirigidas ao longo da história aos ladrões de livros, textos sombriamente imaginativos que me atraem de forma inexplicável, talvez porque inventar uma boa maldição não seja para qualquer um. Uma antologia ainda não escrita deveria começar com as ameaçadoras palavras gravadas na biblioteca do monastério de San Pedro de las Puellas, em Barcelona, citadas em *Uma história da leitura,* de Alberto Manguel: "Aquele que rouba ou pede um livro emprestado e não o devolve ao dono, que sua mão se transmute em serpente e o dilacere. Que fique paralisado e todos os seus membros sejam condenados. Que desfaleça de dor, implorando misericórdia aos berros, e que nada alivie seus sofrimentos até perecer. Que os vermes de livros roam as suas vísceras, tal como faz o remorso que nunca cessa. E quando for, finalmente, para o castigo eterno, que as chamas do inferno o consumam para sempre."

Nesse primeiro dia, me deram um cartão que, como fiquei sabendo depois, era de nível lúmpen na escala oxfordiana. Esse cartão me dava o direito de entrar nas bibliotecas e *colleges,* mas apenas em determinadas áreas e em horários autorizados; de consultar livros e revistas, mas não de pedi-los emprestados; e de assistir — sem me atrever a tomar parte nelas — às extravagantes liturgias da vida acadêmica. Não demorei a descobrir que Lewis Carroll estudou e lecionou durante 26 anos em Oxford. E então percebi o gigantesco mal-entendido: *Alice no País das Maravilhas* é puro realismo literário. Na verdade, ele descreve com grande perfeição minhas experiências naquelas primeiras semanas. Os lugares tentadores que podia vislumbrar pelo buraco da fechadura, cujos requisitos de acesso exigiriam que eu bebesse um líquido mágico para cumpri-los. Minha cabeça batendo no teto. Aposentos tão asfixiantes que sentia vontade de pôr os braços para fora das janelas e colocar os pés para fora da chaminé. Túneis, letreiros, chás de loucos, conversas de lógica fluida. E personagens anacrônicos absortos em cerimoniais imprevisíveis.

Também descobri que as relações em Oxford — de amizade, de colaboração doutoral ou plágio, de servidão feudal, sexuais e outras variantes — são sazonais e seu ritmo segue o compasso do calendário dos cursos. Eu tinha cometido o erro de chegar na metade do trimestre, quando os estudantes já haviam finalizado a fase de tentativas e erros e resolvido suas principais necessidades. A residência calvinista onde estava alojada tampouco contribuía para minha integração. Suas regras eram tão duras quanto a própria cidade e os horários para retornar, conventuais. Lembro-me da tristeza da cozinha coletiva às sete da noite, com suas oito geladeiras enfileiradas; numa delas havia um espaço etiquetado com o número do meu quarto, como se fosse a etiqueta de identificação na lombada de um livro, e até as concavidades para ovos estavam equitativamente repartidas de duas em duas. Tudo disposto para que cada um permanecesse em seu espaço numerado, sem invadir o território nem os alimentos alheios. Você descia para jantar, fazia sua pequena contribuição à sacola de lixo coletiva e voltava para o pequeno quarto acarpetado que lhe correspondia.

Eu tinha tanta necessidade de falar que comecei a mendigar palavras. Lancei minhas primeiras abordagens linguísticas na Biblioteca Sackler, que era o meu quartel-general. Havia observado que o porteiro tinha uma cara jovial e avermelhada — certamente devido ao álcool —, que me pareceu confiável. Também ataquei, atraída por seus olhos céticos, uma das guardas do Museu Ashmolean. Eu lhes perguntava sobre os segredos da cidade, os meandros desconhecidos das bibliotecas, a explicação dos mistérios que proliferavam nelas e dos quais eram sentinelas. Assim, ouvi histórias fascinantes.

Pedi explicações sobre o surpreendente ritual necessário para solicitar livros: os bibliotecários anotavam o pedido e marcavam a entrega do material para um ou dois dias depois, em determinada sala de leitura específica, a uma hora precisa. Se o fim de semana estivesse próximo, o prazo podia aumentar para três ou até quatro dias. Onde ficam os livros?, perguntei. E então me falaram das duas cidades superpostas.

Todos os dias, explicaram eles, os bibliotecários da Bodleiana recebem mil publicações novas.[65] E têm que conseguir espaço para elas, porque na manhã seguinte chegarão, impiedosas, mais mil. Todo ano a coleção aumenta em 100 mil livros e 200 mil revistas, quer dizer, mais de três quilômetros de prateleiras anualmente. E os estatutos não permitem eliminar sequer uma folha de papel. No começo do século XX, os prédios do circuito bibliotecário ficaram entulhados com a avalanche de livros. Nessa época, segundo me contaram, começou a construção de depósitos subterrâneos e uma rede de túneis dotados de esteiras por baixo da cidade.[66] No tempo da Guerra Fria, quando os refúgios nucleares entraram na moda, aquele labirinto subterrâneo atingiu seu esplendor mítico. Mas a avalanche de papel transbordou dos porões, e sua pressão ameaçou a rede urbana de esgoto. Começaram, então, a mandar livros para outros lugares, fora da cidade — uma mina abandonada e galpões industriais nas redondezas. Há bibliotecários encarregados do transporte que, como me informaram, mais parecem operadores de guindaste com seus trajes fluorescentes.

Graças a essas conversas — aos primeiros sinais de simpatia que captei —, comecei a me reconciliar com Oxford. Quando ia passear sozinha, imaginava ouvir o som das esteiras transportando os livros sob os meus pés, fazendo-me companhia. E os imaginava lá embaixo, em seus túneis úmidos e secretos,[67] como as criaturas de *A rocha encantada* da minha infância ou como os personagens do filme *Underground — Mentiras de guerra*. Relaxei. Baixei a guarda. Aceitei que as extravagâncias em Oxford tinham razões objetivas. Acabei me sentindo mais à vontade, e até mais livre, na minha posição marginal de forasteira desajeitada. E, com paciência, consegui encontrar outros memoráveis inadaptados.

Na névoa de cada manhã, quando me aventurava pelas ruas embaçadas, sentia que a cidade inteira flutuava sobre um mar de livros, como um tapete mágico em pleno voo.

22

Certa manhã de chuva monótona e sombras de água nas paredes, minha amiga guarda me explicou que o Museu Ashmolean, onde ela trabalhava e eu ia vê-la, foi o primeiro museu público no sentido moderno.[68] Gostei de saber disso. Sempre me emociona estar nos lugares onde algo começou, no território das primeiras coisas.

Foi uma pequena virada histórica, quase imperceptível naquele momento: em 1677, Elias Ashmole doou seu gabinete de curiosidades — moedas antigas, gravuras, amostras geológicas curiosas, animais exóticos dissecados — à cidade de Oxford. A partir de então, não seria mais uma coleção privada como outras, um luxo familiar que seus filhos e netos herdariam como símbolo de sua posição social privilegiada: ela pertenceria aos estudantes e a todas as pessoas curiosas que quisessem visitá-la.

Nessa época, as inovações, que naquele mundo decididamente conservador não tinham muito boa fama, costumavam se disfarçar de tradição recuperada. Com a intenção de reviver antigas glórias, a coleção pública doada por Ashmole, uma novidade sem nome nem precedentes, foi chamada de "museu". Era uma forma de traçar um eixo imaginário entre Alexandria e Oxford. Já existia uma Grande Biblioteca; agora precisavam ter um museu. Julgando restaurar o passado, acabaram criando algo diferente, que teria êxito: um misto de ideias antigas e preocupações contemporâneas. Foi esse conceito de museu como lugar de exibição que acabou se impondo na Europa, e não o modelo alexandrino de comunidade de sábios.

Em 1759, foi inaugurado o Museu Britânico de Londres. E na França de 1793, a Assembleia Nacional Revolucionária confiscou da monarquia o Palácio do Louvre, com todas as suas obras de arte, para transformá-lo em museu. Foi um novo símbolo radical. Os revolucionários queriam abolir a ideia de que o passado era propriedade exclusiva de uma única classe social. As coisas antigas não podiam continuar sendo um mero capricho da nobreza: com essa convicção, a Revolução Francesa expropriou a história dos aristocratas. No fim do século XIX, estava na moda entre os europeus frequentar como passatempo exibições de bugigangas antigas, quadros de velhos mestres, manuscritos e primeiras edições de livros. E essa moda atravessou o oceano, em direção aos Estados Unidos. Em 1870, um grupo de empresários fundou o Metropolitan de Nova York; o MoMA seria o primeiro museu privado de arte moderna. Um empresário do setor de mineração chamado Solomon R. Guggenheim e seus herdeiros seguiriam essa linha, que gerou atualmente um grande negócio turístico, comercial e até imobiliário. A herança de Alexandria, por uma insólita decisão de Elias Ashmole, se irradiou até formar uma poderosa rede. Os museus foram chamados de "catedrais do século XXI".

Aqui se esconde um atraente paradoxo: o fato de podermos todos amar o passado é algo profundamente revolucionário.

23

As bibliotecas mais antigas de que se tem notícia, no Oriente Próximo — Mesopotâmia, Síria, Ásia Menor e Pérsia —,[69] também lançaram maldições contra os ladrões e destruidores de textos.

"Aquele que se apropriar da tabuleta mediante roubo ou a levá-la à força ou mandar seu escravo roubá-la, que Shamash arranque seus olhos, que Nabu e Nisaba o deixem surdo, que Nabu dissolva sua vida como a água."

"Quem quebrar esta tabuleta ou a puser na água ou apagar de maneira que não se possa mais entender, que os deuses e deusas do céu e da terra castiguem com uma maldição que não possa ser vencida, terrível e sem piedade, enquanto viver, para que seu nome e sua semente sejam apagados da terra e sua carne se torne alimento dos cães."

Ao ler essas ameaças horripilantes, podemos intuir a importância que aquelas remotas coleções tinham para seus proprietários. Na época ainda não existia o comércio de livros, e só era possível consegui-los copiando-os com a própria mão (e para isso era preciso ser um escriba profissional) ou arrebatando livros de outros como butim de guerra (e para isso era preciso derrotar o inimigo em perigosas batalhas).

Inventados há 5 mil anos, os livros de que estamos falando, na verdade antepassados dos nossos livros — e dos tablets —, eram tabuletas de argila. Não havia junco de papiro nas margens dos rios da Mesopotâmia, e materiais como pedra, madeira ou couro eram escassos, mas a argila era abundante. Foi por isso que os sumérios começaram a escrever na terra onde pisavam: obtinham uma superfície para escrever modelando pequenas peças de argila de uns vinte centímetros de comprimento em forma retangular e aplanada, parecidas com nossos tablets de dezoito centímetros. E desenvolveram um estilo de escritura baseada em fendas com punção na argila mole. A água apagava as letras escritas na argila, mas o fogo, em contrapartida, que foi carrasco de tantos livros, cozia as tabuletas como um forno de oleiro, tornando-as mais duradouras. A maior parte das tabuletas resgatadas pelos arqueólogos se conservou exatamente porque ardeu nas labaredas de um incêndio. Os livros têm histórias incríveis de sobrevivência; em certas ocasiões — como os incêndios da Mesopotâmia e de Micenas, as inundações do Egito, a erupção do Vesúvio —, as forças destrutivas os salvaram.

As primeiras bibliotecas do mundo eram lugares humildes, pequenos depósitos cheios de estantes encostadas nas paredes com filas de tabuletas dispostas em pé, na posição vertical, uma ao lado da outra. Na verdade, os especialistas em Oriente Próximo preferem chamá-las de "arquivos". Ali se guardavam faturas, recibos de entrega, quitações, inventários, contratos matrimoniais, acordos de divórcio, atas de julgamentos, códigos legais. E, numa pequena proporção, também literatura, sobretudo poemas e hinos religiosos. Nas escavações do Palácio de Hatusa, a capital hitita, na atual Turquia, foram encontrados vários espécimes de um curioso gênero literário: orações para combater a impotência sexual.

Na Biblioteca de Hatusa — e antes em Nipur, no sul da Mesopotâmia — apareceram tabuletas que continham catálogos das coleções. Nelas, como ainda não era costume dar título aos livros, cada obra era identificada pela primeira linha ou por um breve resumo do conteúdo. Para evitar a dispersão dos textos, que eram muito extensos, mencionava-se o número de tabuletas que os formavam. Às vezes figurava o nome do autor e outras informações adicionais. A existência desses inventários nos revela que, lá pelo século XIII a.C., as bibliotecas já estavam começando a crescer e os leitores não conseguiam mais abarcá-las com um simples passar de olhos numa prateleira cheia de tabuletas. Além disso, revela um grande avanço teórico: a consciência da unidade da coleção como conquista e aspiração. Um catálogo não é um simples apêndice da biblioteca; é o seu conceito, seu nexo e seu apogeu.

As bibliotecas do Oriente Próximo nunca foram públicas. Ou pertenciam às elitistas escolas de escribas, que precisavam de textos como modelo para o ensino, ou eram prerrogativa exclusiva dos reis. O monarca assírio Assurbanipal, que viveu no século VII a.C., foi o maior colecionador de livros antes de Ptolomeu. Assurbanipal afirma numa tabuleta que criou a Biblioteca de Nínive para sua "real contemplação e leitura". Ele tinha um talento pouco comum na monarquia daquela época, do qual gostava de se gabar: conhecia a arte de escrever, "que entre os reis, meus predecessores, nenhum aprendeu". Em sua biblioteca, os arqueólogos desenterraram cerca de 30 mil tabuletas, das quais apenas 5 mil eram literárias. Era a mistura habitual de documentos de arquivo, livros de augúrios, religião e magia, ao lado das obras mais famosas da literatura do Oriente Próximo.

A biblioteca do orgulhoso rei Assurbanipal, o antecedente mais próximo da Grande Biblioteca de Alexandria, não tinha a universalidade desta. Era um conjunto de documentos e textos úteis para as cerimônias e os rituais públicos. As obras literárias tinham seu espaço por um motivo prático, porque o rei precisava conhecer os mitos fundadores do seu povo. Todas as bibliotecas do Oriente Próximo, sem exceção, deixaram de existir e caíram no esquecimento. Os escritos daqueles grandes impérios permaneceram enterrados nas areias dos desertos ao lado de suas cidades destruídas, e os restos de seus escritos que foram descobertos eram indecifráveis. O esquecimento foi tão completo que, quando os viajantes encontraram inscrições cuneiformes nas ruínas das cidades aquemênidas, muitos pensaram que eram simples adornos dos batentes de janelas e portas. Após séculos de silêncio, a paixão dos pesquisadores conseguiu desenterrar os vestígios dessas bibliotecas e decifrar as línguas esquecidas de suas tabuletas.

Em contrapartida, os livros de Atenas, Alexandria e Roma nunca se calaram totalmente. Mantiveram uma conversa aos sussurros ao longo dos séculos, um diálogo que fala de mitos e lendas, mas também de filosofia, ciência e leis. E de alguma forma, talvez sem saber, nós também fazemos parte dessa conversa.

24

A Biblioteca de Alexandria também tinha antepassados egípcios, mas estes são os que aparecem mais apagados na foto de família. Durante os séculos faraônicos, havia bibliotecas particulares e nos templos, mas as informações que temos sobre elas são vagas. As fontes conhecidas mencionam casas de livros, arquivos onde se guardava a documentação administrativa, e casas da vida, depositárias da tradição milenar, onde copiavam, interpretavam e protegiam os textos sagrados. Os detalhes mais precisos que temos sobre uma biblioteca egípcia são relatados por um viajante grego, Hecateu de Abdera, que no tempo de Ptolomeu I conseguiu fazer uma visita guiada pelo Templo de Amon, em Tebas. Ele descreve seu percurso pelo labirinto de salas, pátios, corredores e aposentos do local como uma experiência exótica. Numa galeria coberta diz ter visto a biblioteca sagrada sobre a qual se achava escrito LUGAR DE CUIDADO DA ALMA.[70] Além da beleza desta ideia — a biblioteca como clínica da alma —, nada mais sabemos sobre as coleções de livros egípcios.

Tal como a escrita cuneiforme, os signos hieroglíficos também ficaram esquecidos durante mais de um milênio. Como isso pode ter acontecido? Por que o longo passado escrito se transformou num emaranhado de desenhos incompreensíveis? Na realidade, pouquíssimos indivíduos sabiam ler e escrever no Egito (apenas os membros da casta dos escribas, o grupo mais poderoso do país depois do rei e sua família). Para se tornar escriba era preciso dominar centenas e, com o passar do tempo, milhares de signos. Era um longo aprendizado, que só os mais ricos podiam permitir-se, em escolas exclusivas semelhantes aos nossos MBAs para formar importantes executivos. Entre os escribas lá formados eram escolhidos os altos funcionários e sacerdotes do reino, que depois participavam das lutas sucessórias dos faraós e aproveitavam para impor seus critérios e suas conveniências. Não resisto à tentação de citar um texto egípcio muito distante no tempo e, contudo, estranhamente familiar. Nele, um abastado senhor maduro, Dua-Hety, dá um inconfundível sermão paterno em seu filho Pepy por ter matado aula na escola de escribas que está custando os olhos da cara à família: "Aplique-se nos livros. Vi o ferreiro no seu trabalho. Os dedos dele são como garras de crocodilo. O barbeiro fica barbeando até o fim da tarde, e tem de ir de rua em rua procurando alguém para barbear. [...] O cortador de bambu tem de viajar até o delta depois de fazer mais do que seus braços podem fazer, os mosquitos o destroçaram e as moscas o mataram. [...] Veja, não há profissão que seja livre de diretor, só a de escriba. Ele é o chefe. Se você conhece a escrita, vai se sair melhor do que nas profissões de que falei. Junte-se às pessoas distintas."

Não sabemos se Pepy levou a argumentação do pai a sério e, mesmo resmungando, estudou para abrir caminho na elite social egípcia. Se foi assim, depois de alguns duros anos praticando o traço e aguentando as pancadas dos professores, conhecidos pela mão pesada, Pepy deve ter conquistado o direito de exibir os ilustres utensílios de escriba: pincéis com cerdas de diferentes grossuras, uma paleta com ranhuras, bolsas de pigmentos, uma carapaça de tartaruga para misturá-los e uma tábua de madeira nobre para apoiar o papiro e ter um suporte firme, porque não havia o costume de serem usadas mesas para escrever, mas o da tábua sobre as pernas cruzadas.[71]

Em compensação, conhecemos a história dos últimos escribas egípcios, que foram testemunhas do naufrágio da sua civilização. A partir de um decreto de Teodósio I, no ano 380, o cristianismo se tornou religião do Estado, única e obrigatória, e foram proibidos os cultos pagãos no Império Romano. Todos os templos dos antigos deuses foram fechados, menos o de Ísis, na ilha de Filas, ao sul da primeira catarata do Nilo. Ali se refugiou um grupo de sacerdotes, depositários dos segredos de sua sofisticada escritura, que haviam sido proibidos de transmitir seu saber. Um deles, Nesmet-Ajom, gravou nas paredes do templo a última inscrição hieroglífica que foi escrita,[72] a qual termina com as palavras "para sempre eternamente". Alguns anos depois, o imperador Justiniano recorreu à força militar para fechar o templo, onde os sacerdotes de Ísis ainda resistiam, e mandou prender os rebeldes. E o Egito enterrou seus velhos deuses, com os quais convivia fazia milênios. Junto com seus deuses, também se foram seus objetos de culto e a própria língua. Em uma geração, tudo desapareceu. E foram necessários catorze séculos para descobrir a chave dessa língua.

No começo do século XIX houve uma empolgante corrida para decifrar os hieróglifos egípcios. Os melhores orientalistas europeus aceitaram o desafio de recuperar a língua perdida, sempre vigiando de esguelha os colegas. Foram décadas de exaltação e suspense no mundo científico, e também de inveja e sede de glória. O tiro de largada da competição foi disparado em julho de 1799, a 48 quilômetros de Alexandria. No ano anterior, Napoleão, que sonhava seguir os passos de Alexandre, mandara suas tropas para o calcinante deserto do Egito com a sadia intenção de provocar seus inimigos britânicos. A expedição foi um fiasco, mas serviu para fazer os europeus se apaixonarem pelas antiguidades faraônicas. Nas proximidades do porto de Al Rashid, que os franceses chamavam de Roseta, um soldado encontrou uma laje com estranhas inscrições enquanto trabalhava na construção de uma fortaleza militar. Quando sua pá bateu num pesado fragmento de basalto escuro afundado no lodo, ele certamente deve ter resmungado uma fieira de xingamentos. Não sabia que estava trazendo à luz uma coisa extraordinária. Aquela pedra ficaria universalmente conhecida tempos depois como Pedra de Roseta.

Essa peça memorável é um pedaço de uma antiga estela egípcia em que o rei Ptolomeu V mandou gravar um decreto sacerdotal traduzido em três tipos de escrita — hieroglífica, demótica (a última fase da escrita egípcia) e grega —, algo parecido com a publicação, na Espanha dos nossos dias, de uma lei regional nas três línguas oficiais da região. Um capitão do corpo de engenheiros que trabalhava em Roseta percebeu que aquela estela quebrada era uma descoberta valiosa e mandou transportar seus 760 quilos para o Instituto Egípcio do Cairo, recém-fundado pelo enxame de sábios e arqueólogos que acompanhava as tropas da expedição francesa. Ali foram feitas impressões com tinta dos textos, e estas mais tarde foram distribuídas entre os estudiosos atraídos pelo desafio. O almirante Nelson se apoderou da Pedra de Roseta, irritando os franceses quando expulsou o exército napoleônico do Egito, e levou-a para o Museu Britânico, onde hoje é a peça mais visitada.

Corria o ano de 1802. Começou então um duelo intelectual.

Quem tenta decifrar uma língua desconhecida cai num caos de palavras e persegue sombras. Essa tarefa é quase impossível sem algum apoio para compreender o sentido, sem saber ao menos o assunto de que tratam as frases enigmáticas. Em contrapartida, quando existe uma tradução do texto misterioso para um idioma conhecido, o pesquisador já não está perdido, porque tem nas mãos um mapa do território inexplorado. Por isso, os linguistas logo intuíram que o fragmento grego da Pedra de Roseta abriria as portas do idioma perdido do antigo Egito. A aventura da sua decifração despertou um novo interesse pela criptografia, que no fim do século XIX e início do XX empolgaria a imaginação de Edgar Allan Poe, em seu conto "O escaravelho de ouro", e de Conan Doyle, em "A aventura dos dançarinos".

Durante os primeiros anos do século XIX, o enigma egípcio resistiu aos assaltos dos linguistas, desorientados com a mutilação das inscrições. Como o princípio da escritura hieroglífica e o fim da grega estavam quebrados, era quase impossível estabelecer correspondências lógicas entre o texto egípcio e sua tradução. Mas por volta dos anos 1820 as peças começaram a se encaixar, e a chave para isso foram os nomes próprios dos reis macedônios. Na inscrição hieroglífica, vários signos apareciam talhados dentro de anéis ovais que os especialistas chamam de "cartuchos". O primeiro passo foi supor que esses cartuchos continham os nomes próprios dos faraós. O britânico Thomas Young conseguiu decifrar o nome de Ptolomeu, e mais tarde o francês Jean-François Champollion leu o de Cleópatra. Graças a esse primeiro grupo de sons identificados, Champollion, um poliglota fabuloso, descobriu semelhanças entre o enigmático idioma egípcio e a língua copta, que ele dominava. A partir dessa intuição, empregou alguns anos de trabalho obsessivo comparando inscrições e tentando traduzi-las, e elaborou um dicionário de hieróglifos e uma gramática do egípcio. Morreu pouco depois, aos 41 anos de idade, com a saúde destroçada por décadas de austeridade, frio, pobreza e longas jornadas de estudo.

O nome de Ptolomeu foi a chave que abriu a fechadura. Depois de séculos de sigilo, os papiros e os monumentos egípcios voltaram a falar.

Hoje existe uma iniciativa chamada Projeto Roseta,[73] que se destina a proteger as línguas da extinção. Os linguistas, antropólogos e cientistas da computação responsáveis pelo projeto, com sede em São Francisco, criaram um disco de níquel no qual conseguiram gravar em escala microscópica um mesmo texto traduzido em mil idiomas. Ainda que a última pessoa capaz de lembrar alguma dessas mil línguas venha a morrer, as traduções paralelas permitirão resgatar os significados e as sonoridades perdidas. Esse disco é uma Pedra de Roseta universal e portátil, um ato de resistência ao esquecimento irrevogável das palavras.

A PELE DOS LIVROS

25

Antes da invenção da imprensa, cada livro era único. Para que existisse um novo exemplar, alguém tinha que reproduzi-lo letra por letra, palavra por palavra, num exercício paciente e exaustivo. Havia poucas cópias da maioria das obras, e a possibilidade de que determinado texto se extinguisse por completo era uma ameaça muito real. Na Antiguidade, a qualquer momento o último exemplar de um livro podia estar desaparecendo em uma prateleira, devorado por cupins ou destruído pela umidade. E enquanto a água ou a mandíbula dos insetos atuavam, uma voz estava sendo silenciada para sempre.

Na realidade, essa destruição aconteceu muitas vezes. Naquele tempo os livros eram frágeis. Todos eles, desde o início, tinham maior probabilidade de desaparecer do que de permanecer. Sua sobrevivência dependia do acaso, de acidentes, da estima que seus proprietários tinham por eles e, muito mais do que hoje, da matéria-prima. Eram objetos frágeis, fabricados com materiais que rasgavam, se deterioravam ou se soltavam. A invenção do livro é a história de uma batalha contra o tempo para melhorar os aspectos tangíveis e práticos — vida útil, preço, resistência, leveza — do suporte físico dos textos. Cada avanço, por menor que pudesse parecer, aumentava a esperança de vida das palavras.

A pedra é duradoura, claro. Os antigos gravaram nela suas frases, como nós continuamos fazendo em placas, lápides, marcos e pedestais que povoam nossas cidades. Mas um livro só pode ser de pedra metaforicamente. A Pedra de Roseta, com seus quase oitocentos quilos, é um monumento, não um objeto. O livro tem que ser portátil, tem que favorecer a intimidade entre quem escreve e quem lê, tem que acompanhar o leitor e caber em sua bagagem.

As tabuletas são o antepassado mais próximo do livro. Já falei das tabuletas de argila da Mesopotâmia, que se espalharam pelos atuais territórios da Síria, do Iraque, do Irã, da Jordânia, do Líbano, de Israel, da Turquia, de Creta e da Grécia, e em algumas zonas continuaram sendo usadas até o começo da Era Cristã. As tabuletas endureciam, como o tijolo cru, ao calor do sol; depois, molhando a superfície, era possível apagar os traços e escrever de novo. Raramente eram cozidas em fornos, como o tijolo, porque nesse caso a argila se tornava inutilizável. Costumavam ser guardadas em pilhas, a salvo da umidade, em estantes de madeira e também em cestas de vime e jarros. Eram baratas e leves, mas quebradiças.

Hoje se conservam tabuletas do tamanho de um cartão de crédito ou um celular e em toda uma gama de dimensões crescentes, até os grandes exemplares de trinta e 35 centímetros. Mesmo, porém, escrevendo-se nos dois lados, não cabiam textos extensos. Esse era um problema sério: quando uma obra era distribuída em várias peças de argila, havia possibilidade de que tabuletas fossem extraviadas e, com elas, partes do relato.

Na Europa eram mais comuns as tabuletas de madeira, metal ou marfim banhadas a cera e resina. Escrevia-se sobre a superfície de cera com um instrumento fino de osso ou metal, que, na outra ponta, tinha forma de espátula para poder apagar os erros com mais facilidade. Nessas peças enceradas foi escrita a maioria das cartas da Antiguidade e também escritos os rascunhos, anotações e todos os textos efêmeros. Era nelas que as crianças se iniciavam na escrita, assim como nós em nossos inesquecíveis cadernos pautados.

As tabuletas retangulares foram um verdadeiro achado formal. O retângulo proporciona um estranho prazer ao nosso olhar. Delimita um espaço equilibrado, concreto, abrangente. É retangular a maior parte das janelas, das vitrines, das telas, das fotografias e dos quadros. Também os livros, depois de sucessivas buscas e ensaios, acabaram sendo definitivamente retangulares.

O rolo de papiro foi um avanço fantástico na história do livro. Os judeus, gregos e romanos o adotaram com tanto entusiasmo que chegaram a considerá-lo um traço cultural próprio. Comparadas às tabuletas, as folhas de papiro são um material fino, leve e flexível, e quando enroladas armazenam uma grande quantidade de texto em pouco espaço. Um rolo de dimensões habituais podia conter uma tragédia grega inteira, um diálogo breve de Platão ou um Evangelho. Isso representava um avanço prodigioso no esforço de conservar as obras do pensamento e da imaginação. Os rolos de papiro relegaram as tabuletas a um uso secundário (anotações, rascunhos e textos perecíveis). Eram como essas folhas descartadas da nossa impressora — que chamamos de "papel de rascunho" —, usadas para anotar listas de tarefas que nunca cumpriremos ou que damos às crianças para desenhar.

Mas o papiro também tinha seus inconvenientes. No clima seco do Egito ele mantinha a flexibilidade e a brancura, mas na umidade da Europa escurecia, tornando-se frágil. Se as folhas de papiro são umedecidas e secadas várias vezes, acabam se desmanchando. Na Antiguidade, os rolos mais preciosos eram guardados bem protegidos em jarras, caixas de madeira ou bolsas de couro. Além disso, só se utilizava um lado do rolo, aquele em que as fibras vegetais correm na horizontal, em paralelo às linhas da escritura. No outro lado, os filamentos verticais atrapalhavam o avanço do cálamo. A superfície escrita ficava na parte interna do rolo, para ficar protegida da luz e do atrito.

Os livros de papiro — leves, belos e transportáveis — eram objetos delicados. A leitura e o uso habitual os desgastavam. O frio e a chuva os destruíam. Sendo de matéria vegetal, despertavam o apetite dos insetos e queimavam facilmente.

Como já mencionei, os rolos só eram fabricados no Egito. Eram produtos de exportação sustentados por uma poderosa estrutura comercial que continuou viva,[74] mesmo sob a dominação muçulmana, até o século XII. Os faraós e reis egípcios, senhores do monopólio, decidiam o preço das oito variedades de papiro que circulavam no mercado.[75] E, agindo de maneira semelhante à dos países exportadores de petróleo, os soberanos aplicavam medidas de pressão ou sabotagem a seu bel-prazer.

Foi o que aconteceu, com consequências inesperadas para a história do livro, no começo do século II a.C. O rei Ptolomeu V, mordido pela inveja, procurava uma forma de prejudicar uma biblioteca rival fundada na cidade de Pérgamo, atual Turquia. Essa biblioteca fora criada por um rei helenístico de origem grega, Eumenes II, que reproduziu um século depois a avidez e os métodos pouco escrupulosos dos primeiros Ptolomeus para conseguir os livros. Também saiu à caça de intelectuais luminares e atraiu um grupo de sábios para formar uma comunidade paralela à do museu. Com sua capital, Eumenes queria eclipsar o brilho cultural de Alexandria num momento em que o poder político egípcio entrava em declínio. Ptolomeu, consciente de que os melhores tempos não voltariam, ficou furioso com esse desafio. Não estava disposto a admitir nenhuma afronta à Grande Biblioteca, que simbolizava o orgulho de sua estirpe. Conta-se que mandou prender seu bibliotecário,[76] Aristófanes de Bizâncio, quando descobriu que ele estava planejando se estabelecer em Pérgamo sob a proteção do rei Eumenes; acusou o primeiro de traição e o segundo de roubo.

Além de prender Aristófanes de Bizâncio, o contra-ataque de Ptolomeu a Eumenes foi visceral. Interrompeu o fornecimento de papiro ao reino de Eumenes para subjugar a biblioteca inimiga, privando-a do melhor material de escrita que existia.[77] A medida poderia ter sido demolidora, mas — para frustração do vingativo rei — esse embargo provocou um grande avanço, que, ainda por cima, imortalizaria o nome do inimigo. Em Pérgamo, reagiram aperfeiçoando a antiga técnica oriental de escrever sobre couro, uma prática cujo uso até então havia sido secundário e local. Em referência à cidade que o universalizou, o produto melhorado foi chamado de "pergaminho". Alguns séculos depois, esse achado mudaria a fisionomia e o futuro dos livros. O pergaminho era fabricado com couros de bezerro, ovelha, carneiro ou cabra. Os artesãos os mergulhavam durante várias semanas num banho de cal e depois os secavam bem esticados num bastidor de madeira. Esse estiramento alinhava as fibras do couro, formando uma superfície lisa que depois era raspada até atingir a alvura, a beleza e a espessura desejadas. O resultado desse longo processo de elaboração eram lâminas lisas, finas, com ambos os lados utilizáveis para escrever e, sobretudo — esta é a chave —, duradouras.

O escritor italiano Vasco Pratolini afirmou que a literatura consiste em fazer exercícios de caligrafia sobre a pele. Não estava pensando no pergaminho, mas a imagem é perfeita. Quando esse novo material de escrita se impôs, os livros se transformaram exatamente nisto: corpos habitados por palavras, pensamentos tatuados na pele.

26

Nossa pele é uma grande página em branco; o corpo, um livro. O tempo vai escrevendo pouco a pouco sua história no rosto, nos braços, no ventre, no sexo, nas pernas. Assim que chegamos ao mundo, imprimem um grande "O" em nossa barriga, o umbigo. Depois, outras letras vão aparecendo lentamente. As linhas da mão. As sardas, como pontos finais. Os traços que os médicos deixam quando abrem a carne e depois costuram. Com o passar dos anos, as cicatrizes, as rugas, as manchas e as ramificações das varizes desenham as sílabas que narram uma vida.

Volto a ler o *Réquiem*, da maravilhosa poeta Anna Akhmátova, em que ela descreve as longas filas de mulheres em frente à prisão de Leningrado. Anna conheceu a fundo a desgraça: seu primeiro marido foi fuzilado; o segundo morreu de esgotamento físico num campo de trabalho do Gulag; seu único filho foi preso várias vezes e passou dez anos na penitenciária. Um dia, ao ver no espelho seu aspecto acabado e os sulcos que o sofrimento estava abrindo em seu rosto, ela recordou a imagem das antigas tabuletas mesopotâmicas. E escreveu um verso triste e inesquecível: "Agora sei como a dor traça rudes páginas cuneiformes nas bochechas." Eu também, em algumas ocasiões, vi gente cujos rostos pareciam de argila entalhada pela tristeza. E, depois de ler o poema de Anna Akhmátova, não posso evitar: as tabuletas assírias me sugerem rostos de pessoas que viveram — e sofreram — muito.

Mas não é só o tempo que escreve na pele. Algumas pessoas tatuam frases e desenhos no corpo para se enfeitar como pergaminhos iluminados. Eu não o faço, mas entendo esse impulso de fazer uma marca, colorir e transformar o próprio corpo em texto. Lembro-me das semanas que vivi extasiada com uma amiga adolescente quando ela decidiu fazer a sua primeira tatuagem. Um dia tirou a gaze protetora na minha frente, e fiquei olhando fixamente aquelas letras ainda recentes e a carne avermelhada do braço; quando o músculo se tensionava, as palavras pareciam tremer com um sutil movimento próprio. Fiquei fascinada por aquela frase capaz de palpitar, de suar, de sangrar (um livro vivo).

Sempre quis saber o que as pessoas escrevem no livro da própria pele. Uma vez conheci um tatuador e conversei com ele sobre o ofício. A maioria, contou, se tatua com a intenção de lembrar para sempre de uma pessoa ou de um acontecimento. O problema é que os nossos "sempres" costumam ser efêmeros, e esse tipo de tatuagem é o que estatisticamente provoca mais arrependimentos. Outros clientes escolhem frases positivas, letras de canções pop, poemas. Mesmo quando os textos são clichês, traduções ruins ou coisas sem muito sentido, mantê-los gravados no corpo lhes dá a sensação de que são únicos, especiais, belos e cheios de vida. Penso que a tatuagem é uma sobrevivência do pensamento mágico, o vestígio de uma fé ancestral na aura das palavras.

O pergaminho vivo não é apenas uma metáfora, porque a pele humana pode transportar mensagens escritas e ser lida. Em situações excepcionais, os corpos servem como canal oculto de informação. O historiador Heródoto conta um caso magnífico — baseado em fatos reais — sobre tatuagens, intriga e espionagem nos tempos antigos. Em uma época de grande turbulência política, um general ateniense chamado Histieu queria incitar seu genro Aristágoras, tirano de Mileto, a desencadear uma revolta contra o Império Persa. Tratava-se de uma conspiração muito perigosa, na qual ambos iam arriscar a vida. As estradas estavam sendo vigiadas e previsivelmente os mensageiros de Aristágoras seriam revistados antes de chegar a Mileto, na atual Turquia. Onde esconder uma carta que condenaria os dois à tortura e à morte lenta se fosse descoberta? O general teve uma ideia engenhosa: rapou a cabeça do mais leal dos seus escravos, tatuou uma mensagem em seu couro cabeludo e esperou que o cabelo crescesse de novo. As palavras tatuadas eram "Histieu a Aristágoras: subleva Jônia".[78] Quando o cabelo despontou e cobriu a ordem subversiva, ele mandou o escravo a Mileto. Para garantir mais segurança, o escravo não sabia nada sobre a conspiração. Só tinha a ordem de rapar a cabeça na casa de Aristágoras e dizer-lhe que olhasse sua cabeça rapada. Sigiloso como um espião da Guerra Fria, o mensageiro viajou, manteve a calma enquanto o revistavam, chegou ao seu destino sem que o complô fosse descoberto e rapou a cabeça.

O plano seguiu em frente. Ele nunca soube — ninguém pode ler no próprio cocuruto — o que diziam as palavras incendiárias tatuadas para sempre em sua cabeça.

Essa misteriosa trama tecida pelo tempo, pela pele e pelas palavras é o ponto central do thriller *Amnésia*, dirigido por Christopher Nolan. Seu perplexo protagonista, Leonard, sofre de amnésia anterógrada devido a um trauma. Não consegue guardar as lembranças recentes; a consciência de todos os seus atos se desvanece imediatamente, sem deixar rastros. Toda manhã ele acorda sem se lembrar de nada do dia anterior, dos meses anteriores, de todo o tempo transcorrido a partir do acidente trágico que lhe causou o dano cerebral. Apesar da doença, Leonard quer encontrar o homem que estuprou e matou sua mulher e se vingar. Criou um sistema que lhe permite circular num mundo efêmero, cheio de intrigas, manipulações e armadilhas: mandou tatuar nas mãos, nos braços e no peito a informação essencial sobre si mesmo, e todos os dias reencontra ali a própria história. Com a identidade ameaçada pelo esquecimento, só a leitura das tatuagens lhe permite manter sua busca e seu objetivo. A verdade do relato nos escapa por entre o emaranhado de mentiras dos personagens, incluindo Leonard, de quem acabamos suspeitando. O filme é construído com a estrutura de um quebra-cabeça fragmentado, tal como a mente do protagonista e o próprio mundo contemporâneo. Indiretamente, também é uma reflexão sobre a natureza dos livros: extensões da memória, únicas testemunhas — imperfeitas, ambíguas, mas insubstituíveis — dos tempos e dos lugares aonde a memória viva não chega.

27

Várias vezes por mês eu entrava pela porta dos fundos do Palazzo Medici Riccardi na Via de' Ginori, logo depois do muro ameado do jardim. A fachada tinha a cor de baunilha típica de Florença. Eu precisava respirar a simplicidade daquelas casas e dos pátios antes de encarar a investida barroca e a asfixiante cascata de dourados que me esperavam no interior da Biblioteca Riccardiana. Lá, tive nas mãos pela primeira vez um manuscrito de pergaminho realmente valioso.

Durante minhas longas horas de estudo naquela luxuosa sala de leitura, tramei com cuidado todos os detalhes do plano para capturar minha presa. O caso é que eu não precisava consultar manuscrito algum para a pesquisa, mas fiz minha melhor cara de honestidade acadêmica para os responsáveis pela biblioteca. O objetivo da minha incursão era exclusivamente hedonista: queria tocar e acariciar aquele livro, sentir esse prazer sensual tão severamente reprimido pelos guardas do patrimônio. Achava excitante tocar numa obra de arte nascida para o prazer de um aristocrata e sua patota de amigos privilegiados; era uma deliciosa transgressão de uma pobre jovem que fazia de tudo para pagar o aluguel em Florença. Nunca vou esquecer aqueles minutos de intimidade — quase erótica — com um Petrarca do século XIV. Enquanto eu cumpria o ritual de acesso àqueles manuscritos de valor incalculável — entregar minha mochila aos bibliotecários, ficando apenas com uma folha de papel e um lápis, pôr luvas de algodão, submeter-me à vigilância dos guardas do tesouro —, confesso que senti agradáveis pontadas de culpa pelo transtorno que meu extravagante fetichismo livresco estava causando. Às vezes imaginava que, como castigo, alguma das alegorias que flutuavam nas pinturas do teto entre nuvens e escudos heráldicos ia pular em cima de mim. Parecia especialmente ameaçadora a mulher loura e volumosa que levitava no ponto mais alto; se não me engano, era a Sabedoria brandindo a esfera do orbe.

Pude aproveitar o fruto do meu egoísmo durante quase uma hora, e as anotações que fiz — representando o papel de paleógrafa aplicada — descreviam apenas minhas animadas impressões sensoriais. Quando eu virava as páginas, o pergaminho crepitava. O sussurro dos livros, pensei, é diferente em cada época. Fiquei impressionada com a beleza e a regularidade daquela escrita traçada por uma experiente mão. Vi as marcas do tempo, as páginas salpicadas de manchas amarelas como as mãos sardentas do meu avô.

Talvez o impulso de escrever este livro tenha nascido ali, ao calor daquela obra de Petrarca que sussurrava como uma pequena fogueira. Depois tive outros manuscritos de pergaminho nas mãos e aprendi a analisá-los melhor, mas a memória sempre se aferra à primeira vez.

Ao acariciar as páginas do códice, veio à minha mente a ideia de que aquele pergaminho maravilhoso já havia sido o lombo de um animal que depois foi degolado. Em poucas semanas, esse animal deixou para trás a vida no campo, no estábulo ou no chiqueiro e tornou-se página de uma Bíblia. Durante a Idade Média, o período mais bem documentado, os monastérios compravam couros de vaca, ovelha, cordeiro, cabra ou porco, escolhidos com o animal ainda vivo para poder apreciar a qualidade do exemplar. Tal como a pele dos seres humanos, o couro dos animais varia segundo a idade e a espécie. O de um cordeiro filhote é mais suave que o de uma cabra de 6 anos. Algumas vacas têm o couro mais deteriorado porque gostam de se esfregar no tronco das árvores ou porque sofrem com as ferroadas dos insetos. Todos estes aspectos, somados à habilidade do artesão, tinham importância para o resultado final. Para retirar os pelos e restos de carne do pergaminho, estendia-se o couro e, esticado como um tambor, ele era raspado com muito cuidado de cima para baixo, utilizando uma faca de lâmina curva. Na enorme tensão do bastidor, um movimento profundo demais com a faca, um folículo de pelo mal cicatrizado ou um diminuto orifício de uma picada antiga podiam crescer e se transformar em buracos do tamanho de uma bola de tênis. Os copistas aguçavam a imaginação para reparar as imperfeições da matéria-prima, e às vezes seu engenho embelezava ainda mais o manuscrito. Um buraco no pergaminho podia se transformar numa janela pela qual se via a cabeça de uma miniatura da página seguinte. Também conheço o curioso caso de um buraco reparado pelas freiras de um convento sueco com um trabalho de crochê que tece uma linda persiana de fios entre as letras.

Enquanto estava com aquele delicado pergaminho em minhas mãos enluvadas para não o danificar, pensei na crueldade. Assim como os filhotes de foca hoje morrem a pauladas na neve para que algumas pessoas possam se aconchegar em casacos de pele, os manuscritos mais luxuosos da época medieval também exigiam consideráveis doses de sadismo. Houve exemplares belíssimos fabricados com couros de um branco profundo e textura sedosa, chamados de "vitelas", que vinham de crias recém-nascidas ou mesmo de fetos abortados no corpo da mãe. Imagino os gemidos dos animais e o sangue derramado durante séculos para que as palavras do passado chegassem até nós. Atrás do refinado trabalho do pergaminho e da tinta se escondem, como gêmeos abandonados, a carne ferida e o sangue — a barbárie à espreita nos ângulos cegos da civilização. Nós preferimos ignorar que o progresso e a beleza incluem dor e violência. Em consonância com essa estranha contradição humana, muitos desses livros serviram para espalhar pelo mundo torrentes de palavras sábias sobre o amor, a bondade e a compaixão.

Um manuscrito grande podia causar a morte de um rebanho inteiro. Na verdade, atualmente não haveria animais suficientes no mundo para a matança descomunal que as nossas publicações exigiriam. Segundo os cálculos do historiador Peter Watson, se supusermos que cada couro ocupa uma área de meio metro quadrado, um livro de 150 páginas exigiria o sacrifício de dez a doze animais.[79] Outros historiadores atribuem centenas de couros a um único exemplar da Bíblia de Gutenberg. Produzir cópias de uma obra em pergaminho, que era a única forma de favorecer sua sobrevivência, representava um gasto enorme, ao alcance de pouquíssima gente. Por isso, possuir um livro, até mesmo um exemplar comum, foi por muito tempo privilégio exclusivo de nobres e ordens religiosas. Numa Bíblia do século XIII, o escriba, arrasado pela escassez de material, escreve na margem: "Ah, se o céu fosse de pergaminho e o mar fosse de tinta."

28

Eu morei em Florença por um ano. Era estranho sair para trabalhar toda manhã protegendo meu notebook das cotoveladas e investidas da multidão de turistas. No trajeto, tinha que me esquivar da histeria fotográfica de centenas de pessoas posando com o sorriso congelado. Via filas enormes — como ondulantes centopeias humanas — em frente aos mesmos museus. Sentadas na calçada, as pessoas comiam alimentos industrializados. Os guias conduziam seus rebanhos, vociferando pelos microfones em todas as línguas possíveis. Algumas vezes a multidão bloqueava a passagem, como hordas de fãs que esperam a chegada de uma estrela pop. Todo mundo com um celular na mão. Gritos. Era preciso abrir passagem para as carruagens puxadas por cavalos apáticos. Cheiro de suor, fezes, café, molho de tomate. Sim, era estranho ir para o trabalho em meio àquele festival de aglomeração e *selfies*. Quando eu me aproximava do edifício da universidade e via de longe o mural de Guernica pintado na parede, respirava com o mesmo alívio de quem emerge, meio amassado, de uma estação de metrô na hora do *rush*.

A paz e o recolhimento também são possíveis em Florença, mas é preciso ir atrás deles e deixar de lado os circuitos badalados: é preciso conquistá-los. Eu os encontrei pela primeira vez numa ensolarada manhã de dezembro no Museu de São Marcos, que foi construído sobre um convento. No térreo ainda circulavam dois ou três visitantes silenciosos, mas no primeiro andar me vi sozinha, incrédula como alguém que acabou de escapar de uma feroz debandada de animais na savana. Anestesiada por aquela atmosfera cristalina, visitei as celas dos monges, uma por uma, onde Fra Angelico pintou seus afrescos de uma doçura franciscana que mais parecem uma declaração de amor aos humildes, aos inocentes, aos esperançosos, aos mansos, aos iludidos. Contam que era exatamente ali, rodeado por aquele desfile de lindíssimos incautos, que Cosme, patriarca da família Médici, se retirava para fazer penitências pelos abusos que cometia ao multiplicar sua fortuna e espalhar suas filiais bancárias por toda a Europa. O grande homem de negócios reservou uma cela dupla para si; como se sabe, os poderosos precisam de mais conforto do que o restante do mundo, até nas horas de expiação.

No começo de um longo corredor, entre duas celas, descobri um recanto extraordinário do museu. Os historiadores dizem que esse lugar abrigou a primeira biblioteca moderna.[80] Ali estão os esplêndidos livros que o humanista Niccolò Niccoli legou à cidade "para o bem comum, para o serviço público, para que permaneçam em lugar aberto a todos, onde as pessoas famintas de educação possam colher neles, como em campos férteis, o rico fruto da aprendizagem". Cosme, por sua vez, financiou a construção de uma biblioteca renascentista, projetada pelo arquiteto Michelozzo, que substituiu as salas escuras e os livros acorrentados do mundo medieval por um emblema dos novos tempos: uma sala ampla, banhada por luz natural, planejada para facilitar o estudo e o diálogo. As fontes descrevem com admiração o aspecto original da biblioteca: uma arcada suspensa sustentada por duas fileiras de delicadas colunas, janelas amplas de ambos os lados, pedra Serena, paredes verde-água para inspirar calma, prateleiras cheias de livros e 64 bancos de madeira de cipreste para os frades e os visitantes que vinham ler, escrever e copiar textos. Um acesso pelo exterior tornava realidade o sonho de Niccolò: sua coleção de quatrocentos manuscritos estava aberta a todos os amantes das letras, florentinos e estrangeiros. Inaugurada em 1444, esta foi, após a destruição de suas antepassadas helenísticas e romanas, a primeira biblioteca pública do continente.

Andei lentamente por aquela sala comprida. Os bancos desapareceram, substituídos por vitrines em que estão expostos manuscritos valiosos. Ninguém mais vem ler neste espaço renascentista de luz e silêncio, agora transformado em museu; no entanto, entre estas paredes respira-se a atmosfera tépida dos espaços habitados. Talvez os fantasmas se refugiassem aqui, pois eles, como todo mundo sabe, são criaturas assustadiças que preferem os lugares solitários porque temem as aterradoras hordas de vivos.

UMA TAREFA DETETIVESCA

29

Fazer a mão uma cópia fiel de um texto não é tarefa fácil. Exige uma série de processos repetitivos e exaustivos. O copista tem de ler uma parte do texto no livro que lhe serve de modelo, guardá-lo na memória, reproduzi-lo com uma caligrafia bonita e depois voltar para o original, pousando o olhar no ponto exato onde parou. Era preciso ter uma enorme concentração para chegar a ser um bom escriba. Até mesmo a pessoa mais treinada e atenta pode falhar (erros de leitura, lapsos por cansaço, traduções mentais, interpretações errôneas e correções equivocadas, trocas de palavras e saltos no texto). Na verdade, a personalidade do copista é retratada nos enganos que comete. Por mais que a mão que copiou um livro seja anônima, pelos erros do escriba podemos saber onde ele nasceu, que nível cultural tinha, sua agilidade mental e seus gostos; até sua psicologia aflora nas omissões e trocas de palavras.

É um fato comprovado que toda cópia insere erros no texto que reproduz. Uma cópia dessa cópia reproduz as falhas do modelo e sempre acrescenta outras novas, de sua própria lavra. Os produtos artesanais nunca são idênticos. Só as máquinas podem reproduzir em série. Os livros manuscritos variavam à medida que iam se multiplicando, como em uma brincadeira de telefone sem fio, em que uma história é passada de uma pessoa a outra e, nesse boca a boca, acaba se transformando numa história diferente da original.

A impulsiva e enlouquecida competição entre os reis colecionadores havia transformado Alexandria no maior arsenal de livros jamais conhecido. Na Grande Biblioteca podiam ser encontradas muitas obras repetidas, principalmente de Homero, e os sábios do museu tiveram a oportunidade de comparar diversas versões e detectar as alarmantes diferenças entre elas. Observaram que aquele processo de cópias sucessivas estava alterando sigilosamente as mensagens literárias. Em muitas passagens já não se entendia mais o que o autor quis dizer e em outras se liam coisas diferentes, dependendo da cópia. Ao perceber a dimensão do problema, concluíram que, no decorrer dos séculos, os textos seriam erodidos pela força silenciosa da falibilidade humana — como as rochas são erodidas pelo ataque constante das ondas —, e os relatos se tornariam cada vez mais incompreensíveis, até a dissolução do sentido.

Os guardiões da biblioteca embarcaram então numa missão quase detetivesca, comparando todas as versões de cada obra que estavam ao seu alcance para reconstruir a forma original dos textos. Procuravam fósseis de palavras perdidas e estratos de significado por baixo da falta de sentido das camadas superficiais. Esse esforço fez os métodos de estudo e pesquisa avançarem e serviu de treinamento para uma grande geração de críticos. Os filólogos alexandrinos prepararam com cuidado exemplares corrigidos das obras literárias que consideravam mais valiosas. Essas versões definitivas estavam à disposição do público como matriz para sucessivas cópias e até para o mercado de livros. As edições que lemos e traduzimos hoje em dia são filhas dos detetives das palavras de Alexandria.

Além de restaurar os textos em circulação, o Museu de Alexandria — também chamado de Gaiola das Musas — produziu toneladas de erudição, ensaios e tratados sobre literatura. Seus contemporâneos respeitavam o descomunal trabalho alexandrino, mas, ao mesmo tempo, adoravam zombar daqueles sábios involuntariamente cômicos. O alvo favorito das piadas era um estudioso chamado Dídimo, que chegou a publicar o fantástico número de 3 ou até 4 mil monografias.[81] Dídimo trabalhou incansavelmente na biblioteca, durante o século I a.C., e escreveu comentários e glossários, enquanto o mundo ao redor dele se dilacerava nas guerras civis de Roma. Dídimo era conhecido por dois apelidos: Tripas de Bronze (*Chalkénteros*), porque era preciso ter vísceras de ferro para conseguir escrever seus inumeráveis e prolixos comentários sobre literatura, e Esquece-Livros (*Biblioláthas*),[82] porque certa vez disse em público que uma teoria era absurda e, então, lhe mostraram um ensaio de sua autoria em que a defendia. O filho de Dídimo, chamado Apião,[83] herdou o infatigável ofício paterno, e dizem que o imperador Tibério o chamava de Pandeiro do Mundo. Os filólogos alexandrinos — apaixonados, detalhistas, cultos e, às vezes, pedantes e confusos — fizeram rapidamente um trajeto que, com seus sucessos e seus excessos, nós também percorremos durante o helenismo, e pela primeira vez na história a bibliografia sobre literatura começou a ocupar mais livros do que a própria literatura.

A Grande Biblioteca adquiria de tudo, de poemas épicos a livros de culinária. No meio desse oceano de letras, os estudiosos tinham de escolher a quais autores e obras dedicar seus esforços. Não havia discussão sobre quem era o grande protagonista da literatura grega, e nele os estudiosos se especializaram. Alexandria se transformou na capital homérica.

Homero está envolto em mistério. É um nome sem biografia, ou talvez seja apenas o apelido de um poeta cego — o nome "Homero" pode ser traduzido como "aquele que não vê". Os gregos não sabiam muito sobre ele e discordavam até quando tentavam situá-lo no tempo. Heródoto julgava que ele tinha vivido no século IX a.C.[84] ("quatro séculos antes da minha época, e não mais", escreveu), enquanto outros autores o imaginavam contemporâneo da Guerra de Troia, no século XII a.C. Homero era uma vaga lembrança sem contornos, a sombra de uma voz à qual atribuíam a música da *Ilíada* e da *Odisseia*.[85]

Todos conheciam a *Ilíada* e a *Odisseia* naquela época. Quem sabia ler havia aprendido com a leitura de Homero na escola, e outros tinham ouvido alguém contar as aventuras de Aquiles e Ulisses. Da Anatólia até as portas da Índia, ser grego deixou de ser uma questão de nascimento ou de genética naquele mundo helenístico expandido e mestiço; tinha muito mais a ver com amar os poemas homéricos. A cultura dos conquistadores macedônios se resumia a uma série de traços distintivos, que as populações nativas eram obrigadas a adotar se quisessem subir na vida: a língua, o teatro, o ginásio — onde os homens se exercitavam nus, para o choque de outros povos —, os jogos atléticos, o simpósio — uma forma refinada de se reunir para beber — e Homero.

Numa sociedade que nunca teve livros sagrados, a *Ilíada* e a *Odisseia* eram a coisa mais parecida com a Bíblia. Fascinados por Homero ou furiosos com ele, mas sem a vigilância de uma classe sacerdotal, os escritores, artistas e filósofos gregos se sentiram livres para explorar, questionar, satirizar ou ampliar os horizontes homéricos. Conta-se que Ésquilo disse humildemente que suas tragédias eram apenas "migalhas do grande banquete de Homero".[86] Platão dedicou longas páginas a atacar a suposta sabedoria do poeta e o expulsou de sua república ideal.[87] Certa vez desembarcou em Alexandria um sábio errante chamado Zoilo,[88] que divulgava suas conferências declarando-se subversivamente "o fustigador de Homero", e o rei Ptolomeu foi pessoalmente ao seu espetáculo para "acusá-lo de parricídio". Ninguém permanecia indiferente às epopeias de Aquiles e Ulisses. Os papiros desenterrados no Egito confirmam que a *Ilíada* era, de longe, o livro grego mais lido na Antiguidade, e foram encontradas passagens de seus poemas em sarcófagos de múmias greco-egípcias — pessoas que levaram versos homéricos para a eternidade.

Os poemas homéricos eram mais do que entretenimento para um público fascinado: exprimiam os sonhos e as mitologias dos povos antigos. Desde os tempos remotos, de geração em geração, os seres humanos relatam os fatos históricos que deixaram marcas na memória coletiva, mas temos a mania reincidente de transformá-los em lenda. No século XXI, a criação de gestas heroicas pode parecer ultrapassada, mas não é bem assim: toda civilização escolhe seus episódios nacionais e consagra seus heróis para poder se orgulhar de um passado lendário. Talvez o último país a forjar um universo mítico tenha sido os Estados Unidos com o *western*, e conseguiram exportar seu fascínio para todo o mundo globalizado contemporâneo. John Ford refletiu sobre a mitificação da história no filme *O homem que matou o facínora*, quando o diretor de um jornal, rasgando uma matéria solidamente documentada do seu repórter investigativo, conclui: "Isto aqui é o Oeste, senhor. E, no Oeste, quando os fatos se transformam em lenda, imprime-se a lenda." Não importa que a época idealizada (o tempo do genocídio indígena, da Guerra Civil, da febre do ouro, do poder dos caubóis violentos, das cidades sem lei, da apologia da espingarda e da escravidão) na verdade fosse pouco gloriosa. Poderíamos dizer algo parecido — e alguns gregos tiveram a coragem de fazê-lo — sobre o grande acontecimento institucional heleno, a sangrenta Guerra de Troia. Mas, assim como o cinema nos legou a paixão pelas paisagens poeirentas e grandiosas do Velho Oeste, pelos territórios de fronteira, pelo espírito pioneiro e pela vontade de conquistar a terra, Homero emocionava os gregos com seus relatos violentos e vibrantes dos campos de batalha e da volta dos veteranos ao lar.

Como os melhores filmes sobre o Velho Oeste, Homero é mais do que um mero panfleto patriótico. É verdade que seus poemas apresentam o mundo aristocrático sem questioná-lo nem se rebelar contra as injustiças, mas ele também sabia captar as nuances de suas histórias. E nelas reconhecemos mentalidades e conflitos não muito diferentes dos nossos — mais precisamente, duas mentalidades, porque a *Odisseia* é muitíssimo mais moderna do que a *Ilíada*.

A *Ilíada* conta a história de um herói obcecado pela fama e pela honra. Aquiles pode escolher entre uma vida sem glamour, longeva e tranquila se ficar no seu país, ou uma morte gloriosa se embarcar para Troia. E decide ir para a guerra, embora as profecias o advirtam de que não voltará. Aquiles pertence à grande família das pessoas deslumbradas por um ideal, valentes, comprometidas, melancólicas, insatisfeitas, teimosas e inclinadas a se levar muito a sério. Alexandre queria se parecer com ele desde criança, e buscou inspiração na *Ilíada* durante os anos de sua fulgurante campanha militar.

No cruel universo bélico, os jovens morrem e os pais sobrevivem aos filhos. Certa noite, o rei de Troia se aventura sozinho até o acampamento inimigo: vai pedir que lhe devolvam o cadáver do filho para enterrá-lo. Aquiles, o assassino, a máquina de matar, se compadece do velho e, diante da imagem de dignidade ferida do homem, lembra-se do próprio pai, que não voltará a ver. É um momento comovente, no qual o vencedor e o vencido choram juntos[89] e compartilham certezas: o direito de sepultar os mortos, a universalidade do luto e a beleza estranha desses lampejos de humanidade que iluminam momentaneamente a catástrofe da guerra. Entretanto, embora a *Ilíada* não conte, sabemos que a trégua será breve. A guerra vai continuar, Aquiles morrerá em combate, Troia será arrasada, seus homens, esfaqueados, e as mulheres, sorteadas entre os vencedores como escravas. O poema termina à beira do abismo.

Aquiles é um guerreiro tradicional, habitante de um mundo severo e trágico; em contraste, o vagabundo Ulisses — uma criatura literária tão moderna que seduziu James Joyce — se atira com prazer em aventuras fantásticas, imprevisíveis, divertidas; às vezes eróticas, às vezes ridículas. A *Ilíada* e a *Odisseia* exploram opções de vida diferentes, e seus heróis enfrentam as provações e as surpresas da existência com temperamentos opostos. Homero deixa bem claro que Ulisses valoriza intensamente a vida, com suas imperfeições, seus momentos de êxtase, seus prazeres e seu sabor agridoce. Ele é o antepassado de todos os viajantes, exploradores, marinheiros e piratas da ficção — capaz de enfrentar qualquer situação, mentiroso, sedutor, colecionador de experiências e grande contador de histórias. Sente saudades do lar e da mulher, mas se diverte aos montes pelo caminho. A *Odisseia* é a primeira representação literária da saudade, que convive, sem muitos conflitos, com o espírito de navegação e de aventura. Quando seu navio encalha na ilha da ninfa Calipso, de lindas tranças, Ulisses fica com ela por sete anos.

Nesse pequeno éden mediterrâneo onde florescem as violetas e ondas suaves banham as praias paradisíacas, Ulisses desfruta o sexo com uma deusa, usufruindo a imortalidade e a eterna juventude. No entanto, após vários anos de prazer, toda aquela felicidade o deixa infeliz. Está cansado da monotonia daquelas férias perpétuas e chora à beira-mar lembrando-se dos seus. No entanto, Ulisses conhece a raça divina o suficiente para pensar duas vezes antes de confessar à sua poderosa amiga que se cansou dela. É Calipso quem aborda o assunto delicado: "Ulisses, então, queres voltar para tua casa, na tua terra natal? Se soubesses quantas tristezas o destino te proporcionará, ficarias aqui comigo e serias imortal. Eu me orgulho de não ser inferior à tua esposa nem em porte nem em estatura, pois mulher alguma pode rivalizar com o corpo e o rosto de uma deusa."

É uma oferta muito tentadora: viver para sempre como amante de uma ninfa voluptuosa, na plenitude do corpo, sem velhice, sem doenças, sem fases ruins, sem problemas de próstata nem demência senil. Ulisses responde: "Deusa, não se aborreça comigo. Sei muito bem que Penélope é inferior a ti, mas mesmo assim desejo voltar para minha casa e ver o dia do regresso. Se algum dos deuses me maltratar no mar vermelho como o vinho, suportarei com ânimo paciente. Já sofri tanto entre as ondas, na guerra..."[90] E depois de decidirem romper — diz o poeta com uma naturalidade encantadora —, o sol se pôs, começou o crepúsculo, e os dois foram se deleitar com o amor em companhia mútua. Cinco dias depois, ele zarpou da ilha, feliz por abrir suas velas ao vento.

O astuto Ulisses não fantasia, como Aquiles, com um destino grandioso e único. Poderia ter sido um deus, mas opta por voltar para Ítaca, a pequena ilha rochosa onde vive, e lá encontrar a decrepitude de seu pai, a adolescência de seu filho, a menopausa de Penélope. Ulisses é uma criatura lutadora e intrépida que prefere as tristezas autênticas a uma felicidade artificial. O presente que Calipso lhe oferece é muito parecido com uma miragem, uma fuga, o sonho de uma droga alucinógena, uma realidade paralela. A decisão do herói exprime uma nova sabedoria, diferente do estrito código de honra que movia Aquiles. Essa sabedoria nos sussurra que a humilde, imperfeita e efêmera vida humana vale a pena, apesar de suas limitações e suas desgraças, ainda que a juventude se esfume, a carne fique flácida e acabemos todos arrastando os pés.

O MUNDO PERDIDO DA ORALIDADE: UMA TAPEÇARIA DE ECOS

31

A primeira palavra da literatura ocidental é "cólera" (em grego, *ménin*). Assim começa o hexâmetro inicial da *Ilíada*, jogando-nos de repente, sem contemplações, no som e na fúria. Com a ira de Aquiles, começa o trajeto que nos leva aos territórios de Eurípides, Shakespeare, Conrad, Faulkner, Lorca, Rulfo.

Entretanto, mais do que um princípio, Homero é um fim. É, na verdade, a ponta de um iceberg mergulhado quase por completo no esquecimento. Quando escrevemos seu nome entre os escritores da literatura universal, estamos misturando dois universos incomparáveis. A *Ilíada* e a *Odisseia* nasceram em um mundo diferente do nosso, num tempo anterior à expansão da escrita, quando a linguagem era efêmera (gestos, ar e ecos). Uma época de "palavras aladas", como Homero as chama, palavras que o vento leva embora e só a memória pode retê-las.

O nome de Homero está associado a dois textos épicos que vêm de um período no qual faz pouco sentido falar de autoria. Na etapa oral, os poemas eram declamados em público, perpetuando um costume herdado de povos nômades, quando os anciãos recitavam em volta da fogueira as velhas histórias dos seus ancestrais e as façanhas dos seus heróis. A poesia era socializada, pertencia a todos, e não a alguém em particular. Cada poeta podia usar livremente os mitos e cantos da tradição, retocando-os, omitindo o que achasse irrelevante, incorporando matizes, personagens, aventuras inventadas, e também versos que havia escutado dos seus colegas de profissão. Por trás de cada relato existia toda uma galáxia de poetas que não conseguiriam entender o conceito de "direitos autorais". Durante os longos séculos de oralidade, o romanceiro grego foi mudando e se expandindo, camada por camada, geração após geração, sem que os textos nunca chegassem a uma versão definitiva.

Os poetas analfabetos criaram centenas de poemas que se perderam para sempre. Alguns, porém, deixaram vagas lembranças nos escritores antigos e, por suas alusões — resumos e breves fragmentos —, conhecemos seu argumento por alto. Além do ciclo de Troia, houve pelo menos outro, sobre a cidade de Tebas — onde nasceu o infeliz Édipo. Era um canto antiquíssimo, anterior à *Ilíada* e à *Odisseia*, e protagonizado pelo guerreiro Mêmnon, nascido na Etiópia. Se as conjecturas sobre sua antiguidade estiverem certas, isso significa, surpreendentemente, que a canção de gesta mais antiga que conhecemos na Europa narrava as façanhas de um herói negro.[91]

Na sociedade oral, os bardos se apresentavam nas grandes festas e nos banquetes dos nobres. Quando um profissional das palavras aladas interpretava seu repertório de narrativas diante de uma audiência, por menor que fosse, estava "publicando" sua obra. Se quisermos imaginar como era essa forma de contar e ouvir histórias — que ainda não é literatura porque não conhece as letras nem a escrita —, temos duas fontes de informação. A *Ilíada* e a *Odisseia* oferecem pinceladas da vida, do ofício (e também das penúrias) dos aedos gregos. Além disso, os antropólogos estudaram outras culturas em que a épica oral subsiste — convivendo com a imprensa e as novas tecnologias de comunicação — até os tempos atuais. Embora nos pareçam visitantes do passado, os cantos tradicionais se negam a morrer e são usados, em alguns lugares do planeta, para relatar as novas guerras e as perigosas vidas do presente. Pesquisadores do folclore gravaram uma canção de um bardo cretense que relata o ataque dos paraquedistas alemães a Creta em 1941 e, ao se lembrar dos amigos caídos, se emociona tanto que sua voz de repente falha, rateia e emudece.

Imaginemos uma cena da vida cotidiana no pequeno palácio de um senhor local do século X a.C. Para alegrar uma noite de banquete, o anfitrião contratou um cantor itinerante. O forasteiro espera ao lado da entrada, no lugar destinado aos moradores de rua, até que o convidam a se sentar no salão onde os mais ricos do lugar estão bebendo e devorando carne assada, com gotas de gordura pingando do queixo. Quando todos os olhares se cravam nele, o homem sente vergonha da sua túnica puída e não muito limpa. Afina seu instrumento, a cítara, em silêncio, enquanto se prepara para o esforço da apresentação. Ele é um grande contador de histórias, praticou desde menino o ofício de tecer palavras. Com uma voz limpa, acompanhada pelo dedilhar das cordas, sentado sozinho como um compositor popular com seu violão, envolve a todos na magia de um relato apaixonante, recheado de aventuras e combates. Os convidados do banquete balançam a cabeça, assentem e acompanham o ritmo com o pé. Ficam imediatamente enfeitiçados. A história os arrasta para o próprio interior, seu olhar brilha, e começam a sorrir sem perceber. Nisto coincidem os gregos antigos e as testemunhas modernas de recitais em aldeias eslavas: a canção épica captura, invade e fascina quem a escuta.[92]

O feitiço do relato não funciona sozinho, o astuto bardo também tem seu repertório de truques. Quando chega a uma localidade, ele se informa sobre os antepassados da família que o contratou, aprende seus nomes e suas peculiaridades para introduzi-los no enredo da história misturados com os heróis lendários. Sempre introduz na narração algum episódio que por coincidência glorifica os patrícios dos seus clientes. Encurta ou prolonga a canção, dependendo do humor e do ambiente da sala. Se o público gosta de descrições com luxo, enfeita a armadura do guerreiro, os arreios dos seus cavalos e as joias das princesas — como se costuma dizer, essas riquezas ele não precisa pagar com dinheiro. Domina a arte das pausas e da incerteza, e sempre interrompe a história num ponto muito calculado para que o convidem a continuar no dia seguinte. O recital prossegue por várias noites, às vezes durante uma semana ou mais, até que o interesse dos anfitriões começa a diminuir. Então, o músico viajante volta para as estradas, para a vida errante, em busca de um novo refúgio.

No tempo das palavras aladas, a literatura era uma arte efêmera. Cada apresentação desses poemas orais era única e só acontecia uma vez. Como um músico de jazz, que a partir de uma melodia popular se entrega a uma apaixonada improvisação sem partitura, os bardos brincavam com variações espontâneas dos cantos aprendidos. Ainda que recitassem o mesmo poema, narrassem a mesma lenda protagonizada pelos mesmos heróis, nunca saía idêntico à vez anterior. Graças a um treinamento precoce e disciplinado, eles aprendiam a usar o verso como uma linguagem viva, moldável. Conheciam a trama de centenas de mitos, dominavam as pautas da linguagem tradicional, tinham um arsenal de frases prontas e de curingas para preencher os versos, e, com esse material, teciam em cada declamação um canto ao mesmo tempo fiel e diferente. Mas não havia ambição de autoria: os poetas amavam a herança do passado e não viam motivos para ser originais se a versão tradicional já era bela. A expressão da individualidade pertence ao tempo da escrita; naquela época, o prestígio da originalidade artística estava em baixa.

Naturalmente, para dominar o ofício era necessário ter uma memória prodigiosa. O etnólogo Mathias Murko — que depois teve seu caminho continuado por Milman Parry e Albert Lord — constatou, no começo do século XX, que os cantores bósnios muçulmanos dominavam trinta ou quarenta cantos orais; alguns mais de cem, outros até 140. Os cantos podiam durar sete ou oito horas — como os poemas gregos, eram sempre versões diferentes de um mesmo relato —, e eram necessárias várias noites completas (até o amanhecer) para recitá-los por inteiro. Quando Murko perguntou a que idade eles começavam a aprender, responderam que já tocavam o instrumento desde o colo dos pais e narravam lendas a partir dos 8 anos. Havia meninos-prodígios, pequenos Mozarts da narração. Um deles lembrava que aos 10 anos ia com a família aos cafés do bazar, onde absorvia todos os cantos; depois, não conseguia dormir enquanto não repetisse as histórias que escutara e, quando adormecia, elas se fixavam em sua memória. Às vezes os bardos viajavam durante horas para escutar um colega de profissão. Bastava ouvir um canto por uma única vez — ou duas, quando estavam muito bêbados — para poder interpretá-lo eles mesmos. E assim a herança dos poemas sobrevivia.

Provavelmente, na Grécia acontecia coisa parecida. Os poetas épicos conservavam a memória do passado porque viviam, desde a infância, em um mundo duplo — o real e o das lendas. Quando falavam em versos, sentiam-se transportados ao mundo do passado, que só conheciam pelos sortilégios da poesia. Eles — como livros de carne e osso, vivos e palpitantes num tempo sem escrita e, portanto, sem história — impediam que todas as experiências, todas as vidas e todo o saber acumulado acabassem anulados pelo esquecimento.

32

Um novo invento começou a transformar silenciosamente o mundo durante a segunda metade do século VIII a.C., numa revolução pacífica que acabaria transformando por completo a memória, a linguagem, o ato criativo, a forma de organizar o pensamento e as nossas relações com a autoridade, o saber e o passado. As mudanças foram lentas, mas extraordinárias. Depois do alfabeto, nada mais foi o mesmo.

Os primeiros leitores e os primeiros escritores foram pioneiros. O mundo da oralidade resistia a desaparecer — até hoje não se extinguiu totalmente —, e no começo a palavra escrita padeceu de certo estigma. Muitos gregos preferiam que as palavras cantassem. Não gostavam muito de novidades, resmungavam e rosnavam quando as viam pela frente. Ao contrário de nós, os habitantes do mundo antigo pensavam que as inovações tendiam a trazer mais degeneração do que progresso. Uma parte dessa reticência perdurou ao longo do tempo; todos os grandes avanços — a escrita, a imprensa, a internet... — tiveram que enfrentar caluniadores apocalípticos. Na certa também houve uns ranzinzas que acusaram a roda de ser um instrumento decadente e preferiam carregar menires nas costas até morrer.

Contudo, era difícil resistir à promessa do novo invento. Toda e qualquer sociedade aspira a permanecer e ser lembrada. O ato de escrever prolonga a vida da memória, impede que o passado se dissolva para sempre.

Em um primeiro momento, os poemas ainda nasciam e viajavam por meios orais, mas alguns bardos aprenderam o traçado das letras e começaram a transcrevê-los em folhas de papiro (ou a ditá-los) como passaporte para o futuro. Talvez alguns tenham começado a tomar consciência nesse momento das implicações inesperadas daquela ousadia. Escrever os poemas significava fixar o texto, registrá-lo para sempre. Nos livros, as palavras se cristalizam. Era preciso escolher alguma versão daqueles cantos, a mais bela possível, para sobreviver às demais. Até aquele momento, o canto era um organismo vivo que crescia e se transformava, mas agora a escrita iria petrificá-lo. Optar por uma das versões do relato significava sacrificar todas as demais e, ao mesmo tempo, salvar esse relato da destruição e do esquecimento.

Foi graças a esse gesto audacioso, quase temerário, que chegaram até nós duas obras memoráveis que conformaram nossa visão do mundo.

Os 15 mil versos da *Ilíada* e os 12 mil da *Odisseia*, que hoje lemos como se fossem dois romances, são um território fronteiriço entre a oralidade e o novo mundo. Um poeta, certamente educado na fluidez dos recitais mas em contato com a escrita, enfileirou vários cantos tradicionais no fio de uma trama coerente. Seria Homero esse personagem no umbral entre dois universos? Nunca saberemos. Cada pesquisador imagina o seu próprio Homero: um bardo analfabeto de tempos remotos; o responsável pela versão definitiva da *Ilíada* e da *Odisseia*; um poeta que deu um último toque nas obras; um copista aplicado que assinou o manuscrito com o próprio nome; ou um editor seduzido por aquela extravagante invenção que era o livro: ar escrito. Sempre achei fascinante que um autor tão fundamental para a nossa cultura seja apenas um fantasma.

Com a escassa informação disponível, é impossível esclarecer o mistério. A sombra de Homero se desvanece em terrenos de penumbra. E isso torna ainda mais fascinantes a *Ilíada* e a *Odisseia* — documentos excepcionais que nos levam para o tempo dos relatos alados e das palavras perdidas.

33

Você, que está lendo este livro, viveu durante alguns anos num mundo oral. Dos primeiros balbucios em tatibitate até aprender a ler, as palavras só existiam na voz. Você via em toda parte os desenhos mudos das letras, mas elas, não significavam nada. Os adultos que controlavam o mundo, eles, sim, liam e escreviam. Você não entendia bem o que era aquilo, nem se interessava muito porque achava que falar era suficiente. Os primeiros relatos da sua vida entraram pelas conchas das suas orelhas; seus olhos ainda não sabiam escutar. Depois, veio a escola: as linhas, os círculos, as letras, as sílabas. Realizou-se em você, em pequena escala, a mesma passagem que a humanidade fez da oralidade à escrita.

Minha mãe lia livros para mim todas as noites, sentada à beira da minha cama. Ela era a rapsoda; eu, o público fascinado. O lugar, a hora, os gestos e as pausas eram sempre os mesmos, a nossa liturgia íntima. Enquanto os olhos dela procuravam o lugar onde tinha interrompido a leitura e depois recuavam algumas frases para recuperar o fio da meada, a suave brisa do relato varria todas as preocupações do dia e os medos intuídos da noite. Aquele tempo de leitura me parecia um pequeno e provisório paraíso — depois, aprendi que todos os paraísos são assim: humildes e transitórios.

A voz dela. Eu escutava a voz dela e os sons da história que ela me ajudava a ouvir com a imaginação: a água chapinhando contra o casco de um navio, o rangido suave da neve, o choque de duas espadas, o assobio de uma flecha, passos misteriosos, uivos de lobo, cochichos atrás de uma porta. Nós nos sentíamos muito unidas, minha mãe e eu, em dois lugares ao mesmo tempo, mais juntas do que nunca, porém divididas em duas dimensões paralelas, dentro e fora, um relógio fazendo tique-taque durante meia hora no quarto e anos inteiros transcorrendo na história; sozinhas e ao mesmo tempo rodeadas de muita gente, amigas e espiãs dos personagens.

Naqueles anos eu estava perdendo os dentes de leite, um por um. Meu gesto favorito enquanto ela me contava histórias era balançar um dente mole com o dedo, sentir como ele se desprendia das raízes, rebolava cada vez mais solto e, quando finalmente se desprendia soltando uns fios salgados de sangue, examiná-lo na palma da mão — minha infância estava rachando, deixava buracos no meu corpo e caquinhos brancos pelo caminho. O tempo de ouvir histórias logo acabaria, mas eu ainda não sabia disso.

Quando chegávamos a algum episódio especialmente emocionante — uma perseguição, a aproximação do assassino, a iminência de uma descoberta, o sinal de uma traição —, minha mãe pigarreava, fingia um incômodo na garganta, tossia; era o sinal pactuado da primeira interrupção. Não posso ler mais. Chegava então minha hora de implorar, desesperada: não, não para agora, continua mais um pouquinho. Mas estou cansada. Por favor, por favor. Interpretávamos a pequena comédia; depois, ela prosseguia a história. Eu sabia que ela estava me enganando, claro, mas sempre ficava assustada. Ao fim, uma das interrupções seria de verdade, ela ia fechar o livro, me dar um beijo, me deixar sozinha na escuridão e se entregaria à vida secreta que os adultos vivem de noite, suas noites apaixonantes, misteriosas, desejadas; um país estrangeiro e proibido para as crianças. O livro fechado ia ficar em cima da mesinha, calado e teimoso, me expulsando dos acampamentos de Yukon, ou das margens do rio Mississippi, ou do Castelo de If, da Hospedaria Almirante Benbow, do Monte das Almas, da selva de Misiones, do lago de Maracaibo, do bairro de Benia Kirk em Odessa, de Ventimiglia, da perspectiva Nevski, da ilha Baratária, do antro de Laracna na fronteira de Mordor, da charneca ao lado da mansão dos Baskerville, de Nijni Novgorod, do Castelo de Irás e Não Voltarás, do bosque de Sherwood, do sinistro laboratório de anatomia de Ingolstadt, do bosque do barão Cósimo em Ombrosa, do planeta dos baobás, da misteriosa casa de Yvonne de Galais, do covil de Fagin, da ilha de Ítaca. E mesmo que eu abrisse o livro no lugar certo, indicado pelo marcador, não ia adiantar nada, pois só veria umas linhas cheias de patas de aranha que se negariam a me dizer uma mísera palavra. Sem a voz da minha mãe, a magia não se realizava. Ler era um feitiço, sim; era ouvir a voz daqueles estranhos insetos pretos dos livros, que na época me pareciam uns enormes formigueiros de papel.

34

O senso comum nos faz imaginar que as culturas orais são primitivas, rudimentares e tribais. Como hoje medimos o desenvolvimento de um país em função do grau de alfabetização da sua população, não é estranho que projetemos nessa etapa pré-histórica nosso conceito de um mundo atrasado e extinto. No entanto, sabemos que não era bem assim — pelo menos, não necessariamente. A cultura inca peruana, por exemplo, conquistou e governou um império poderoso sem ajuda da escrita (tinham somente um sistema de mensagens por meio de nós feitos em cordas, ou quipo) e foi capaz de criar uma arte própria e uma arquitetura ciclópica que todo ano atrai multidões de turistas às alturas andinas de Cuzco e Machu Picchu.

Naturalmente, a ausência de escrita era um empecilho cultural. Quanto maior a complexidade que as sociedades orais atingiam, mais presente e angustiante para seus membros se tornava a ameaça do esquecimento. Eles precisavam preservar as leis, as crenças, as descobertas, o conhecimento técnico — a própria identidade. Se não transmitissem seus progressos, cada geração teria que, trabalhosamente, recomeçar desde o início. Mas só podiam se comunicar por meio de um sistema de ecos, leve e fugaz como o ar. A frágil memória humana era a única esperança de permanência no tempo. Por isso, eles a treinavam para expandir ao máximo sua capacidade: eram atletas da memória em luta com os seus próprios limites.

Em seu esforço de perpetuação, os habitantes do mundo oral perceberam que a linguagem rítmica é mais fácil de ser lembrada, e foi desse descobrimento que nasceu a poesia. Ao recitar versos, a música das palavras ajuda a repetir o texto sem alterações, porque o ritmo se quebra quando a sequência falha. Todos nós aprendemos poemas na escola dos quais hoje, depois de tantos anos, após termos esquecido tantas coisas, constatamos ainda nos lembrar com uma nitidez assombrosa.

Não é por acaso que as musas, na mitologia grega, são filhas da deusa Mnemosine (que dá origem à palavra "mnemotécnica"), personificação da memória como atividade: a lembrança e a evocação. Naquela época — como em todas as épocas —, ninguém podia criar sem ser capaz de lembrar. Apesar das radicais diferenças, se existe alguma coisa em comum entre o bardo oral e o escritor pós-moderno, é a forma de entender a própria obra como versão, nostalgia, tradução e reciclagem constante do passado.

O ritmo não é apenas um aliado da memória, também é um catalisador dos nossos prazeres — a dança, a música e o sexo brincam com a repetição, o compasso e as cadências. A linguagem também tem infinitas possibilidades rítmicas. A épica grega flui em hexâmetros, que criam um ritmo acústico peculiar por meio de combinações entre sílabas longas e breves. O verso hebraico, em contrapartida, prefere os ritmos sintáticos: "Há um tempo para tudo e um tempo para cada coisa sob o céu: um tempo para nascer e um tempo para morrer; um tempo para plantar e um tempo para colher; um tempo para matar e um tempo para curar; um tempo para destruir e um tempo para edificar..." Pode se dizer que essas frases do livro de Eclesiastes cantam, e de fato o músico Pete Seeger compôs uma canção inspirada nelas — "Turn! Turn! Turn! (To everything there is a season)" —, que liderou as paradas de sucessos em 1965. Na origem da poesia, o prazer do ritmo se pôs a serviço da continuidade cultural.

Além da música linguística, foram descobertas outras estratégias para a conservação da memória. Os poemas orais transmitiam seus ensinamentos em ação, sob a forma de relatos e não de reflexões; as frases abstratas são próprias da linguagem escrita. Nenhum poeta diria ao seu público uma coisa tão pouco cativante quanto "as mentiras minam a confiança". Em vez disso, prefeririam contar a história do pastor brincalhão que se divertia assustando as pessoas da aldeia com seus gritos ("O lobo vem aí!"). No tempo da oralidade, havia sempre alguma aventura acontecendo, e os personagens erravam e sofriam as consequências desse erro, na sua pele de ficção, para que a comunidade aprendesse as lições. A experiência adquiria sentido e era transmitida em forma de relato — lenda, conto, fábula, caso, piada, adivinhação ou lembrança. O mundo quimérico da oralidade imaginava histórias cheias de vitalidade e movimento em que os vivos conviviam com os mortos, os humanos com os deuses, os corpos com os fantasmas, e nas quais a conexão entre o céu, a terra e o inferno permitia um movimento de eterno retorno. Os contos tradicionais humanizavam até os animais, os rios, as árvores, a lua ou a neve, como se a natureza inteira desejasse se associar à alegria e à vertigem da narrativa. A literatura infantil ainda mantém vivo esse antigo prazer pela ação exuberante e a alegre convivência entre animais falantes e crianças.

Para os gregos, a *Ilíada* e a *Odisseia* — assim como os poemas perdidos daquela época — eram, nas palavras de Eric A. Havelock, enciclopédias orais que recopilavam o saber popular herdado. Relatavam, num ritmo enérgico e apaixonante, o mito da Guerra de Troia e, em seguida, o difícil retorno dos conquistadores gregos para casa. O enredo, o dramatismo e a aventura captavam a atenção do público. E no interior do relato, camuflados na rápida correnteza de episódios, constantemente surgiam breves ensinamentos em grupos de versos preparados para ser decorados. Quem ouvia as declamações assimilava noções de navegação e agricultura, procedimentos para construir barcos ou casas, regras para organizar uma assembleia, tomar uma decisão coletiva, armar-se para o combate ou organizar um enterro. Aprendia como se comporta um guerreiro na batalha, como se deve falar com um sacerdote, como fazer um desafio ou se desculpar por uma ofensa, como se comportar no lar, o que os deuses esperam dos humanos, o que ditam as leis, os costumes e o código de honra. Nos versos homéricos, quem fala não é um indivíduo rebelde e boêmio que expressa sua originalidade, mas a voz coletiva do povo.

Entre os ensinamentos herdados, encontramos valiosas doses de sabedoria antiga, mas também expressões de ideologia opressiva. No primeiro canto da *Odisseia*, Telêmaco manda sua mãe, Penélope, calar a boca sem rodeios: "Mãe, vai para o teu quarto e cuida do teu trabalho, o tear e a roca, e vigia as escravas para que cumpram suas tarefas. A palavra deve ser coisa de homens, de todos, mas sobretudo deve ser coisa minha, porque neste palácio eu estou no comando."[93] Lendo hoje esse episódio, parece inquietante a aspereza desse adolescente que começa a se sentir homem e quer assumir as rédeas da casa, relegando a mãe aos trabalhos da roca. Mas o poeta aprova essa afirmação precoce do domínio masculino, enunciada pelo jovem filho de Ulisses, e a apresenta ao seu público como exemplo. Para os gregos, a palavra pertencia aos homens; era uma prerrogativa deles. Na *Ilíada*, o próprio Zeus briga com a esposa Hera durante um banquete,[94] porque ela estava tentando descobrir suas intenções, e a humilha em público com um grosseiro "Cala a boca!" formulado em solenes hexâmetros épicos. Com seus atos e suas palavras, os personagens homéricos proporcionavam modelos constantes de comportamento doméstico em que o chefe de família se erigia como senhor absoluto.

Mais adiante, a *Ilíada* nos oferece um exemplo de distinção de classe, também associado à questão candente do uso da palavra. Quando um homem do povo chamado Tersites — o único plebeu que aparece no poema, ali descrito como o mais feio dos gregos que foram a Troia — ousa intervir na assembleia de guerreiros, Ulisses o empurra com o cetro e lhe diz em tom imperativo que deixe falar aqueles que são melhores do que ele, ou seja, os reis e generais. Apesar dessa grosseria, o revoltado Tersites tem coragem suficiente para fazer um discurso de protesto criticando a cobiça do rei Agamenon: "Átrida! De que se queixa outra vez? Suas tendas de campanha estão transbordando de riquezas e mulheres. Não é bom que um chefe arruíne seus guerreiros." O poema descreve como Ulisses machuca o desbocado e manco Tersites,[95] enquanto o grupo de soldados que assiste à cena aplaude, incentiva e cai na gargalhada ("Com o cetro, bateu em suas costas e seus ombros. Curvou-se, e uma lágrima escorreu. Um sanguinolento hematoma brotou em suas costas por obra do áureo cetro, e se sentou e teve medo.").

Enquanto desfrutamos a épica homérica, com seu poder de fascinação e seus momentos de beleza avassaladora, devemos ficar em guarda como leitores, conscientes de que essa obra vem de um mundo dominado pela aristocracia patriarcal grega, que o autor enaltece sem questionar seus valores. A possibilidade de contar uma história livre e transgressora é alheia a uma época em que os poetas eram sentinelas da tradição. Seria preciso esperar até a invenção da escrita e dos livros para que alguns escritores — sempre em minoria — começassem a dar voz aos dissidentes, aos rebeldes, aos humilhados e ofendidos, às mulheres silenciadas[96] ou aos espancados e feios Tersites.

35

É um grande paradoxo: somos provenientes de um mundo perdido que só podemos espiar quando desaparece. A nossa imagem da oralidade vem dos livros. Conhecemos as palavras aladas por intermédio do seu contrário, as palavras imóveis da escrita. Uma vez transcritas, essas narrações perdem para sempre a fluidez, a elasticidade, a liberdade de improvisação e, em muitos casos, a linguagem característica. Salvar essa herança exigiu feri-la gravemente.

Ferida, mas ainda assim fascinante, a grande riqueza do imaginário inicial da nossa cultura sobreviveu sem se desvanecer por completo nos confins do tempo. Ouvimos seus ecos distantes na transcrição de mitologias, fábulas, sagas, canções folclóricas e contos tradicionais. Transformada, refundida e reinterpretada, podemos encontrá-la na *Ilíada* e na *Odisseia*, nas tragédias gregas, na Torá — e no Antigo Testamento —, no Ramayana, nas Edda, em *As mil e uma noites*. E são exatamente esses relatos exilados — refugiados literários no país estrangeiro dos textos escritos — que constituem a espinha dorsal da nossa cultura.

Quando a musa aprendeu a escrever — nas palavras de Havelock —, ocorreram mudanças assombrosas. Os novos textos começaram a se multiplicar em uma variedade infinita, porque não estavam mais sujeitos à economia da memória. O depósito do conhecimento deixou de ser exclusivamente acústico: transformou-se num arquivo material e, portanto, podia ser ampliado ilimitadamente. Assim, a literatura ganhou a liberdade de se expandir em todas as direções sem ter que administrar com avareza a capacidade restrita da memória. E essa liberdade também impregnou os temas e pontos de vista do relato. Ao contrário da oralidade, que favorecia as formas e ideias tradicionais, reconhecíveis para o público, o discurso alfabetizado podia abrir horizontes desconhecidos porque o leitor tinha tempo para assimilar e analisar com tranquilidade as ideias novas. Nos livros há lugar para proposições excêntricas, vozes de identidades individuais, desafios à tradição.

Ao sair da oralidade, a linguagem sofreu ajustes arquitetônicos: a sintaxe desenvolveu novas estruturas lógicas e o vocabulário tornou-se mais abstrato.[97] Além disso, a literatura encontrou novos caminhos fora da disciplina do verso. Como o burguês gentil-homem de Molière, que um belo dia se deu conta de que estava falando em prosa havia mais de quarenta anos sem saber disso, os autores gregos descobriram que seus personagens podiam parar de dialogar em hexâmetros.

A prosa se transformou em veículo de um universo surpreendente de fatos e de teorias. Os enunciados inovadores expandiram o espaço do pensamento. Foi essa ampliação das perspectivas que deu origem à história, à filosofia e à ciência. Para se referir ao seu trabalho intelectual, Aristóteles escolheu a palavra *theoría* e o verbo correspondente *theoreîn*, que em grego aludem ao ato de olhar alguma coisa. Essa escolha é muito reveladora: o ofício de pensar o mundo só existe graças aos livros e à leitura, ou seja, no momento em que podemos ver as palavras e refletir com calma sobre elas, em vez de somente ouvi-las na correnteza veloz do discurso.

Todas essas transformações ocorreram em ritmo lento. Nós costumamos imaginar que os novos inventos varrem com rapidez os antigos hábitos, só que esses processos não se medem em anos-luz, mas em "anos-estalactite". Pouco a pouco, como gotas que pingam na pedra e deixam para trás finos sulcos de calcário, as letras propiciaram novas consciências e mentalidades. O abandono da oralidade na antiga Grécia foi uma longa etapa que durou do século VIII ao século IV a.C. Aristóteles, que reuniu uma vasta coleção de livros — inspiração da ambiciosa biblioteca alexandrina —, foi certamente o primeiro homem de letras europeu em sentido estrito.

Na verdade, não deveríamos falar de substituição, mas de um curioso enlace entre a oralidade e a linguagem escrita, uma delicada tessitura. Parece paradoxal, por exemplo, que nas escolas gregas as crianças aprendessem a ler com a *Ilíada* e a *Odisseia*. Homero nunca perdeu o lugar central na educação; como nos tempos da enciclopédia oral, foi o mestre indiscutível de toda a região da Hélade. Por outro lado, é inquestionável que os grandes contadores de histórias e os indivíduos com habilidade de compor discursos continuaram deslumbrando os gregos, como demonstra sua paixão inesgotável pela retórica. De modo geral, a liderança política das cidades-Estado gregas era exercida por pessoas eloquentes. Nunca existiu ali a divisão característica do mundo medieval, entre senhores feudais com muito músculo mas pouco miolo e os cultos e letrados que redigiam seus documentos. Os gregos adoravam a oratória eficaz temperada com certa graça expressiva. O estereótipo humorístico da Antiguidade os apresenta sempre se desafiando, tagarelando, importunando. Por esse amor desmedido à palavra e pelo frenesi de debate, os romanos que conquistaram a Grécia os consideravam uns tagarelas incorrigíveis.

Aguçando o ouvido, ainda podemos escutar as palavras aladas ressoando nos coros da tragédia, nos hinos de Píndaro, na história cheia de relatos que Heródoto escreveu, nos diálogos de Platão. Ao mesmo tempo, todas essas obras têm um viés inovador de linguagem e de consciência individual. Como costuma acontecer, não houve ruptura completa nem continuidade absoluta. Até a proposta literária mais inovadora contém fragmentos e despojos de incontáveis textos anteriores.

O caso de Sócrates constitui uma curiosa mistura entre o novo e o velho. Sócrates, um pequeno artesão, passou a vida circulando nos ginásios, oficinas e na ágora de Atenas para manter conversas filosóficas com quem quisesse parar e conversar com ele. Esse gosto pela perambulação tagarela e seu desinteresse pela vida doméstica, além de causarem a infelicidade de seu casamento com Xantipa, lhe renderam a fama de excêntrico. Era um falador formidável que sempre se negou a escrever suas lições. Acusava os livros de estorvarem o diálogo das ideias, porque a palavra escrita não sabe responder às perguntas e objeções do leitor. Certamente devia se sentir mais próximo dos antigos bardos que viviam ao ar livre do que dos escritores de tez pálida e olheiras profundas. No entanto, a musa da filosofia, que seduziu Sócrates e lhe inspirou sua feliz distância do trabalho, era filha da escrita. No mundo das tradições, um personagem como ele, de origem humilde e feiura impressionante — tinha baixa estatura, nariz chato e uma barriga imponente —, não poderia fazer uso da palavra em público, pois teria o mesmo destino que Tersites. Entretanto, na ilustrada Atenas da época, os aristocratas não apenas não o espancaram em público, como também o respeitaram e financiaram sua atividade filosófica ambulante.

Sócrates não foi o único grande pensador que, nessa encruzilhada da comunicação, se absteve de escrever. Tal como ele, Pitágoras, Diógenes, Buda e Jesus de Nazaré também optaram pela oralidade. Todos eles, porém, sabiam ler e dominavam a escrita. No Evangelho de João, Jesus se agacha e escreve na areia com o dedo,[98] justamente antes de lançar o seu famoso desafio: "Quem de vós não tiver pecado, que atire a primeira pedra." João não nos revela o que dizia aquela frase escrita na areia — talvez o vento tenha levado uma máxima tão memorável quanto a anterior, ou quem sabe apenas uma lista de tarefas —, mas o essencial é que nós lemos toda a cena. Os discípulos assumiram a tarefa que seus mentores haviam desprezado, e, graças às crônicas dos apóstolos, ainda persiste uma imagem nítida da sua passagem pelo mundo. Embora esses mestres tenham optado pela oralidade, o veículo decisivo para expandir sua mensagem foram os livros. Quando a memória era o único depósito de palavras, os discursos dissidentes tinham pouquíssimas possibilidades de se perpetuar além do pequeno círculo de adeptos.

É importante elucidar: na nova civilização da escrita, a oralidade perdeu o monopólio da palavra, mas não se extinguiu; na realidade, continua viva entre nós. Até o século XX, os que sabiam ler eram apenas uma minoria em todas as sociedades, e ainda hoje há centenas de milhões de analfabetos no mundo. Como bem sabem os antropólogos, a voz dos cantos e dos mitos nunca se calou totalmente. No período entre as duas guerras mundiais, Milman Parry, pesquisador da Universidade de Harvard, viajou aos Bálcãs para testemunhar algumas declamações épicas à maneira de Homero e tentar desvendar o enigma homérico. Para seu espanto, a história dessa viagem científica se transformou numa nova epopeia à moda antiga. Um bardo analfabeto interpretou em 1933 um canto que promovia o filólogo à inesperada condição de herói mítico: "Um falcão cinzento voou dos belos confins da América, sobrevoando países e cidades, até chegar à beira do nosso mar. Nossa história o recordará através do tempo."[99] Outro pesquisador norte-americano, Hiram Bingham, que duas décadas antes descobrira o sítio arqueológico de Machu Picchu, entraria no imaginário popular transformado em

Indiana Jones, com o famoso chicote em punho. Durante um curto período, alguns professores universitários conseguiram uma vaga no time dos heróis do universo épico.

Embora possa parecer paradoxal, a oralidade deve seus enormes triunfos aos avanços da tecnologia. Desde os tempos mais remotos, o poder da voz humana só podia atingir as pessoas presentes fisicamente. O rádio e o telefone fulminaram essas limitações — tanto o som de discursos solenes quanto o de um bate-papo cotidiano podem atingir toda a população. Com a proliferação dos celulares, dos satélites e da cobertura do sinal, nossas palavras voam de um extremo ao outro da geografia planetária com asas maiores do que nunca.

O cinema, que começou como espetáculo mudo, buscou ansiosamente se tornar sonoro. Enquanto durou a etapa silenciosa, as salas de projeção deram emprego a alguns curiosos personagens, os explicadores, que eram como os parentes distantes dos rapsodos, trovadores, titereiros e narradores. Sua tarefa consistia em ler os textos dos filmes para o público analfabeto e animar a sessão. No começo, sua presença era tranquilizadora, porque as pessoas se assustavam ao ver uma projeção pela primeira vez. Não entendiam como podia surgir uma rua — ou uma fábrica, um trem, uma cidade, o mundo — num lençol. Os explicadores ajudavam a atenuar o estranhamento do cinema quando as imagens em movimento entraram na nossa vida.[100] Usavam artefatos como buzinas, matracas e cascas de coco para reproduzir os sons do que se via na tela. Indicavam os personagens com um ponteiro. Respondiam às exclamações do público. Improvisavam monólogos expressivos durante o decorrer da ação. Interpretavam, davam personalidade à trama silenciosa. Provocavam gargalhadas. No fundo, tentavam preencher o vazio inquietante que a ausência de vozes criava. Os explicadores mais divertidos e eloquentes chegavam a ser anunciados nos programas dos cinemas, porque muitos espectadores iam às salas atraídos por eles e não pelos filmes.

Heigo Kurosawa foi um admirado *benshi*, narrador de filmes mudos para o público japonês.[101] Tornou-se uma estrela; o público ia em peso escutá-lo. Foi ele quem introduziu nos ambientes cinematográficos de

Tóquio seu irmão mais novo, Akira, que na época queria ser pintor. Por volta de 1930, com a vertiginosa chegada do cinema sonoro, os *benshi* perderam o trabalho, a fama deles se eclipsou e, no fim das contas, acabaram esquecidos. Heigo se suicidou em 1933. Akira dedicou toda a sua vida a dirigir filmes como aqueles que aprendeu a amar na voz do irmão mais velho.

36

Enquanto estava imersa no capítulo anterior, concentrada em vozes distantes de tempos remotos, fui atingida pela onda expansiva da nossa agitada atualidade. Depois da notícia, começou um coro verborrágico de comentários, indignações e ironias nas nervosas redes sociais. Por toda parte ressoam os "Será possível?" e os "Já era hora!", a polêmica chega ao ponto de ebulição. Os jornais e as estações de rádio consultam seus especialistas habituais. Não há trégua. O Twitter vomita a penúltima novidade inaudita: a Academia Sueca deu o prêmio Nobel de Literatura a Bob Dylan.

Assisto divertida a essa cacofonia midiática de apocalípticos e integrados. Os entusiastas comemoram, porque as hierarquias e o esnobismo literário foram derrotados. Os indignados desconfiam do vanguardismo postiço daquele velho comitê sueco. Suspeitam que não existe nisso qualquer intenção de dessacralizar ou de ampliar o conceito de escritor, nem uma derrota dos aduaneiros fardados que controlam as fronteiras da literatura exigindo o visto de entrada; veem nessa escolha simplesmente oportunismo e sede de repercussão pública. Os mais exaltados preferem falar de banalização, e perguntam escandalizados qual será o próximo passo depois de tanta insensatez. Será que depois do cantor e compositor não irromperá no *sancta sanctorum* da Academia uma matilha de filhos bastardos da palavra — roteiristas de cinema e televisão, autores de histórias em quadrinhos, monologuistas, desenvolvedores de videogames e projetos multimídia, epigramatistas do Twitter? Serão essas as tribos do futuro?

Eu, invadida pelo livro que estou escrevendo, penso em Homero. Penso na multidão de bardos itinerantes escondidos atrás desse nome. Eles foram os primeiros. Cantavam para entreter os ricos em seus palácios e as pessoas humildes nas praças das aldeias. Naquele tempo, ser poeta era viver uma vida de solas gastas, de poeira no caminho, de instrumento nas costas, de recitais ao entardecer e de ritmo no corpo. Esses artistas itinerantes, os maltrapilhos enviados das musas, sábios boêmios que em seus cantos explicavam o mundo, metade enciclopedistas, metade bufões, são os antepassados dos escritores. Sua poesia veio antes da prosa e sua música, antes da leitura em silêncio.

Um Nobel para a oralidade. Como pode ser antigo o futuro...

37

Quando eu era criança, pensava que os livros tinham sido escritos para mim, que o único exemplar do mundo estava na minha casa. Não tinha a menor dúvida: meus pais, que naquela época da minha vida eram uns gigantes esplêndidos e todo-poderosos, tinham se encarregado, nas horas vagas, de inventar e fabricar as histórias que me davam de presente. Minhas favoritas, que eu saboreava na cama com o cobertor puxado até o queixo, na voz inconfundível da minha mãe, só existiam, claro, para serem ouvidas por mim. E cumpriam sua única missão no mundo quando eu exigia da gigantesca narradora: "Mais!"

Cresci, mas continuo mantendo uma relação muito narcisista com os livros. Quando um relato me invade, quando sou impregnada por sua chuva de palavras, quando entendo de forma quase dolorosa o que ele conta, quando tenho certeza — íntima, solitária — de que aquele autor mudou minha vida, volto a acreditar que eu, especificamente eu, sou a leitora que esse livro estava procurando.

Nunca perguntei se alguém sente algo parecido. No meu caso, tudo remonta ao país da infância, e acho que há um motivo essencial: meu primeiro contato com a literatura foi em forma de leitura em voz alta;

em forma de encruzilhada em que confluem todos os tempos — o presente da escrita e o passado da oralidade; de um pequeno teatro com um só espectador, de citação fiel e de prece libertadora. Se alguém lê para você, é porque deseja o seu prazer; trata-se de um ato de amor e um armistício em meio aos embates da vida. Enquanto você escuta a história, com uma atenção sonhadora, o narrador e o livro se fundem numa única presença, numa única voz. E, da mesma maneira que o leitor modula as inflexões, os sorrisos tênues, os silêncios e os olhares, a história também é sua por direito inalienável. Você nunca esquece quem lhe contou uma boa história na penumbra da noite.

Em cada um dos seus encontros eróticos, uma mulher escuta seu amante adolescente ler. Gosto de imaginar esses momentos descritos em *O leitor*, de Bernhard Schlink. Tudo começa com a *Odisseia*, que o menino traduzia em suas aulas de grego da escola. "Leia isto para mim", diz ela. "Você tem uma voz bonita, garoto." Quando ele tenta beijá-la, ela vira o rosto: "Primeiro tem de ler algo para mim." A partir desse dia, o ritual dos encontros sempre inclui a leitura. Durante meia hora — antes do banho, do sexo e do repouso —, na intimidade do desejo, ele vai desfiando histórias enquanto a mulher, Hanna, ouve com atenção, às vezes rindo ou bufando com desprezo, ou então soltando exclamações indignadas. Ao longo dos meses e dos livros — Schiller, Goethe, Tolstói, Dickens —, o menino de voz insegura aprende as habilidades de narrador. Quando chega o verão e os dias se prolongam, os dois dedicam ainda mais tempo à leitura. Numa tarde de mormaço, após terminarem um livro, Hanna se recusa a iniciar outro. É o último encontro. Dias depois, o garoto chega à hora de sempre e toca a campainha, mas a casa está vazia. Ela havia desaparecido de repente, sem explicações — o fim das leituras marcou o fim daquela história. Durante anos, ele não podia ver um livro sem pensar em compartilhá-lo com Hanna.

Tempos depois, quando está estudando direito numa universidade alemã, ele descobre por acaso a história sombria de sua antiga amante: tinha sido guarda num campo de concentração nazista. Lá também fazia as prisioneiras lerem livros para ela, todas as noites, antes de metê-las no trem que as levava para a morte certa em Auschwitz. Por certos indícios, ele chega à conclusão de que Hanna é analfabeta. Reconstrói a história de uma jovem emigrante do mundo rural, sem instrução, acostumada a trabalhos de pouca importância, que se deslumbra com uma posição de comando num campo de concentração feminino perto de Cracóvia. Sob essa nova luz, entende a dureza de Hanna, que às vezes beirava a crueldade, seus mutismos, suas reações incompreensíveis, sua sede de leituras em voz alta, sua marginalização, seus esforços para se ocultar, seu isolamento. As lembranças amorosas do jovem estudante se tingem de horror, mas mesmo assim ele toma a decisão de gravar a *Odisseia* em fitas cassete e mandá-las à penitenciária para aliviar a solidão de Hanna. Enquanto ela cumpre uma longa pena, o rapaz não deixa de lhe mandar gravações de Tchekhov, Kafka, Max Frisch, Fontane. Capturados em seu labirinto de culpa, terror, memória e amor, os dois se refugiam no antigo abrigo das leituras em voz alta. Esses anos de narrações compartilhadas revivem as mil e uma noites em que Sherazade aplacou o sultão assassino com seus relatos. Náufragos da catástrofe da Segunda Guerra Mundial e com as feridas europeias ainda em carne viva, o protagonista e Hanna voltam às antigas histórias em busca de absolvição, de cura, de paz.

A PACÍFICA REVOLUÇÃO DO ALFABETO

38

Nós, habitantes do século XXI, pensamos que todo mundo aprende a ler e a escrever na infância. Julgamos que se trata de um conhecimento acessível, ao alcance de qualquer um. Nem sequer imaginamos que pode haver pessoas analfabetas, como Hanna, entre nós.

Mas existem (670 mil na Espanha, em 2016, segundo dados do Instituto Nacional de Estatística). Eu conheci uma. Fui testemunha da sua impotência diante de situações cotidianas como se orientar na rua, descobrir qual é a plataforma correta numa estação, decifrar a conta de luz

— se bem que tenho minhas dúvidas se, entre os que sabem ler, existe alguém que entenda a bagunça das tarifas de eletricidade —, achar o nome do candidato que escolheu para votar ou pedir uma refeição num restaurante. Só os lugares conhecidos e as rotinas tranquilizavam sua angústia num mundo onde não era capaz de se desenvolver como os outros. Ela fazia um esforço exaustivo para disfarçar sua condição de analfabeta — esqueci os óculos em casa; pode ler isto para mim? —, e essa necessidade de fingir acabava deixando-a à margem das relações com os outros. Eu me lembro, acima de tudo, do seu desamparo, do repertório de pequenas mentiras necessárias para pedir ajuda a desconhecidos sem passar vergonha, da inferioridade sem fim. Em *Mulheres diabólicas*, o cineasta Claude Chabrol captou o lado sombrio e inquietante dessa exclusão silenciosa, mostrando a violência reprimida da protagonista, ironicamente chamada Sophie. O filme se baseava num romance *noir* de Ruth Rendell, *Sentença em pedra*, que descreve a obsessão desesperada — e, no fim, sangrenta — de uma mulher analfabeta por proteger seu segredo.

Hoje lemos mais do que nunca. Vivemos cercados de cartazes, anúncios, telas, documentos. As ruas estão cheias de palavras, dos grafites nas paredes aos anúncios luminosos. Elas cintilam nos celulares e nas telas dos computadores. Textos em diversos formatos convivem conosco em nossa casa como animais de estimação. Nunca houve tantos. Nossos dias são atravessados por saraivadas contínuas de letras e alarmes que anunciam sua chegada. Passamos várias horas da nossa jornada de trabalho e do nosso ócio digitando em diferentes teclados. Quando nos pedem que preenchamos um formulário num guichê, nunca têm a cortesia de perguntar se sabemos ler. Estaríamos excluídos até das situações mais comuns se não fôssemos capazes de escrever com rapidez.

Ana María Moix me contou uma vez que, nos anos 1970, foi almoçar com a prodigiosa geração do *boom* latino-americano: Vargas Llosa, García Márquez, Bryce Echenique, José Donoso, Jorge Edwards... Entraram todos num restaurante de Barcelona onde era preciso anotar o pedido e entregá-lo por escrito ao garçom. Mas eles, bebendo e conversando, não repararam no menu nem nas aproximações interrogativas dos garçons. Afinal o *maître* teve de interromper a conversa, contrariado com tanta prosa apaixonada e tão pouco interesse gastronômico. Foi até lá e, sem reconhecê-los, perguntou em tom irritado: "Será que ninguém sabe escrever nesta mesa?"

Hoje assumimos que a maioria das pessoas à nossa volta lê e escreve. Por trás dessa situação há um percurso de muitíssimos séculos. Tal como a informática, a escrita era uma reserva exclusiva de alguns poucos especialistas no início. Sucessivas simplificações permitiram que milhões de pessoas passassem a usar essas duas ferramentas no cotidiano. Para essa expansão — que no caso dos computadores se deu há poucas décadas —, foram necessários milhares de anos na história da escrita. A rapidez nas mudanças não é um dos traços marcantes do passado distante.

Os primeiros signos escritos apareceram na Mesopotâmia há 6 mil anos, mas a origem dessa invenção está imersa no silêncio e no mistério. Tempos depois, e de forma independente, a escrita nasceu também no Egito, na Índia e na China.[102] Segundo as teorias mais recentes, a arte de escrever tem uma origem prática: as listas de propriedades. Essas teorias afirmam que nossos antepassados aprenderam o cálculo antes das letras. A escrita veio para resolver o problema de proprietários ricos e administradores palacianos, que precisavam lançar mão de anotações porque era difícil fazer a contabilidade de forma oral. A etapa de transcrever lendas e relatos viria depois. Nós somos seres econômicos e simbólicos: começamos escrevendo inventários e, mais tarde, invenções (primeiro as contas, depois os contos).

As primeiras anotações eram desenhos esquemáticos (uma cabeça de boi, uma árvore, um jarro de azeite, um homenzinho). Com esses traços, os antigos latifundiários inventariavam seus rebanhos, seus bosques, sua despensa e seus escravos. Primeiro imprimiam essas formas na argila com pequenos carimbos e, mais tarde, traçavam-nas com cálamos. Os desenhos precisavam ser simples, e sempre iguais, para que pudessem ser aprendidos e decifrados. O passo seguinte foi desenhar ideias abstratas. Nas mais primitivas tabuletas sumérias, dois riscos cruzados descreviam a inimizade; dois riscos paralelos, a amizade; um pato com um ovo, a fertilidade. Eu gosto de imaginar nossos ancestrais saboreando a animação de materializar pela primeira vez seus pensamentos, descobrindo que o amor, o ódio, o terror, o desânimo e a esperança podiam ser escritos.

Mas logo surgiu um problema: são necessários desenhos demais para dar conta do mundo externo e do mundo interno — das pulgas às nuvens, da dor de dente ao medo de morrer. O número de signos não parava de crescer, sobrecarregando a memória. A solução foi uma das maiores genialidades humanas, original, singela e de consequências incalculáveis: parar de desenhar as coisas e as ideias, que são infinitas, e começar a desenhar os sons das palavras, que são um repertório limitado. Assim, mediante sucessivas simplificações, chegamos às letras. Combinando-as, conseguimos obter a mais perfeita partitura da linguagem — e a mais duradoura. Mas as letras nunca deixaram para trás o passado de desenhos esquemáticos. O nosso D representava originalmente uma porta, o M, o movimento da água, o N era uma serpente e o O, um olho. Ainda hoje, nossos textos são paisagens nas quais pintamos — sem saber — o fluxo do mar, em que há animais perigosos e olhos à nossa espreita que não piscam.

39

Os sistemas primitivos eram verdadeiros labirintos de símbolos. Misturavam desenhos figurativos — pictogramas e ideogramas —, signos fonéticos e marcas diferenciais que ajudavam a resolver ambiguidades. Dominar a escrita exigia conhecer cerca de mil símbolos e suas complicadas combinações. Esse conhecimento — intrincado e maravilhoso — só estava ao alcance de uma seleta minoria de escribas, que exercia um ofício privilegiado e secreto. Os aprendizes, de origem nobre, tinham de se submeter a um ensino desumano. Um texto egípcio diz: "O ouvido do rapaz está nas costas; só escuta quando bates nele!" Nas escolas de escribas, os jovens, com as costas marcadas por cicatrizes, se endureciam durante anos na base de surras e disciplina violenta. A preguiça não era tolerada, e o castigo para os maus alunos podia chegar a ser a prisão. No entanto, se suportassem a crueldade e a monotonia do ensino, chegavam à cúpula das hierarquias religiosas. Os professores de escrita formavam uma aristocracia às vezes mais poderosa do que a dos cortesãos analfabetos, ou do que o próprio soberano. A consequência desse sistema de ensino foi que a escrita, durante muitos séculos, só deu voz ao poder estabelecido.

A invenção do alfabeto derrubou muros e abriu portas para que muitas pessoas, e não somente um grupo de iniciados, pudessem ter acesso ao pensamento escrito. A revolução surgiu entre os semitas. Partindo do complicado sistema egípcio, eles chegaram a uma fórmula de assombrosa simplicidade. Mantiveram apenas os signos que representavam as consoantes simples, a arquitetura básica das palavras. Os vestígios mais antigos do alfabeto foram encontrados numa parede rochosa, cheia de grafites, perto de uma estrada árida em Wadi el-Hol ("o Vale Terrível") que atravessa o deserto entre Abidos e Tebas, no Alto Egito. Aquelas singelas inscrições de emigrantes, datadas de 1850 a.C., têm relação com a antiga escrita alfabética da península do Sinai e do território cananeu na Síria-Palestina. Por volta de 1250 a.C., os fenícios — cananeus que habitavam cidades costeiras como Biblos, Tiro, Sídon, Beirute e Ascalão — chegaram a um sistema de 22 signos.[103] Ficaram para trás as escritas antigas que exigiam uma carga exaustiva para a memória e uma longa especialização que só estava ao alcance de mentes privilegiadas. Usar menos de trinta letras para representar todas as palavras da língua certamente pareceria um método muito tosco para um escriba egípcio, acostumado a empregar centenas de signos. Ele iria torcer o nariz e arquear as sobrancelhas diante da nossa anódina letra "E", derivada de um belo hieróglifo egípcio — um homem levantando os braços — que tinha um significado poético: "dá alegria com sua presença". Em contraste, para os astutos navegantes fenícios, a questão tinha um teor muito diferente: a simplificada escrita alfabética libertava o comerciante do poder do escriba. Graças a ela, todos podiam ter registros próprios e dirigir os respectivos negócios.

A onda expansiva do invento não afetou apenas o mercado, mas também atingiu muita gente que, fora dos círculos do governo e dos colégios sacerdotais, longe das sentinelas da ortodoxia, teve acesso pela primeira vez às histórias tradicionais por escrito, tomando distância do seu feitiço oral e começando a duvidar delas. Assim nasceram o espírito crítico e a literatura escrita. Certos indivíduos se atreveram a registrar seus sentimentos, suas incredulidades e a própria visão da vida. Os livros pouco a pouco se transformaram em veículos de expressão individual. Em Israel, as vozes dos combativos profetas, que não eram necessariamente escribas nem sacerdotes, irromperam na Bíblia; na Grécia, muitas pessoas sem origem aristocrática se tornaram buscadores de respostas, cheios de curiosidade para explicar o mundo circundante. Embora os rebeldes e revolucionários continuassem sendo tão malsucedidos quanto antes, agora seus ideais tinham novas possibilidades de sobreviver a eles e ser difundidos. Graças ao alfabeto, algumas causas perdidas acabaram vitoriosas com o passar do tempo. Mesmo que a maioria dos textos continuasse sustentando o poder de reis e senhores, foram abertas brechas para vozes indomáveis. As tradições perderam um tanto da sua solidez inabalável. Ideias inovadoras abalaram as antigas estruturas sociais.

Por volta do ano 1000 a.C., encontramos a escrita fenícia num poema esculpido no túmulo de Ahiram, rei de Biblos (hoje chamada de Jbeil), cidade famosa pelo comércio exportador de papiro, que deu origem à palavra grega com que se designa o livro: *biblíon*. Desse sistema dos fenícios descendem todas as ramificações posteriores de escrita alfabética. A mais importante delas foi o aramaico, do qual surgiram por sua vez a família hebraica, árabe e indiana. Também derivou dessa mesma matriz o alfabeto grego e, mais tarde, o latino, que se enraizou nos territórios que se estendem da Escandinávia até o Mediterrâneo, assim como nos grandes espaços outrora colonizados pelos ocidentais.

Os gregos adotaram a escrita fenícia por vontade própria, sem imposição alguma. Adaptaram o invento às suas necessidades e, no ritmo lento de uma mudança desejada, foram transpondo para a escrita as tradições orais que mais amavam, salvando-as da fragilidade da memória. Eles usufruíam a mesma independência na época da oralidade que em sua vida alfabética. Foi um caso excepcional; muitas culturas orais, pelo contrário, foram extintas em uma colisão brusca, cercadas ou invadidas por povos que lhes impuseram à força sua língua e a palavra escrita. Os antropólogos e etnólogos encontraram testemunhas vivas dessa transição para a escritura em diversos países colonizados nos quais a irrupção do alfabeto, somada ao trauma das invasões, foi acompanhada de uma esteira de violência.

O romance *A paz dura pouco*, do escritor nigeriano Chinua Achebe, reflete sobre esse amor conflituoso pelas letras invasoras. Depois do desembarque ocidental e dos primeiros vislumbres da aniquilação do mundo milenar em que nasceram, os personagens dessa história descobrem, fascinados, a escrita. Ao mesmo tempo, pressentem dolorosamente que aquele instrumento mágico, nas mãos dos colonos, iria despojá-los do seu próprio passado. A civilização estrangeira tem o feitiço que lhe permite perpetuar-se; enquanto isso, o universo nativo desmorona. "O símbolo do poder branco era a palavra escrita. Uma vez, antes de ir para a Inglaterra, Obi ouviu um parente analfabeto falar com profunda emoção dos mistérios da palavra escrita:[104] Nossas mulheres antes faziam desenhos negros no corpo com a seiva do *uli*. Era bonito, mas durava pouco. Se durasse duas semanas de atividade no mercado, já era muito. Mas os nossos velhos algumas vezes falavam de um *uli* que não desbota, embora nenhum deles o tivesse visto. Hoje o vemos na escrita do homem branco. Se você for a um tribunal nativo e olhar os livros dos escrivães de vinte anos atrás ou mais, eles continuam iguais ao dia em que foram escritos. Não dizem uma coisa hoje e outra manhã, ou uma coisa este ano e outra no ano que vem. Num livro, Okoye hoje não pode ser Okonkwo amanhã. Na Bíblia, Pilatos diz: 'O que escrevi, escrevi.' É um *uli* que nunca desbota."

41

Não sabemos seu nome, nem onde nasceu, nem quanto tempo viveu. Vou chamá-lo de "ele" porque o imagino homem. As mulheres gregas da época não tinham liberdade de movimentos: a independência e a iniciativa necessárias para fazer algo assim lhes eram vedadas.

Ele viveu no século VIII a.C., há 29 séculos. Mudou o meu mundo. Enquanto escrevo estas linhas me sinto grata a esse desconhecido, perdido nos confins do esquecimento, que produziu com sua inteligência um avanço maravilhoso, embora provavelmente não estivesse consciente da transcendência do seu achado. Eu o imagino um viajante, talvez um ilhéu. Na certa foi amigo de mercadores fenícios de pele curtida e rosto bronzeado. Certamente bebeu com eles nas tavernas dos portos, à noite, sorvendo no ar o cheiro do salitre misturado à fumaça que subia de um pratinho de sépia colocado na mesa, enquanto ouvia histórias do mar. Barcos desbravando as tempestades, ondas que mais pareciam cordilheiras, naufrágios, costas estranhas, misteriosas vozes de mulher na noite. Mas o que mais o fascinava era um talento aparentemente humilde e sem épica dos marinheiros: como aqueles simples mercadores podiam escrever tão depressa?

Os gregos haviam conhecido a escrita na época do apogeu cretense e dos reinos micenianos, com suas constelações de signos arcanos a serviço exclusivo da contabilidade palaciana. Sistemas silábicos de grande complexidade e uso muito limitado, elitista. Os tempos de saques e invasões, junto com a pobreza dos últimos séculos, quase sepultaram no esquecimento aqueles labirintos de signos. Para ele, que via a arte da escrita como um símbolo de poder, os traços rápidos dos marinheiros fenícios foram uma revelação. Sentiu assombro, vertigem, vontade de descobrir aquele segredo. E decidiu decifrar os mistérios da palavra escrita.

Conseguiu um ou vários informantes letrados, talvez pagando a eles do próprio bolso. O local onde os encontros ocorreram provavelmente foi uma ilha (as melhores candidatas são Tera, Milos e Chipre) ou então a costa libanesa (por exemplo, o porto de Al Mina, onde os mercadores eubeus tinham contato constante com os fenícios). Ele aprendeu com seus professores improvisados a ferramenta mágica que permitia seguir as pegadas das infinitas palavras usando apenas 22 desenhos simples. E soube captar a audácia do invento. Ao mesmo tempo, descobriu que a escrita fenícia continha adivinhações: só se escreviam as consoantes de cada sílaba, deixando para o leitor a tarefa de adivinhar as vogais. Os fenícios tinham sacrificado a exatidão para aumentar a facilidade.

Partindo do modelo fenício, ele inventou para a sua língua grega o primeiro alfabeto sem ambiguidades da história — preciso como uma partitura. Começou adaptando cerca de quinze signos consonantais fenícios na mesma ordem e com um nome parecido (*aleph, bet, gimel...* se transformaram em *alfa, beta, gama*).[105] Depois, pegou letras que não eram úteis para sua língua, as chamadas consoantes fracas, e usou seus signos para as cinco vogais que eram usadas o mínimo necessário. Só inovou em pontos nos quais se sentiu capaz de melhorar o original. Teve um sucesso enorme. Graças a ele, um alfabeto melhorado se difundiu pela Europa, com todas as vantagens do invento fenício e mais o novo avanço que introduziu: a leitura deixava de ficar sujeita à conjectura e, portanto, era ainda mais acessível. Imaginemos como seria ler esta frase sem vogais: mgnms cm sr lr st frs sm vgs. Pensemos um instante na dificuldade de identificar a palavra "ideia" a partir da consoante "d" ou "aéreo" a partir apenas de um "r".

Nada sabemos sobre esse desconhecido; só nos restou a fantástica ferramenta que ele nos deixou como presente. Sua identidade é um rastro apagado pelas ondas, mas não há dúvida de que existiu. Os estudiosos não pensam que a invenção do alfabeto grego foi um processo anônimo que se desenvolveu em uma coletividade sem nome nem rosto. Foi um ato individual, deliberado e inteligente, que exigiu uma grande sofisticação auditiva para identificar as partículas básicas — consoantes e vogais — que compõem as palavras. Um acontecimento único que se realizou em um momento determinado e em um único lugar. Na história da escrita grega não há indícios de passagem gradual de um sistema menos completo para outro mais acabado. Tampouco há sinais de formas intermediárias, tentativas, vacilações ou retrocessos. Houve alguém — nunca saberemos quem —, um sábio anônimo, assíduo frequentador das tavernas até o raiar do sol, amigo dos navegantes estrangeiros num local banhado pelo mar, que se atreveu a forjar as palavras do futuro dando forma a todas as nossas letras. E nós continuamos escrevendo, em essência, da mesma maneira imaginada pelo criador desse instrumento prodigioso.

42

Graças ao alfabeto, a escrita mudou de mãos. Na época dos palácios micenianos, um grupo reduzido de especialistas e escribas fazia a contabilidade do palácio em tabuletas de argila. Os monótonos inventários de riquezas são o único registro escrito daquela época. Em contrapartida, o novo invento revelou uma paisagem diversa na Grécia do século VIII a.C. Os primeiros sinais alfabéticos que conhecemos apareceram em copos de cerâmica ou gravados em pedra. As palavras que esses oleiros e pedreiros escreveram não falam mais de vendas e posses — escravos, bronze, armas, cavalos, azeite ou gado. Elas eternizam momentos especiais da vida de pessoas comuns que participam de banquetes, dançam, bebem e celebram seus prazeres.

Sobreviveram até os dias de hoje cerca de vinte inscrições datadas entre 750 a.C. e 650 a.C.[106] A mais antiga é a ânfora de Dipylon, encontrada num antigo cemitério de Atenas, onde temos o exemplo mais remoto, embora incompleto, da escrita alfabética. É um verso sensual e evocativo: "O bailarino que dançar com mais destreza..." Essas singelas palavras nos transportam para um simpósio numa residência grega, com risadas, brincadeiras, vinho e um concurso de dança entre os convidados cujo prêmio é a própria ânfora.[107] Homero descreveu na *Odisseia* esse tipo de competição festiva, que era frequente nos banquetes e para os gregos fazia parte do conceito de boa vida. A julgar pelos termos da inscrição, a dança devia ser acrobática, enérgica, cheia de erotismo. Por isso imaginamos que o vencedor do concurso devia ser bem jovem, capaz de realizar o grande esforço físico, com saltos e cambalhotas, que a dança exigia. E ele ficou tão orgulhoso que nunca esqueceu aquele dia feliz e, muitos anos depois, pediu que o enterrassem com o troféu da vitória. No seu túmulo, depois de 27 séculos de silêncio, encontramos a ânfora e, gravado nela, esse verso que tem ecos de música e rastros de belos passos de dança.

A segunda inscrição mais antiga — de 720 a.C., aproximadamente — também foi achada num túmulo da ilha de Ísquia, no extremo ocidental do mundo grego. Diz: "Eu sou a deliciosa taça de Nestor. Quem beber desta taça será logo capturado pelo desejo de Afrodite, coroada de beleza." É uma homenagem à *Ilíada*, escrita em hexâmetros. A taça de Nestor demonstra que, mesmo numa ilha periférica, num mundo de comerciantes e navegantes, o conhecimento de Homero era impecável. E nos revela que a magia das letras transformava simples objetos cotidianos, como uma taça ou uma vasilha de cerâmica, em posses valiosas que acompanhavam seus proprietários até o túmulo. Estava começando uma nova época. O alfabeto tirou a escrita da atmosfera fechada dos depósitos palacianos e a fez dançar, beber e sucumbir ao desejo.

VOZES QUE SAEM DA NÉVOA, TEMPOS INDECISOS

43

Na infância balbuciante da escrita, as vozes que contavam histórias saíram da névoa do anonimato. Os autores queriam ser lembrados, vencer a morte com a força dos seus relatos. Nós sabemos quem são: eles nos dizem seus nomes para que os salvemos do esquecimento. Às vezes, chegam a sair dos bastidores do relato para falar em primeira pessoa, um atrevimento que o narrador invisível da *Ilíada* e da *Odisseia* nunca se permite.

Notamos essa mudança lendo Hesíodo, que criou suas principais obras mais ou menos na passagem do século, em torno do ano 700 a.C. Seus hexâmetros conservam o sabor da oralidade, mas contêm um ingrediente novo: o germe do que hoje chamamos de autoficção. À sua maneira abrupta e desinibida, Hesíodo — autor, narrador e personagem — nos dá detalhes de sua família, suas experiências e sua forma de viver. Talvez se possa dizer que ele seja o primeiro indivíduo da Europa e longínquo avô literário de Annie Ernaux ou de Emmanuel Carrère. Hesíodo conta que seu pai emigrou da Ásia Menor para a Beócia "fugindo não exatamente da abundância, da felicidade e da riqueza, mas da escassez". Com seu habitual humor ácido, golpeia o vilarejo bolorento onde sua família se estabeleceu, chamado Ascra, uma "aldeia mísera, terrível no inverno, dura no verão e nunca boa".[108]

Hesíodo descreve como nasceu sua vocação poética. Ele era um jovem pastor que passava os dias na solidão da montanha, dormindo no chão junto com o gado do pai. Enquanto vagava pelos pastos de verão, criou um mundo imaginário feito de versos, música e palavras. Um mundo interno ao mesmo tempo celestial e perigoso. Um dia, pastoreando o rebanho ao pé do monte Hélicon, teve uma visão. Apareceram-lhe as nove musas,[109] que lhe ensinaram um canto, lhe insuflaram o dom e puseram-lhe nas mãos uma vara de louro. Ao adotá-lo, elas lhe disseram uma frase inquietante: "Nós sabemos contar mentiras que parecem verdades e sabemos, quando queremos, proclamar a verdade." É uma das reflexões mais antigas sobre a ficção — uma mentira sincera — e, talvez, uma confissão íntima. Gosto de pensar que Hesíodo, o garoto poeta rodeado de silêncio, balidos e bosta, tal como Miguel Hernández séculos mais tarde, revela aqui sua obsessão pelas palavras. Palavras que ele ama e o aterrorizam por causa do poder que têm no mundo e do mau uso que se pode fazer delas.

Em *Os trabalhos e os dias*, esse pastor poeta relata a épica do seu presente, não as façanhas do passado. Descreve um tipo diferente de heroísmo: a dura luta para sobreviver em condições difíceis. Usa os solenes hexâmetros homéricos para falar da colheita e da poda, de castrar porcos e do grasnido dos grous, de espigas e de carvalhais, da porca terra, do vinho que aquece as frias noites camponesas. Forja mitos, fábulas de animais e máximas de uma crua sabedoria rústica. Investe contra o irmão, Perses,[110] com quem tinha brigado por causa da herança. Expõe sem pudor as acidentadas rixas familiares pela divisão do patrimônio e não se importa em parecer avarento; pelo contrário, é um lavrador orgulhoso de saber quanto vale a terra. A certa altura, nos explica que o vagabundo e sem-vergonha do irmão entrou na justiça contra ele e, não contente com essa tremenda maldade, está tentando subornar o juiz. Depois, começa a denunciar a avidez dos pequenos caciques e as manobras dos tribunais. Usa expressões maravilhosamente mordazes, como "juízes engole-presuntos". Furioso e sombrio, ele ameaça com um castigo divino, no estilo dos profetas, as autoridades que sempre favorecem os poderosos e roubam dos camponeses pobres para abarrotar suas arcas. Hesíodo não canta mais os ideais da aristocracia. É um herdeiro do feio Tersites, que na *Ilíada* recriminava o rei Agamenon por prosperar à custa do esforço de todos numa guerra que só o beneficiava.

Muitos gregos dessa época desejavam bases mais justas para a vida em comum e uma partilha mais equitativa das riquezas. *Os trabalhos e os dias* falava a essas pessoas sobre o valor do trabalho paciente e laborioso, sobre o respeito ao outro e a sede de justiça. O tempo do alfabeto permitiu que o protesto ácido de Hesíodo perdurasse. Apesar de — ou talvez graças a — suas palavras insultantes contra os reis, o poema acabou se tornando um livro imprescindível e, depois, texto estudado nas escolas. Entre os sulcos de uma pequena fazenda em litígio na mísera Ascra, a noroeste da Ática, começa a genealogia da poesia social.

44

No começo, o alfabeto era — segundo Eric A. Havelock — um intruso sem posição social. A elite da sociedade continuava recitando e atuando. O uso da escrita se expandiu a passos lentos, paulatinos, suaves.[111]

A princípio, e durante séculos, os relatos ganhavam forma na folha em branco da mente e se tornavam públicos ao serem lidos em voz alta. Ainda eram concebidos, em certo sentido, para a comunicação oral. As versões escritas dos livros eram apenas um seguro contra o esquecimento. Os textos mais antigos serviam como partituras musicais da linguagem, que somente os especialistas — autores e intérpretes — usavam e liam. A música das palavras chegava ao público pelos ouvidos, não pelos olhos.

A prosa nasceu por volta do século VI a.C. e com ela os escritores propriamente ditos, que deixaram de construir suas obras nos passadiços misteriosos da memória e passaram a se sentar com o propósito de desenhar letras em tabuletas ou papiros. Os próprios autores começaram a escrever seus textos ou a ditá-los a um secretário. As poucas cópias que eram feitas, quando existia alguma, quase não circulavam. Por isso não há sinais de indústria nem de comércio de livros na época arcaica.

Entretanto, em contato com o alfabeto, a própria oralidade se transformou. Uma vez escritas, as palavras passavam a ficar ancoradas em determinada ordem, como notas num pentagrama. A melodia das frases permanecia igual para sempre; o fluxo espontâneo, a agilidade na resposta e a liberdade da linguagem falada se desvaneceram. Na época miceniana antiga, os aedos itinerantes costumavam cantar as lendas heroicas tocando seu instrumento e deixando-se levar pelo encanto da improvisação; mas, com o surgimento dos livros escritos, foram substituídos pelos rapsodos, que recitavam textos decorados — sempre iguais e sem acompanhamento musical —, dando golpes de metrônomo com um bastão para marcar o ritmo.

Na época de Sócrates, os textos escritos ainda não eram uma ferramenta habitual, despertavam certa desconfiança. Eram considerados um substituto da palavra oral — leve, alada, sagrada. Embora a Atenas do século V a.C. já contasse com um incipiente comércio de livros, foi só um século depois, nos tempos de Aristóteles, que o hábito de ler começou a ser visto sem estranheza. Para Sócrates, os livros eram um reforço da memória e do conhecimento, mas ele achava que os verdadeiros sábios deviam desconfiar deles.[112] Essa questão inspirou um diálogo platônico intitulado *Fedro*, que transcorre a poucos passos das muralhas de Atenas, sob a sombra de um frondoso plátano à margem do rio Ilisos. Lá, na hora morna da sesta, com o canto das cigarras ao fundo, nasce uma conversa sobre a beleza que acaba se desviando misteriosamente para o ambíguo dom da escrita.

"Séculos atrás", diz Sócrates a Fedro, "o deus Theuth, do Egito, inventor dos dados, do jogo de damas, dos números, da geometria, da astronomia e das letras, visitou o rei do Egito e lhe ofereceu suas invenções para que as ensinasse aos seus súditos". Traduzo as palavras de Sócrates: "O rei Thamus lhe perguntou então qual era a utilidade de escrever, e Theuth replicou: — Este conhecimento, ó rei!, fará os egípcios mais sábios; é o elixir da memória e da sabedoria. Então Thamus disse: — Oh, Theuth!, por seres o pai da escritura lhe atribuis vantagens que ela não tem. É esquecimento o que as letras produzirão em quem as aprender, por descuidar da memória, pois, fiando-se nos livros, chegarão à mente vindo de fora. Será, portanto, uma aparência de sabedoria, não sua verdade, o que a escritura dará aos homens; e, quando ela os tornar entendidos em tudo sem uma verdadeira instrução, sua companhia será difícil de suportar, porque se acharão sábios em vez de sê-lo."

Depois de ouvir esse exótico mito egípcio, Fedro diz concordar com seu professor. É a resposta habitual dos obsequiosos seguidores de Sócrates, que nunca se atrevem a contrariá-lo. Nos diálogos de Platão, os discípulos dizem o tempo todo frases como "Estás certo, Sócrates", "Concordo, Sócrates", "Vejo que tens razão outra vez, Sócrates". Embora seu interlocutor já tenha se rendido, o filósofo dá uma última estocada: "A palavra escrita parece falar contigo como se fosse inteligente, mas se lhe perguntas algo, porque desejas saber mais, continua repetindo para ti sempre a mesma coisa. Os livros não são capazes de se defender."

Sócrates temia que, por culpa da escrita, os homens abandonassem o esforço da reflexão própria. Receava que, graças ao auxílio das letras, todos confiariam no saber dos textos e, eliminando o esforço de compreendê-los a fundo, se contentariam com tê-los ao alcance da mão. E assim não haveria mais uma sabedoria própria, incorporada a nós e indelével, parte da bagagem de cada um, mas um apêndice externo. Esse argumento é perspicaz e ainda nos causa impacto. Neste momento estamos imersos numa transição tão radical quanto a alfabetização grega. A internet está transformando o uso da memória e a própria mecânica do saber. Um experimento realizado em 2011 por D. M. Wegner, pioneiro da psicologia social, mediu a capacidade de memória de um certo número de voluntários. Só a metade deles sabia que os dados a decorar seriam salvos num computador. E estes que pensavam que a informação ficava gravada relaxaram no esforço de aprendê-la. Os cientistas denominam esse fenômeno de relaxamento da memória como "efeito Google".[113] Tendemos a nos lembrar melhor de onde está guardada uma informação do que da própria informação. É evidente que o conhecimento disponível atualmente é muito maior, mas quase tudo fica armazenado fora da nossa mente. Surgem perguntas inquietantes: sob o dilúvio de informação, onde fica o saber? Será que nossa preguiçosa memória está se tornando uma agenda de endereços para se procurar a informação, sem sinais da informação em si? Não seremos, no fundo, mais ignorantes do que os nossos memoriosos antepassados dos velhos tempos da oralidade?

A grande ironia de tudo isso é que Platão explicou o desprezo do professor pelos livros num livro, conservando assim suas críticas à escrita para nós, seus futuros leitores.

45

Para além de certos limites, a única possibilidade de expandir nossa memória depende da tecnologia. Essas transformações são ao mesmo tempo perigosas e fascinantes. A linha que separa nossa mente e a internet está se tornando cada vez mais tênue. Instalou-se entre nós a sensação de que sabemos tudo aquilo que podemos pesquisar graças ao Google. Quando um grupo de pessoas se reúne, sempre há alguém que vai conferir as informações surgidas na conversa em seu smartphone.

Mergulha na tela como uma ave e, depois de uma consulta rápida, emerge com o peixe no bico, elucidando todas as dúvidas sobre o nome daquele ator ou quais são os dias perfeitos para pescar um peixe-banana.

Baseado em suas experiências realizadas desde os anos 1980, Wegner opina que se lembrarmos de onde encontrar informações importantes, mesmo sem reter o conhecimento concreto, estaremos ampliando as fronteiras do nosso território mental. Esse é o fundamento da sua Teoria de Memória Transativa. Segundo Wegner, ninguém se lembra de tudo. Armazenamos informação na mente de outros — aos quais podemos perguntar —, nos livros e na gigantesca cibermemória.

O alfabeto foi uma tecnologia ainda mais revolucionária do que a internet. Construiu, pela primeira vez, uma memória comum, expandida e ao alcance de todos. Nem o saber, nem a literatura completa cabem em uma única mente, mas, graças aos livros, cada um de nós tem as portas abertas para todos os relatos e todos os conhecimentos. Podemos pensar que nos tornamos, como Sócrates previu, um bando de ignorantes presunçosos. Ou que, graças às letras, fazemos parte do maior e mais inteligente cérebro que já existiu. Borges, que estava entre aqueles que pensam da segunda maneira, escreveu: "Dos diversos instrumentos do homem, o mais impressionante é, sem dúvida, o livro. Os outros são extensões do seu corpo. O microscópio e o telescópio são extensões de sua vista; o telefone é extensão da voz; ainda temos o arado e a espada, extensões do seu braço. Mas o livro é outra coisa: o livro é uma extensão da memória e da imaginação."[114]

46

Naquele deslumbrante meio-dia, Sócrates disse a Fedro, nos arredores de Atenas, que as palavras escritas são signos mortos e fantasmagóricos, filhas ilegítimas do único discurso vivo: o discurso oral.

O poeta Friedrich Hölderlin, que nasceu 23 séculos depois, teria desejado viajar no tempo até aquele dia longínquo e aquele prado tranquilo, "sob a sombra dos plátanos, onde o rio Ilisos corria entre as flores, onde Sócrates conquistava os corações e Aspásia passeava entre os mirtos, enquanto a ágora ecoava ruidosa e o meu Platão forjava paraísos".[115]

Isso é algo que acontece com frequência: o tempo que alguns consideram decadente enquanto o estão vivendo é uma região de nostalgia para outros. Hölderlin se julgava um antigo ateniense transplantado para a inóspita Alemanha. Sua verdadeira pátria era aquele século dourado que Sócrates acusava de destruir a sabedoria autêntica.

Aos 30 anos, o poeta alemão começou a sofrer crises mentais. Contam que tinha ataques de raiva, agitação e acessos de verborragia que não conseguia controlar. Declarado doente incurável, seus parentes o internaram em uma clínica. No verão de 1807, um marceneiro chamado Ernst Zimmer, entusiasmado com o livro *Hipérion*, foi visitar Hölderlin e decidiu levá-lo para morar em sua casa, na margem do rio Neckar. Lá o poeta permaneceu até morrer, em 1843, sempre aos cuidados da família do seu leitor.

Apesar de mal conhecê-lo, Zimmer decidiu hospedar, alimentar e proteger em sua enfermidade o autor do romance que amava. As palavras caladas de um livro criaram entre dois estranhos, durante quase quatro décadas, um vínculo mais forte do que o parentesco. Talvez as letras sejam realmente apenas signos mortos e fantasmagóricos, filhas ilegítimas da palavra oral, mas nós, leitores, sabemos insuflar vida nelas. Eu adoraria contar essa história ao velho e resmungão Sócrates.

47

Fahrenheit 451 é a temperatura em que os livros queimam, e é o título que Ray Bradbury escolheu para sua fantasia distópica. Ou não tão distópica.

A história transcorre durante uma época sombria de um país onde é proibido ler. Os bombeiros não se ocupam mais de apagar incêndios, mas de queimar os livros que alguns cidadãos rebeldes escondem em suas casas. O governo decretou que todo mundo seja feliz. Os livros são cheios de ideias nocivas, e a leitura solitária só favorece a melancolia. A população deve ser protegida dos escritores, que transmitem pensamentos malignos.

Os dissidentes são perseguidos e vão se refugiar nas florestas que circundam as cidades, nas estradas, nas margens dos rios poluídos, nas vias férreas abandonadas. Viajam o tempo todo, sob a luz das estrelas, disfarçados de vagabundos. Eles aprenderam de cor livros inteiros e os guardam na cabeça, onde ninguém pode vê-los nem desconfiar de sua existência. "A princípio não era um plano preconcebido. Cada homem tinha um livro que não queria esquecer, e o memorizou. Depois, fomos entrando em contato uns com os outros, viajamos, criamos esta organização e fizemos um plano. Vamos transmitir verbalmente os livros aos nossos filhos e deixar que eles esperem a sua hora. Quando a guerra terminar, algum dia, algum ano, os livros poderão ser reescritos. As pessoas serão convocadas, uma por uma, para recitar o que sabem, e imprimiremos tudo até começar outra Idade das Trevas, quando talvez tenhamos que repetir toda a operação." Esses fugitivos, que viram tudo que mais amavam ser destruído, têm que percorrer um longo caminho de fuga, sempre assustados, sem outra certeza além dos livros arquivados por trás de seus olhos tranquilos.

O livro parece uma fábula distópica, mas não é. Realmente aconteceu algo muito semelhante. No ano 213 a.C., enquanto um grupo de gregos tentava reunir em Alexandria a totalidade dos livros, o imperador chinês Shi Huangdi ordenou que fossem queimados todos os volumes do seu reino.[116] Só perdoou os tratados de agricultura, medicina e profecia. Queria que a história começasse com ele. Pretendia abolir o passado porque seus opositores se lembravam com saudade dos antigos imperadores. Segundo um documento da época, o plano foi cumprido sem dó nem piedade: "Os que se servirem da Antiguidade para depreciar os tempos presentes serão executados junto com a própria família. Os que ocultarem livros serão marcados a ferro em brasa e condenados a trabalhos forçados." O ódio de Shi Huangdi provocou a destruição de milhares de livros — entre outros, todos os escritos do confucionismo.

Os esbirros do imperador iam de casa em casa, confiscando os livros e queimando-os numa pira. Mais de quatrocentos leitores resistentes foram enterrados vivos.

No ano 191 a.C., sob uma nova dinastia, muitos desses livros perdidos puderam ser reescritos. Correndo grandes riscos, os profissionais das letras tinham conservado secretamente na memória obras inteiras, a salvo da guerra, das perseguições e dos homens das fogueiras.

Não foi a única vez que aconteceu algo assim. Quando Alexandre ocupou e incendiou a cidade de Persépolis, foram queimados todos os exemplares do livro sagrado do zoroastrismo. Os fiéis o reescreveram porque se lembravam de tudo, palavra por palavra. Enquanto Bradbury imaginava sua fantasia distópica, durante os anos da crueldade do stalinismo, onze amigos de Anna Akhmátova decoravam os poemas do seu pungente livro *Réquiem* à medida que ela os escrevia, para preservá-los de alguma desgraça que pudesse ocorrer com a autora.[117] A escrita e a memória não são adversárias. Na verdade, ao longo da história uma salvou a outra: as letras preservam o passado, e a memória, os livros perseguidos.

Na Antiguidade, quando ainda havia lampejos da cultura oral, existiam menos livros e se relia mais. Não era estranho que os leitores aprendessem obras inteiras de cor. Sabemos que os rapsodos recitavam, em várias sessões, os 15 mil versos da *Ilíada* e os 12 mil da *Odisseia*. Pessoas comuns também eram capazes de repetir fielmente longos textos literários. Agostinho de Hipona fala em um dos seus livros sobre um colega de estudos, Simplício, que recitava discursos completos de Cícero e todos os poemas de Virgílio — ou seja, milhares de versos — de trás para a frente, em ordem inversa.[118] Quando lia, talhava as frases que o comoviam "nas tabuletas enceradas da memória" para poder se lembrar e recitá-las quando quisesse, como se estivesse olhando as páginas de um livro. Um médico romano do século II, chamado Antilo, foi mais longe, chegando a afirmar que decorar livros fazia bem para a saúde. Ele tinha uma divertida e extravagante teoria a respeito. Quem nunca fez o esforço de decorar um relato, ou versos, ou um diálogo — dizia — tem mais dificuldade para eliminar do corpo certos fluidos prejudiciais. Em contrapartida, quem recita de cor textos longos expulsa essas substâncias nocivas pela respiração sem qualquer problema.

Talvez sem saber, nós — tais como os fugitivos de Bradbury, os leitores chineses, os seguidores de Zoroastro ou os amigos de Anna Akhmátova — conservamos a salvo na memória certas páginas que para nós importam. "Eu sou *A República* de Platão", diz um personagem de *Fahrenheit 451*. "Eu sou Marco Aurélio." "O capítulo um de *Walden*, de Thoreau, mora no Green River; o capítulo dois, em Willow Farm." "Existe um vilarejo com 27 habitantes que abriga os ensaios completos de Bertrand Russell, divididos em tantas páginas por pessoa." Um daqueles esfarrapados rebeldes, com o cabelo imundo e sujeira nas unhas, brinca: "Nunca julgue um livro pela capa."

Em certo sentido, todos os leitores carregam dentro de si suas íntimas bibliotecas clandestinas de palavras que deixaram marcas.

APRENDER A LER SOMBRAS

48

Os livros tiveram que criar seu público. E, ao fazê-lo, transformaram o modo de vida dos gregos.

O alfabeto começou a se enraizar num mundo de guerreiros. Só recebiam instrução — militar, esportiva e musical — os filhos da aristocracia. Durante a infância, seus tutores os educavam no palácio. Quando chegavam à adolescência, entre os 13 e os 18 anos, aprendiam a arte da guerra com seus amantes adultos — a pederastia grega tinha função pedagógica. Aquela sociedade admitia o amor entre combatentes mais velhos e seus jovens eleitos, sempre de alto nível social. Os gregos achavam que a tensão erótica incrementava a bravura de ambos: o guerreiro veterano queria brilhar diante do seu jovem favorito, enquanto que o amado tentava estar à altura do prestigioso guerreiro que o havia seduzido. Com as mulheres relegadas aos gineceus, as cidades-Estado eram clubes de homens que se observavam uns aos outros, competindo e se apaixonando entre si, obcecados pelo heroísmo bélico. Nas lacunas entre uma batalha e outra, ocupavam o tempo com banquetes, torneios e caçadas. Botavam em prática seus ideais cavalheirescos nas carnificinas mais sangrentas. O historiador Tucídides conta que todos os habitantes da Grécia andavam permanentemente armados, porque ninguém podia se sentir seguro nas cidades nem nas estradas. Diz também que os atenienses foram os primeiros a deixar as armas em casa e a se comportar de forma um pouquinho menos rude.[119]

Em algum momento do século VI a.C., a educação deixou de ser essencialmente militar e atlética. Naturalmente, o adestramento para o combate não desapareceu, porque os habitantes das cidades antigas viviam lutando contra os Estados vizinhos e espetando com suas lanças os que moravam um pouco além da fronteira. Mas pouco a pouco o ensino das letras e dos números começou a ganhar terreno. Apenas em alguns redutos, como a arcaica Esparta, foram mantidos os treze anos obrigatórios de serviço e disciplina militar.

E então aconteceu o inesperado. A febre do alfabeto se espalhou além dos círculos nobres, que consideravam a educação um privilégio próprio. Os orgulhosos aristocratas tiveram que aceitar um número crescente de arrivistas que, com um atrevimento insuportável, pretendiam iniciar os filhos nos segredos da escrita e estavam dispostos a pagar por isso. Assim nasceu a escola. O ensino pessoal de um tutor ou um amante não era mais suficiente para cobrir as necessidades de todos, e por isso foi se transformando numa prática minoritária. Cada vez havia mais jovens — livres, mas sem sobrenomes nobres — que queriam se instruir, e, por pressão das suas aspirações, surgiram os primeiros espaços coletivos destinados ao ensino.

Para datar esse acontecimento decisivo, é necessário rastrear os textos antigos em busca de pistas. Descobrimos, quase de relance, a existência de uma das mais antigas escolas em um texto de uma atualidade inquietante. Trata-se do relato de um acontecimento digno de um romance *noir* na remota ilha de Astipaleia. O escritor Pausânias conta, em sua *Descrição da Grécia*, um assassinato múltiplo que abalou o povo do arquipélago de Dodecaneso no ano 492 a.C.[120] O crime ainda estava na memória dos ilhéus durante o século II d.C., quando o escritor viajante ouviu seu relato. Uma história lúgubre, que parece um cruzamento de *Tiros em Columbine* com a lenda de Sansão. Pausânias relata que um jovem ressentido contra o mundo e com antecedentes de violência irrompeu numa escola para desafogar seu ódio cometendo uma chacina de crianças: "Dizem que o lutador Cleomedes de Astipaleia matou num combate seu adversário Ico de Epidauro. Por sua brutalidade, os juízes olímpicos não lhe deram a vitória. Cleomedes ficou louco de raiva. Quando voltou a Astipaleia, entrou na escola, onde havia sessenta crianças, e, com a força dos seus braços, derrubou a coluna que sustentava o teto. O prédio caiu sobre a cabeça de todos, matando-os."

Além do seu final sombrio, essa história nos revela que uma ilhota do mar Egeu de apenas treze quilômetros de largura tinha uma escola, no começo do século V a.C., onde num dia qualquer estudavam sessenta alunos. Outros testemunhos parecem confirmar a verossimilhança da informação. Àquela altura, o alfabeto tinha se impregnado na vida grega até em aldeias remotas que só saem dos bastidores da história quando sofrem uma catástrofe natural ou são cenário de um crime horripilante.

49

Minha mãe quis me ensinar a ler e eu me neguei. Tive medo. No colégio em que eu estudava havia um garoto chamado Alvarito, filho de professores, que tinha aprendido em casa. Quando todos os outros ainda estavam gaguejando com os cartões de sílabas, ele lia fluentemente com uma perfeição displicente. Tinha uma facilidade espantosa, difícil de suportar. A vingança explodiu no pátio de recreio. Ele foi perseguido. Vociferavam: quatro olhos, gorducho. Pisotearam a mochila dele. Penduraram seu casaco num galho de figueira, onde ele não podia alcançar porque não tinha agilidade para subir. Alvarito havia transgredido o código da escola: era esperto demais. Seus pais tiveram de trocá-lo de colégio.

Isso não vai acontecer comigo, pensei com orgulho. Além do mais, não tinha a menor necessidade de me adiantar em relação aos outros. Minha mãe lia à noite histórias para mim. Nosso pequeno teatro noturno não corria nenhum perigo enquanto eu não soubesse ler. O que queria aprender mesmo era a escrever. Não sabia que ambas as coisas vêm juntas e são necessárias uma à outra.

Um dia finalmente estou com um lápis na mão. Ele não me obedece com facilidade, vai ser preciso domesticá-lo. Resolvo apertar o lápis com força no papel para que não escape, mas às vezes ele se rebela, a ponta quebrando contra o caderno. Preciso do apontador para refazê-la. Consigo me ver: estou sentada com outras crianças em uma mesa redonda cor de baunilha. Inclinada para a frente, desenho traços, pontes, círculos, curvas. A língua entre os lábios, acompanhando o movimento da mão. Filas de Ms colados nos seus vizinhos. Filas de Bs com suas barriguinhas. Não gosto do traço transversal do T (complica tudo).

Tempos depois, melhoro: já consigo juntar as letras. O M estende uma perninha para o A. No começo tudo parece bagunçado, uma confusão de rabiscos. Vou em frente. Como sou canhota, esfrego o punho em cima das linhas à medida que avanço, e assim vou borrando as letras. Deixo um rastro cinzento. Com a mão toda suja, continuo em frente. Até que certa manhã, sem perceber, de surpresa, arranco o segredo da escrita. Faço a mágica. *Mamãe*. Os tracinhos e os círculos cantam em silêncio. Pesquei a realidade com uma rede fabricada de letras. Não são mais simples linhas; é ela quem aparece de repente no papel: sua voz tão bonita, os cachos do seu cabelo castanho, o olhar terno, o sorriso que revela incisivos proeminentes e que, por isso, porque ela sente vergonha de seus dentes irregulares, acaba sempre num gesto tímido. Chamei-a com o meu lápis, aí está ela. Mamãe! Acabo de escrever e compreender minha primeira palavra.

Em todas as sociedades que utilizam a escrita, aprender a ler tem um pouco de rito iniciático. As crianças sabem que estão mais perto dos mais velhos quando são capazes de entender as letras. É um passo sempre emocionante em direção à idade adulta. Sela uma aliança, encerra uma parte superada da infância. E é sempre vivido com felicidade e euforia. Tudo põe à prova o novo poder. Quem iria imaginar que o mundo inteiro estava enfeitado com guirlandas de letras, como uma grande quermesse? Depois é hora de decifrar a rua: far-má-cia, pa-da... ria, a-luuu-ga...-se. As sílabas estouram na boca como fogos de artifício, soltando faíscas. Em casa, na mesa, em toda parte as mensagens me assaltam. Começa a saraivada de perguntas: o que significa baixoemcalorias?, e águamineralnatural?, consumirpreferivelmente?

Na sociedade judaica medieval, o momento do aprendizado era celebrado com uma cerimônia solene,[121] quando os livros faziam as crianças passarem a participar também da memória comunitária e do passado compartilhado. Durante a festa de Pentecostes, o professor sentava em seu colo o menino a ser iniciado. Mostrava-lhe um quadro no qual estavam escritos os signos do alfabeto hebraico e, em seguida, uma passagem das Escrituras. O professor lia em voz alta e o aluno repetia. Depois, passava mel no quadro e o iniciado o lambia, para que as palavras penetrassem simbolicamente em seu corpo. Também se escreviam letras em ovos cozidos sem casca ou em bolos. O alfabeto ficava doce e salgado, era mastigado e assimilado. Passava a fazer parte da pessoa.

Como pode não ser mágico o alfabeto, que decifra o mundo e revela os pensamentos? Os gregos antigos também sentiam seu feitiço. Naquele tempo, as letras também eram utilizadas para representar, além de palavras, números e notas musicais. Cada uma de suas sete vogais simbolizava um dos sete planetas e dos sete anjos que os presidem. Eram usadas para feitiços e amuletos.

Naquelas remotas escolas gregas — tardes escuras, garoa, monotonia atrás das janelas —, as crianças cantavam em coro as letras: "Tem alfa, beta, gama e delta, e ípsilon, e também zeta..." Depois, as sílabas: beta com alfa, ba. O professor as desenhava e depois, guiando a mão do aluno com a sua, o fazia duplicar o traçado. As crianças repetiam os modelos muitas vezes. Copiavam ou escreviam em ditados algumas máximas breves de uma linha. Tal como nós, aprendiam poemas de cor — os "aurora da minha vida" e "em cima daquele morro" — e um monte de palavras estranhas. Eu me lembro de uma dessas cantilenas da infância: *brujir, grujir y desquijerar*,* nunca mais voltei a esbarrar com esses verbos rangentes.

A didática era obsessiva e cansativa. O professor-domador ditava e os alunos repetiam. O aprendizado avançava em ritmo lento (não era incomum crianças de 10 ou 12 anos ainda estarem aprendendo a escrever). Quando se mostravam capazes, começavam a ler, repetir, resumir, comentar e copiar uma seleção de textos essenciais, quase sempre os mesmos. Principalmente de Homero, mas também de Hesíodo. E de outros indispensáveis. Os antigos, que consideravam as crianças uma espécie de adultos em miniatura, sem gostos nem talentos próprios, ofereciam a elas os mesmos livros que os adultos liam. Não existia nada parecido com a atual literatura infantil ou juvenil, nenhuma facilidade. A infância ainda não havia sido inventada, Freud ainda não tinha aparecido para atribuir uma importância crucial aos primeiros anos. Então, o melhor que se podia fazer por uma criança era jogá-la de cabeça no mundo adulto e arrancar sua infância a esfregadas, como se fosse sujeira.

O alfabeto podia ser mágico, mas com muita frequência o método de ensino era sádico. Os castigos físicos eram inseparáveis da rotina escolar das crianças gregas, tal como tinham sido para os escribas egípcios ou judeus. Em uma obrinha humorística de Herodas, o professor vocifera: "Onde está o couro duro, o rabo de boi que uso para açoitar os rebeldes? Tragam-no antes que minha cólera exploda."[122]

---

* Antiga cantiga espanhola utilizada com crianças em alfabetização. "*Brujir*" e "*grujir*" significam igualar as bordas do vidro com um entalhe depois de cortá-las e "*desquijerar*", serrar um pedaço de pau ou madeira dos dois lados até o local indicado, onde a espiga deve ser retirada. (N. do E.)

50

Durante os séculos de lenta expansão do alfabeto, os gregos continuaram cantando poemas, mas não da mesma maneira. Certas vozes se atreveram a dizer coisas que nenhum texto antigo havia ousado antes. Para nossa infelicidade, restam apenas alguns cacos daqueles versos. Não se conservou nenhum livro completo de filosofia nem de poesia anterior a 500 a.C., e poemas inteiros ou citações textuais dos autores de prosa são exceções. Mas os pequenos fragmentos que se salvaram são tão poderosos que nos comovem mesmo incompletos.

Foi a grande época da lírica: os poemas — breves em comparação com a *Ilíada*—, escritos para serem cantados, deixaram de olhar para o passado, como faziam as lendas tradicionais dos velhos tempos. Falavam do fluir do dia a dia, os poetas se aferravam às sensações que viviam. Agora. Aqui. Eu.

Pela primeira vez a escrita se aliava a palavras rebeldes, irreverentes, que entram em choque com os valores da época. Essa assombrosa linhagem começa com Arquíloco — filho bastardo de um grego nobre e uma escrava bárbara —, mercenário e poeta. Durante sua curta vida — de 680 a 640 a.C. —, teve que se virar sozinho, sem fortuna nem privilégios, vendendo sua força para combater em guerras alheias. Como ele disse, sua lança lhe dava uma côdea de pão todo dia e lhe servia o vinho que tomava. Soldado de aluguel nas fronteiras entre a cultura e a barbárie, Arquíloco conheceu as realidades sórdidas por trás dos ideais bélicos.

Segundo o código de honra vigente, o soldado deve manter sua posição no campo de batalha, sem recuar nem fugir. Numa escaramuça contra os exércitos trácios, Arquíloco foi obrigado a escolher entre morrer ali, atrás do seu alto e pesado escudo, ou largá-lo no chão e sair correndo para sobreviver. Existia na Grécia Antiga um insulto muito grave, que era o de ser um "joga-escudos", *rhípsaspis*. Dizem que as mães espartanas, quando se despediam dos filhos antes de um combate, advertiam a estes que voltassem "com o escudo ou sobre ele", ou seja, com o escudo no braço por ter lutado com bravura, ou deitados em cima, como cadáveres.[123]

O que Arquíloco decidiu fazer? Caiu fora e, ainda por cima, proclamou isso em versos: "O escudo que joguei com desagrado num arbusto, uma peça excelente, agora é empunhado por um trácio. Mas salvei a pele. O que me importa esse escudo? Que se perca. Outro tão bom comprarei." Nenhum guerreiro homérico se atreveria a admitir algo semelhante, nem teria o senso de humor necessário para isso. Mas Arquíloco achava divertido apresentar-se como anti-herói e ridicularizar descaradamente as convenções. Embora fosse valente — caso contrário, não ganharia seu sustento durante décadas na guerra —, amava a vida "que não se pode recuperar nem comprar depois que o último suspiro atravessa as narinas". Ele sabia que o soldado que foge a tempo serve para travar outra batalha — e para escrever outros poemas. Exatamente por sua desafiadora sinceridade, não consigo imaginá-lo como covarde, prefiro vê-lo como realista e cáustico.

Em seus versos a linguagem é franca, sem disfarces, beirando a brutalidade. Com ele, um decidido realismo irrompe na poesia lírica grega. Arquíloco abre as portas para uma nova poesia insolente. Não esconde seu temperamento vingativo, apaixonado, zombeteiro. Para o seu desejo sexual, encontra palavras explícitas: "Quem me dera poder tocar na mão de Neóbula... e jogar-me, pronto para a ação, sobre o seu odre e acomodar barriga sobre barriga e minhas coxas em suas coxas."[124] Um brevíssimo fragmento conservado revela que ele não se acovardou ao falar de sexo oral em sua poesia: "Como um trácio ou um frígio que chupa com um canudo a cerveja, ela, de cabeça baixa, se esfalfava."

Arquíloco morreu no campo de batalha, como Aquiles, mas deixou bem claro que achava que a promessa de glória póstuma não passava de mais uma fanfarronice: "Ninguém, depois de morto, é honrado por seus patrícios. Preferimos, vivos, o louvor dos vivos."[125] Richard Jenkyns, professor de Oxford, o considera "o primeiro estorvo da Europa".[126] Acho que ele teria dado gargalhadas com esse epitáfio.

51

Não há restos arqueológicos dos livros mais antigos da Europa. O papiro é um material perecível e frágil, que não sobrevive em climas úmidos por mais que duzentos anos. Hoje só podemos rastrear nos textos gregos as primeiras menções a livros concretos, reais, que alguém viu e tocou em algum lugar de cujo nome quis se lembrar. Essa busca me leva à passagem do século VI a.C. para o V a.C. Conta-se que, nessa época, o filósofo Heráclito deixou um exemplar de sua obra *Sobre a natureza* no Templo de Ártemis, em Éfeso.[127]

Éfeso era uma cidade-Estado situada na Anatólia, antiga Ásia Menor, hoje Turquia. O que entendemos atualmente por filosofia surgiu de repente no começo do século VI a.C., sem nenhuma causa visível, naquela estreita faixa costeira que os gregos ocupavam nos limites do mundo asiático. Os primeiros filósofos eram filhos da fronteira, da mistura de sangues, do umbral. Enquanto a Grécia continental continuava ancorada no passado, os habitantes da periferia mestiça se aventuraram a idealizar novidades radicais.

O nascimento da filosofia grega coincidiu com a juventude dos livros, e isso não se deu por acaso. Diferentemente da comunicação oral — baseada em relatos tradicionais, conhecidos e fáceis de lembrar —, a escrita permitiu criar uma linguagem complexa que os leitores podiam assimilar e analisar com tranquilidade. Além disso, é mais simples desenvolver um espírito crítico para quem tem um livro nas mãos — e pode interromper a leitura, reler e parar para pensar — do que para o ouvinte cativado por um rapsodo.

Heráclito foi apelidado de "o enigmático"[128] e, mais tarde, "o obscuro".[129] Em sua obra, a opacidade da vida e suas assombrosas contradições parecem se infiltrar no texto e impregná-lo. Com ele começa a literatura difícil, na qual o leitor tem que fazer um esforço para se apropriar do significado das frases. É o pai de Proust, com suas frases labirínticas cheias de meandros; de Faulkner e seus monólogos confusos, frequentemente deslocados; e de Joyce, que em *Finnegans Wake / Finnicius Revém* dá a impressão de estar escrevendo em vários idiomas ao mesmo tempo — alguns de invenção própria. Não quero dizer que exista um parentesco entre eles por seus estilos se parecerem. Na verdade, de Heráclito só chegou até nós um conjunto de máximas breves, estranhas e poderosas. Não, o que eles têm em comum é sua atitude em relação à palavra: se o mundo é críptico, a linguagem adequada para representá-lo tem que ser densa, misteriosa e difícil de decifrar.

Heráclito pensava que a realidade se explica como tensão permanente, e chamava isso de "guerra" ou de luta entre contrários. Dia e noite; vigília e sono; vida e morte se transformam um no outro, só existem em sua oposição; no fundo são as duas faces da mesma moeda: "A doença torna a saúde boa e amável; a fome, a saciedade; o esforço, o descanso... Imortais mortais, mortais imortais, vivendo a morte de outros e a vida de outros morrendo."

Coube a Heráclito, por herança, a função de rei da sua cidade. Mas cedeu ao irmão caçula esse cargo que, desde a chegada da democracia, era na verdade um sacerdócio. Aparentemente, ele considerava os magos, pregadores e adivinhos meros "traficantes de mistérios". Contam que se negou a fazer leis para os efésios, preferindo ir brincar com as crianças no templo. Dizem também que, com o tempo, foi ficando muito altivo e desdenhoso. Não lhe interessavam as honras nem o poder, tinha a obsessão de encontrar o *logos* — que significa "palavra" e também "sentido" — do universo. Na primeira frase do quarto Evangelho — "no princípio era o *logos*" —, quem está falando é Heráclito.

Para ele, a chave de tudo era a mudança. Nada permanece. Tudo flui. Não podemos nos banhar duas vezes no mesmo rio. Essa imagem de um mundo sempre em mutação, que já impressionou Platão, faz parte de nós. Já a reescrevemos e reformulamos milhares de vezes. De Manrique — "nossas vidas são os rios que vão dar no mar, que é o morrer"[130] — a Bauman e sua modernidade líquida. Borges, fascinado pelo rio de Heráclito, dedicou-lhe, entre outros, este poema:[131] "Heráclito anda pela tarde de Éfeso. A tarde o deixou, sem que sua vontade participasse da decisão, na margem de um rio silencioso. Sua voz declara: 'Ninguém desce duas vezes às águas do mesmo rio.' Para. Sente que ele também é um rio e uma fuga. Quer recuperar essa manhã e sua noite e a véspera. Não consegue."[132]

Creio que as frases estranhas de Heráclito captam o mistério e o espanto que deram origem à filosofia. E também o presente. Para escrever este capítulo, reli os poucos fragmentos dos seus pensamentos abruptos que chegaram até nós. E eles me pareceram uma explicação da atualidade que nos sacode como um terremoto. A um passo da violência, hoje nos debatemos entre extremos opostos: a globalização e a lei da fronteira; a mestiçagem e o medo às minorias; o impulso de acolher e a fúria de expulsar; o anseio de liberdade e o sonho de construir refúgios murados; o desejo de mudança e a nostalgia da grandeza perdida.

A tensão dessas contradições pode chegar a ser quase insuportável. Por isso, sentimos que estamos aprisionados. Mas, segundo as teses de Heráclito, uma pequena alteração nos dinâmicos equilíbrios de forças muda tudo. E também por isso a esperança de transformar o mundo sempre tem razão.

52

Ele quer ser famoso a qualquer preço. Nunca se destacou em nada, mas se rebela contra a ideia de ser como qualquer um. Sonha secretamente que as pessoas o reconhecem na rua, cochicham e apontam para ele. Uma voz interna lhe sussurra que algum dia vai se tornar uma celebridade, como os campeões olímpicos ou os atores que seduzem um público boquiaberto.

Decidiu que vai fazer algo grande; só falta descobrir o quê.

Um dia, afinal, arquiteta um plano. Sendo incapaz de fazer proezas, pode passar para a história como destruidor. Na sua cidade fica uma das sete maravilhas do mundo, que reis e viajantes de terras muito longínquas vêm visitar. Num promontório rochoso, encarapitado entre as nuvens, o Templo de Ártemis domina todos os bairros de Éfeso. Foram necessários 120 anos para construí-lo. A entrada é formada por um bosque espesso de colunas. No interior, todo revestido de ouro e prata, está a imagem sagrada da deusa que caiu do céu, além de valiosas esculturas de Policleto e Fídias e outras riquezas fantásticas.[133]

Na noite sem lua de 21 de julho do ano 365 a.C., enquanto na remota Macedônia nascia o grande Alexandre, ele se insinua entre as sombras e sobe os degraus que levam ao templo. Os guardas estão dormindo. No silêncio entrecortado pelos roncos, ele se apodera de uma lâmpada, derrama o óleo e ateia fogo nos panos que adornam o interior da grande construção. As chamas lambem o tecido e sobem em direção ao teto. A princípio o incêndio se estende lentamente, mas, quando consegue atingir as vigas de madeira, começa a rápida dança das chamas, como se aquele prédio estivesse sonhando com o fogo havia séculos.[134]

Ele olha hipnotizado as labaredas que rugem e se enroscam. Depois, tossindo, sai do prédio para ver a noite iluminada pelo incêndio. Lá fora, os guardas o capturam sem problemas e o jogam acorrentado num calabouço, onde ele se sente feliz durante algumas horas solitárias, aspirando o cheiro da fumaça. Quando o torturam, confessa a verdade: que tinha planejado incendiar o edifício mais belo da Terra para ser conhecido no mundo inteiro. Dizem os historiadores que todas as cidades da Ásia Menor proibiram, com pena de morte, revelar o seu nome, mas não conseguiram apagá-lo da história. Ele figura em todas as enciclopédias, incluindo as virtuais. O escritor Marcel Schwob foi seu biógrafo num capítulo de *Vidas imaginárias*. Sartre também lhe dedicou um relato curto. Seu nome designa o transtorno psicológico daquelas pessoas que, só para aparecer por alguns minutos na televisão ou chegar à lista dos mais vistos no YouTube, são capazes de fazer qualquer barbaridade gratuitamente. O exibicionismo a todo custo não é um fenômeno exclusivamente contemporâneo.

O nome maldito é Heróstrato. Em sua memória, o desejo patológico por popularidade veio a ser chamado de síndrome de Heróstrato.

O incêndio que ele provocou para se alçar à fama deixou reduzido a cinzas aquele rolo de papiro que Heráclito havia ofertado à deusa. Ironicamente, o filósofo pensava que o fogo aniquila o universo de maneira cíclica e profetizava em sua obra uma conflagração cósmica final. Não sei o universo, mas os livros — que em todas as suas formas queimam — têm um triste histórico de destruição pelas chamas.

AS LIVRARIAS AMBULANTES

53

Quantos livros existiam na idade de ouro da Grécia? Que percentual da população era capaz de lê-los? Não temos dados a respeito. Só contamos com informações casuais, fiapos de grama voando no ar que não permitem calcular a extensão da pradaria. Além do mais, a maioria delas se refere a um lugar excepcional, a cidade de Atenas. O resto é penumbra.

Procurando rastros dessa alfabetização invisível, recorremos às imagens de leitores representados em pinturas sobre cerâmica. A partir de 490 a.C., aparecem vasos com figuras vermelhas, decorados com cenas de crianças aprendendo a ler e escrever na escola ou de pessoas sentadas numa cadeira lendo um rolo aberto no colo. Muitas vezes o artista traça letras ou palavras em tamanho aumentado nos papiros que desenha na cerâmica, às vezes com tanta minúcia que podem ser lidos: trata-se de versos de Homero, de Safo... Em quase todos os casos, o livro contém poesia. Mas também aparece um livro de textos sobre mitologia. O mais curioso é que, embora os protagonistas habituais desses pequenos quadros sejam mulheres, paradoxalmente não aparecem meninas nas cenas escolares. Essa contradição nos coloca diante de um mistério. Talvez as mulheres leitoras pertencessem a famílias de alta linhagem e recebessem educação em casa. Ou, quem sabe, tratava-se apenas de um motivo iconográfico, mais do que uma realidade cotidiana. Nunca saberemos.

Numa lápide erguida entre os anos 430 e 420 a.C., está esculpido um jovem de perfil, absorto nas palavras de um rolo aberto sobre os joelhos, com a cabeça ligeiramente inclinada, as pernas cruzadas à altura dos tornozelos, exatamente na mesma posição em que estou escrevendo agora. Sob o relevo que dá forma à cadeira, vê-se um vulto de pedra desgastada que parece um cão escondido embaixo dela. O relevo transmite a quietude das horas passadas entre livros. Aquele ateniense amava tanto a leitura que a levou para o túmulo.

Na passagem do século V a.C. para o IV a.C., entram em cena pela primeira vez personagens até então desconhecidos: os livreiros. É nessa época que a nova palavra *bybliopólai* [vendedores de livros] aparece nos textos dos poetas cômicos atenienses.[135] Pelo que eles contam, no mercado da ágora eram instaladas bancas de venda de rolos literários entre as barracas que ofereciam verduras, alho, incenso e perfumes. Por 1 dracma, diz Sócrates num diálogo de Platão, qualquer pessoa pode comprar um tratado de filosofia no mercado. É surpreendente que já houvesse tanta disponibilidade de livros e, ainda mais, de obras filosóficas de difícil entendimento. A julgar pelo preço baixo, certamente se tratava de cópias em formato pequeno ou de segunda mão.[136]

Sabemos pouco sobre os preços dos livros. O custo dos rolos de papiro sugere que a média oscilava entre 2 e 4 dracmas o exemplar — o equivalente ao pagamento de uma a seis diárias de um trabalhador diarista. As altas cifras mencionadas para exemplares raros — Luciano de Samósata fala de um livro que chegava a custar 750 dracmas —[137] não são indicativas dos preços habituais dos livros comuns. Para as classes prósperas, até mesmo em seus níveis mais modestos, os livros eram uma mercadoria relativamente acessível.

No fim do século V a.C., começou a tradição imemorial de caçoar dos ratos de biblioteca, cujo arquétipo será Dom Quixote. Aristófanes, dando boas-vindas com ironia à intertextualidade, ri dos escritores que "espremem suas obras a partir de outros livros".[138] Outro autor de comédias utilizou uma biblioteca particular para ambientar uma cena. Nesta, um professor mostra com orgulho ao famoso herói Héracles suas prateleiras repletas de livros de Homero, Hesíodo, os trágicos e os historiadores. "Pegue qualquer livro que quiser e leia; faça isso com calma, olhando os títulos." Héracles, que na comédia grega sempre é representado como um glutão, escolhe um livro de culinária.[139] Sabemos, de fato, que nessa época circulavam manuais dos mais variados assuntos para satisfazer a curiosidade dos leitores, entre os quais o manual por excelência, que era o livro de receitas culinárias de um *chef* siciliano que estava na moda.

Os livreiros atenienses também tinham clientes de ultramar. Iniciou-se a exportação de livros. O restante do mundo grego consumia a literatura criada em Atenas, principalmente os livretos de tragédias, que eram o grande espetáculo da época. O teatro ático cativava até quem detestava o imperialismo ateniense, como acontece hoje com a poderosa indústria do cinema norte-americano. Xenofonte, que escreveu na primeira metade do século IV a.C., conta que na perigosa costa de Salmideso, hoje Turquia, encontrou muitos restos de naufrágios na praia. Havia "camas, pequenas caixas, muitos livros escritos e outras coisas que os mercadores costumam transportar em caixas de madeira".[140]

Com certeza existia uma certa organização para abastecer o mercado livreiro, além de pessoas que administravam ateliês de cópia. Mas não temos base para reconstruir sua envergadura nem seu funcionamento; portanto, entramos no território movediço da suposição. Sem dúvida, os ateliês faziam cópias de livros com a permissão de autores que almejavam atingir um público um pouco mais amplo do que o círculo de amigos. Mas também reproduziam textos sem consultar os criadores. Na Antiguidade, os direitos autorais eram desconhecidos.

Um discípulo de Platão mandou fazer cópias das obras do mestre e embarcou para a Sicília com a intenção de vendê-las.[141] Teve a astúcia de adivinhar que lá existia um mercado para os diálogos socráticos. Seus contemporâneos dão a entender que essa iniciativa de venda lhe rendeu uma péssima reputação em Atenas, não por se apropriar dos direitos autorais do seu mestre, mas por se meter em negócios, algo absolutamente plebeu e impróprio para um homem de bom berço que, além do mais, pertencia ao círculo de Platão.

A Academia platônica tinha, com certeza, uma biblioteca própria, mas a coleção do Liceu aristotélico devia superar amplamente todas as antecessoras. Estrabão diz que Aristóteles foi "o primeiro que se saiba a colecionar livros".[142] Conta-se que ele comprou todos os rolos que outro filósofo possuía pela enorme quantia de 3 talentos (18 mil dracmas).[143] Eu o imagino acumulando textos essenciais durante anos, com uma irrigação contínua de dinheiro, para abarcar todo o espectro das ciências e da arte da sua época. Não poderia ter escrito o que escreveu sem leitura constante.

Um pequeno recanto da Europa começava a ser devorado pela febre dos livros.

54

Aristóteles fala de autores de tragédia que escreviam mais para os leitores do que para o público dos teatros. Acrescenta que seus livros têm "grande circulação".[144] O que poderia significar uma grande circulação naquela época germinal?

Outra frase atribuída a Aristóteles revela um mundo recôndito. Diz que os livreiros transportavam grandes quantidades de livros em carroças.[145] Talvez se refira a mascates que levam a literatura pelas estradas, chacoalhando de aldeia em aldeia a céu aberto.

Na verdade, como diz Jorge Carrión, as livrarias sedentárias são uma anomalia moderna em uma tradição principalmente nômade e poética.[146] Foram os viajantes que nutriram de manuscritos a Biblioteca de Alexandria; os mercadores de tinta e papel que empurraram ideias como rodas pela Rota da Seda; os caixeiros-viajantes de livros usados — entre outras mercadorias — que se instalavam em pousadas e em feiras até recentemente, depois de percorrerem grandes distâncias carregando baús, caixas volumosas e barracas desmontáveis. Hoje são os biblio-

-ônibus e os biblioburros — dependendo do lugar — que mantêm vivo o velho costume dos livros peregrinos.

Parnassus on Wheels [A livraria ambulante], livro de Christopher Morley, relata essa existência nômade. Nos Estados Unidos, durante os anos 1920, o senhor Mifflin percorre o mundo rural norte-americano numa estranha carruagem com aspecto de bonde puxada por um cavalo branco. Quando levanta as coberturas das janelas laterais, eis que aquele vagão comprido é um ponto de venda de livros — com prateleiras sobrepostas, todas elas repletas. Dentro da carruagem não falta conforto: uma estufa a óleo, uma mesa dobrável, um catre para dormir, uma cadeira de vime e gerânios nos diminutos peitoris das duas janelas.

Durante muitos anos, o senhor Mifflin foi professor numa escola rural, "pondo os bofes para fora por um salário miserável". Por motivos de saúde, decide ir morar no campo. Constrói com as próprias mãos sua carruagem — que batiza de *Parnaso ambulante* — e compra uma boa quantidade de livros num sebo em Baltimore. Embora não lhe faltem a esperteza nem a lábia de comerciante, Mifflin se considera um pregador das estradas, chamado a divulgar o evangelho dos bons livros. Vai sacudindo sua mercadoria de granja em granja, pelas estradas poeirentas nas quais as carroças de madeira convivem com os primeiros automóveis fabricados em série. Quando se aproxima do alpendre de uma casa de camponeses, pula da boleia, atravessa o terreiro onde as galinhas ciscam e se empenha em convencer a mulher que está ali descascando batatas de que é importante ler. Tenta converter os granjeiros ao seu credo entusiasta. "Quando se vende um livro a alguém, não se vende apenas doze onças de papel, tinta e cola. Vende-se uma vida totalmente nova. Amor, amizade, humor e barcos navegando pela noite. Num livro cabe de tudo, o céu e a terra; num livro de verdade, quero dizer. Caramba! Se em vez de livreiro eu fosse padeiro, açougueiro ou vendedor de vassouras, o pessoal viria correndo me receber, ansiosos para levar minha mercadoria. Mas eis-me aqui, com meu carregamento de salvações eternas. Sim, salvação para as suas almas pequenas e aflitas. E veja só como custam a entender."

As pessoas de pele curtida e mãos quase roxas por causa da geada nunca tiveram oportunidade de comprar literatura, muito menos de que alguém lhes explicasse o que ela significa. Mifflin constatou que, quanto mais se avança no campo, menos livros se veem, e os que se encontram são piores. Com sua eloquência peculiar, afirma que seria necessário um exército de livreiros como ele dispostos a visitar pessoalmente as casas dos lavradores, contar histórias aos seus filhos, falar com os professores das pequenas escolas e pressionar os editores de revistas agrícolas para fazerem os livros circularem pelas veias do país; em suma, levar o Santo Graal às remotas granjas do Maine.

Se essa era a situação na América do Norte na segunda década do século XX, como seria a daqueles mercadores que Aristóteles menciona, entre oliveiras ensolaradas, quando os livros ainda eram jovens e tudo acontecia pela primeira vez?

A RELIGIÃO DA CULTURA

55

Alexandre desencadeou a vertigem e os terrores da globalização. Até então, a maioria dos gregos eram cidadãos de pequenas nações que às vezes abrangiam pouco mais do que um povoado e seus arredores. Cada uma dessas comunidades se orgulhava da sua própria política e da sua própria cultura, todas eram ferozmente independentes e se engalfinhavam em escaramuças frequentes com os vizinhos em nome do amor à liberdade. Quando as cidades da Grécia foram anexadas às novas monarquias, seus habitantes ficaram órfãos em massa. As orgulhosas comunidades sofreram um baque ao deixar de ser centros independentes e transformar-se numa vasta periferia imperial. Aqueles que até o dia anterior eram cidadãos passaram a ser súditos. Continuaram lutando uns contra os outros e se entretendo com alianças, tratados, arbitragens e declarações de guerra, mas, depois de perder a independência, as batalhas já não tinham um sabor tão intenso. Diante do vazio, as novas estruturas estatais — incipientes, autoritárias e voltadas para as lutas dinásticas — não ofereciam nenhuma ancoragem. À deriva, os gregos procuraram outros rumos. Abraçaram credos orientais, rituais exóticos, filosofias salvadoras. Alguns se refugiaram em uma religião recém-criada: a religião da cultura e da arte.

Perante o eclipse da vida com direitos, certas pessoas decidiram dedicar todas as energias a aprender; a se instruir, na esperança de permanecer livres e independentes num mundo subjugado; a desenvolver ao máximo todos os seus talentos; a obter a melhor versão possível de si mesmos; a modelar seu interior como uma estátua; a fazer da própria vida uma obra de arte. Era essa a estética da existência que tanto impressionou Michel Foucault quando estudou os gregos para a sua *História da sexualidade*. Na última entrevista que deu, fascinado por essa ideia antiga, Foucault disse: "Chama a minha atenção o fato de que na nossa sociedade a arte se transformou em algo que concerne aos objetos e não à vida nem aos indivíduos. Por que um homem qualquer não pode fazer da sua vida uma obra de arte? Por que determinada lâmpada ou uma casa podem ser obras de arte e a minha vida não?"

A ideia não era nova, mas na época helenística se tornou um refúgio para os desorientados órfãos das liberdades perdidas. Nesse período, a *paideia* — em grego, "educação" — torna-se para alguns a única tarefa à qual vale a pena dedicar a vida. O significado dessa palavra vai se enriquecendo e, quando romanos como Varrão ou Cícero têm de traduzi-la para o latim, usam o termo *humanitas*.[147] Esse é o ponto de partida do humanismo europeu e suas posteriores irradiações. Os ecos dessa constelação de palavras ainda se propagam. A *Enciclopédia ilustrada* resgatou a antiga *paideia* — que deriva da expressão *em kýklos paideía* —, que ainda hoje ressoa no experimento global e poliglota da Wikipédia.

Às vezes esquecemos que essa antiga fé na cultura nasceu como um credo religioso, com seu lado místico e sua promessa de salvação. Os fiéis acreditavam que as almas dos eleitos, na vida no além, habitariam pradarias banhadas por mananciais frescos onde haveria teatros para os poetas, grupos de dança, concertos e muita conversa em volta de uma mesa de eternos banquetes — neste caso, regados generosamente com vinho.[148] Seria um lugar celestial para os filósofos mais prolixos: ninguém se irritaria com eles nem lhes pediria que calassem a boca de uma vez por todas.

Por isso encontramos referências à cultura dos defuntos em tantos monumentos funerários — epitáfios, baixos-relevos ou estátuas. Eles se despedem da existência terrena fazendo pose de homens de letras, oradores, filósofos, amantes da arte ou músicos. Esses túmulos não pertencem, como se pensava a princípio, a intelectuais de ofício, professores ou artistas. Agora sabemos que na maioria dos casos eram de comerciantes, médicos ou funcionários públicos. Mas eles queriam ser lembrados por um único motivo: por terem se iniciado na lavra da inteligência e nos floreios da arte, saberes protegidos pelas musas.[149]

"A única coisa que vale a pena no mundo é a educação",[150] escreve no século II um seguidor desse culto. "Tudo o mais são bens humanos e pequenos, e não merecem ser buscados com grande empenho. Os títulos nobiliárquicos são um bem dos antepassados. A riqueza é uma dádiva da sorte, que a tira e a dá. A glória é instável. A beleza é efêmera; a saúde, inconstante. A força física decai, vítima da doença e da velhice. A instrução é a única das nossas coisas que é imortal e divina. Porque só a inteligência rejuvenesce com o passar dos anos, e o tempo, que tudo arrebata, dá sabedoria à velhice. Nem sequer a guerra, que tudo varre e arrasta, como uma torrente, pode tirar de ti o que sabes."

As velhas crenças haviam desmoronado, mas, por sua vez, a imortalidade estava ao alcance de todos por meio da cultura, da palavra e dos livros.[151] Não podemos esquecer que o Museu de Alexandria, ao qual pertencia a Grande Biblioteca, era um templo onde um sacerdote celebrava os rituais das musas. É enternecedor pensar nesses gregos que sonharam bater nas portas do céu empunhando seus rolos.

Entre os séculos III a.C. e I a.C., o panorama se alterou e os livros encontraram proteção em novos horizontes. Os papiros egípcios revelam que, sem chegar a ser total, a alfabetização na época helenística se ampliou muito,[152] e foi inclusive além da classe dirigente. Naturalmente, os ricos eram os primeiros a entrar na escola e os últimos a sair. Não obstante, pelo menos na Grécia europeia, as crianças de condição livre tinham mais oportunidades de receber uma educação primária do que em qualquer outra época anterior — as leis escolares de Mileto ou de Teos dão a entender isso.[153] A legislação desta última cidade estabelece que o ensino básico se destinava por igual aos meninos e às meninas, e aparentemente isso era algo comum. Além do mais, num grande número de cidades da costa do mar Egeu e da Ásia Menor existiu uma florescente oferta de ensino para garotas de famílias abastadas — finalmente se abrem frestas por onde se pode espreitar a entrada de meninas nas salas de aula e ver as primeiras gerações de leitoras.

A possibilidade de receber educação estava se expandindo em imensas extensões geográficas. Pode-se fazer uma longa lista de intelectuais nascidos em cidades não tão importantes com nomes sonoros e distantes como Cutaia, Eucarpia, Rhodiapolis, Amásia, Selêucia de Euleu... Não se fundaram bibliotecas somente nas capitais — a Biblioteca de Alexandria e sua rival Biblioteca de Pérgamo. Também nasciam instituições culturais mais modestas na periferia. Uma inscrição do século II a.C. encontrada na pequena ilha de Cós evoca as doações de vários patrocinadores privados à biblioteca local.

Por todos os lados dos dois novos continentes invadidos pelos macedônios — a África e a Ásia —, os teatros, os ginásios e os livros expressavam a consciência de sua identidade grega. Para os nativos, dominar a língua dos seus governantes lendo Tucídides e Platão ajudava a conquistar posições de prestígio. Os conquistadores, claro, impunham sua cultura convencidos de estar civilizando bárbaros. Num lugar remoto como Ai-Khanoum, no Afeganistão, ainda se conservam gravados em pedra textos gregos que, sem dúvida, chegaram até esses lugares longínquos de carona nos livros — cada vez mais viajantes.

Uma coisa chama a atenção: os escritores de toda essa enorme extensão geográfica liam e citavam os mesmos autores, começando por Homero e chegando até Aristóteles e Menandro. O fato de terem aprendido a escrever e a ler com esses livros era quase a única coisa que um grego nascido no atual Irã e outro nascido no Egito, ambos tão longe de casa, tinham em comum.

O resgate e a manutenção dessa literatura não podiam ser deixados ao léu. E quem se encarregou disso foram os sábios habitantes do fantástico labirinto de livros erguido em Alexandria.

UM HOMEM DE MEMÓRIA PRODIGIOSA E UM GRUPO DE JOVENS VANGUARDISTAS

57

Era uma vez, na Grande Biblioteca, um homem de memória prodigiosa. Dia após dia, ele se ocupava de ler os rolos sequencialmente, de prateleira em prateleira. E as palavras acariciadas por seus olhos ficavam gravadas em sua mente, o que a transformava pouco a pouco num arquivo mágico de todos os livros.

Ele se chamava Aristófanes de Bizâncio. Seu pai era um comandante de mercenários e o havia treinado para esse ofício aventureiro e perigoso. Mas ele preferiu as viagens imóveis, as múltiplas vidas imaginárias do leitor. Em sua testa, atrás das mechas de cabelo cinza como líquen, desenhavam-se rugas paralelas que sugeriam linhas de um texto indecifrável. Pode se dizer que aquele homem magro e musgoso, sempre em silêncio mas habitado por infinitos fantasmas sussurrantes, ficava cada vez mais parecido com os livros que devorava.

Um dia se realizou um concurso de poesia em Alexandria. O rei escolheu seis personagens ilustres da cidade para o júri literário. Faltava um para haver um número ímpar, e alguém sugeriu o nome de Aristófanes. Os sete jurados ouviram os poetas declamando, mas, enquanto os outros aplaudiam, Aristófanes permaneceu em silêncio, com o rosto inexpressivo. Deixou os outros deliberarem, sem entrar na discussão. Só no fim pediu a palavra, para dizer que todos os candidatos eram farsantes, menos um. E imediatamente se levantou, entrou nos pórticos da biblioteca e, guiado apenas pela memória, tirou uma montanha de rolos de diversas estantes. Lá estavam, palavra por palavra, recônditos, os poemas que os escritores trapaceiros tinham saqueado.[154] Os ladrões de palavras não conseguiram enganar Aristófanes. Para ele, cada verso era inconfundível como um rosto, e se lembrava de sua localização nas prateleiras como alguns conhecem o lugar de cada estrela no céu noturno.

Reza a lenda que o rei do Egito nomeou esse leitor memorioso como diretor da biblioteca.

Esse episódio, relatado por Vitrúvio, demonstra que o plágio e os escândalos são tão antigos quanto os próprios concursos literários. Além do mais, a história de Aristófanes de Bizâncio nos revela o crescimento da Grande Biblioteca que, um século depois de sua criação, só podia caber em uma memória fabulosa. Havia chegado o tempo dos catálogos e das listas.

Na verdade, como explica o ensaísta Philipp Blom, todo colecionador precisa de um inventário. As coisas que se esforçou para reunir podem se dispersar algum dia, serem vendidas ou saqueadas, sem deixar vestígios da paixão e dos conhecimentos que moviam seu dono. Mesmo os mais humildes colecionadores de selos, livros ou discos sofrem ao imaginar que, no futuro, esses objetos selecionados um a um por motivos íntimos certamente voltarão à bagunça e à mixórdia dos sebos. Somente em seu catálogo uma coleção sobrevive ao próprio naufrágio. É a prova de que ela existiu como conjunto, como plano cuidadoso, como obra de arte.

No catálogo, o poder do número se manifesta. Já contei anteriormente que volta e meia, segundo as fontes, o rei Ptolomeu passava em revista as prateleiras da biblioteca e perguntava ao encarregado: "Quantos livros já temos?" O número que saía da boca do bibliotecário indicava o sucesso ou o fracasso do seu grandioso plano. Essa cena guarda certa semelhança com um episódio protagonizado por Don Juan Tenório, que pode ser considerado o arquétipo literário do colecionador insaciável. Na ópera *Don Giovanni*, Mozart e seu libretista Lorenzo Da Ponte incluíram a famosa "Ária do catálogo", na qual o criado Leporello faz um inventário das conquistas do patrão: "Este é o catálogo das mulheres que meu senhor amou, um catálogo que eu mesmo elaborei. Observem, leiam comigo. Na Itália, 640, na Alemanha 231, 100 na França, na Turquia, 91, mas na Espanha já são 1.003!" Os Ptolomeus, como Don Juan, precisavam de servidores-contabilistas para garantir a eles que a soma de suas presas continuava aumentando, que tinham o direito de se sentir cada vez mais importantes e poderosos. Da mesma forma, as redes sociais são os Leporellos do nosso mundo virtual. Alimentando o narcisismo e o impulso acumulador que nos habita, elas contabilizam o número de amigos, seguidores e "curtidas" que somos capazes de conquistar.

A Biblioteca de Alexandria, que tentou tocar o infinito, também tinha um vasto catálogo. Sabemos que ocupava pelo menos 120 rolos,[155] cinco vezes mais do que a *Ilíada*, de Homero. Por si só, isso nos dá um vislumbre da magnífica coleção perdida. E prova que, nessa época, o mar de livros havia transbordado os diques da memória humana. A soma do saber, da poesia e dos relatos escritos nunca mais voltaria a caber em uma única cabeça, como se conta que coube na de Aristófanes.

58

Quem se encarregou do grande catálogo, no século III a.C., foi um poeta nascido em território líbio, Calímaco de Cirene, o primeiro cartógrafo da literatura. Nas galerias, nos pórticos, nas salas internas e nos corredores da Biblioteca de Alexandria, com as prateleiras quase transbordando de livros, já era possível se perder. Tornou-se necessário um mapa do território, uma ordem e uma bússola.

Calímaco é considerado o pai dos bibliotecários. Sempre o imagino preenchendo as primeiras fichas bibliográficas da História — que deviam ser tabuletas — e inventando algum antecedente remoto dos códigos de classificação. Talvez ele conhecesse os segredos das bibliotecas babilônicas e assírias e tenha se inspirado em seus métodos de organização, mas foi muito mais longe do que qualquer um de seus antecessores. Fez um atlas de todos os escritores e de todas as obras. Resolveu problemas de autenticidade e falsas atribuições. Encontrou rolos sem título que era preciso identificar. Quando havia dois autores com o mesmo nome, pesquisou a identidade de cada um para diferençá-los. Em certos casos se confundiam nomes e apelidos. Por exemplo, o verdadeiro nome — hoje esquecido — de Platão era Arístocles.[156] Hoje só o conhecemos pelo seu suposto apelido do ginásio, Platão, que em grego significava "costas largas" — o filósofo devia ter muito orgulho de suas habilidades pugilísticas na arena.

Em suma, o novo geógrafo dos livros teve de enfrentar infinitas questões com paciência e amor pelos detalhes minuciosos. De cada autor, Calímaco redigiu uma brevíssima biografia, pesquisou suas características distintivas — nome do pai, lugar de nascimento, apelido — e elaborou uma lista completa de obras em ordem alfabética. Para facilitar a identificação, o título de cada livro era seguido pela citação da primeira frase do texto — caso estivesse preservada.

A ideia de usar o alfabeto para ordenar e arquivar textos foi uma grande contribuição dos sábios alexandrinos. Em nossa vida cotidiana, encaramos isso como algo tão comum, tão óbvio e tão útil que nem nos parece uma invenção. No entanto, trata-se de uma ferramenta — tal como o guarda-chuva, o cadarço dos sapatos ou a lombada dos livros — que alguém idealizou num momento de inspiração após uma longa busca. Alguns estudiosos pensam que essa genialidade simples pode ter sido exatamente o que Aristóteles ensinou aos bibliotecários de Alexandria. A hipótese é atraente, mas impossível de provar. De todo modo, o sistema se impôs graças aos intelectuais do museu. Nós, com um abecedário diferente, continuamos imitando esses procedimentos.

O catálogo de Calímaco, conhecido como os *Pínakes* — "as Tábuas" —, se perdeu, mas em textos dos séculos posteriores aparecem referências e alusões suficientes para termos uma ideia bastante aproximada de como era. Também chegaram até nós listas de livros que certamente foram copiadas dos *Pínakes*. Por exemplo, os títulos de 73 peças teatrais de Ésquilo em ordem alfabética[157] e mais de cem de Sófocles. Essas listas são um autêntico inventário de perdas — hoje só podemos ler sete tragédias completas de cada um.[158]

Em uma de suas decisões de maior repercussão, Calímaco organizou a literatura por gêneros. Classificou — e para sempre — os livros em dois grandes territórios: o verso e a prosa. Depois, dividiu cada um desses países literários em províncias: épica, poesia lírica, tragédia, comédia; história, oratória, filosofia, medicina, direito. E uma seção final de miscelânea para as obras que não se encaixavam em nenhum dos principais gêneros. Ali figuravam, por exemplo, quatro livros de confeitaria.[159] A ordenação alfabética por gêneros, que chegou até as nossas bibliotecas atuais, obedecia a critérios meramente formais, úteis mas arbitrários. A partir de então, os livros mistos, experimentais, fronteiriços e desobedientes às leis dos gêneros — que também existiram na Antiguidade — arcam com os inconvenientes de ser inclassificáveis.

Apesar do formalismo, os *Pínakes* tornaram-se uma ferramenta de busca essencial, o primeiro grande mapa da literatura, uma carta marítima para navegar no grande oceano da Biblioteca de Alexandria. E também foram, na esteira de Aristóteles, uma audaz taxonomia do saber e da invenção. Durante toda a Antiguidade, o catálogo de Calímaco foi consultado e atualizado constantemente. Teve um enorme êxito e estabeleceu os alicerces das ciências bibliográficas e enciclopédicas, áreas do saber que estão a serviço de todas as outras.

Imagino que Calímaco tivesse o sonho de salvar do esquecimento todos os pequenos mundos encapsulados no interior dos livros, até os mais recônditos, e daí extraiu forças e paciência para esse esforço imenso. Afinal, ele próprio era um escritor preocupado com o futuro das palavras. Por ironia do destino, sua própria obra se perdeu quase por completo.

Pelo que sabemos, foi um poeta transgressor, que defendia com unhas e dentes a experimentação criativa. Detestava os fiéis imitadores de um passado literário irrecuperável. Amava a brevidade, a ironia, o engenho, a fragmentação. Às vezes, nada melhor do que conhecer bem os clássicos para saber por onde se podem abrir novos caminhos.

59

Silenciosamente, as bibliotecas foram invadindo o mundo.

Entre os anos 1500 a.C. e 300 a.C., existiram 55 bibliotecas, todas voltadas para um público minoritário, em algumas cidades do Oriente Próximo — e nenhuma na Europa. Segundo dados de 2014, 97% da população na Espanha dispõe de pelo menos uma biblioteca pública no lugar onde mora — há um total de 4.649 bibliotecas em todo o país.[160] Esses números contam a história de uma mudança enorme e de uma multiplicação fantástica. Isso passou bastante despercebido, mas trata-se de uma das realidades antigas que nos colonizaram com mais eficácia. Se nos perguntassem, como aqueles extravagantes membros da Frente Popular da Judeia no filme *A vida de Brian*, o que os gregos e romanos fizeram por nós, responderíamos sem hesitar: calçadas, rede de esgoto, leis, democracia, teatro, aquedutos. Talvez incluíssemos na lista a épica dos gladiadores, aquele rebanho barulhento de lutadores seminus que tanto fascina os roteiristas de Hollywood, ou dos condutores de quadrigas romanas, mas nunca pensaríamos no sucesso pacato das bibliotecas públicas, hoje mais vivas do que nunca.

Nunca esqueci a primeira biblioteca da minha infância. Desde pequena, eu soube que há um bosque em todas as histórias; entrando em suas misteriosas trilhas, o protagonista sempre esbarra na magia e acaba encontrando alguma maravilha. Eu também andava entre as árvores, segurando a mão do meu pai, nas longas tardes de julho. Costumávamos ir juntos a uma pequena biblioteca no Parque Grande. Era uma casinha que me parecia, por seu aspecto e seu telhado, ter saído de alguma história ou ser de um país alpino. Eu entrava no seu interior sombrio, escolhia um gibi e voltava para o exterior luminoso do parque bem abraçada ao tesouro, até escolher um banco para me sentar e lê-lo. E lia com seriedade, da primeira à última letra, bebendo os desenhos e as palavras, enquanto a tarde caía lentamente e se ouvia a sinfonia metálica das bicicletas passando. Quando acabava, devolvia a revista que tinha sido o meu espólio durante algumas horas, saía do bosque e voltava para casa com a imaginação fervilhando no ar frio do anoitecer.

As maravilhas daquele parque promovido à categoria de bosque pelo meu olhar infantil eram, claro, pura fantasia; os livros e os heróis que os habitavam; o sussurro dos álamos que, com seus cochichos misteriosos, pareciam prometer uma história; a biblioteca. Eu tinha me transformado numa viciada em quadrinhos e a cada tarde exigia doses maiores.

Os mais de 10 mil bibliotecários que trabalham na Espanha — centenas de milhares em todo o mundo — alimentam o nosso vício em palavras. São os guardiões da droga. Confiamos a eles a soma dos nossos conhecimentos e nossos sonhos, dos contos de fadas às enciclopédias, dos opúsculos eruditos aos quadrinhos mais canalhas. Agora que muitas editoras destroem seus acervos para evitar as despesas com grandes estoques, encontramos nas bibliotecas um depósito das palavras fora de catálogo, o cofre do tesouro.

Cada biblioteca é única e, como me disseram certa vez, sempre se parece com o bibliotecário. Eu admiro essas centenas de milhares de pessoas que ainda confiam no futuro dos livros, ou melhor, em sua capacidade de abolir o tempo. Que aconselham, estimulam, inventam atividades e criam pretextos para que os olhos de um leitor despertem as palavras adormecidas, às vezes durante anos, de um exemplar empilhado numa estante. Eles sabem que esse ato tão cotidiano é no fundo — levanta-te, Lázaro! — a ressurreição de um mundo.

Os bibliotecários têm uma longa genealogia que começa no Crescente Fértil da Mesopotâmia, mas quase nada sabemos sobre esses longínquos antepassados do ofício. O primeiro que nos fala com a própria voz é Calímaco, que podemos imaginar com um perfil nítido em seu paciente trabalho de catalogação e suas longas noites de escrita. Depois de Calímaco, muitos escritores exerceram o ofício de bibliotecário durante alguma época de sua vida, entre paredes de livros que ao mesmo tempo convidam e paralisam. Goethe, Casanova, Hölderlin, os irmãos Grimm, Lewis Carroll, Musil, Onetti, Perec, Stephen King. "Deus me fez poeta e eu me fiz bibliotecária", escreveu Gloria Fuertes.[161]

E Jorge Luis Borges, o bibliotecário cego que se tornou ele próprio quase um gênero literário. Um amigo do escritor conta que certa vez percorreu com ele a Biblioteca Nacional de Buenos Aires. Entre as estantes, Borges circulava em seu hábitat. Abraçava com o olhar, já sem vê-las nitidamente, cada uma das prateleiras. Sabia onde estava cada livro e, ao abri-lo, encontrava imediatamente a página exata. Perdendo-se em corredores forrados de livros, esgueirando-se por lugares quase invisíveis, Borges se movia na escuridão da biblioteca com a delicada precisão de um equilibrista; como Jorge de Burgos, o guardião cego — e assassino sigiloso — da biblioteca monástica de *O nome da rosa*, personagem que Umberto Eco criou, como homenagem e irreverência, inspirado no escritor argentino.[162]

No começo do século XX, esse ofício, que era desempenhado por homens desde os tempos de Nínive, Babilônia e Alexandria, começou a se tornar um território pacificamente invadido por mulheres. Em 1910, eram quase 80% do total. E, como apenas mulheres solteiras tinham permissão para trabalhar, o imaginário coletivo forjou a caricatura da bibliotecária solteirona, azeda, antipática, de coque grisalho, óculos, roupa antiquada e sempre prestes a resmungar. Na mentalidade dessa época não tão distante, uma mulher que trabalhasse em meio aos livros só podia mesmo ficar lamentando com amargura que o namorado não tenha colocado uma aliança em seu dedo e a prole que para ela nunca existirá. Em *A felicidade não se compra,* filme de Frank Capra que estreou nada menos que em 1946, vemos um exemplo desse estereótipo. Para mim é um momento de paródia insuperável, mas lamentavelmente foi rodado sem um pingo de ironia.[163] O protagonista, George Bailey, interpretado por James Stewart, está à beira do suicídio na véspera de Natal. Então seu anjo da guarda aparece para lhe mostrar como seria o mundo se ele não tivesse nascido e, assim, convencê-lo de que sua vida tinha propósito. Depois de ver que todos os seus amigos e familiares teriam sido infelizes sem ele, George pergunta por sua mulher: "Onde está Mary?" O anjo titubeia: "Não... não me peça isso." George, angustiado, imaginando o pior, segura o anjo pelas lapelas: "Se você sabe onde está minha mulher, diga-me." "Não posso." "Por favor." "Você não vai gostar, George." "Onde está ela, onde está?", pergunta George já quase em desespero. "Ficou solteira, George... Neste momento, deve estar fechando a biblioteca." George solta o anjo e corre até a biblioteca. Então aparece na tela Mary, que de fato está fechando a porta da Biblioteca Pública de Pottersville. Usa o uniforme completo: traje monástico, coque, óculos grossos. Caminha com a bolsa apertada contra o peito, complexada e infeliz. A trilha sonora do filme cria uma atmosfera lúgubre. E, pela expressão horrorizada de George, se espera que o espectador, levando as mãos à cabeça, pense: Não, bibliotecária não!

Tais clichês, como demonstrou a pesquisadora Julia Wells, ainda estão presentes no cinema contemporâneo. Muitas bibliotecárias da ficção continuam aparecendo como mulheres rabugentas que disparam furiosos *shhh!* contra quem se atrever a falar em seus domínios. E aqui me deparo com uma triste ironia histórica. Durante os anos imediatamente anteriores à rodagem do filme de Frank Capra, na Espanha do pós-guerra,[164] a maioria das bibliotecárias que exerceram sua profissão durante a República foram consideradas revolucionárias perigosas e submetidas a processos de expurgo.[165] De modo geral, eram o oposto do fantasma de Mary em *A felicidade não se compra*: jovens modernas, vanguardistas, pioneiras nas universidades espanholas. As autoridades franquistas investigaram suas atividades públicas, seu percurso profissional e sua vida privada. Aquelas que puderam conservar o emprego de bibliotecárias e arquivistas no serviço público sofreram humilhantes reduções de salário, transferências forçadas e foram inabilitadas para posições de direção. Penso em María Moliner, que foi rebaixada dezoito níveis no escalão, sendo excluída, assim, de cargos de direção ou de confiança em toda a sua carreira. Relegada primeiramente ao Arquivo da Fazenda de Valência e depois à Escola de Engenheiros de Madri, María Moliner elaborou, sozinha, o seu fantástico dicionário.[166] A biblioteca da infância da minha mãe não era uma casinha encantada no bosque, como a minha; era o prédio onde trabalhavam duas mulheres perseguidas.

As bibliotecas e os bibliotecários têm sua própria história universal da infâmia: ataques, bombardeios, censura, expurgos, perseguição. Inspiraram uma galeria de personagens fantásticos, como Jorge de Burgos em *O nome da rosa*, capaz de transformar um livro de Aristóteles em arma do crime; ou Mary, que vive ao mesmo tempo em duas dimensões espaçotemporais, como feliz mãe de família e como bibliotecária atormentada (e não sabemos qual dessas vidas prefere). O mais assombroso de tudo, porém, é o caminho percorrido da origem no Oriente — com seus grêmios de escribas e castas de sacerdotes que mantinham o conhecimento sob controle — até as bibliotecas atuais, abertas a qualquer pessoa que queira ler e aprender.

Em suas prateleiras convivem livros escritos em países inimigos, e até em guerra uns com os outros. Manuais de fotografia e de interpretação dos sonhos. Ensaios que falam de micróbios ou de galáxias. A autobiografia de um general ao lado das memórias de um desertor. A obra otimista de um escritor incompreendido e a obra sombria de um autor de sucesso. Os textos de uma autora viajante ao lado dos cinco volumes que um escritor sedentário precisa para contar todos os seus devaneios, tintim por tintim. O livro impresso ainda ontem, e ao seu lado outro que acaba de completar vinte séculos. Não existem fronteiras temporárias nem geográficas. E, por fim, somos todos convidados a entrar: estrangeiros e locais, gente com óculos, com lentes ou com remelas, homens usando coque ou mulheres usando gravata. Isso parece uma utopia.

Mallarmé, no século XIX, escreveu: "A carne é triste, sim, e eu li todos os livros." Provavelmente o poeta se referia ao tédio de uma existência saturada e vazia. Essas palavras, porém, lidas nos tempos da Amazon e do Kindle, nos lembram com ironia que a aspiração de conhecer todos os livros não passa de sonho impossível dos bibliófilos mais loucos. A humanidade publica um livro a cada meio minuto.[167] Supondo um preço de 20 euros e uma espessura de dois centímetros para cada um, seriam necessários mais de 20 milhões de euros e uns vinte quilômetros de prateleiras para a ampliação anual da biblioteca de Mallarmé.

O catálogo de Calímaco foi o primeiro atlas completo dos livros conhecidos. Como o continente cartografado era enorme, os gregos se sentiram, no mínimo, tão impotentes quanto nós. Nenhuma pessoa jamais poderia ler a totalidade dos rolos guardados na Biblioteca de Alexandria. Ninguém podia saber tudo. Cada vez mais, o conhecimento de cada indivíduo seria um ínfimo arquipélago no oceano incomensurável de sua ignorância.

Nasceu então a ansiedade de selecionar: o que ler, ver, fazer antes que seja tarde demais? Pelo mesmo motivo, ainda hoje somos obcecados por listas. Há poucos anos, Peter Boxall publicou a enésima lista dos livros — neste caso 1.001, como as noites de Sherazade — que temos de ler antes de morrer. Atualmente proliferam seleções de discos que vale a pena ouvir, filmes aos quais não podemos deixar de assistir ou lugares para onde deveríamos viajar. A internet é a grande lista dos nossos dias, fragmentária e imensamente ramificada. Qualquer manual de desenvolvimento pessoal que se preze, destinado a tornar você milionário, ser bem-sucedido ou redimi-lo da obesidade, inclui o conselho básico de fazer listas: persevere nos objetivos listados e sua vida vai melhorar. As enumerações estão relacionadas à ordem como ansiolítico, quer dizer, como nosso sistema defensivo atua para neutralizar a expansão do caos. Também têm a ver com a angústia, com o medo, com a dolorosa convicção de que temos os dias contados. É por isso que tentamos reduzir as coisas que nos afetam e ultrapassam dez, cinquenta, cem epígrafes.

Ao percorrer com a vista seu imenso catálogo, os sábios da Grande Biblioteca certamente foram infectados pelo mesmo vírus invasor das listas. Quais eram os livros imprescindíveis em cada gênero? Que narrativas, que versos, que ideias deveriam chegar às futuras gerações?

Na época da reprodução manuscrita, a sobrevivência de um livro antigo exigia um esforço enorme, porque o material se deteriorava e era necessário voltar a copiá-lo de tempos em tempos. Essas cópias sucessivas exigiam também revisar a edição e comentá-la para que a passagem dos anos não obscurecesse seu sentido. Os sábios da biblioteca, com os dias contados, não podiam se dedicar de maneira igual a todos os livros do catálogo. Era preciso escolher. Suas listas foram, como a maioria das nossas, um programa de trabalho, mas também criaram um sistema de referências que sobrevive até hoje. Em *A vertigem das listas*, Umberto Eco sustenta que na verdade as listas são a origem da cultura, fazem parte da história da arte e da literatura. E acrescenta que as enciclopédias e os dicionários são as formas mais elaboradas de listagem. E tudo isso — repertórios, bibliografias, índices, tabelas, catálogos, dicionários — torna o infinito mais compreensível.

Os gregos tinham uma palavra para os autores incluídos em listas: *enkrithéntes*,[168] "os que passaram pelo crivo, pela joeira". A palavra escolhida sugere a metáfora rural da peneira, que separa e distingue o joio do trigo. Numa escala menor do que em nossos tempos, na Antiguidade também proliferavam listas de autores *enkrithéntes* que era preciso ler antes de morrer. Conhecemos os títulos de alguns manuais da época imperial que parecem tão atuais quanto as últimas novidades contemporâneas: *Conhecer os livros*, de Télefo de Pérgamo,[169] *Sobre a aquisição e escolha de livros*, de Herênio Filão,[170] ou *O bibliófilo*, de Demófilo da Bitínia. Esses tratados guiavam os leitores na escolha dos livros e apontavam as obras essenciais. Algumas dessas listas antigas chegaram até nós e, embora apresentem diferenças entre si — as seleções são constantemente atualizadas —, têm uma base comum. Depois de rastreá-las e compará-las, penso que todas elas remontam aos sábios da Alexandria e ao catálogo de Calímaco. E creio que o sentido original dessas seleções foi concentrar esforços para impedir que um punhado de livros maravilhosos, os preferidos, se perdesse no esquecimento.

Selecionar é, de alguma forma, preservar. Hoje continuamos fazendo listas de paisagens e monumentos, declarando-os Patrimônio da Humanidade, para tentar protegê-los das ondas de destruição.

Alexandria foi um ponto de partida. Lá, o dinheiro dos reis e o esforço dos estudiosos fizeram um grande trabalho de conservação e resgate. Os gregos entenderam, talvez pela primeira vez, que as frágeis palavras dos livros eram uma herança de que seus filhos e os filhos dos seus filhos iam necessitar para explicar a vida; que uma coisa tão efêmera — o desenho de um sopro de ar, a vibração musical dos nossos pensamentos — devia ser preservada, pensando nas futuras gerações; que as velhas histórias, lendas, contos e poemas são testemunhos de aspirações e formas de entender o mundo que se negam a morrer.

Creio que a grande originalidade dos sábios da Biblioteca de Alexandria não tem a ver com amor ao passado. O que os tornou visionários foi entender que Antígona, Édipo e Medeia — esses seres de tinta e papiro ameaçados pelo esquecimento — deveriam viajar através dos séculos; que milhões de indivíduos ainda por nascer não poderiam ser privados desses personagens; que inspirariam as nossas rebeldias, nos lembrariam de como certas verdades podem ser dolorosas e revelariam os nossos meandros mais sombrios; que nos esbofeteariam toda vez que ficássemos orgulhosos demais da nossa condição de filhos do progresso; e que continuaríamos a nos importar com eles.

Pela primeira vez, consideraram os direitos do futuro — os nossos.

61

Enquanto estou escrevendo, termina o mês de dezembro em meio à habitual neurose de listas — dos mais vendidos aos mais bem-vestidos do ano. Os últimos doze meses são resumidos nessas listagens-pódio que todos os jornais publicam e repercutem nas redes. A realidade se transforma num grande torneio, e adoramos saber quem são os vencedores.

A culpa por essa obsessão, dessa vez, não é da internet. Os gregos foram os pioneiros da classificação, com suas famosas listas: os sete sábios e as sete maravilhas. Invadidos como nós pela febre culinária, anteciparam o Guia Michelin elaborando seu próprio *palmarès* gastronômico. Encontramos uma lista dos Sete Grandes Cozinheiros Gregos num curioso ensaio do século II intitulado *Deipnosofistas*.[171] Nele, um cozinheiro erudito ensina a um aprendiz os nomes dos sete *chefs* mais ilustres e a especialidade de cada um: Ágis de Rodes e seus peixes assados perfeitos; Nereu de Quios, que fazia um congro digno dos deuses; Caríades de Atenas, o mestre dos ovos ao molho branco; Lâmprias e a sopa negra; Apctonete, criador dos alimentos embutidos; Eutino, o grande cozinheiro de lentilhas; Ariston, o inventor de numerosas técnicas culinárias, entre as quais o cozimento por evaporação — o que hoje chamaríamos de cozinha autoral. E conclui: "Eles se tornaram os nossos segundos sete sábios." Não faltam traços de uma ironia muito atual: no mesmo ensaio, um ilustre artista do fogão afirma com muito sarcasmo que "de todos os temperos, o mais importante na cozinha é a fanfarronice".

Os escritores, naturalmente, também foram objeto de listas, mesmo antes da fundação da Biblioteca em Alexandria. Já no século IV a.C., os grandes nomes da tragédia eram um repertório fechado: Ésquilo, Sófocles e Eurípides. Meio século depois da morte do último deles, a reencenação de suas famosas peças era o principal ingrediente dos programas teatrais. Eles atraíam mais público do que os seus sucessores vivos. O governo ateniense decidiu criar um arquivo estatal para proteger — como bem público — as versões originais das tragédias de Ésquilo, Sófocles e Eurípides, e somente dos três.[172]

Os trágicos gregos seriam, para sempre, um trio. Certamente foi na Grande Biblioteca que se forjaram outras listas famosas — os nove poetas líricos, os dez oradores. Desde aqueles tempos remotos, as listas preferem certos números dotados de um halo mágico (três, sete, nove, dez).

Existe, sem dúvida, o prazer de enumerar. Eu sei bem; já o vivi. Durante seus últimos meses de vida, meu pai empregou muitas horas, e as poucas forças que lhe restavam, navegando em sites de esporte. Procurava fotos de jogos de futebol dos bons tempos — os dele, é claro —, lá pelo fim da década de 1950 e começo dos anos 1960. Para meu pai, o futebol do passado era melhor. Uma coisa que o emocionava muito era encontrar alguma velha escalação que havia decorado quando criança. Primeiro a cantava em voz alta, lendo na tela e saboreando a ordem exata das palavras. Depois a anotava num caderno de espiral e folhas quadriculadas que ainda guardo. Vinha me mostrar com orgulho suas listas, times de fantasmas, filas de nomes escritos com sua letra bonita mas já um pouco trêmula pelo estrago da doença. As estrofes dessas canções — onze sobrenomes aprendidos em sequência e depois esquecidos — tinham o poder de devolvê-lo à infância. As listas também são parte íntima da autobiografia de cada pessoa.

A escrita, dizem os especialistas, nasceu para fazer a contabilidade, isto é, listas de cabras, espadas e ânforas de vinho. Talvez seja por isso que a literatura continuou a inventar formas de inventariar. No canto II da *Ilíada* há uma extensíssima enumeração das naves gregas que lutaram contra os troianos. A Bíblia não seria a mesma sem os dez mandamentos e as genealogias infinitas. Uma escritora japonesa do século X, Sei Shônagon, introduziu 164 listas em seu *O livro do travesseiro*. Anotava tudo aquilo que fosse possível catalogar em ordem decrescente e por escrito. Encabeçava suas contagens com epígrafes sugestivas como "Coisas que aceleram as batidas do coração", "Coisas que devem ser breves", "Coisas que perdem algo ao ser pintadas", "Coisas que estão perto embora distantes", "Pessoas que parecem satisfeitas consigo mesmas", "Nuvens e coisas de que gosto particularmente".

No penúltimo capítulo de seu *Ulisses*, Joyce detalha uma prolixa lista dos utensílios que podem ser encontrados na gaveta da cozinha de Leopold Bloom. Tenho um fraco pelas seis propostas para o próximo milênio de Italo Calvino. E pelas enumerações de Borges, particularmente seus poemas dos dons. E pela tentativa de Perec, sentado num café da praça Saint-Sulpice, de descrever um lugar parisiense em todos os seus detalhes.

Joe Brainard publicou em 1975 o livro *Eu me lembro*, no qual enfileira suas recordações numa lista emotiva ao longo de 150 páginas. "Eu me lembro de quando pensava que nada velho podia ter valor." "Eu me lembro de ler doze livros todo verão, para receber um diploma da biblioteca municipal. Não tinha interesse em ler merda nenhuma, mas adorava receber os diplomas. Eu me lembro que só pegava livros com letras grandes e um monte de desenhos." "Eu me lembro que fazia uma lista em que ia anotando os estados que visitava." "Eu me lembro de fantasiar que algum dia leria uma enciclopédia inteira e saberia *tudo*."

Não posso omitir o "contributo à estatística" de Wisława Szymborska: "De cada cem pessoas, as que sabem tudo: cinquenta e duas;/ as inseguras de cada passo: quase todo o resto;/ as prontas para ajudar desde que não demore muito: até quarenta e nove;/ as sempre boas porque não podem ser de outra maneira: quatro, ou talvez cinco;/ as capazes de ser felizes: no máximo, vinte e tantas;/ as inofensivas quando estão sozinhas, mas selvagens em grupo: mais da metade, com certeza;/ as cruéis quando as circunstâncias obrigam, isto é melhor não saber nem aproximadamente [...];/ as mortais: cem por cento./ Percentual que por enquanto não sofreu qualquer alteração."

Passamos a vida fazendo listas, lendo-as, decorando-as, rasgando-as, jogando-as no lixo, riscando os objetivos já cumpridos, detestando-as e amando-as. As melhores listas são as que reconhecem a importância do que enumeram e tentam dar algum sentido a isso. São as que acariciam os detalhes e a singularidade do mundo, impedindo que percamos de vista o que é valioso. Se bem que neste momento, em pleno bombardeio de fim de ano, elas nos saturam tanto que dá vontade de incluí-las na lista de restrições.

62

Há apenas uma presença feminina no cânone literário grego: Safo. É tentador atribuir esse flagrante desequilíbrio ao fato de que, na Grécia Antiga, as mulheres não escreviam. Mas isso não é verdade. Elas enfrentavam mais dificuldades para se educar e ler, mas muitas venceram os obstáculos. De algumas restam fragmentos quebrados de poemas; da maioria, apenas um nome.[173] Esta é minha lista provisória de escritoras quase apagadas da história: Corina, Telesila, Mirtis, Praxila, Eumetis, também chamada de Cleobulina, Beo, Erina, Nóside, Mero, Ánite, Mosquina, Hédila, Filina, Melino, Cecília Trébula, Julia Balbila, Damo, Teosébia.

Fico intrigada com os versos de cada uma delas que nunca mais leremos porque, para mim, o grego começou com voz de mulher — a voz da minha professora no colégio. Lembro-me de que, no começo, suas aulas não me impressionaram tanto. Como demoramos a reconhecer quem vai mudar nossa vida! Na época, eu era uma adolescente decidida a cobrar muito caro pela minha admiração. Esperava encontrar professores carismáticos, seguros de si, desses que — como eu tinha visto em alguns filmes — entram na sala de aula com ar rebelde, encostam a bunda na beira da mesa e começam a falar, engenhosos, brilhantes, divertidos. Externamente, Pilar Iranzo não se encaixava nessa fantasia. Altíssima e magra, ela andava curvando ligeiramente os ombros como se estivesse pedindo desculpas por ser mais alta do que todos nós. Usava uma bata branca convencional. Quando falava, suas mãos longas de pianista agitavam o ar com nervosismo. Às vezes se engasgava explicando uma lição, como se de repente as palavras fugissem em disparada da sua cabeça. Ouvia tudo com muita atenção, fazia mais perguntas do que afirmações e parecia se sentir especialmente confortável com o amparo de um sinal de interrogação.

Em pouco tempo a surpreendente Pilar rompeu as barreiras do meu ceticismo. Daqueles dois anos estudando com ela, guardei o prazer da descoberta, a viagem, a surpreendente alegria do aprendizado. Éramos um grupo tão pequeno de alunos que acabamos nos sentando todos em volta de uma mesa e formando rodinhas como se fôssemos conspiradores. Aprendíamos por contágio, por iluminação. Pilar não se entrincheirava atrás de declinações, de datas e números frios, de teorias abstratas, de aparatos conceituais. Era transparente: sem truques, sem alarde, sem pose, ela nos transmitiu sua paixão pela Grécia. Sempre nos emprestava seus livros favoritos, contava os filmes da sua juventude, as viagens que fez, os mitos em que se reconhecia. Quando falava de Antígona, ela própria era Antígona; e quando falava de Medeia, a história nos parecia mais aterrorizante do que nunca. Ao traduzi-las, sentíamos que as obras clássicas tinham sido escritas para nós. E esquecemos o medo de não entendê-las. Deixaram de ser fardos pesados, imposições. Graças a Pilar, alguns de nós anexamos um país estrangeiro ao nosso mundo interno.

Anos depois, quando eu mesma tive que enfrentar a vertigem de uma sala de aula, entendi que é preciso gostar dos alunos para expor diante deles o que você ama: para se arriscar a mostrar a um grupo de adolescentes os seus entusiasmos verdadeiros, os seus pensamentos próprios, os versos que tocam a sua emoção, sabendo que poderão debochar ou responder com cara de paisagem e uma ostensiva indiferença.

Enquanto estava na faculdade, eu costumava visitar Pilar durante suas horas de plantão, no seminário de grego. Quando se aposentou, continuamos nos encontrando num bar próximo à casa dela. Eu tinha necessidade de agradecer-lhe por sua forma tão imprudente de ensinar, confiando em todos nós. Acreditando que merecíamos saber. Partilhando conosco sua maneira íntima e misteriosa de ouvir as vozes do passado.

Conversávamos durante horas nesses encontros, viajando no tempo, em nossos assuntos, do presente à Antiguidade grega, que era o nosso elo. Mas sempre esbarrávamos num paradoxo: saber que seria terrível viver na época que tanto nos fascinava, quando as mulheres permaneciam afastadas do poder, não tinham liberdade e nunca deixavam de ser menores de idade. Pilar, que dedicara tantos anos a transmitir a herança luminosa da Grécia, sabia que naquela época ela estaria condenada a ficar na sombra. Sentia falta das palavras das escritoras perdidas e seus poemas nascidos no silêncio.

63

A história da literatura começa de forma inesperada. O primeiro autor do mundo a assinar um texto com o próprio nome foi uma mulher.

Mil e quinhentos anos antes de Homero, Enheduana, poeta e sacerdotisa,[174] escreveu um conjunto de hinos cujos ecos ainda ressoam nos Salmos da Bíblia. E os assinou com orgulho. Ela era filha do rei Sargão I da Acádia, que unificou a Mesopotâmia central e meridional num grande império, e tia do futuro rei Naram-Sin. Quando os estudiosos decifraram os fragmentos dos seus versos, perdidos por milênios e só recuperados no século XX, apelidaram-na de "a Shakespeare da literatura suméria", impressionados com sua escrita brilhante e complexa. "O que eu fiz ninguém havia feito antes", escreve Enheduana. Também pertencem a ela as mais antigas representações astronômicas. Poderosa e audaz, ousou participar da agitada luta política da sua época, e por isso sofreu o castigo do exílio e da nostalgia. Mesmo assim, nunca deixou de escrever cantos para Inanna, sua divindade protetora, senhora do amor e da guerra. Em seu hino mais íntimo e lembrado, ela revela o segredo do seu processo criativo: a deusa lunar visita sua casa à meia-noite e a ajuda a "conceber" novos poemas, "dando à luz" versos que respiram. É um acontecimento mágico, erótico, noturno. Enheduana foi — pelo que se sabe — a primeira pessoa a descrever o misterioso parto das palavras poéticas.[175]

Esse começo promissor não teve continuidade. A *Odisseia*, como já contei, apresenta o adolescente Telêmaco mandando a mãe se calar porque sua voz não deve ser ouvida em público. Mary Beard analisou esse episódio do poema homérico com um fino humor: quando Telêmaco diz "A palavra deve ser coisa de homens", está se referindo ao discurso público com autoridade, não ao bate-papo, à tagarelice ou à fofoca, que qualquer um — inclusive mulheres, e sobretudo as mulheres — podiam praticar.[176]

O silenciamento de Penélope inaugura uma longa lista de imperativos repetidos ao longo de toda a Antiguidade greco-latina. Por exemplo, o filósofo Demócrito, defensor da democracia e da liberdade, tão subversivo em muitos aspectos do seu pensamento, não via problema algum em recomendar "que a mulher não deve se exercitar na fala, pois isso é terrível". Calar-se em público, escreveu, devia ser considerado o melhor adorno feminino. Aquela civilização tinha uma ideia tatuada na mente: a palavra pública pertencia apenas aos homens. O território da política, da oratória e, em grande medida, da literatura era domínio deles. Não podemos esquecer que a democracia ateniense se alicerçou na exclusão de todas as mulheres — e também dos estrangeiros e dos escravos, ou seja, da maior parte da população. Como dizia o protagonista da série britânica dos anos 1980 *Yes, Minister*, "temos o direito de escolher o melhor homem para o cargo, independentemente do seu sexo".

É verdade que essa exclusão não era vivida da mesma maneira em toda a geografia grega. E aqui surge outro paradoxo: Atenas, a capital dos experimentos políticos e da ousadia intelectual, foi talvez a cidade grega mais repressiva em relação às mulheres. Nesse lugar que tanto admiramos, elas — quando nasciam em lares ricos — quase não pisavam na rua; ficavam confinadas em casa, tricotando entre as paredes do gineceu, longe do espaço público e da efervescência da ágora. Não é preciso dizer que os pobres não tinham dinheiro suficiente nem meios necessários para se permitir tal *apartheid* familiar; no entanto, a vida restrita, a miséria, o suor e a força dos costumes tampouco lhes permitiam grandes margens de liberdade.

Como todas as diversões áticas, o teatro era um clube masculino. Os autores, atores e cantores do coro eram homens — por mais difícil que seja imaginar atualmente um ateniense barbudo interpretando Antígona ou Electra. Na época clássica, quando Atenas liderava a Grécia, a ausência de mulheres criadoras foi mais clamorosa do que nunca.

Havia um mundo mais aberto na costa da Anatólia e nas ilhas do Egeu (Lesbos, Quios, Samos...), terra de emigrantes gregos na fronteira com a Ásia. Lá as proibições não eram tão estritas nem o ambiente tão asfixiante. As meninas recebiam educação e algumas mulheres, desde que fossem ricas e nobres, tinham direito à palavra — alguns pesquisadores pretendem situar nessa região os últimos rescaldos de um matriarcado perdido. Segundo Platão, na ilha de Creta "a pátria era chamada de *mátria*".[177] A única comandante-chefe conhecida lutou, à frente de uma frota, na Batalha de Salamina. Chamava-se Artemísia e vinha da cidade costeira de Halicarnasso,[178] na Ásia Menor, onde reinava. Embora fosse grega, se aliou aos invasores persas. Conta-se que os atenienses ofereceram uma recompensa de 10 mil dracmas por sua cabeça,[179] "pois consideravam inadmissível que uma mulher entrasse em guerra contra Atenas".

E em Rodes, uma ilha próxima, somos surpreendidos por um caso insólito: uma jovem que, sem exercer a prostituição, participa dos banquetes masculinos.[180] Ela se chamava Eumetis, que significa "a de boa inteligência", mas todos a conheciam como Cleobulina porque era filha de Cleóbulo, um dos sete sábios. Como Enheduana, filha de um rei. Cleobulina tinha inteligência política e soube utilizar muito bem sua influência. Diziam que fez o pai se tornar um governante mais amável e solidário com os súditos. Desde pequena, em tom de brincadeira, inventava enigmas verbais enquanto trançava fitas e redinhas para o cabelo. Escreveu um livro de adivinhações em hexâmetros que séculos depois ainda seria lembrado.[181] Um texto antigo a retrata num simpósio, convivendo com os homens com total liberdade. Ela se diverte, participa da conversa, brinca penteando e despenteando o cabelo de um dos sete sábios. Como era criativa e espirituosa numa época que só queria mulheres silenciosas, Cleobulina se expunha à caricatura. Sabemos que um cômico ateniense parodiou-a numa peça de teatro intitulada — no plural — *As Cleobulinas*.[182] Podemos supor que essa comédia, hoje perdida, devia ter personagens parecidos com os de Molière em *As preciosas ridículas*: umas mocinhas ridículas que perdem a cabeça por jogos de palavras e, embora se julguem muito espertas, na verdade são insuportáveis. As mulheres que escreviam enfrentavam a ameaça da chacota, um espelho deformante. Talvez por isso amassem o segredo, sugerir sem chegar a dizer, a adivinhação, o questionamento. Como escreve Carlos García Gual, "expressar-se por meio de enigmas era, no âmbito grego, algo próprio das mulheres, que também teciam com as palavras".[183]

64

Safo — ela mesma conta — era baixinha, morena e pouco atraente. Nasceu numa família aristocrática em decadência. Ao contrário de Cleobulina, não era filha de reis. Seu irmão mais velho dilapidou a fortuna familiar, ou o que restava dela. Depois a casaram com um estranho, como era costume, e teve uma filha. Tudo se encaminhava para uma vida no anonimato.

As mulheres gregas não escreviam poesia épica, é claro. Elas não tinham experiência com armas porque as batalhas eram um perigoso esporte da aristocracia masculina. Além disso, não podiam levar a vida livre e itinerante dos aedos, viajando de cidade em cidade para oferecer seu canto. Tampouco participavam dos banquetes, nem das competições esportivas, nem dos problemas políticos. O que podiam fazer? Abrigavam lembranças. Tal como aquelas babás e avós que contavam histórias aos irmãos Grimm, elas transmitiam lendas antiquíssimas de geração em geração. Também compunham cantos para os coros femininos (canções de casamento, canções em homenagem aos deuses, canções para dançar). E falavam de si mesmas em poemas para uma voz, acompanhadas por uma lira — daí provém o termo "poesia lírica". Eram universos obrigatoriamente pequenos e locais. Mesmo assim, de forma quase milagrosa, algumas mulheres lançaram de seus recantos um olhar original e fulminaram os muros que as aprisionavam. Safo fez isso. Assim como fizeram mais tarde outras reclusas transgressoras, como Emily Dickinson e Janet Frame.

Safo escreveu: "Dizem alguns que nada é mais bonito sobre a terra escura do que um esquadrão de cavaleiros, ou de infantes, ou de naves. Mas eu digo que o mais belo é a pessoa amada." Essas palavras singelas escondem uma revolução mental. Quando foram escritas, no século VI a.C., romperam os esquemas tradicionais. Num mundo profundamente autoritário, esse poema surpreende porque contém múltiplas perspectivas, e até parece celebrar a liberdade do desacordo. Além do mais, atreve-se a questionar aquilo que a maioria admira: os desfiles, os exércitos, a exibição e a ostentação de poder. Safo certamente teria cantado como Georges Brassens a respeito de sua má reputação: "Durante a festa nacional/ eu fico na horizontal,/ pois a música militar/ nunca me fez levantar." Frente às tediosas exibições de musculatura bélica, ela preferia sentir e evocar o desejo. "O mais belo é o que cada um ama." Inesperado, esse verso afirma que a beleza está, primeiro, no olhar do amante; que não desejamos quem nos parece mais atraente, e sim achamos atraente quem desejamos. Segundo Safo, quem ama cria a beleza; não se rende a ela, como se costuma pensar. Desejar é um ato criativo, tal como escrever versos. Favorecida com o dom da música, a miúda e feia Safo podia adornar com suas paixões o minúsculo mundo que a rodeava e, assim, embelezá-lo.

Em determinado momento, a vida de Safo mudou completamente. Seu casamento acabou e ela trocou a rotina do lar por uma nova atividade que não conhecemos bem. Recorrendo aos fragmentos bastante deteriorados de seus versos que chegaram até nós e às referências sobre ela, podemos reconstruir o ambiente pouco convencional em que viveu durante esses anos. Sabemos que foi tutora de um grupo de jovens, filhas de famílias ilustres. Também sabemos que se apaixonou por algumas — Átis, Dica, Irana, Anactória — em momentos sucessivos, e que juntas elas compunham poesia, faziam sacrifícios a Afrodite, trançavam coroas de flores, sentiam desejo, cantavam, dançavam e se acariciavam alheias aos homens. De vez em quando uma dessas jovens ia embora, talvez para se casar, e a separação causava sofrimento a todas. Por fim, dizem que na ilha de Lesbos havia outros grupos parecidos, dirigidos por mulheres que Safo considerava inimigas. E se sentia dolorosamente traída pelas jovens que a abandonavam para entrar num círculo rival.

Alguns pensam — mas isso é mera conjectura — que eram *thíasoi* femininos, uma espécie de clubes religiosos em que as jovens, sob a direção de uma mulher carismática, aprendiam poesia, música e dança, honravam os deuses e, possivelmente, exploravam seu erotismo pouco antes do casamento. De todo modo, os amores de Safo por suas protegidas não eram sentimentos condenados, eram até reconhecidos e desejados. Os gregos achavam que o amor é a principal força educadora. Não respeitavam o professor que ensinava por dinheiro, corria atrás da clientela e exigia pagamento. Para sua mentalidade aristocrática, aceitar um trabalho remunerado era próprio de gente maltrapilha. Preferiam um mestre que só aceitava novos discípulos se descobrisse neles um brilho especial, e que entregava sua sabedoria sem o estorvo de reivindicações salariais, apaixonando-se e seduzindo — exatamente como Sócrates fazia. Na Grécia, esse tipo de homossexualidade pedagógica era visto como algo mais digno e elevado até do que as relações heterossexuais.

O poema mais conhecido de Safo transcorre no casamento de uma protegida que não voltará mais ao grupo. Para Safo, é a festa do adeus: "Parece-me igual a um deus esse homem/ sentado ali à tua frente/ e cativo te escuta/ enquanto lhe falas com doçura./ Teu riso encantador/ turvou meu coração no peito:/ se te olho, a voz não me obedece;/ minha língua se parte/ e, sob a pele, um fogo tênue me percorre,/ não vejo nada, meus ouvidos zumbem,/ brota o suor, um tremor me sacode inteira;/ e estou pálida, mais do que a vegetação./ Sinto que me falta pouco para morrer."

Esses versos, palpitantes de desejo, escandalizaram muitos leitores. Por séculos a fio, Safo sofreu uma verdadeira avalanche de incompreensão, caricaturas e comentários mal-intencionados que bisbilhotavam sua vida pessoal. Sêneca já mencionava um ensaio intitulado "Era Safo uma puta?".[184] No outro extremo, um afetado filólogo do século XIX escreveu, para manter as aparências e proteger o mundo das obscenidades pagãs, que ela "dirigia um internato de senhoritas". No ano de 1073, o papa Gregório VII tinha mandado queimar todos os exemplares dos poemas escritos por ela, por sua perigosa imoralidade.[185]

Num fragmento de apenas uma linha que por acaso chegou até os nossos dias, lemos: "Eu afirmo que alguém se lembrará de nós." E, embora essa possibilidade parecesse algo impossível, quase trinta séculos depois ainda continuamos ouvindo a voz tênue daquela mulher baixinha.

65

Quero imaginar que, em Atenas, houve uma corrente de rebeldia feminina da qual nenhum autor grego nos fala e que não figura nos livros de história. Para rastrear as pegadas desse quimérico movimento esquecido, eu me atrevi a mergulhar nos textos e ler nas entrelinhas. Nunca saberemos com segurança se isso existiu, mas a suposição sempre me atraiu. O que vou expor agora não passa de uma hipótese, mas me fascina.

As primeiras a se revoltar teriam sido as heteras, isto é, prostitutas de luxo, as únicas mulheres verdadeiramente livres na Atenas clássica. Comparáveis em alguns aspectos às gueixas japonesas, as heteras ocupavam um lugar ambíguo na escala social, marcadas pelas vantagens e desvantagens da má reputação: viviam praticamente na rua, mas se mantinham independentes. Elas eram, na maioria, gregas nascidas na Ásia Menor e, portanto, sem direitos de cidadã. Em sua terra natal haviam recebido uma educação musical e literária que Atenas negava às suas filhas. Eram obrigadas a pagar impostos como os homens e, como eles, também podiam administrar os próprios bens. Tinham acesso aos círculos da política e da cultura por intermédio dos seus amantes. Não eram submetidas à pressão que as esposas atenienses suportavam, mas em contrapartida se sabiam duplamente excluídas (por serem estrangeiras e por serem prostitutas).[186]

Essas mulheres emigrantes, minoritárias, desejadas e socialmente vulneráveis tinham mais capacidade de protestar do que as atenienses reclusas em seus gineceus. E, durante pouco mais de uma década, suas vozes foram ouvidas graças a um amor transgressor que abalou as esferas do poder.

Para os atenienses do século V a.C., a distribuição de funções seguia um esquema rígido, que foi descrito sem rodeios por um orador da época: "Temos as heteras pelo prazer, as concubinas para o cuidado diário do nosso corpo, as esposas para nos dar filhos legítimos e serem as guardiãs fiéis da nossa casa." Quando o homem mais poderoso da Ática transgrediu esse esquema de competências, a cidade ferveu de indignação.

Péricles era casado com uma mulher "apropriada à sua linhagem", mãe dos seus dois filhos.[187] Mas a convivência era difícil, e ele rompeu esse casamento para se unir a Aspásia, uma hetera nascida na Ásia Menor. Quase cinco séculos depois, o historiador Plutarco transcreve uma enxurrada de insultos contra aquela subversiva primeira-dama ateniense, extraídos de textos da época, nos quais ela é tachada de obscena, concubina com cara de cadela e mulher de bordel, entre outras maravilhas.

Durante a maior parte da nossa história, o casamento foi, antes de tudo, uma instituição econômica, uma fusão de interesses compartilhados. Para os políticos gregos, até mesmo na democracia, os casamentos selavam alianças entre as grandes famílias que seguravam as rédeas do governo com pulso firme. E os casamentos eram desfeitos por motivos comerciais ou estratégicos, quando havia um clã mais importante com o qual se aparentar. Péricles, em contrapartida, escolheu Aspásia — uma estrangeira de má reputação e sem *pedigree* — por um motivo absolutamente ridículo: o amor. Plutarco diz que os cidadãos observavam boquiabertos como ele "todo dia a abraçava e beijava docemente, ao voltar da ágora". E, pela maneira como Plutarco conta, entendemos que essa exibição de amor conjugal era uma escandalosa imoralidade na Atenas daquele momento. Podemos imaginar os cidadãos atenienses reclamando e rindo das perversões do seu líder. Se já era estúpido se apaixonar pela própria esposa, demonstrar isso em público chegava às raias da obscenidade. Muitos pensavam que estavam vivendo tempos ruins e evocavam com nostalgia um passado mais sadio. Consideravam aquele século V a.C. em Atenas, dourado para nós, uma época sombria de concubinato, mestiçagem e desregramento.

O que aquele falatório não dizia é que a inteligência de Aspásia ajudou Péricles em sua carreira política. Sabemos pouco sobre ela, porque sua figura chegou até nós envolta em incógnitas e maledicências, mas os textos dão a entender que nas sombras era uma autêntica oradora. Sócrates costumava visitá-la com seus discípulos e desfrutava sua brilhante conversa; chegou até a chamá-la de "mestra". Segundo Platão, ela escrevia discursos para o marido; entre eles, o famoso discurso fúnebre[188] em que defende apaixonadamente a democracia.[189] Ainda hoje, os redatores dos discursos presidenciais de Obama, e antes os de Kennedy, se inspiraram nas palavras que provavelmente foram tecidas por Aspásia.[190] No entanto, ela não aparece na história da literatura. Seus escritos se perderam ou foram atribuídos a outros.

Durante quinze ou vinte anos, até a morte de Péricles, em 429 a.C., Aspásia teve uma influência enorme nos círculos do poder. É um mistério a forma como ela utilizou essa inesperada posição de protagonista. Mas nesse período ocorre algo sem precedentes: os textos dos trágicos, dos cômicos e dos filósofos começam a discutir — ou a ridicularizar — a extravagante ideia da emancipação feminina, uma questão que antes dessa época nenhum grego havia mencionado.

Nessas décadas fulgurantes, falaram nos palcos mulheres como Antígona, a jovem que ousa desafiar, sozinha, a lei injusta de um tirano em nome dos princípios humanitários; Lisístrata, que em plena guerra tem a fantástica ideia de se aliar às mulheres do lado inimigo para organizar uma greve sexual conjunta até que a paz fosse firmada; Praxágora, que à frente de um grupo de moradoras de Atenas supera os homens na assembleia e, com os votos femininos, instaura um regime comunista e igualitário; e a rebelde e estrangeira Medeia.

Ninguém chegou tão longe quanto a *Medeia* de Eurípides. Imagino um público de homens lotando o teatro na manhã da sua primeira apresentação, no ano 431 a.C. Com os olhos vidrados no palco, capturados pelo magnetismo do medo, eles viram aquela mulher ofendida e vingativa desencadear o horror mais absoluto. Assistiram ao inominável: uma mãe assassinando seus filhos com as próprias mãos para machucar o marido que a abandonava e a condenava ao exílio. Ouviram palavras absolutamente novas. Medeia falou em voz alta, pela primeira vez, sobre a fúria e a angústia que habitavam os lares atenienses: "Nós, mulheres, somos o ser mais desventurado. Para começar, temos de comprar um marido com dispêndio de riquezas e passamos a ter um amo do nosso corpo, e este é o pior dos males. Separar-se do marido é escandaloso para as mulheres, mas não igualmente para os homens. Quando eles estão entediados em casa, saem para se distrair. Mas se fizermos a mesma coisa, não nos deixam sair dizendo que nós temos de cuidar dos filhos. Afirmam que ficando em casa as mulheres evitam os perigos, enquanto o homem, coitadinho, tem de ir lutar na guerra."[191] Medeia, em conflito com sua reclusão e sua maternidade, acaba dizendo que preferia enfrentar três guerras a ter de parir uma única vez.

Contagiadas por Medeia, as mulheres do coro também vão deixando de lado a atitude modesta e atemorizada. Em dado momento, uma delas se atreve a dizer que as mulheres não devem ser excluídas da filosofia, da política, dos argumentos sutis e dos debates: "Nós também temos uma musa que nos acompanha em busca da sabedoria."[192] Na tragédia grega, o coro representa a voz da comunidade. Portanto, quem falava ali não era a estrangeira rebelde, mas as atenienses de vida metódica e caseira. Ainda por cima, todas as audácias de Medeia e seu coro feminino eram enunciadas no palco por homens usando perucas compridas e encarapitados em cima de enormes sapatos de salto plataforma. Paradoxos da história: na Grécia inventaram as *drag queens*, mas não permitiam que nenhuma mulher fosse atriz.

Quero imaginar que as novas ideias flutuavam no ar, que algum tipo de movimento social agitava o debate nas praças de Atenas. O teatro sempre foi um espaço de discussão coletiva. Muito especialmente na Grécia, as comédias e tragédias refletiam os conflitos mais candentes: buscavam inspiração na ágora, nas ruas e nas assembleias para pôr em cena as inquietações políticas do momento. É verossímil imaginar que Antígona, Lisístrata, Praxágora e Medeia eram, de alguma forma, presenças reais na vida ateniense daqueles anos.

Eu gostaria de acreditar que esse movimento de mudança, certamente sustentado pelo carisma de Aspásia, impregnou até mesmo o pensamento de Platão, que estava longe de ser um apóstolo da igualdade. Na verdade, ele defendeu em um de seus livros que, como castigo, os homens injustos reencarnam como mulheres —[193] e que por isso existe o sexo feminino. É quase inacreditável que esse mesmo indivíduo, que afirma que nascer mulher é uma condenação e uma forma de expiação, tenha escrito estas linhas assombrosas em sua *República*: "Nenhuma ocupação no governo do Estado cabe à mulher por ser mulher nem ao homem enquanto homem, pois os dotes naturais estão distribuídos similarmente entre ambos, e a mulher participa, por natureza, de todas as ocupações, tanto quanto o homem."[194]

Aspásia é um dos maiores mistérios e lacunas dos documentos antigos. O que ela fez, pensou e disse só nos chega filtrado por terceiros. Afirmam que se dedicou a escrever e ensinar; quero acreditar que, além disso, estimulou com sua poderosa oratória o primeiro movimento de emancipação de que se tem notícia.[195] Gosto de imaginar que foi graças a ela que as mulheres de Atenas e de outras cidades se atreveram a cruzar o umbral das grandes escolas filosóficas. A Academia platônica teve pelo menos duas discípulas: Lastênia de Mantineia e Axioteia de Fliunte.[196] A última, segundo dizem, vestia-se com trajes masculinos. Uma hetera chamada Leôncia foi filósofa no Jardim e amante de Epicuro.[197] Escreveu um livro sobre os deuses — hoje perdido sem deixar rastros — no qual tentava derrubar as teses de filósofos muito respeitados. Séculos depois, Cícero lhe dirigiu uma ácida desqualificação: "Até uma putinha como Leôncia teve a audácia de escrever contra Teofrasto?"[198]

A mais conhecida e transgressora de todas foi Hipárquia de Maroneia,[199] da escola dos cínicos. Pelo que se sabe, é a única filósofa a quem os antigos dedicaram uma breve biografia. Ela não deixou nenhum escrito, mas se tornou célebre por dinamitar todas as convenções em seu comportamento público. Renunciou à fortuna familiar e foi morar na rua com seu amante Crates, vestindo farrapos. Como os dois achavam que as necessidades naturais eram boas e não deviam envergonhar ninguém, faziam sexo à vista de todos, sem afastar os curiosos. Certo dia, alguém apontou para Hipárquia e perguntou: "Esta é a mulher que deixou de lado as lançadeiras?" E ela respondeu: "Sim, sou eu. Acha que fiz mal dedicando o tempo que ia gastar no tear à minha própria educação?"

Afinal, talvez Hipárquia pensasse, com espírito brincalhão, que a mente é um grande tear de palavras. Ainda hoje se emprega, na terminologia literária, essa imagem da narração como uma tapeçaria. Nós continuamos falando — com metáforas têxteis — de tramas, de urdiduras, de desfiar relatos, de tecer histórias. O que é um texto para nós senão um conjunto de fios verbais amarrados?

A poeta portuguesa Sophia de Mello Breyner Andresen se descrevia assim: "Pertenço à raça daqueles que percorrem o labirinto sem jamais perderem o fio de linho da palavra."

66

Os mitos se tecem e se destecem como, reza a lenda, Penélope fazia. Durante os vinte anos que passou esperando a volta de Ulisses, o Palácio de Ítaca se encheu de pretendentes que queriam declarar a morte do rei ausente e ocupar seu leito. Ela prometeu que ia escolher um marido quando terminasse de fazer um sudário para seu velho sogro, Laertes. Durante três anos, tecia o sudário durante o dia e, astutamente, o desmanchava à noite. Sentada ao tear, movia a lançadeira trançando um engodo salvador, que recomeçava toda manhã.

Os escritores antigos logo entenderam que os caminhos mais fascinantes são aqueles que nascem nas gretas, nos pontos cegos e nas manipulações do relato. Penélope esperou fielmente Ulisses ou o enganou durante sua ausência? Helena esteve ou não esteve em Troia? Teseu abandonou Ariadne ou esta foi raptada? Orfeu amava Eurídice mais do que a própria vida ou foi o primeiro pederasta? Todas essas variantes coexistiram dentro do emaranhado labirinto da mitologia grega. Como no filme *Rashomon*, temos de escolher entre relatos incompatíveis entre si. Esse início da literatura europeia nos legou o gosto pela multiplicação dos pontos de vista, as variações e as leituras diversas, as narrativas incessantemente tecidas e destecidas.

Século após século, continuamos enovelando e desfiando as lendas que os gregos nos contaram em forma de caleidoscópio ambíguo. No *Ulisses*, de Joyce, a cantora Molly Bloom, uma peculiar e desbocada Penélope, expõe sua versão do mito numa longa frase sem pontuação, que não se conta por linhas, mas por páginas — mais de noventa —, e é salpicada de obscenidades. O livro termina com o seu atropelado monólogo interior, deitada ao lado do marido. Lembra-se da infância em Gibraltar, de seus amores, da sua maternidade, do desejo, de corpos, de vozes, do inconfessável. A última palavra do romance é dela. E é a palavra "Sim". Penélope finalmente pode mostrar um erotismo cabal, afirmativo: "[...] primeiro o envolvi com os braços sim e o atraí para cima de mim para que ele pudesse sentir os meus peitos só perfume sim e o coração dele batia como um louco e sim eu disse sim quero Sim."

A canadense Margaret Atwood também viajou para a paisagem homérica da *Odisseia*, onde os monstros femininos permitem uma releitura humorística. Margaret dá voz a uma sereia, uma mulher-pássaro debochada que, segundo o mito, se aninha numa ilha rochosa sem nome, cheia de esqueletos e cadáveres. No poema, a grande sedutora revela seu segredo mortal e doce, as palavras com as quais atrai para o naufrágio e a morte os navegantes que ousam se aproximar dos seus recifes. Em que consiste esse poderoso feitiço? "Esta é a canção que todo mundo quisera aprender, a canção que obriga os homens a pular em esquadrões pela borda da nau mesmo quando veem os crânios encalhados na praia, a canção que ninguém conhece porque todos os que a ouviram estão mortos... Vou contar-te o segredo, a ti, a ti e somente a ti. Aproxima-te. Esta canção é um grito de ajuda: Ajuda-me! Só tu, só tu podes, porque és único. Ai, é uma canção enfadonha mas funciona sempre." Irônica, a sereia reconhece que não é preciso ser uma criatura mitológica e fatal para enrolar os heróis; basta chamá-los com uma voz sussurrante, pedir-lhes auxílio, adular-lhes a vaidade.

A poeta Louise Glück permite que a maga Circe, tia de Medeia, se explique. Homero acusou-a de usar seus unguentos mágicos para transformar os companheiros de Ulisses em porcos. Ela conta uma história imensamente mais sarcástica: "Jamais transformei alguém em porco. Algumas pessoas já são porcos; faço-os parecerem-se com porcos. Estou farta do teu mundo, onde o externo disfarça o interior." E, quando seu amante Ulisses decide deixá-la, a feiticeira, sozinha na praia, dialoga com o mar de todos os relatos: "O grande homem volta as costas para a ilha. Agora não morrerá mais no paraíso... Agora é tempo de voltar a escutar o pulso do narrativo mar, ao amanhecer. O que nos trouxe até aqui nos levará daqui; nossa nave balança sobre as águas tintas do porto. Acabou o feitiço. Devolve-lhe a vida, mar que só pode andar para a frente."

As lendas vêm de um mundo arcaico, mas em nosso tear voltamos a trançá-las com fios novos. Por mais que Telêmaco se esforce para governar as palavras e impor o silêncio, mais cedo ou mais tarde sempre nascem versões do mito contadas do ponto de vista de Penélope e das demais mulheres, as tecedoras de histórias.

É O OUTRO QUEM ME CONTA A MINHA HISTÓRIA

67

Nos palcos de Atenas ouviram-se palavras espantosas. Neles, falaram mulheres desesperadas, parricidas, doentes, loucos, escravos, suicidas e estrangeiros. O público não podia tirar os olhos daqueles personagens insólitos. E "teatro", em grego, significava justamente "lugar para olhar". Os gregos tinham ouvido relatos durante gerações, mas debruçar-se sobre uma história, olhando-a como um espião atrás da fresta de uma porta, era uma experiência muito diferente, de uma estranha intensidade. Foi aí que começou o triunfo da linguagem audiovisual que ainda hoje nos hipnotiza. As tragédias, agrupadas em trilogias, criavam o mesmo tipo de vício que as atuais séries e sagas. Eram obras de terror, como bem sabia Aristóteles, e as melhores delas também são viagens ao fim da noite, onde espreitam os medos ancestrais, os tabus, o sangue derramado, o crime familiar, a angústia do conflito sem saída, o silêncio dos deuses.

Sobrou pouco, pouquíssimo, dessas obras arrepiantes (sete tragédias de Ésquilo, sete de Sófocles e dezoito de Eurípides). Sabe-se que eles, somados, escreveram centenas de dramas, a maioria dos quais desapareceu. E também conhecemos pelo menos trezentos títulos perdidos de outros autores. A paisagem da tragédia grega é hoje de terra arrasada. Só chegou até nós um punhado de obras, mas que estavam entre as preferidas dos atenienses de então. Eles não tinham dúvida sobre quais eram as melhores. Por volta do ano 330 a.C., erigiram estátuas de bronze dos três dramaturgos em frente ao grande teatro de Dionísio, na ladeira da Acrópole.[200] E, como eu já disse, mandaram fazer cópias oficiais dos textos deles, e de mais ninguém. A destruição foi terrível, mas não indiscriminada.

As tragédias sobreviventes oferecem uma estranha fusão de violência e debate verbal sofisticado. Nelas, as belas palavras convivem com armas ensanguentadas. De uma forma misteriosa, as tragédias conseguem ser ferozmente delicadas. Em geral, elas contam mitos primitivos de um passado lendário — a Guerra de Troia, o destino de Édipo — cujos ecos ainda ressoavam no presente do século V a.C. Mas há uma curiosa exceção, uma tragédia baseada em fatos reais. Que ainda por cima é a mais antiga peça teatral que se conserva. Trata-se de *Os persas*, com a qual Ésquilo abriu caminho para Shakespeare e, sem saber disso, inventou o romance histórico.

Durante a vida de Ésquilo, o Império Persa fez várias expedições de conquista contra a constelação de minúsculas cidades em disputa permanente que era a Grécia daquela época. A defesa de Atenas dependia de um exército de cidadãos e, por isso, Ésquilo lutou em vários campos de batalha, entre eles no de Maratona, onde perdeu o irmão, e talvez também na batalha naval de Salamina. A guerra naquele tempo era muito diferente. Tento imaginar aquela luta corpo a corpo, a curta distância, numa época em que não tinham sido inventados nem as balas nem os explosivos. Os combatentes olhavam nos olhos uns dos outros enquanto tentavam se matar. Enfiavam com força lanças e espadas na carne do inimigo, mutilavam corpos, pisavam em cadáveres, ouviam gritos de morte, sujavam-se de terra e de vísceras. Contam que Ésquilo, em seu epitáfio,[201] mencionou as batalhas em que lutou sem falar nada da sua enorme obra literária. Tinha mais orgulho de ter participado da resistência da pequena Grécia contra o poderoso invasor persa do que de seus versos.

Creio que nossa ideia de choque de civilizações não soaria nada estranha a seus ouvidos. A luta entre o Oriente e o Ocidente é uma história antiga. Os atenienses sentiam a ameaça permanente de um Estado ditatorial e tirânico. Se esse inimigo conseguisse subjugar a Grécia, liquidaria para sempre sua democracia e sua forma de vida. As chamadas "guerras médicas" foram o grande conflito da época, e Ésquilo decidiu levá-lo ao palco quando as vitórias gregas ainda estavam frescas na memória.

Ele poderia ter se limitado a escrever um panfleto patriótico, mas o poeta ex-combatente tomou uma série de decisões inesperadas. A mais surpreendente delas foi adotar o ponto de vista dos derrotados, como Clint Eastwood em *Cartas de Iwo Jima*. Toda a ação transcorre em Susa, a capital dos persas, e nenhum personagem grego aparece na obra. Além disso, Ésquilo parece estar bem documentado quanto à sociedade persa — conhece genealogias reais, palavras do idioma e aspectos da pompa e do protocolo da corte. Mas o que mais surpreende é que não detectamos nele qualquer resquício de ódio, e sim uma inesperada compreensão. A obra começa na esplanada do palácio. Os persas se mostram preocupados porque estão sem notícias da expedição bélica. De repente irrompe um mensageiro que descreve a terrível derrota e fala dos heróis asiáticos caídos em combate. No fim, chega o rei Xerxes, que perdeu a arrogância no caminho e volta para casa esfarrapado, com uma carnificina inútil nas costas.

É uma visão insólita do inimigo que esteve prestes a destruir a Grécia. Os persas não são descritos como parte de um eixo do mal nem como criminosos natos. Ésquilo nos mostra a impotência dos velhos conselheiros que tinham se oposto à guerra e não foram ouvidos, a angústia dos que esperam em casa a volta dos exércitos, as divisões internas entre os falcões e os pombos do regime, a dor das viúvas e das mães. Dá para intuir a desgraça dos soldados arrastados para o matadouro pela megalomania do seu rei.

O mensageiro de *Os persas* relata com dolorida emoção a Batalha de Salamina, que se tornou um símbolo contemporâneo. Os soldados de Salamina de que fala o romance de Javier Cercas são esses gregos que detiveram o Império Persa e também os soldados da resistência contra o nazismo. Cercas sabe que pode haver soldados de Salamina em todas as épocas: aqueles que encaram uma batalha decisiva — e aparentemente perdida — para defender seu país, a democracia e suas aspirações. Salamina deixou de ser apenas uma pequena ilha do mar Egeu, a dois quilômetros do porto de Pireu: existe, independentemente dos mapas, em qualquer lugar onde alguém, em menor número, se rebela contra uma agressão avassaladora.

As representações teatrais são mais antigas do que Ésquilo. Ele mesmo escreveu peças anteriores a *Os persas*. Mas tudo se perdeu, de maneira que para nós essa obra é um começo. Sempre me fascinou que Ésquilo, depois de lutar contra os persas frente a frente, corpo a corpo e olhando-os nos olhos, depois de ver o irmão morrer em combate a seu lado, tenha querido levar ao palco a tristeza dos inimigos derrotados. Sem escárnio, sem ódio, sem generalizar as culpas. E assim, entre o luto, as cicatrizes e o impulso de compreender o estranho, começa a história conhecida do teatro.

Ésquilo e seus contemporâneos pensavam que a guerra contra os persas fazia parte de um grande enfrentamento entre o Oriente e o Ocidente, com maiúsculas. Influenciados pelas trágicas experiências do combate, achavam que seus inimigos eram pessoas sanguinárias e ávidas por conquistas. Consideravam a vitória sobre eles um triunfo da civilização sobre a barbárie.[202]

Na península da Anatólia, uma encruzilhada de várias culturas, nasceu um grego de sangue misto e mente inquieta que era obcecado pelo velho conflito. Por que esses dois mundos — a Europa e a Ásia — estavam envolvidos numa luta de vida ou morte? Por que se enfrentavam desde o começo dos tempos? O que pretendiam, como se justificavam, quais eram suas razões? Será que sempre havia sido assim? Seria assim para sempre?

Esse grego amigo das perguntas dedicou sua vida a procurar respostas. Escreveu uma extensa obra de viagens e depoimentos que intitulou *Historíai*, que em sua língua significava "pesquisas" ou "investigações". Nós ainda usamos, sem traduzi-la, a palavra que ele redefiniu ao nomear seu livro e sua tarefa: "história". Com essa obra nasceu uma nova disciplina e, talvez, uma forma diferente de olhar o mundo. Porque o autor de *História* era um indivíduo de curiosidade incansável, um aventureiro, um perseguidor do surpreendente, um nômade, um dos primeiros escritores capazes de pensar em escala planetária; eu quase diria que um precursor da globalização. Estou falando, é claro, de Heródoto.

Numa época em que a grande maioria dos gregos quase nunca punha os pés fora dos limites da própria aldeia, Heródoto foi um viajante incansável. Embarcou em navios mercantes, viajou em vagarosas caravanas, conversou com muita gente e visitou um grande número de cidades do Império Persa para poder relatar a guerra com conhecimento de campo e espírito aberto. Ao conhecer o inimigo na sua vida cotidiana em tempos de paz, pôde oferecer uma visão diferente e mais exata dele do que qualquer outro escritor. Nas palavras de Jacques Lacarrière, Heródoto se esforçou para derrubar os preconceitos de seus compatriotas gregos ao ensinar-lhes que a linha divisória entre a barbárie e a civilização nunca é uma fronteira geográfica entre países diferentes, mas uma fronteira moral dentro de cada povo; ou melhor, dentro de cada indivíduo.

É curioso constatar que, tantos séculos depois de ser escrito por Heródoto, o primeiro livro de História começa de forma raivosamente atual: falando de guerras entre orientais e ocidentais, de sequestros, de acusações cruzadas, de versões diversas sobre os mesmos acontecimentos, de fatos alternativos.[203]

Nos primeiros parágrafos da obra, o historiador indaga sobre o início das lutas entre europeus e asiáticos. Encontra ecos desse conflito originário em mitos antigos. Tudo começou com o sequestro de uma mulher grega chamada Io. Um grupo de mercadores, ou melhor, de traficantes — as diferenças entre uns e outros eram sempre ambíguas na Antiguidade —, desembarcou na cidade grega de Argos para exibir sua mercadoria. Algumas mulheres se aproximaram da margem, atraídas por aqueles produtos exóticos. Estavam ali bisbilhotando, aglomeradas junto à popa da nave estrangeira, quando, de repente, os vendedores, que eram de origem fenícia, pularam sobre elas. A maioria se defendeu com unhas e dentes e conseguiu escapar, mas Io não teve tanta sorte. Foi capturada e levada à força para o Egito, transformada em mercadoria. Esse sequestro, segundo o relato de Heródoto, foi o começo de toda a violência. Pouco tempo depois, um destacamento de gregos em missão de retaliação desembarcou na Fenícia — o atual Líbano — e raptou Europa, a filha do rei de Tiro. O empate nos ataques durou pouco, porque os gregos também sequestraram a asiática Medeia no território da atual Geórgia. Na geração seguinte, Páris decidiu conseguir uma mulher pelo método do rapto, levando a bela Helena à força para Troia. Essa agressão esgotou a paciência dos gregos: eclodiu a guerra e a inimizade incurável entre a Ásia e a Europa.

O início de *História* contém uma mistura fascinante de mentalidade antiga e espantosa modernidade. É evidente que Heródoto acredita que as lendas, os oráculos, os contos maravilhosos e as intervenções divinas devem figurar junto com os fatos documentados. Vivia num mundo em que o pesadelo de um rei, talvez provocado por má digestão, podia ser interpretado como uma mensagem dos deuses e mudar o rumo de um império ou a estratégia de uma guerra. As fronteiras entre o racional e o irracional eram difusas. Contudo, Heródoto não era um indivíduo crédulo nem reverente. Acho fascinante o descaramento com que transforma alguns dos grandes episódios míticos da sua cultura — o rapto de Europa, a viagem dos argonautas, o começo da Guerra de Troia — numa série de vilanias um tanto mesquinhas. Admiro sua lucidez ao deixar de lado todos os ouropéis lendários para denunciar a facilidade com que as mulheres se tornam vítimas em tempos de guerra e vingança, quando se desencadeia a violência.

Logo, Heródoto faz uma afirmação inesperada a respeito de suas fontes. Diz que ouviu de gente culta da Pérsia as explicações que acabou de apresentar sobre a origem do conflito. Mas os fenícios, em contrapartida, contam outra história, "e não me meterei eu a decidir entre eles, inquirindo se a coisa se passou deste ou daquele modo". Em anos de viagens e conversas, Heródoto constatou que as testemunhas que interrogava lhe forneciam relatos contraditórios sobre os mesmos acontecimentos, muitas vezes esqueciam os fatos e, em vez deles, lembravam-se de coisas que só aconteceram no universo paralelo dos seus desejos. E assim descobriu que a verdade é fugidia, que é quase impossível captar o passado como realmente ocorreu, porque só dispomos de versões diferentes, interessadas, contraditórias e incompletas dos fatos. Em *História* são frequentes frases como: "que eu saiba", "a meu ver", "de acordo com o que soube pela boca de...", "não sei se é verdade; só escrevo o que se diz". Milênios antes do multiperspectivismo contemporâneo, o primeiro historiador grego entendeu que a memória é frágil e evanescente; que quando alguém evoca o próprio passado deforma a realidade para se justificar ou buscar alívio. Por isso, tal como em *Cidadão Kane*, tal como em *Rashomon*, nunca chegamos a conhecer a verdade mais profunda, somente seus vislumbres, suas variantes, suas versões, sua longa sombra, suas infinitas interpretações.

E o mais incrível de tudo: nosso autor não registra a versão dos gregos, só a dos persas e fenícios. Assim, a História ocidental nasce explicando o ponto de vista do outro, do inimigo, do grande desconhecido. Isso me parece uma opção profundamente revolucionária, mesmo 25 séculos depois. Devemos conhecer culturas distantes e diversas, porque nelas veremos refletida a nossa. Porque só podemos entender a nossa identidade se a contrastamos com outras identidades. É o outro quem me conta a minha história, quem me diz quem eu sou.

69

Muitos séculos depois, um parente intelectual de Heródoto, o filósofo Emmanuel Levinas — lituano, judeu e naturalizado francês —, que sobreviveu a um campo de concentração alemão após perder toda a família em Auschwitz, escreveria: "Meu acolhimento do outro é o fato decisivo pelo qual se iluminam as coisas."[204]

70

Aqui gostaria de fazer uma pausa para contar a versão grega do rapto de Europa. Para Heródoto, foi um simples episódio entre tantos outros na embaraçosa sequência de sequestros lendários, mas me sinto atraída pela história da misteriosa mulher que deu nome ao continente onde vivo.

Como todos os gregos sabiam, Zeus era um deus mulherengo, vivia à espreita de jovens humanas. Quando alguma o atraía, ele usava os disfarces mais desatinados para exercer seu particular direito de pernada. São famosos os estupros que cometeu em forma de cisne, de chuva dourada ou de touro. Esta última transformação foi a armadilha que escolheu para capturar Europa, a filha do rei de Tiro.

Não há exatamente amor e harmonia — escreve com ironia o poeta Ovídio — na mansão do pai dos deuses. Zeus teve uma briga com sua esposa, Hera, e deixa o palácio batendo a porta atrás de si. Já longe do monte Olimpo, decide ter uma aventura com uma humana para apagar o gosto amargo da discussão e do seu casamento infeliz. Desce até a praia de Tiro, onde já está de olho na atraente filha do rei, que está passeando com seu séquito de criadas. Para se aproximar de sua presa, o deus assume a aparência de um touro branco como a neve, com pescoço musculoso e — ainda segundo Ovídio — uma majestosa papada pendurada sobre as patas dianteiras. Europa repara no animal de cor láctea e o observa pastando tranquilo perto da praia, sem suspeitar que está diante de uma criatura astuta e maligna, como a baleia branca que muitos séculos depois Herman Melville irá imaginar.

Começa a sedução: o touro beija as mãos de Europa com seu focinho branco, pula, brinca na areia, oferece a barriga para que ela acaricie. A jovem ri, perde o medo, entra no jogo. Pelo prazer de desobedecer às suas velhas criadas, que lhe fazem gestos advertindo que seja prudente, no fim das contas se atreve a montar no lombo do touro. Quando sente as coxas da jovem em seus flancos, ele corre em direção ao mar e sai galopando, impassível, sobre as águas. Europa, aterrorizada, se vira para olhar a praia. Sua túnica leve tremula com o sopro do vento. Nunca mais voltará a ver sua casa nem sua cidade.

O galope de Zeus sobre as águas leva a jovem até a ilha de Creta, onde os filhos de ambos forjarão a deslumbrante civilização dos palácios, do labirinto, do ameaçador Minotauro e das luminosas pinturas que os turistas atuais, vomitados pelos cruzeiros, vão fotografar entre as ruínas de Cnossos.

Um dos irmãos de Europa, chamado Cadmo, recebe a ordem de encontrá-la onde quer que esteja. Seu pai, o rei, ameaça mandá-lo para o exílio se não a trouxer de volta. Como Cadmo é apenas um simples mortal, não consegue descobrir o esconderijo que Zeus escolheu para suas transgressões clandestinas. Percorre a Grécia de ponta a ponta, chamando por Europa até deixar seu nome talhado nas rochas, nas oliveiras e nos trigais do continente desconhecido. Cansado de uma busca que não terminava nunca, funda a cidade de Tebas, berço da infortunada linhagem de Édipo. Diz a lenda que foi Cadmo quem ensinou os gregos a escrever.[205]

Desde que o linguista Ernest Klein propôs essa etimologia, muitos filólogos sustentam que a palavra "Europa" tem, de fato, uma origem oriental.[206] Costumam relacioná-la com o termo acádio *Erebu*, parente do árabe atual *ghurubu*. Ambos significam "país onde morre o sol", a terra do poente, ou seja, o Ocidente, do ponto de vista dos habitantes do leste do Mediterrâneo. No tempo evocado pelos mitos gregos, a terra privilegiada das grandes civilizações se estendia pela região de levante, entre os rios Tigre e Nilo. Em comparação, o continente europeu era um território selvagem — o sombrio, bárbaro e velho Oeste.

Se essa hipótese estiver correta, a Europa continente tem um nome árabe — paradoxos da linguagem. Tento imaginar os traços da mulher que se chamava Europa, uma fenícia; hoje a chamaríamos de sírio-libanesa, e seguramente teria uma tez escura e feições pronunciadas, cabelo crespo, o tipo de estrangeira que atualmente desperta desconfiança entre esses europeus que olham de cara feia para os refugiados.

Na verdade, a lenda do rapto de Europa é um símbolo. Por trás da história da princesa arrebatada do lar, palpita uma longínqua lembrança histórica: a viagem do conhecimento e da beleza oriental do Crescente Fértil para o Ocidente e, em particular, a chegada do alfabeto fenício a terras gregas. Portanto, a Europa nasceu ao receber as letras, os livros, a memória. Sua existência tem uma dívida com a sabedoria sequestrada do Oriente. Lembremos que houve um tempo em que os bárbaros, oficialmente, éramos nós.

71

Em meados dos anos 1950, numa Europa dividida pela Cortina de Ferro, viajar para fora dos territórios aliados era uma missão mais difícil do que nos tempos de Heródoto. Em 1955, um jovem jornalista polonês chamado Ryszard Kapuściński desejava, mais do que qualquer outra coisa, "cruzar a fronteira". Não importava qual nem onde, ele não ambicionava lugares com a aura capitalista do inatingível, como Londres ou Paris. Não, ele apenas ansiava pelo ato quase místico e transcendental de cruzar a fronteira. Sair da reclusão. Conhecer o outro lado.

Teve sorte. Seu jornal, que atendia pelo exaltado nome *Sztandar Młodych* [Estandarte da Juventude], mandou-o para a Índia como correspondente. Antes de partir, a redatora-chefe o presenteou com um grosso livro de capa dura: *História*, de Heródoto. Com suas centenas de páginas, não era exatamente um objeto leve para carregar na bagagem, mas mesmo assim Ryszard levou-o consigo. Aquele livro lhe transmitia segurança num momento em que se sentia atônito, assustado. A primeira escala do voo para Nova Délhi seria em Roma. Ele estava prestes a "pôr os pés no Ocidente", e, como lhe ensinaram em sua pátria comunista, tinha de temer o Ocidente como uma doença.

O livro de Heródoto foi seu vade-mécum e seu apoio na descoberta desse misterioso mundo exterior. Décadas depois, com um longo percurso internacional às costas, Kapuściński escreveu um livro maravilhoso, *Minhas viagens com Heródoto*, imbuído de simpatia pelo inquieto grego em quem encontrou um companheiro de estrada e uma alma gêmea: "Eu era muito grato a ele porque, nos momentos em que me sentia inseguro e perdido, sempre estava a meu lado, ajudando-me [...]. Percorremos juntos o mundo durante longos anos. Meu experiente e sábio grego nunca deixou de ser um guia excepcional. E, mesmo sabendo que a melhor maneira de viajar é sozinho, não creio que nos incomodássemos: uma distância de 2.500 anos nos separava, e ainda se somava outra, fruto do respeito que ele me impunha. Nunca perdi a sensação de estar lidando com um gigante."[207]

Kapuściński descobre em Heródoto o temperamento de um jornalista incipiente, com a intuição, a visão e a escuta de um repórter. Na sua opinião, *História* é a primeira reportagem da literatura universal, obra de um indivíduo intrépido que atravessa mares, percorre estepes e adentra desertos, um homem tomado de paixão, anseio e obsessão pelo conhecimento. Ele tinha um objetivo incrivelmente ambicioso (imortalizar a história do mundo), e não deixava que nada o desanimasse. No remoto século V a.C., não era possível documentar-se a respeito de países estrangeiros em arquivos ou bibliotecas. Portanto, seu método foi, essencialmente, o de jornalistas: viajar, observar e perguntar; tirar conclusões daquilo que os outros lhe contavam e do que ele mesmo via. Foi dessa forma que acumulou seus conhecimentos.

O jornalista e escritor polonês imaginava seu professor grego em situações como esta: depois de uma longa jornada por caminhos poeirentos, chega a uma aldeia marítima. Deixa de lado sua bengala, sacode a areia das sandálias e, de imediato, começa alguma conversa. Heródoto era filho de uma cultura mediterrânea de mesas longas e hospitaleiras nas quais, em tépidas tardes e noites, muitas pessoas se reuniam para comer queijo e azeitonas, tomar vinho fresco e conversar. Nesses momentos — jantando diante de uma fogueira ou ao ar livre sob uma árvore milenar —, afloravam histórias, casos, antigas lendas, contos. Quando havia um hóspede, era convidado a participar. E, se esse hóspede tivesse boa memória, obtinha uma vastíssima informação.

Não sabemos quase nada sobre a vida pessoal do viajante Heródoto, e acho curioso que ele fale tão pouco de si mesmo em seu livro, tão cheio de personagens e situações. Só diz que era originário de Halicarnasso, atual Bodrum, na Turquia, uma cidade debruçada sobre uma belíssima baía, porto populoso e ponto de passagem das rotas comerciais entre a Ásia, o Oriente Médio e a Grécia. Aos 17 anos, Heródoto teve de fugir da sua cidade natal porque um tio protagonizara uma rebelião frustrada contra o tirano pró-persa. Desde muito jovem ele se tornou apátrida, uma das piores coisas que podia acontecer com um grego na época. Então, sem se preocupar com o futuro, decidiu aventurar-se pelos mares e estradas para tentar descobrir tudo o que pudesse sobre o mundo conhecido, da Índia ao Atlântico, dos Urais à Etiópia. Não sabemos quais foram seus meios de sobrevivência no exílio. Viajou, dedicou uma energia enorme a seu trabalho de pesquisador e se rendeu ao fascínio dos países que ia percorrendo. Conheceu estrangeiros que lhe foram hospitaleiros, e abriu a mente conversando com eles sobre costumes e tradições. Escreveu sobre povos distantes e adversários sem fazer qualquer alusão ofensiva ou julgamento pejorativo a seu respeito. Certamente era, como imagina Kapuściński, um homem simples, cordial e compreensivo, aberto e falante, alguém que sempre dá um jeito de cativar os outros e fazê-los falar. Apesar do seu desterro forçado, não tinha ressentimento nem raiva. Tentava compreender tudo, entender por que cada indivíduo agia de determinada maneira e não de outra. Jamais culpava os seres humanos pelas calamidades históricas, e sim a educação, os costumes e o sistema político em que viviam. Por isso, tal como o seu tio insurgente, tornou-se um defensor fervoroso da liberdade e da democracia — e inimigo do despotismo, da autocracia e da tirania. Pensava que só em uma democracia o indivíduo pode ter um comportamento digno. Tomem nota — parece dizer Heródoto —, um grupo insignificante de pequenos Estados gregos só venceu a grande potência oriental porque os gregos se sabiam livres e estavam dispostos a tudo por essa liberdade.

Há uma passagem em *História* que me conquistou e me fascinou desde a primeira leitura. Ela sugere que a personalidade de cada um de nós é modelada — mais do que gostamos de admitir — pelos hábitos mentais, pela repetição e pelo chauvinismo:[208] "Se oferecerem a todas as pessoas a possibilidade de escolher entre todos os costumes, convidando-as a selecionar os mais perfeitos, cada qual escolheria os seus; tão fortemente convencido cada um está de que seus próprios costumes são os mais perfeitos. Durante seu reinado, Dario chamou os gregos que estavam em sua corte e perguntou-lhes por quanto dinheiro aceitariam comer os cadáveres dos seus pais. Eles responderam que não o fariam por preço algum. Então, Dario convocou os hindus chamados calatias, que devoram seus progenitores, e perguntou-lhes na presença dos gregos, que acompanhavam a conversa por intermédio de um intérprete, por quanto dinheiro aceitariam queimar os restos mortais dos seus pais numa fogueira; eles então começaram a vociferar, pedindo-lhe que não blasfemasse. Píndaro fez bem em dizer que o costume é o rei do mundo."

Alguns autores consideram que esse texto de Heródoto contém a semente de toda a tolerância e da necessidade de compreender, saber e refletir que, séculos mais tarde, será o abecedário da etnologia. Seja como for, ele revela uma enorme perspicácia na observação dos povos que visitou, e também da sua pátria grega. Em cada cultura os costumes são muito diferentes, mas sua força é gigantesca em toda parte. No fundo, o que as comunidades humanas têm em comum é aquilo que inevitavelmente as antagoniza: a tendência a se considerar melhor do que as outras. Como revelou o olhar irônico do grego nômade, todos nós estamos sempre dispostos a julgar-nos superiores. Nisso somos iguais.

Se para Kapuściński o livro de Heródoto foi um peso na bagagem, muito mais incômodo deve ter sido para os leitores da época: é um dos primeiros calhamaços de que há registro e, com toda a certeza, a primeira obra extensa escrita em prosa grega. O livro chegou até nós dividido em nove partes com os nomes das musas, e cada uma dessas nove partes devia ocupar um rolo de papiro completo. Para transportar juntos esses nove tomos, praticamente seria preciso possuir um escravo carregador.

A invenção dos rolos sem dúvida representou um grande avanço. Tratava-se de um dispositivo livresco mais prático do que qualquer um de seus predecessores. Tinham, com certeza, uma capacidade maior do que as tabuletas de argila e eram muito mais transportáveis do que sinais de fumaça ou inscrições em blocos de pedra; mesmo assim, não deixavam de ser complicados. Como já expliquei, só se escrevia em um dos lados do papiro; por isso, os rolos tendiam a ser tiras muito longas, cheias de colunas e com uma escrita apertadíssima no lado utilizável. Para avançar por esse diversificado labirinto de letras, o leitor tinha que executar uma manobra incômoda, enrolando e desenrolando constantemente metros e metros de texto. Além do mais, para aproveitar ao máximo aquele material caro, os livros eram escritos sem espaços de separação entre as palavras ou entre as frases e sem divisões em capítulos.

Se, graças a uma máquina do tempo, pudéssemos ter nas mãos algum exemplar de *História,* de Heródoto, do século V a.C., teríamos a impressão de que uma única palavra ininterrupta e interminável se espalhava por quase uma dezena de rolos de papiro.

Apenas textos breves, como uma tragédia ou um diálogo socrático, cabiam confortavelmente em um único rolo. Quanto mais compridos eram os rolos, mais frágeis e incômodos, além de mais propensos a rasgar. Localizar uma passagem concreta num exemplar de 42 metros — o mais longo de que se tem conhecimento — podia dar cãibras nos braços e um ligeiro torcicolo.

A grande maioria das obras antigas ocupava, portanto, mais de um rolo cada uma. No século IV a.C., os copistas e livreiros gregos desenvolveram um sistema de referências para garantir a unidade das obras distribuídas em vários livros. O mesmo sistema já fora praticado com as tabuletas no Oriente Médio. Consistia em escrever no fim de um rolo as primeiras palavras do próximo, para ajudar o leitor a localizar o volume seguinte. Apesar de todas as precauções que se pudessem inventar, a integridade das obras estava sempre ameaçada por uma tendência incontrolável à desagregação, à desordem e à perda.

Havia caixas preparadas para guardar e transportar rolos.[209] Esses recipientes tentavam proteger os livros da umidade, das mordidas dos insetos, das garras do tempo. Em cada caixa cabiam entre cinco e sete unidades, dependendo da extensão. Curiosamente, muitos dos textos conservados de inúmeros autores antigos são múltiplos de cinco e sete — temos sete tragédias de Ésquilo e outras tantas de Sófocles, 21 comédias de Plauto e partes da história de Tito Lívio preservadas de dez em dez livros, por exemplo. Alguns pesquisadores pensam que, no percurso incerto da transmissão e das peripécias do tempo, essas peças se salvaram exatamente porque foram guardadas juntas em uma ou várias daquelas caixas.

Entrei nesses detalhes para explicar como os livros eram frágeis e difíceis de proteger naquela época. Havia poucos exemplares de cada título em circulação e sua sobrevivência exigia esforços gigantescos.

Os incêndios e inundações, que destruíam irremediavelmente os livros, eram catástrofes bastante frequentes. O desgaste causado pelo uso, o apetite das traças e os estragos do clima úmido obrigavam a recopiar de tempos em tempos todos os rolos, das bibliotecas e das coleções privadas, um por um. Plínio, o Velho escreveu que nas melhores condições possíveis, e com os cuidados mais escrupulosos, um rolo de papiro podia ter uma vida útil de até duzentos anos.[210] Na imensa maioria dos casos durava muito menos. As baixas eram constantes e, à medida que o número de exemplares sobreviventes de uma obra concreta diminuía, era cada vez mais complicado encontrá-la para fazer a cópia. Ao longo de toda a Antiguidade e da Idade Média, até a invenção da imprensa, os livros se perdiam constantemente — estavam sempre a um passo de cair no precipício da extinção.

Imaginemos por um instante que cada um de nós tivesse que dedicar meses inteiros da própria vida a fazer cópias a mão, palavra por palavra, dos nossos livros mais queridos, para evitar seu desaparecimento. Quantos seriam salvos?

Por isso, devemos considerar que foi um pequeno milagre coletivo — graças à paixão desconhecida de muitos leitores anônimos — uma obra tão extensa e, portanto, tão vulnerável quanto *História* ter chegado até nós beirando o desfiladeiro dos séculos. Como escreve J. M. Coetzee, o clássico é "aquilo que sobrevive à pior barbárie,[211] aquilo que sobrevive porque há gerações de pessoas que não podem permitir-se ignorá-lo e, portanto, se agarram a ele a qualquer preço".

O DRAMA DO RISO E NOSSA DÍVIDA COM O LIXO

72

Uma série de crimes apavorantes começa a ocorrer entre os muros de uma abadia medieval encarapitada nas montanhas italianas. O rastro letal dessas mortes leva à grande biblioteca monástica na qual existe, oculto como uma árvore num bosque ou como um diamante entre pedrinhas de gelo, um manuscrito pelo qual os monges estão dispostos a morrer e matar. O abade encomenda a investigação dessa história escabrosa a um visitante que passava pelo monastério, frei Guilherme de Baskerville, que aprendeu as técnicas de interrogatório exercendo a função de inquisidor religioso. Tudo isso acontece no turbulento século XIV.

O nome da rosa é um surpreendente romance *noir* ambientado no mundo ritual, sigiloso e cheio de meandros de um convento. Umberto Eco, brincando com os clichês do gênero, pisca o olho para os amantes das letras de todas as épocas substituindo a habitual *femme fatale* por um livro fatídico que tenta, perverte e mata quem ousa lê-lo. E o leitor se pergunta, naturalmente, que perigosos segredos esconde esse texto proibido que tem, conforme dizem, "o poder mortífero de cem escorpiões". Um evangelho oculto e subversivo, profecias catastróficas de algum Nostradamus medieval, necromancia, pornografia, blasfêmias, esoterismo, missas satânicas? Não, nenhuma dessas pequenezas. Quando Guilherme de Baskerville junta as peças do quebra-cabeça, descobrimos que se trata — oh, céus — de um ensaio de Aristóteles.

Sério? Alguém poderia se sentir ludibriado. Afinal de contas, Aristóteles não é exatamente um escritor radical nem alguém conhecido por suas ideias subversivas. Atualmente é difícil imaginar o teórico da justa medida, o enciclopedista minucioso, o fundador do Liceu escrevendo um livro maldito. Ainda assim, Umberto Eco conjectura os perigosos significados de uma obra aristotélica que nunca leremos: o tratado perdido sobre a comédia, a lendária segunda parte da *Poética*, ou seja, o ensaio que — como sabemos por alusões do próprio Aristóteles — mergulhava no universo revolucionário do riso.

Quando estamos nos aproximando do desenlace de *O nome da rosa*, esbarramos em um típico discurso de *serial killer*, os minutos de glória de qualquer vilão que se preze, durante os quais, podendo derrotar o detetive e ganhar a disputa, prefere ficar alardeando estupidamente a própria inteligência. É nesse momento que o monge homicida explica — num sensacional estilo apocalíptico — por que os escritos de Aristóteles sobre o riso são perigosos e têm de ser eliminados: "Este livro eleva o riso à condição de arte, transforma-o em objeto de filosofia e de pérfida teologia. O riso liberta o aldeão do seu medo ao diabo, porque na festa dos tolos o diabo também parece pobre e tolo, e, portanto, controlável. Mas este livro poderia ensinar que se libertar do medo é um ato de sabedoria. Quando ri, com o vinho gorgolejando na garganta, o aldeão se sente amo, porque inverteu as relações de dominação; mas este livro poderia ensinar os doutos a legitimar essa inversão. Deste livro poderia sair a faísca luciferiana[212] que acenderia uma nova chama em todo o mundo. Se algum dia, entregue ao testemunho indestrutível da escrita, a arte do riso chegasse a ser aceitável... então não teríamos armas para deter a blasfêmia, porque ela apelaria para as forças sombrias da matéria corpórea, forças que se afirmam no peido e no arroto — e então o peido e o arroto se dariam o direito de soprar onde quisessem!"

O assassino imaginado por Umberto Eco nos dá pistas para entender a aparente maldição que persegue a comédia. O humor antigo sofreu um grande naufrágio. Desapareceram todos os exemplares do tratado aristotélico sobre o riso e, em contrapartida, sobreviveu sem problemas a outra metade da obra, dedicada à tragédia. Uma multidão de autores gregos estreava suas comédias em teatros repletos e entusiasmados, mas só se salvaram as obras de um deles: Aristófanes. A maioria dos gêneros literários contemplados no catálogo alexandrino (a épica, a tragédia, a história, a oratória, a filosofia) era de caráter sério, até solene.

Ainda hoje o cânone tende a ignorar o riso. Uma comédia tem menos chances de ganhar o Oscar do que um drama. Todos acham surpreendente ver um escritor com veia humorística aterrissando em Estocolmo. Os publicitários e os programadores de televisão sabem que humor vende, mas a Academia resiste à ideia de levá-lo ao pódio da arte. A cultura de massas explora o riso, degradando-o. Oferece *reality shows* e operetas cômicas como entretenimento, enquanto a alta cultura rejeita a estética brega e franze a testa para ela. Tanta diversão irrelevante — e o sucesso das sessões de risoterapia — parece limitar o riso a um desabafo individual ou a uma distração efêmera.

O pesquisador Luis Beltrán diz que cometemos um erro ao considerar o humor um fenômeno marginal e estranho. O que é estranho — explica — é a seriedade, que se impôs neste período recente de desigualdade cultural e econômica que chamamos de "história". Não podemos esquecer que esta etapa é apenas a ponta visível do iceberg. Nós vivemos de modo diferente durante centenas de milhares de anos. A cultura primitiva, anterior à escrita, às monarquias e à acumulação de riqueza, devia ser essencialmente igualitária e alegre.[213] O teórico russo Mikhail Bakhtin descreve como os nossos remotos antepassados, cobertos com máscaras e disfarces, comemoravam todos juntos, numa feliz confusão, seus triunfos na luta pela sobrevivência. Esse espírito de igualdade existiu enquanto as sociedades eram inevitavelmente pobres e seus sistemas de organização, muito simples. Mas quando as novas civilizações agrícolas e monetárias possibilitaram o enriquecimento, aqueles que tinham um celeiro mais cheio não perderam tempo e inventaram as hierarquias. Os setores que desde então dirigem a sociedade desigual preferem a linguagem da seriedade. Porque no riso mais genuíno ainda pulsa a rebeldia contra a dominação, a autoridade e as hierarquias — o temido desacato.

O que me atrai nessa teoria bakhtiniana é a sua reivindicação do riso, mas não acredito nesse mundo essencialmente igualitário e alegre. Eu o imagino aterrorizante, autoritário e violento. Por isso me inclino mais pela cena imaginada por Stanley Kubrick em *2001: Uma odisseia no espaço*. Quando o primeiro indivíduo primitivo descobriu que podia usar um osso como ferramenta, com certeza foi rapidamente espatifá-lo na cabeça de um congênere. As tribos não eram paraísos em forma de assembleia, elas tinham seus chefes. É verdade que, em comparação com a nossa época, quase não devia haver diferenças de riqueza dentro dos grupos, mas temo que isso não impediria manifestações de despotismo: você não entra aqui, eu fico com o pedaço maior de carne, a culpa do nosso azar na caça é de vocês, vamos expulsá-los da tribo, massacrá-los, e coisas do tipo. Tampouco acho que o riso tende sempre a restaurar a igualdade; também existe o riso cruel e reacionário: as chacotas no pátio do colégio contra os mais fracos ou as piadas que os nazistas deviam contar em suas reuniões enquanto fumavam um cigarrinho. E no entanto...

No entanto, existe um humor rebelde que desafia as relações de dominação, que despedaça a aura de um mundo autoritário, que denuncia o imperador, despindo-o. Como explica Milan Kundera em seu romance *A brincadeira*, o riso tem uma capacidade enorme de deslegitimar o poder, por isso incomoda e é castigado. De modo geral, os amados líderes de todas as épocas detestaram e perseguiram os cômicos que ousavam ridicularizá-los. Os humoristas costumam colidir com os regimes e os indivíduos mais intransigentes. Mesmo nas democracias contemporâneas, sempre surgem polêmicas acaloradas sobre os limites entre o humor e a ofensa. De modo geral, as posições em relação a essa questão dependem de quais são as convicções em jogo, as nossas ou as dos outros. A tolerância tem conjugação irregular: eu me indigno, tu és suscetível, ele é dogmático.

Aristófanes encarna, como Chaplin, o riso rebelde e dissidente. Na verdade, sempre pensei que o humor desses dois tem um ar de família, uma família em que Carlitos seria o primo bonachão e Aristófanes, o avô sarcástico. Os dois se interessavam pelas pessoas comuns e vulneráveis; os heróis nunca eram aristocratas. Dependendo da ocasião, Carlitos aparece como vagabundo, preso fugitivo, imigrante, alcoólatra, desempregado ou faminto caçador de ouro. Os protagonistas das comédias de Aristófanes são figuras — homens e mulheres — sem bens nem nobreza, velhacos pressionados por dívidas que fazem trapaças para não pagar impostos, cansados de guerras, ávidos por sexo e festa, desbocados, talvez não famintos, mas sempre fantasiando com um belo prato de lentilhas, carne e bolos. Carlitos simpatiza com os órfãos e as mães solteiras, apaixona-se por outras indigentes e, quando tem a oportunidade, mete o pé na bunda dos policiais. Tem o atrevimento de ridicularizar magnatas, grandes empresários, agentes de imigração, os empolados militares da Primeira Guerra Mundial ou o próprio Hitler. De índole parecida, os personagens de Aristófanes tentam parar a guerra mediante uma greve sexual, ocupam a Assembleia ateniense para decretar a comunhão de bens, debocham de Sócrates ou planejam curar a miopia do deus da riqueza para que distribua melhor os patrimônios. Depois de uma série de andanças e artimanhas estapafúrdias, todas as obras acabam num banquete pantagruélico, multitudinário e festivo.

Tanto Aristófanes quanto Chaplin tiveram problemas com a Justiça.

As comédias de Aristófanes eram coalhadas de alusões pessoais e caricatura política, como as marionetes da televisão.[214] No palco, os atores faziam piadas citando o nome e o sobrenome — ou, melhor, o nome e o patronímico — de pessoas que estavam assistindo ao espetáculo na plateia: zombavam de alguém por ser remelento e de outro por ser miserável, feio ou corrupto. A cidade de Atenas, onde se davam as apresentações, era considerada a metrópole do mundo e a cidade mais importante do planeta, mas com seus 100 mil habitantes nos pareceria atualmente uma pequena capital provinciana. Todo mundo se conhecia e praticava o esporte atemporal da fofoca. Aristófanes convivia com seus concidadãos na ágora, onde se encontravam de manhã para fazer as compras, falar mal dos governantes, vigiar o próximo e bisbilhotar. Tinha mais afinidade com os grupos de conservadores nostálgicos do passado e pouco abertos às novas tendências. Depois, no teatro, caçoava de Péricles ou apelidava um líder político de Salsicheiro quase com a mesma liberdade de que dispunha nas rodinhas de rua. Achava os intelectuais, os novos educadores e os ilustrados que confluíam para Atenas simplesmente uns doidivanas, mas era grato a eles pelo material que lhe forneciam para as comédias. Povoava suas obras com personagens proeminentes e os obrigava a cometer os atos mais ridículos. Usava a linguagem da rua e do campo, e de repente começava a parodiar as frases empoladas da tragédia ou da épica. Nas palavras de Andrés Barba, dava respostas materialistas a perguntas idealistas: "Para nós, Aristófanes inaugurou uma outra via, estabelecida e criada pela magia do teatro: chegar à paz por meio do riso, à liberdade por meio do riso, à ação política por meio do riso." Esse tipo de comédia, a chamada comédia antiga, durou tanto quanto a democracia ateniense contra a qual tanto investiu.

O humor de Aristófanes não teve sucessor. Poderíamos dizer que acabou, mais do que com ele, antes dele. No fim do século V a.C., Atenas foi derrotada por Esparta, que apoiou um golpe de Estado oligárquico na cidade. Seguiram-se décadas de turbulência política e ânimos abalados pela derrota. O tempo da crítica desbocada havia passado. O próprio Aristófanes continuou escrevendo comédias, mas elas se tornaram cautelosas, com argumentos cada vez mais alegóricos, sem alusões pessoais nem sátira aos governantes.

Na geração seguinte, os gregos foram anexados ao império de Alexandre e aos reinos de seus sucessores. Esses monarcas não toleravam piadas. Nasceu então uma nova comédia, sentimental, de costumes, de enredo, o tipo de humor em que José Ortega y Gasset pensava ao escrever que "a comédia é o gênero literário dos partidos conservadores".[215] Pelo que sabemos, os ingredientes dos enredos eram repetitivos: protagonistas jovens, escravos astutos, encontros inesperados, gêmeos que se confundem, pais severos, prostitutas de bom coração. O autor mais conhecido e mais aplaudido dessa época foi Menandro.

Menandro é um caso único na transmissão da literatura antiga. Lido com entusiasmo durante muitos séculos, acabou por desaparecer, de maneira gradual mas completa. Até o dia em que os papiros egípcios nos devolveram amplos fragmentos de suas comédias, conhecíamos apenas citações de suas peças. É o único autor essencial do cânone que foi suprimido e extirpado da tradição manuscrita. Faz parte do território arrasado da comédia, no qual tantos autores se perderam — há uma longa lista de nomes praticamente mudos: Magnes, Mulo, Eupolis, Cratino, Epicarmo, Ferécrates, um tal Platão que não é o filósofo, Antífanes, Alexis, Dífilo, Filêmon, Apolodoro.

Embora os escritores dessa nova comédia tentassem divertir o público de maneira inofensiva, acabaram incomodando. Quando a sociedade antiga ficou mais puritana, a imoralidade daqueles argumentos repetitivos começou a ofender. Os jovens mais chegados à farra, as prostitutas e os pais enganados não ensinavam nada edificante às novas gerações. Nas escolas, os professores selecionavam máximas soltas de Menandro ou trechos de suas obras com o cuidado de não abalar a moralidade dos inocentes alunos. E assim, lentamente censuradas, suas palavras se perderam, como aconteceu com a maior parte do humorismo antigo. O monge destruidor de *O nome da rosa* teve muitos auxiliares ao longo do tempo. Aqui topamos com o paradoxo e o drama do riso: o melhor é aquele que mais cedo ou mais tarde encontra inimigos.

73

Falar de "livro de texto" — mais conhecido como "livro didático" — é tão redundante quanto dizer "tábua de madeira", "sair para fora", "desenlace final" ou "crueldade desnecessária". Apesar dessa supérflua duplicação, todos entendemos a que se refere a expressão: livros destinados ao ensino. Os gregos já os conheciam, talvez os tenham inventado. Neles recopilavam passagens literárias para fazer ditados, comentários e exercícios de escrita. Esse tipo de antologia teve um papel muito importante na sobrevivência dos livros, porque a grande maioria das obras que chegaram até hoje foram, num momento ou em outro, textos escolares.

As afortunadas crianças da globalização helenística que podiam estudar além dos rudimentos básicos recebiam uma educação essencialmente literária. Em primeiro lugar, porque seus pais valorizavam as palavras — a capacidade de comunicar, diríamos agora —, a fluidez do discurso e a riqueza verbal que se aprendem lendo os grandes autores. Os habitantes do mundo antigo estavam convencidos de que não é possível pensar bem sem falar bem: "os livros fazem os lábios", afirmava um ditado romano.

Em segundo lugar, por nostalgia. Seguindo os passos de Alexandre, muitos gregos se instalaram em territórios desconhecidos, do deserto da Líbia às estepes da Ásia Central. E onde apareciam e se estabeleciam, fosse nas aldeias de Faium, na Babilônia, fosse em Susiana, eles imediatamente assentavam suas instituições, suas escolas primárias e seus ginásios. A literatura ajudava os emigrados a conservar uma linguagem comum, um sistema de referências compartilhadas, uma identidade. Era o instrumento mais seguro de contato e de intercâmbio entre os gregos dispersos pela vasta geografia do império. Espalhados na imensidão, encontravam sua pátria nos livros. E não faltavam nativos que queriam prosperar na vida adotando a língua e a forma de vida gregas. Quem resumiu melhor o novo conceito de cidadania cultural foi o orador Isócrates: "Nós chamamos de gregos aqueles que têm em comum conosco a cultura, mais do que aqueles que têm o mesmo sangue."[216]

Que tipo de educação recebiam aqueles gregos? Um banho de cultura geral. Ao contrário do que acontece conosco, não estavam nem um pouco interessados em se especializar. Menosprezavam a orientação técnica do conhecimento. Não tinham obsessão por um emprego; afinal de contas, para trabalhar já havia os escravos. Todos os que podiam evitavam aprender uma coisa indigna como um ofício. O elegante era o ócio — quer dizer, o cultivo da mente, da amizade e da interlocução; a vida contemplativa. Apenas a medicina, inquestionavelmente necessária para a sociedade, conseguiu impor um tipo de formação própria. Em contrapartida, os médicos tinham um claro complexo de inferioridade cultural. De Hipócrates a Galeno, todos repetiam em seus textos o mantra de que o médico também é um filósofo. Não queriam ficar circunscritos à sua esfera específica, esforçavam-se para exibir cultura e introduzir em seus escritos alguma citação dos poetas imprescindíveis. Para os demais, as lições e as leituras eram essencialmente as mesmas em toda a extensão do império, o que criava um poderoso fator de unidade colonial.

Esse modelo educacional permaneceu em vigência durante muitos séculos — o sistema romano foi apenas uma adaptação do mesmo conceito — e constitui a origem da pedagogia europeia. O imperador Juliano, o Apóstata, explicou num ensaio os caminhos profissionais que se abriam para um estudante formado segundo a tradição greco-latina do conhecimento amplo.[217] Diz Juliano que aquele que recebeu uma educação clássica, quer dizer, literária, pode contribuir para o avanço da ciência, ser líder político, guerreiro, explorador e herói. Nessa época, portanto, os leitores aplicados usufruíam amplos horizontes profissionais.

Eu já disse que, entre os séculos III a.C. e I a.C., a alfabetização ganhou terreno, até mesmo fora das classes dirigentes. O Estado começou a se preocupar com regulamentar a educação, mas sua estrutura era muito arcaica e os mecanismos administrativos provaram ser frágeis demais para assumir o desafio de um verdadeiro ensino público. Os estabelecimentos educacionais foram classificados como de competência municipal, e as cidades recorriam à generosidade dos benfeitores — eles os chamavam *evérgetas* — para financiar esses e outros serviços de interesse geral. A civilização helenística, tal como depois a romana, era essencialmente personalista e liberal. Nessa época não faltavam os Bill Gates que exibiam os músculos de suas enormes fortunas fazendo doações para obras públicas — estradas, escolas, teatros, casas de banho, bibliotecas ou salas de concertos — e financiando as despesas da festa dos patronos. O evergetismo era considerado uma obrigação moral das pessoas ricas, principalmente quando aspiravam a cargos políticos.

Uma inscrição do século II a.C. encontrada em Teos,[218] uma cidade da costa da Ásia Menor, evoca um benfeitor que cedeu uma quantia capaz de permitir "que todas as crianças nascidas livres recebam educação". O doador deixou estabelecido que seriam contratados três professores, um para cada grau de instrução, e, além disso, especificou que os três deveriam lecionar para meninos e meninas. Em Pérgamo, foi descoberta uma inscrição,[219] datada do século III a.C. ou II a.C., que também documenta a presença de meninas na escola, pois elas figuram entre os vencedores nas competições escolares de leitura e caligrafia. Gosto de imaginar essas jovens, desenhando letras com uma expressão séria e a língua aparecendo entre os lábios, prestes a conquistar um dos primeiros prêmios da história outorgados a meninas. E fico me perguntando se elas sabiam que eram pioneiras, se em seus sonhos mais ousados imaginaram que 25 séculos depois nós continuaríamos falando de suas vitórias contra a ignorância.

Graças aos antigos depósitos de lixo, hoje podemos nos debruçar sobre textos escritos por gente comum no Egito. Já expliquei que o papiro, material de escrita habitual naquele tempo, se conserva bem em climas muito secos e que a umidade de um regime normal de chuvas o destrói. Em algumas zonas do Egito — infelizmente não na região do delta, onde fica Alexandria —, foram recuperados escritos abandonados ou jogados no lixo 2 mil anos antes. Esses textos permaneceram onde estavam, sem se deteriorar nem desintegrar, e foram cobertos pouco a pouco, ao longo dos séculos, por uma camada protetora da areia ardente do país. E se conservaram intactos. É por isso que chegaram às nossas mãos milhares e milhares de papiros descobertos por camponeses ou escavados por arqueólogos, muitas vezes com a tinta quase tão fresca quanto no dia em que uma mão antiga escreveu neles. O conteúdo dos textos é muito variado — da correspondência de um oficial orgulhoso até seu rol de roupa suja para lavar. Quase todos os papiros são escritos em grego, a língua do governo e da população culta. As datas vão de 300 a.C. até 700, da ocupação grega do Egito, passando pelos anos de dominação ptolomaica e romana, até a conquista árabe.

Esses papiros revelam que muitos gregos sem cargo na administração sabiam ler e escrever, faziam pessoalmente suas diligências, redigiam documentos mercantis e cuidavam da própria correspondência sem recorrer a escribas profissionais. E, além do mais, liam por prazer. Em carta a um amigo, um homem, entediado, escreve sobre a monotonia de uma aldeia egípcia: "Se já copiaste os livros, envia-os para termos algo que nos ajude a passar o tempo, porque não temos ninguém com quem falar." Sim, havia gente que procurava nos livros um salva-vidas para o tédio rural. Desenterramos restos daquilo que eles liam, partes de livros ou mesmo obras inteiras. Não foram encontrados papiros na úmida Alexandria, que se gabava de ter mais leitores do que qualquer outro lugar do mundo, mas ainda assim os achados nas zonas secas nos permitem vislumbrar quais eram as leituras da época. E, se confiarmos em estimativas baseadas no número de restos encontrados de cada obra, podemos até saber quais eram os livros favoritos daqueles leitores.

Reconheço que sinto uma curiosidade incontrolável pelas leituras alheias. No ônibus, no bonde ou no trem, viro o pescoço fazendo contorcionismo tentando ver o que os passageiros à minha volta estão lendo. Penso que os livros descrevem as pessoas que os têm nas mãos. Por isso acho emocionante bisbilhotar a intimidade daqueles leitores da periferia egípcia através da distância dos séculos. A julgar pela cronologia, devem ser esses mesmos homens e mulheres que nos interpelam com grandes olhos nostálgicos nos retratos de Faium, e estão tão vivos que nos lembram vagamente alguém conhecido.

O que os papiros revelam sobre eles? O poeta preferido, de longe, era Homero. Gostavam mais da *Ilíada* do que da *Odisseia*. Também liam Hesíodo, Platão, Menandro, Demóstenes e Tucídides, mas o segundo no pódio era Eurípides, o que me faz lembrar de um caso maravilhoso sobre o poder dos livros.

Vamos olhar para trás, para os anos convulsos da Guerra do Peloponeso. Os governantes da imperialista Atenas, não satisfeitos com a guerra contra a poderosa Esparta, mandaram uma expedição cruzar os mares rumo à Sicília para sitiar Siracusa. A campanha foi um fracasso devastador: cerca de 7 mil atenienses, com seus aliados, foram presos e condenados a trabalhos forçados nas pedreiras — chamadas de "latomias" — da *polis* vencedora. Lá, segundo conta Tucídides, perderam as mãos e a vida sob golpes de marreta. Isolados nas profundezas da terra, expostos ao calor escaldante ou ao frio, doentes, convivendo com cadáveres, fedendo às próprias fezes e urina, alimentados com um quartilho de água e dois de cevada por dia, foram todos morrendo lentamente. Plutarco conta que os siracusanos gostavam tanto de poesia que perdoaram a vida e deixaram ir embora os que foram capazes de recitar algum verso de Eurípides.[220] "Dizem que muitos dos que afinal puderam voltar sãos e salvos para casa foram visitar Eurípides com a maior gratidão, e alguns lhe contaram que tinham escapado da escravidão recitando fragmentos de suas obras que sabiam de cor, e outros que, dispersos e errantes depois da batalha, conseguiram que lhes dessem comida e água depois de cantar seus versos." Aliás, nessas mesmas latomias sicilianas, hoje repletas de turistas, Paulo pregou a palavra de Jesus e Churchill pintou aquarelas.

Homero e Eurípides eram os vencedores na disputa, os escritores que esculpiam os sonhos dos gregos. Na infância, todo mundo aprendia a ler e escrever copiando seus versos, o que explica a quantidade de papiros descobertos. Não se introduziam as crianças na leitura com frases fáceis como "Ivo viu a uva". O método educacional consistia em uma imersão brusca. Quase desde o início pegavam os pequenos pelo pescoço e os mergulhavam nas frases belas e difíceis de Eurípides, que era pouco provável que pudessem entender ("Bálsamo precioso do sono, alívio dos males, vem a mim" ou "Não desperdice lágrimas frescas em dores passadas"). Muitos fragmentos encontrados deviam ser, muito provavelmente, cópias de estudantes. Mas também havia leitores apaixonados pela música daqueles versos. Há um caso especialmente comovente. Os arqueólogos encontraram um rolo de papiro sob a cabeça de uma múmia mulher, quase em contato com o corpo. Esse rolo contém um canto particularmente bonito da *Ilíada*.[221] Suponho que aquela leitora entusiasta quis garantir que teria livros na outra vida, e assim poderia se lembrar das palavras aladas de Homero além do rio do esquecimento que, segundo suas crenças, teria de cruzar para chegar ao mundo dos mortos.

Sob as areias do Egito apareceram dúzias de escritos que pertenceram a colecionadores privados — comédias, obras filosóficas, estudos históricos, tratados de matemática e música, manuais técnicos e até textos de autores desconhecidos por nós até aquele momento. Penso nesses bibliófilos anônimos e me pergunto como conseguiram todos esses livros restritos. Seguramente, os rolos de Homero, de Eurípides e de algum outro autor famoso podiam ser adquiridos sem dificuldade nas livrarias de Alexandria. Mas as cópias de livros pouco comuns deviam ser feitas por encomenda. É o caso de um exemplar de *Constituição de Atenas*, de Aristóteles. O mais provável é que seu dono tenha encomendado essa cópia a um ateliê, e o estabelecimento que fez o trabalho certamente teve de enviar um copista à Biblioteca de Alexandria para trabalhar a partir do original depositado ali. Tais deslocamentos sem dúvida deviam aumentar vertiginosamente o preço da encomenda. Naquele tempo, conseguir um livro raro podia se transformar numa pequena odisseia e, com certeza, numa sangria para o bolso.

Os leitores com o bolso furado tinham que se consolar indo às bibliotecas. Houve algumas outras além das de Alexandria e Pérgamo. Pequenas e locais, elas não podiam se comparar com as extraordinárias coleções reais, mas pelo menos deviam oferecer aos visitantes as obras fundamentais dos grandes autores. Sabemos da existência desses estabelecimentos graças, mais uma vez, às inscrições feitas em pedra.[222] Sabemos, por exemplo, que houve uma biblioteca na ilha de Cós, perto da atual Turquia. Dela sobreviveu um fragmento de inscrição que enumera uma série de doações particulares. Um pai e um filho financiaram a construção e ainda deram 100 dracmas. Outras quatro pessoas doaram 200 dracmas e cem livros cada uma. Outras duas contribuíram com 200 dracmas. O dinheiro sem dúvida seria destinado a comprar livros. Há evidências parecidas em Atenas e em outros lugares.

É bem possível que essas bibliotecas estivessem associadas ao *gymnasium* local da cidade. Originalmente, nesses lugares, os jovens praticavam atletismo e luta. "Ginásio" deriva da palavra "nudez", porque o costume grego era — para escândalo dos bárbaros — fazer exercícios mostrando sem pudor nem dissimulação o esplendor do corpo masculino lambuzado de óleo. Na época helenística, os ginásios já tinham se transformado em centros de educação, com salas de aula, auditórios para conferências e espaços de leitura. Sabemos que ao menos o *gymnasium* de Atenas tinha uma biblioteca, porque se conservou parte de seu catálogo em pedra. Aparentemente, esse inventário do acervo estava gravado em uma parede, na qual os leitores podiam consultá-lo rapidamente sem ter que abrir e desenrolar um livro que, além do mais, corria o risco de se deteriorar rapidamente com o uso contínuo. Segundo o catálogo, a biblioteca era especializada em comédia e tragédia. Tinha mais de duas dúzias de títulos de Eurípides e mais de uma dúzia de Sófocles. Também figuram quinze comédias de Menandro. Só aparecem dois livros em prosa, um dos quais é um discurso de Demóstenes. Em contrapartida, a Biblioteca de Rodes, um conhecido centro de estudos retóricos, quase não dispunha de peças teatrais — era especializada em ensaios de política e história.

Se as evidências de Atenas e Rodes podem ser extrapoladas para todas as cidades com ginásio, durante o helenismo devia haver mais de cem bibliotecas na Grécia, uma delicada rede venosa bombeando o oxigênio das palavras e dos relatos de ficção para todos os recantos do território.

75

Demóstenes ficou órfão aos 7 anos. Seu pai, fabricante de armas, lhe deixou um patrimônio suficiente para viver sem preocupações econômicas, mas seus tutores dilapidaram essa herança. Sua mãe, arruinada, não tinha dinheiro para lhe pagar uma boa educação. Passavam aperto. Os meninos do bairro riam dele por seu aspecto magro, fraco e delicado. Até lhe deram um apelido: *bátalo*, que significava "ânus" — quer dizer, "veado". Além disso, sofria por um penoso defeito que o deixava complexado e o paralisava na hora de falar. Provavelmente gaguejava ou tinha dificuldade para pronunciar certas consoantes.

Contam que Demóstenes superou seus problemas com uma disciplina sádica. Ele se obrigava a falar com pedrinhas na boca. Ia correr no campo para fortalecer os pulmões e recitava versos, quase sem fôlego, ofegando ladeira acima. Passeava na beira do mar em dias de temporal para melhorar sua capacidade de concentração em meio aos rugidos das ondas.[223] Ensaiava em casa, diante de um espelho de corpo inteiro, repetindo frases desafiadoras e fazendo poses. Essa cena, contada por

Plutarco, parece preparar o terreno do *"You talkin' to me?"* de Robert De Niro em *Taxi Driver*. Pobre, órfão, gago e humilhado, anos depois ele se transformaria no orador mais famoso de todos os tempos. Os antigos gregos, tal como os norte-americanos de hoje, adoravam uma boa história de superação.[224]

O número 10 simboliza a perfeição. É a base do nosso sistema decimal. No mundo acadêmico, representa a qualificação máxima, ou seja, a excelência. Para os pitagóricos, era um número mágico e sagrado. Não por acaso foram dez os oradores áticos canônicos cujas obras mereceram ser conservadas e estudadas. Os antigos acreditavam que o fascinante poder das palavras encontrava sua máxima expressão — justamente — nos discursos.

Os gregos sempre tiveram fama de grandes conversadores e de brigões incorrigíveis. Os heróis dos seus mitos não eram, como no imaginário de outras culturas, simples guerreiros brutos e musculosos: todos sabiam fazer, em suas intervenções, um discurso bem articulado, pois eram educados para ser especialistas na palavra. As instituições democráticas de Atenas ampliaram a esfera dos discursos: todos os atenienses — entenda-se: todos os que cumpriam os requisitos de ser livres e homens — tinham o direito de falar aos seus concidadãos na Assembleia, onde se votavam as decisões políticas, e decidir, como membros de júris populares, sobre a solidez dos discursos alheios. Aparentemente, adoravam o falatório ininterrupto que era o principal ingrediente da sua vida cotidiana, da ágora ao Parlamento. Aristófanes escreveu uma comédia paródica sobre um sujeito chamado Filoclêon, um verdadeiro viciado em julgamentos. Para ajudá-lo a superar essa compulsão acusatória, seu filho monta um tribunal na própria casa e oferece a presidência ao pai. Não havendo ninguém para acusar, decidem julgar o cachorro da família por ter comido um pedaço de queijo na cozinha, improvisando longas argumentações a favor e contra o cão.[225] Essa pantomima proporciona um alívio a Filoclêon como um narcótico a um viciado.

Heródoto relata que, na noite anterior à crucial Batalha de Salamina, à qual deviam chegar bem-dispostos e descansados, os generais gregos se engalfinharam numa pancadaria que se prolongou até altas horas da madrugada, enquanto os soldados resmungavam criticando a insensatez dos superiores.[226] A briga não os impediu de ganhar a batalha, mas Heródoto parece lamentar esse temperamento brigão, que, na sua opinião, foi o motivo pelo qual os gregos nunca conseguiram construir um Estado forte e unitário. Sim, eles amavam as palavras e os argumentos incisivos. Por isso eram capazes de criar poemas de belíssima ourivesaria verbal, mas também de transformar qualquer discussão numa briga estéril e destrutiva.

A oratória dos advogados e estadistas gregos era bastante diferente da atual. Não havendo leis contra os ataques e ofensas, os oradores se agrediam com um luxuoso arsenal de injúrias. As intermináveis acusações pessoais e a imputação de motivos mesquinhos ao adversário davam aos debates um interesse mórbido, quase pugilístico. Chegaram a aperfeiçoar a tal ponto a arte de malhar os outros com insultos engenhosos que o espetáculo devia ser hipnótico. Nos tribunais — todos compostos por jurados —, as questões legais importavam menos do que a astúcia da argumentação. Nos processos privados, a prática jurídica exigia que o próprio litigante defendesse seu caso no tribunal com dois discursos sucessivos. Não havia advogados para exercer a representação dos clientes, como acontece na atualidade. Era habitual que os litigantes não confiassem em si mesmos para preparar sua defesa ou o arrazoado de acusação, então, de modo geral, acabavam contratando os serviços de um personagem chamado "logógrafo", que estudava o caso e escrevia um discurso convincente, o mais coloquial e simples possível. O cliente decorava-o para recitá-lo no tribunal. Era assim que a maioria dos oradores ganhava a vida. Procuravam também defender casos que aumentassem seu prestígio e contribuíssem para a ascensão de uma carreira política.

Os melhores discursos políticos e judiciais eram publicados pouco depois de serem pronunciados, quando a polêmica ainda estava quente, e as pessoas os liam com o mesmo prazer que hoje sentimos ao acompanhar as séries de tribunal. Aliás, um dos meus filmes judiciais favoritos,

O sol é para todos, dá uma piscadela para aquela época. O advogado protagonista, imaginado por Harper Lee e que sempre lembraremos com o rosto amadurecido, suarento e paternal de Gregory Peck, atende pelo nome de Atticus Finch, uma referência evidente aos dez grandes oradores áticos do cânone clássico. E, naturalmente, como todo bom ático que se preze, o herói da pequena Scout sabe fazer um discurso vibrante — a favor de um homem negro — diante de um júri hostil no Alabama racista e empobrecido pela Grande Depressão dos anos 1930.

Aqueles dez oradores míticos nasceram no decorrer de um século — entre V a.C. e IV a.C. — e praticamente todos eles se conheceram e tiveram oportunidade de se difamar com fúria. Seus anos de esplendor coincidiram com a democracia ateniense, e a era das monarquias helenísticas marcou seu fim. Entre os discursos mais famosos de Demóstenes estão as *Filípicas*, uma série de discursos furiosos e apocalípticos contra o imperialismo de Filipe, o pai de Alexandre. Todos os que depois disso fizeram alguma filípica são meros aprendizes do avassalador Demóstenes.

Antifonte, outro dos dez oradores, foi um autêntico pioneiro, e poderia figurar na vanguarda da psicanálise e das terapias da palavra. O exercício da sua profissão lhe havia ensinado que os discursos, quando eficazes, podem influir poderosamente no estado de ânimo das pessoas, comovendo, alegrando, apaixonando, acalmando. Teve então uma ideia inovadora: inventou um método para evitar a dor e a aflição comparável ao tratamento médico dos doentes. Abriu um estabelecimento na cidade de Corinto e pendurou na porta um cartaz no qual anunciava que "podia consolar os tristes com discursos adequados".[227] Quando aparecia algum cliente, ele o ouvia com uma profunda atenção até compreender a desgraça que o afligia. Depois disso "a apagava do espírito" com conferências consoladoras. Usava o fármaco da palavra persuasiva para curar a angústia e, pelo que os autores antigos nos dizem, chegou a ser famoso por seus argumentos sedativos. Depois dele, alguns filósofos afirmaram que sua tarefa consistia em "expulsar a tristeza rebelde por meio do raciocínio", mas Antifonte foi o primeiro a ter a intuição de que curar por meio da palavra podia ser um ofício. Também entendeu que a terapia devia ser um diálogo exploratório. A experiência ensinou-lhe que é bom fazer a pessoa que está sofrendo falar sobre os motivos de sua tristeza, porque ao buscar as palavras às vezes se encontra o remédio. Muitos séculos depois, Viktor Frankl, um discípulo de Freud sobrevivente dos campos de concentração de Auschwitz e Dachau, desenvolveria um método similar para superar os traumas da barbárie europeia de sua época.

Seduzidos pela beleza das palavras, os gregos inauguraram o gênero da conferência, que já fazia um sucesso extraordinário na Antiguidade. Os sofistas, mestres itinerantes que viajavam de cidade em cidade em busca de alunos, faziam exibições para divulgar, demonstrar a qualidade do seu ensino, e provar aos ouvintes as suas habilidades.[228] Às vezes eram discursos preparados; outras, improvisações sobre temas sugeridos na hora pelo público — coisas por vezes disparatadas, como o elogio dos mosquitos ou da calvície. Em algumas dessas conferências, as portas permaneciam abertas para todo tipo de curiosos, mas, em geral, costumavam ser eventos reservados para um público mais seleto que pagava entrada. Os sofistas caprichavam na cenografia dos seus discursos, chegavam até a se apresentar ao público com a indumentária extravagante dos antigos aedos andarilhos, declarando-se herdeiros daqueles poetas que fascinavam de reis a camponeses com o feitiço dos seus versos. Na época helenística, esse fenômeno se expandiu. Havia uma verdadeira tropa de intelectuais errantes — oradores, claro, mas também artistas, filósofos ou médicos higienistas — que percorriam as estradas do império, levando seu tarimbado talento de um lado para outro na certeza de que sempre, até nos recantos mais poeirentos do mundo conhecido, iriam encontrar um público solícito. A conferência tornou-se o gênero literário mais vivo, aquele que, segundo alguns especialistas, melhor define a originalidade da cultura dessa época. Aí começa a rota que leva às nossas TED Talks e ao negócio multimilionário dos ex-presidentes palestrantes.

No século V a.C., o formidável sofista Górgias escreveu: "A palavra é um soberano poderoso; com um corpo pequeníssimo e totalmente invisível, executa as obras mais divinas: eliminar o medo, desvanecer a dor, infundir alegria e aumentar a compaixão."²²⁹ O eco dessas ideias gregas ressoa na frase que me parece uma das mais belas do Evangelho: "Uma palavra tua bastará para me curar."²³⁰

Entretanto, essa paixão genuína pela linguagem gerou toda uma série de técnicas retóricas que acabaram gangrenando sua espontaneidade. Os oradores se empenharam em construir um método cheio de fórmulas, princípios e procedimentos elaborados nos menores detalhes. Todas essas considerações sobre o estilo, junto com o asfixiante aparato de preâmbulos, provas e refutações, em geral tiveram consequências nefastas. Lamentavelmente, durante toda a Antiguidade proliferaram professores de eloquência pedantes e artistas de palavrório vazio. O amor ao floreado invadiu e estragou muita literatura. Algumas vezes, traduzindo textos gregos ou romanos, precisei soltar uma gargalhada. O escritor está falando de suas emoções mais profundas e essenciais — dor, desejo, abandono, exílio, solidão, medo, tentativas de suicídio —, quando, no momento mais inoportuno, o aluno aplicado que decorou todas as figuras de estilo mostra as garras. E a magia se quebra. O mundo está afundando debaixo dos seus pés e ele conta isso com antíteses, homeoteleutos e paronomásias.

Desde aquele tempo, e ainda hoje, nossa fé ingênua nas receitas para a vida deu de comer a muitos charlatões da retórica. Atualmente, estamos inundados de decálogos de autoajuda que nos oferecem suas listas milagrosas para ter sucesso: dez fórmulas para salvar o casamento, para esculpir o corpo ou para nos transformar em pessoas altamente eficientes; dez dicas para ser bons pais, dez truques para preparar o bife perfeito, dez frases brilhantes para terminar um capítulo. Este último, infelizmente, não comprei.

76

Em 2011, uma editora de Louisville publicou os dois romances mais famosos de Mark Twain, *As aventuras de Huckleberry Finn* e *As aventuras de Tom Sawyer*, eliminando de ambos a ofensiva palavra *nigger* — que se pode traduzir como "crioulo" — e substituindo-a pela palavra "escravo". O responsável por essa profilaxia literária, um professor universitário especialista em Mark Twain, declarou ter tomado a difícil decisão de emendar o texto a pedido de numerosos professores para os quais *Huck Finn*, em sua forma genuína, não é mais aceitável nas salas de aula atualmente por sua "linguagem racial ofensiva", que desperta reações de visível desconforto em muitos alunos.[231] Em sua opinião, essa cirurgia simples é a melhor forma de evitar que os clássicos da literatura norte-americana sejam definitivamente descartados das escolas de hoje. Isso não foi um fato isolado. Nos últimos anos eclodiram inúmeras polêmicas relacionadas aos clássicos juvenis, principalmente os que fazem parte dos programas escolares.

Uma legião de pais aflitos com os traumas incuráveis que os irmãos Grimm ou Andersen podem causar em seus frágeis rebentos quer saber que valores — e terrores — *Cinderela*, *Branca de Neve* ou *O soldadinho de chumbo* inoculam nas crianças do século XXI. Esses apóstolos da proteção de menores preferem as adaptações melosas da fábrica Walt Disney aos contos originais, muito cruéis, violentos, patriarcais e desatualizados. Muitos deles são partidários, se não de eliminar toda a literatura tradicional do nosso tão imperfeito passado, pelo menos de adaptá-la à boa consciência pós-moderna.

O humorista e escritor James Finn Garner publicou, em meados dos anos 1990, um livro intitulado *Contos de fadas politicamente corretos*. Foi sua contribuição cômica para esse debate. A sátira de Finn Garner não se dirige às crianças, é mais um monólogo cômico entremeado com os eufemismos que os adultos do século XXI utilizam. Com uma impecável ironia, sempre à beira do disparate, ele reformula o começo de *Chapeuzinho Vermelho* nestes termos: "Era uma vez uma pessoa de pouca idade chamada Chapeuzinho Vermelho que morava com a mãe nos confins de um bosque. Um dia, a mãe lhe pediu que levasse uma cesta com frutas frescas e água mineral à casa da avó, não porque considerasse aquilo um trabalho próprio para mulheres, atenção, mas porque representava um ato generoso que contribuía para reforçar a sensação de comunidade."[232]

Na verdade, essa controvérsia é mais antiga do que pensamos, e as fervorosas legiões de partidários da fúria censora e outras ligas da decência podem exibir um correligionário de enorme prestígio: o filósofo Platão. A educação dos jovens sempre foi uma das grandes preocupações do aristocrata ateniense e acabou se tornando seu ofício. Depois de sair-se mal em suas tentativas de fazer uma carreira política ou, pelo menos, influenciar nas decisões dos governantes, decidiu se dedicar integralmente ao ensino na Academia, a escola que fundara em um bosquezinho nos arredores de Atenas. Segundo nos contam, Platão dava suas aulas acomodado num assento alto, a *kathédra*, rodeado por cadeiras simbolicamente menores ocupadas por seus discípulos, um quadro-branco, um globo celeste, um modelo mecânico dos planetas, um relógio que ele se gabava de ter construído sozinho e mapas com as representações dos principais geógrafos.[233] Sua escola pretendia ser um centro de formação para as elites governantes das cidades gregas — hoje a consideraríamos mais como um *think tank* antidemocrático.

Os ensinamentos de Platão sempre me pareceram assombrosamente esquizofrênicos em sua mistura explosiva de livre-pensamento e impulsos autoritários. Entre as suas passagens mais lidas se encontra a alegoria da caverna, um relato ideal do que deveria ser um processo educativo crítico. No interior de uma gruta, alguns indivíduos estão acorrentados de costas para uma fogueira flamejante. Os reclusos só veem os movimentos das sombras projetadas nas paredes da caverna, e para eles essas sombras constituem a única realidade.[234] Afinal, um deles se liberta das amarras e se aventura a sair da caverna, rumo ao mundo que se estende além das projeções hipnóticas. Nesse relato há um belíssimo convite a questionarmos, a não nos conformarmos com as aparências, a rompermos as amarras e abandonarmos os preconceitos para olhar a realidade de frente. A saga cinematográfica *Matrix* adaptou a mensagem rebelde dessa alegoria ao mundo contemporâneo da realidade virtual, da aldeia midiática, dos mundos paralelos da publicidade e do consumismo, dos boatos na internet e das maquiadas autobiografias que fabricamos para as redes sociais.

No entanto, a mais famosa utopia platônica, *A República*, o mesmo ensaio que nos traz a alegoria da caverna, traz também a antítese sombria da sua mensagem ilustrada. O livro terceiro poderia ser o manual prático de um ditador em potencial. Ele afirma que, numa sociedade ideal, a educação deveria inculcar seriedade, decoro e coragem acima de tudo. Platão é partidário de uma censura rígida sobre a literatura que os jovens leem e a música que devem escutar.[235] As mães e as babás só podem contar às crianças histórias autorizadas, e até as brincadeiras infantis são regulamentadas. Homero e Hesíodo devem ser proibidos como leitura infantil por várias razões. Primeiro, porque apresentam deuses frívolos, hedonistas e propensos a maus comportamentos, o que não é edificante. É preciso ensinar aos jovens que o mal nunca se origina nos deuses. Em segundo lugar, porque alguns versos dos dois poetas falam do medo da morte, algo que inquieta Platão, uma vez que, em sua opinião, é importante estimular os jovens a morrer contentes na guerra. "Faremos muito bem — afirma — suprimindo os lamentos dos homens ilustres, para atribuí-los, em contrapartida, às mulheres." Platão tampouco tem boa opinião sobre o teatro. Para ele, a maioria das obras trágicas e cômicas contém em sua trama pessoas más, por isso os atores — todos homens, como na Inglaterra elisabetana — precisam assumir a pele de gente indesejável, como criminosos, ou seres inferiores, como mulheres ou escravos. Essa identificação com as emoções da ralé não pode ser nada boa para a formação das crianças e dos jovens. As peças de teatro, se toleradas, só deveriam incluir personagens heroicos, masculinos, irrepreensíveis e de alta linhagem. Como nenhuma peça cumpre tais requisitos, Platão desterra do seu Estado perfeito os dramaturgos, assim como todos os outros poetas.

A passagem do tempo não arrefeceu os ímpetos censores de Platão. Em seu último diálogo, *As Leis*, propõe praticamente a criação de uma polícia poética para vigiar a nova literatura: "O poeta não poderá compor nada que contradisser o que a cidade considera legal, justo, belo ou bom; uma vez escrito seu poema, não poderá mostrá-lo a nenhum particular antes de ser lido e aprovado pelos juízes que os guardiões das leis [...] e aquele que escolhermos como diretor de educação tiverem designado para isso."[236] A mensagem está enfaticamente nítida: é necessário submeter os textos poéticos a uma severa censura; às vezes suprimi-los, outras vezes expurgá-los, fazer correções e, sempre que for preciso — e será muitas vezes —, reescrevê-los.

A utopia de Platão é irmã gêmea da distopia *1984*. A Sociedade do Partido Único imaginada por George Orwell tem um Departamento de Ficção em que se produz toda a nova literatura. É lá que trabalha a protagonista, Julia, que vemos rondando pelo escritório com as mãos sempre sujas de graxa e uma chave-inglesa na mão. Ela é a encarregada da manutenção das máquinas que escrevem romances segundo as diretrizes ministeriais. O regime tampouco se descuida das obras clássicas. É aqui que Orwell parece tornar realidade os sonhos molhados do autoritário Platão: seu Ministério da Verdade pôs em marcha um grande projeto destinado a reescrever toda a literatura do passado. Está previsto que a fabulosa tarefa terminará em 2050. "A essa altura — diz entusiasmado um dos seus artífices —, Chaucer, Shakespeare, Milton, Byron... só existirão em versões neolinguísticas, transformados no contrário do que eram.[237] Todo o clima do pensamento vai ser diferente. Na verdade, não haverá pensamento no sentido em que o entendemos agora. Ortodoxia significa não pensar, não precisar de pensamento. Nossa ortodoxia é a inconsciência."

As afirmações de Platão não poderiam ser mais contundentes e drásticas, mas ainda assim noto que há uma certa resistência a levar suas palavras ao pé da letra. Quando os admiradores do ateniense se deparam com passagens como essa, começam a olhar para um lado e para outro à procura de uma escapatória. Whitehead escreveu a famosa frase, tantas vezes repetida, que reduz toda a filosofia ocidental a notas de pé de página da filosofia platônica. Para livrar a cara, alegam que Platão se inflamou enquanto escrevia, que radicalizou suas posições como todos nós fazemos nas discussões políticas à mesa de domingo em família.

Mas Platão sabia muito bem o que dizia. Ele jamais gostou da democracia ateniense, que, na sua opinião, foi bem retratada no assassinato de Sócrates. Queria implantar um modelo político imutável, no qual nunca mais fossem necessárias mudanças sociais nem relatos despudorados que abalassem os alicerces morais da sociedade. Tinha vivido tempos conflituosos e traumáticos em Atenas. Desejava estabilidade, desejava o governo dos sábios, e não o da maioria ignorante. Se esse imobilismo só podia ser sustentado por um regime repressivo, muito bem. Assim entendeu Karl Popper quando intitulou "O fascínio de Platão" a primeira parte do seu ensaio *A sociedade aberta e seus inimigos*.

A leitura dos jovens preocupava Platão por motivos tanto pedagógicos quanto pecuniários. Como professor que fundou a primeira academia para os filhos da elite, ele tentava desacreditar a concorrência. Não gostava do sistema educacional do seu tempo, no qual os poetas — gente de ideias erráticas e pouco edificantes — eram os educadores dos gregos. Os novos professores deviam ser os filósofos — quer dizer, ele. Em seu diálogo *As Leis,* Platão diz que "é um grande risco" propor à juventude o estudo dos poetas, e, em vez disso, sugere — num assombroso exercício da virtude da humildade — suas próprias obras como texto a ser explicado em sala de aula: "Ao rever com uma visão de conjunto estes pensamentos que são a nossa obra, senti uma forte impressão de prazer porque, dos múltiplos argumentos que pude ler nos poemas, nenhum me pareceu mais sensato e mais conveniente como leitura para os jovens. Eu não teria modelo melhor do que este para apresentar ao legislador e ao educador, e o melhor seria que os professores ensinassem estes discursos às crianças, assim como outros que se relacionem com estes e se pareçam com eles."[238] No fundo, trata-se de uma luta pela mente dos gregos, com a educação como campo de batalha. E, de passagem, de fazer negócios também.

A esta altura não preciso mais explicar que Platão me interessa tanto quanto me irrita; meio a meio. Frente às suas ideias, frequentemente tenho vontade de soltar alguma daquelas fantásticas réstias de insultos que aprendi com o Capitão Haddock: bexigoso, ectoplasma, anacoluto!

Eu gostaria de saber como é possível que um filósofo com uma inteligência tão irreverente defenda um sistema educacional que condena os alunos a só conhecerem textos esterilizados e fábulas virtuosas. Seu programa suprime da literatura todos os claros-escuros, as incursões ao abismo, a inquietação, a dor, os paradoxos, as intuições perturbadoras. A poda é arrepiante. Se ele mesmo tivesse escrito segundo esses princípios estéticos, sua obra atualmente nos causaria um tédio terrível. Mas continua nos fascinando porque, ao contrário do que ele prescreve, é aguda, paradoxal e inquietante.

Mas hoje o desafio continua no ar, como bem sabem os professores de Louisville que quiseram apagar o insulto *nigger* da obra de Mark Twain. Os livros infantis e juvenis são obras literárias complexas ou manuais de bom comportamento? Um *Huck Finn* mais limpo pode ensinar muito aos jovens leitores, mas rouba deles um ensinamento essencial: que houve um tempo em que quase todo mundo chamava seus escravos de "crioulo" e que esta palavra, devido à sua história de opressão, é negativa. Não é eliminando dos livros tudo o que acharmos inapropriado que vamos salvar os jovens das ideias condenáveis. Muito pelo contrário: dessa maneira os tornaremos incapazes de reconhecê-las. Ao contrário do que pensa Platão, os personagens malvados são um ingrediente crucial nos contos tradicionais, para que as crianças aprendam que a maldade existe. Mais cedo ou mais tarde terão notícias dela (de valentões acossando-as no pátio do colégio até tiranos genocidas).

A maravilhosa e perturbadora Flannery O'Connor escreveu que quem "só lê livros edificantes está seguindo um caminho seguro, mas um caminho sem esperança, porque lhe falta coragem. Se por acaso algum dia ler um bom romance, saberá muito bem que está lhe acontecendo alguma coisa".[239] Sentir certo desconforto é parte da experiência de ler um livro; há muito mais pedagogia na inquietação do que no alívio. Podemos submeter toda a literatura do passado a uma cirurgia estética, mas nesse caso ela deixará de explicar-nos o mundo. E se entrarmos por esse caminho, não poderemos nos surpreender ao ver que os jovens abandonam a leitura e, como diz Santiago Roncagliolo, se entregam ao PlayStation, no qual podem matar um monte de gente sem que ninguém se oponha.[240]

Tenho diante de mim um artigo que saiu recentemente na imprensa. O caso é que, na Universidade de Londres, o diretório de estudantes da Escola de Estudos Orientais e Africanos exige que tirem do programa filósofos como Platão, Descartes e Kant — por serem racistas e colonialistas.[241]

É irônico: Platão, o caçador caçado.

O VENENO DOS LIVROS. SUA FRAGILIDADE

77

Os bibliotecários de Alexandria não expulsaram os poetas gregos e tampouco expulsaram Platão. Às margens do Nilo, o palácio dos livros oferecia hospitalidade aos dois lados adversários. Suas prateleiras criaram um insólito espaço de armistício no qual as hostilidades cessam, os inimigos se esbarram na promiscuidade das prateleiras, as fronteiras se esfumam e a leitura se transforma em mais uma forma de reconciliação.

Sabemos que a Grande Biblioteca acolheu as ideias, os achados e os resmungos de Platão. Não sem uma certa dose de ironia, pois o sábio Calímaco, autor dos *Pínakes* e ilustre membro do museu, quis deixar um registro da aparência assassina que os livros platônicos podiam ter.

O caso figura num brevíssimo texto em verso. Talvez Calímaco, como poeta que era, quisesse soltar uma farpa contra Platão em nome da sua classe. Seu poema descreve o suicídio de um tal Cleômbroto de Ambrácia, que se jogou do alto de uma muralha. Diz que não havia acontecido nada com esse jovem que pudesse empurrá-lo para a morte, exceto que "havia lido um tratado, só um, de Platão: 'Sobre a alma'".[242] Atualmente conhecemos esse diálogo que acabou com a vida do pobre Cleômbroto sob o título *Fédon*. Muita gente perguntou por que ele teria se suicidado após ler essa obra, que relata as últimas horas de Sócrates antes de tomar sua dose de cicuta. Alguns sustentam que não suportou a morte do sábio, mas outros argumentam que seu pulo no vazio se deveu a um pensamento do próprio Platão, o qual afirma que a plenitude da sabedoria só nos chegará depois da morte. De todo modo, Calímaco exprimiu enigmaticamente sua crítica: talvez os jovens corram mais perigo, afinal de contas, lendo Platão do que os poetas.

Não sabemos se o caso de Cleômbroto foi um fato isolado, ou se *Fédon* eventualmente desencadeou uma onda de suicídios parecida com a que *Os sofrimentos do jovem Werther* provocaria séculos mais tarde.[243] Desde a sua publicação, em 1774, esse atormentado romance de Goethe levou muitos jovens europeus que sofriam de amor a se matarem com um tiro, imitando o protagonista. O autor viveu alarmado esse fenômeno social — e funerário — que seu livro, a cada nova edição, foi se tornando. Sabe-se que as autoridades de alguns países chegaram a proibi-lo por razões de saúde pública.

Goethe tinha se inspirado no suicídio real de um amigo e nas próprias fantasias adolescentes sobre a morte. Mais de cinquenta anos depois, reconhece em sua autobiografia, *Memórias: Poesia e verdade*, que só conseguiu apaziguar esse impulso autodestrutivo fazendo Werther se jogar simbolicamente em seu lugar. Mas o fantasma que o escritor expulsou com esse exorcismo literário passou a atormentar os leitores, alguns dos quais sucumbiram à sua macabra influência. Duzentos anos depois, em 1974, o sociólogo David Phillips cunhou o termo "efeito Werther" para descrever o misterioso reflexo de imitação que o comportamento suicida provoca. Até mesmo um personagem de ficção pode ser o agente de contágio, desencadeando casos idênticos. Outro maravilhoso e inquietante romance, *As virgens suicidas*, de Jeffrey Eugenides, também investiga o profundo enigma psicológico das mortes imitativas.

O fato é que o leitor de *Fédon* que pulou de uma muralha — a versão grega da ponte — inaugurou, sem querer, um novo filão literário: os relatos sobre livros que causam a morte. Não é estranho que o mais famoso de todos, *Necronomicon*, tenha um nome grego. Esse volume maldito, cuja leitura leva à loucura e ao suicídio, é uma invenção de H. P.

Lovecraft para o universo aterrorizante de seu *Os mitos de Cthulhu*.[244] O conteúdo de *Necronomicon*, evidentemente, nunca chegaremos a conhecer, porque ninguém sobreviveu para revelá-lo. Há rumores persistentes de que o livro contém saberes arcanos e sortilégios de bruxaria que permitem entrar em contato com seres alienígenas com poderes malignos, os Antigos. Expulsos do nosso planeta em um tempo imemorial por prática de magia maléfica, esses seres estão prostrados no espaço à espera de uma oportunidade para se apoderar do mundo que um dia já foi deles.

Lovecraft se divertiu tanto escrevendo a história minuciosa de *Necronomicon*, e de suas traduções com detalhes bibliográficos, que alguns leitores acreditaram cegamente em sua existência, e certos antiquários vigaristas fingiram que tinham um exemplar e ofereceram-no à venda para os incautos. A brincadeira bibliófila começa com o próprio nome do autor, um suposto poeta louco árabe chamado Abdul Alhazred. Na realidade, esse era um apelido infantil do próprio Lovecraft, inspirado nas histórias de *As mil e uma noites*. Alhazred é uma alusão bem-humorada ao inglês *all has read*, "o que leu tudo".

Os relatos de *Os mitos de Cthulhu* são pródigos em avisos sobre as consequências nefastas de ler *Necronomicon*. Sabemos por eles que ocorreram fatos espantosos na Idade Média devido à influência desse livro, e a obra foi condenada pela Igreja em 1050. Sempre segundo a versão de Lovecraft, apesar das maldições, uma versão em latim do livro foi impressa na Espanha do século XVII. Teriam sobrevivido quatro exemplares dessa edição, um no Museu Britânico, outro na Biblioteca Nacional de Paris, outro em Harvard e o último na fictícia Universidade norte-americana de Miskatonic, na também fictícia cidade de Arkham. Seguidores gaiatos de Lovecraft falsificaram fichas do livro para os catálogos de diversas bibliotecas do mundo, atribuindo a origem da edição proibida à cidade de Toledo.[245] Onde aparece um suposto exemplar, disparam os pedidos de empréstimo — aparentemente, a curiosidade é mais forte do que o medo do rastro de demência e morte que *Necronomicon* deixa por onde passa.

Platão, o árabe louco Alhazred e Goethe escreveram livros capazes de levar muita gente à perdição com o feitiço sombrio de suas palavras. Outra faceta curiosa da leitura mortal são os livros envenenados. Que eu saiba, a referência mais antiga a esses volumes assassinos remonta às *Mil e uma noites*. No fim da quarta noite, e durante toda a quinta, Sherazade relata a história do rei Yunan e do médico Ruyan.[246] Depois de curar a lepra do rei, o médico Ruyan descobre que o ingrato monarca pretende se desfazer dele, e então urde um plano para castigá-lo. Envia-lhe de presente um livro, "o extrato dos extratos, a raridade das raridades, que contém maravilhas inestimáveis". Mas as folhas desse livro estão impregnadas de veneno, e o rei acaba morrendo: "Yunan se assombrou até o limite do assombro. Cheio de impaciência, pegou o livro e o abriu, mas encontrou as páginas grudadas. Então, pôs um dedo na boca, molhou-o com saliva e conseguiu separar a primeira página. Teve que fazer o mesmo com a segunda e a terceira, e cada uma se soltava com mais dificuldade. Desse modo o rei abriu seis páginas e tentou lê-las, mas não encontrou nada escrito. Poucos instantes depois, o veneno circulou por seu organismo, pois o livro estava envenenado."

Se, depois de assistir a *Psicose*, muitos de nós sentimos um calafrio ao tomar banho sozinhos num hotel, essa história de *As mil e uma noites* pode provocar tremores similares nos leitores que costumam umedecer a ponta do dedo para virar as páginas. Várias vezes em minhas leituras voltei a esbarrar em livros untados com veneno, como se isso estivesse se tornando um clássico do terror bibliófilo. Lembro-me do belíssimo tratado de falcoaria com o qual a malvada rainha Catarina de Médici matou por engano seu filho Charles em *A rainha Margot*, de Alexandre Dumas,[247] e o tratado sobre o riso de Aristóteles — do qual já falei —, que provoca um banho de sangue na tétrica abadia de *O nome da rosa*. Gosto particularmente da cena da revelação do segredo: quando o detetive franciscano Guilherme de Baskerville resolve o mistério dos crimes, não consegue reprimir um instante de admiração pelo assassino. Reconhece que o livro é uma arma exemplar e sigilosa com a qual "a vítima se envenena sozinha, na medida exata em que deseja ler".[248]

Infelizmente, o último capítulo dessa história de livros homicidas é estritamente verídico. Estou pensando nos livros-bomba, volumes em cujo interior são colocados explosivos de alta potência para matar o destinatário ao abri-los. Todo ano a Casa Branca recebe centenas de livros com bombas que os órgãos de segurança desativam. Centenas de funcionários do correio, jornalistas, porteiros, secretárias e homens e mulheres dos mais variados ofícios já morreram em todo o mundo por causa disso. Qualquer um pode ser vítima desse tipo de ataque. O pesquisador Fernando Báez afirma que há dezenas de manuais clandestinos na internet ensinando a fabricar livros-bomba.[249] Aparentemente, os terroristas manifestam suas preferências por certos autores, e não faltam listas de títulos, categorias e tamanhos. Alguns grupos acham a Bíblia inadequada e, em contrapartida, sabe-se lá por quê, consideram *Dom Quixote* muito útil. Em 27 de dezembro de 2003, Romano Prodi, presidente da Comissão Europeia, quase morreu ao abrir um exemplar-bomba de *O prazer*, de Gabriele D'Annunzio. Como fica evidente, os políticos e as altas autoridades que não leem estão mais seguros.

78

Nós gostamos de imaginá-los perigosos, assassinos, inquietantes, mas os livros são, acima de tudo, frágeis. Enquanto você lê estas linhas, uma biblioteca está pegando fogo em algum lugar do mundo. Neste momento uma editora destrói seus estoques não vendidos para voltar a fabricar celulose. Nas redondezas, uma inundação submerge alguma coleção valiosa na água. Pessoas se desfazem de uma biblioteca herdada num contêiner próximo. Você está cercado por um exército de insetos, cujas mandíbulas abrem túneis no papel para depositar suas larvas, em infinitas prateleiras, num universo de pequenos labirintos. Alguém está fazendo um expurgo de obras incômodas para o poder. Um saque destruidor ocorre agora mesmo num território instável. Alguém condena uma obra por ser imoral ou blasfema e a joga numa fogueira.

Há uma longa história de horror e fascínio que relaciona o fogo e os livros. Galeno escreveu que os incêndios, ao lado dos terremotos, são as causas mais frequentes de sua destruição.[250] As chamas que aniquilam palavras às vezes começam de forma acidental, mas muitas vezes são intencionais. Queimar livros é uma ideia absurda que se repete com insistência ao longo dos séculos, desde a Mesopotâmia até o presente. O álibi sempre é construir os alicerces de uma nova ordem sobre as cinzas da anterior, ou regenerar e purificar um mundo que os escritores contaminaram.

Quando as autoridades da censura se empenhavam em mandar incendiar exemplares de *Ulisses*, Joyce comentou com ironia que, graças a essas chamas, com certeza teria um purgatório menor.[251] Nessa mesma época, a barbárie nazista executava sua operação *Bücherverbrennung* [queima de livros] nas praças públicas de dezenas de cidades alemãs.[252] Milhares de volumes eram transportados em caminhões e empilhados para serem destruídos. Formavam-se correntes humanas para levá-los de mão em mão até a fogueira. Os pesquisadores calculam que durante o bibliocausto nazista foram queimadas obras de mais de 5.500 autores que os novos líderes consideravam degenerados; um prólogo dos fornos crematórios que viriam depois, como profetizou Heinrich Heine em 1821 ao escrever: "No lugar onde queimam livros, acabam queimando gente."[253] Esta famosa frase, aliás, é de uma peça de teatro intitulada *Almansor*, na qual a obra queimada era o Corão e os piromaníacos, inquisidores espanhóis.

Em 2010, quando a comunidade internacional se preparava para comemorar nove anos de luto pelos atentados do 11 de Setembro, o pastor de uma pequena igreja cristã da Flórida anunciou que iria queimar exemplares do Corão no aniversário dos ataques terroristas — mais exatamente, entre as seis e as nove da noite, no horário de maior audiência na televisão. O rosto de Terry Jones, um colérico ministro religioso com bigode em forma de ferradura e um ar indeciso que variava de prócer do século XIX a anjo bronzeado do inferno, começou a aparecer diariamente na imprensa mundial e nos telejornais durante aquelas jornadas inflamáveis. Ele anunciou que queria transformar o 11 de Setembro no Dia Internacional de Queima do Corão e estimulava comemorações em família dessa alegre festa vandálica: *Burn a Quran Day*. As autoridades não podiam impedir a sua provocativa convocação — nenhuma lei proíbe queimar um livro adquirido legalmente em espaço privado. Para evitar que estourassem protestos e distúrbios em países islâmicos, o presidente Barack Obama e o diretor da CIA tentaram dissuadi-lo em nome da segurança das tropas norte-americanas no Afeganistão e no Iraque. O caso se transformou em emergência internacional. A princípio, o reverendo Jones cedeu às pressões, mas em março de 2011 não conseguiu suportar mais o peso da capitulação. Como aquele personagem de Aristófanes que monta um tribunal em sua casa para processar o cachorro por ter comido um queijo, Terry Jones encenou uma pantomima de julgamento do Corão. Após oito minutos de deliberação, o autoproclamado tribunal condenou o livro por crimes contra a humanidade e decidiu queimar um exemplar, mostrando as imagens ao mundo num vídeo publicado no YouTube. Várias pessoas morreram ou sofreram ferimentos graves no Afeganistão durante os tumultos que esse vídeo desencadeou.

A rápida ascensão do reverendo Jones à fama — e à infâmia — demonstra que jogar um livro na fogueira, mesmo se a obra não corre o menor risco de desaparecer, é um ato simbólico poderoso, quase mágico. A nossa sociedade global, sofisticada e tecnológica ainda pode cambalear com a onda expansiva provocada por um gesto tão antigo de barbárie.

As fogueiras de papiro, pergaminho e papel são o emblema de uma velha destruição repetida. Com muita frequência, a história dos primeiros livros acaba no fogo. Um melancólico personagem de Borges reflete: "De tantos em tantos séculos é preciso queimar a Biblioteca de Alexandria",[254] numa breve crônica de um desastre imenso: na capital do delta foi queimado várias vezes, até sua completa devastação, um grande sonho da Antiguidade. E aquelas chamas alimentadas por livros plantaram escuridão.

79

Cleópatra foi a última rainha do Egito, e a mais jovem. Cingiu a coroa das Duas Terras na cabeça com apenas 18 anos. Para uma mulher poder governar o país do Nilo, tinha que cumprir um insignificante requisito tradicional: casar com o próprio irmão, como Ísis com Osíris. Sem se deixar abater por essa ninharia, Cleópatra contraiu núpcias com um dos garotos da família, Ptolomeu XIII, de 10 anos, que ela pretendia dominar. Apesar dos longos anos de convivência anterior, não foi um casamento harmonioso. Os reis crianças logo começaram a se engalfinhar em brigas pelo poder. Cleópatra fez menos intrigas do que o pequeno faraó e foi derrubada e expulsa do país, com ameaças de pena de morte. A jovem exilada aprendeu uma valiosa lição de convivência familiar: seus parentes eram tão capazes de assassiná-la quanto qualquer outra pessoa.

Nesse mesmo ano, Júlio César chegou a Alexandria. Roma já era uma grande potência que se atribuía o papel de polícia mundial e mediadora dos conflitos alheios. Cleópatra entendeu que, se quisesse voltar a reinar, precisava do apoio de César. Viajou ao encontro dele, partindo secretamente da Síria para se esquivar dos espiões do seu irmão, que tinham ordem de matá-la se voltasse a pôr os pés no Egito. Plutarco conta com graça o divertido episódio do encontro entre a rainha destituída e César. Ao anoitecer de um dia quente de outubro do ano 48 a.C., uma embarcação atracou silenciosa no porto de Alexandria. Dela desceu com muitas precauções um mercador de tapetes carregando um fardo alongado.[255] Chegando ao palácio, pediu para ver César e entregar-lhe um presente. Quando foi admitido no quarto do general romano, desenrolou o envoltório. De dentro dele emergiu — afogueada, miúda e suada — uma garota de 21 anos que estava ali, arriscando a vida no epicentro do perigo, por pura sede de poder. Conta Plutarco que César ficou "fascinado pelo atrevimento da jovem". A essa altura, já era um homem de

52 anos com cicatrizes de mil batalhas. Não foi o desejo que levou Cleópatra a ele, mas o instinto de sobrevivência. Ela não tinha muito tempo: se o irmão a encontrasse, morreria; se César não escolhesse o seu lado, morreria. Nessa mesma noite, Cleópatra chegou, viu e seduziu.

Júlio César se instalou muito à vontade no palácio. Protegida por seu poderoso amante, Cleópatra recuperou o trono. Manteve o pequeno Ptolomeu a seu lado, mais como refém do que como rei. Foram dias de vinho e intrigas em Alexandria. Mas o faraó criança não se resignava a ser um fantoche, e começou a tramar uma revolta egípcia contra os soldados romanos. Quando se acendeu a faísca da insurreição, o hóspede estrangeiro ficou isolado no palácio real com sua reduzida tropa.[256] O palácio ptolomaico, como eu já disse, ocupava todo um bairro amuralhado ao lado do mar, onde se erguiam, entre outros prédios, o museu e sua biblioteca. Os sábios da gaiola das musas — acostumados a não ser incomodados para poderem pesquisar e se esfolar mutuamente sem piedade — de repente se viram cercados, junto com um general romano, em uma posição estratégica muito desfavorável. Os sitiadores atacavam por terra e por mar, sedentos de destruição. Os olhos alarmados dos estudiosos viam desenhar-se no ar a curva brilhante dos projéteis incendiários que aterrissavam um após outro, ameaçadores, bem perto do seu tesouro de livros.

Os homens de César contra-atacaram jogando tochas impregnadas de piche nos navios prontos para o ataque.[257] As chamas não demoraram muito a se espalhar pelos conveses calafetados com cera e nos cordames dos navios, que afundaram hipnoticamente, envoltos em chamas. A devastação se espalhou pelo porto e pelas casas próximas. O fogo, empurrado pelo vento, saltava pelos telhados com a rapidez de uma estrela cadente. As tropas egípcias foram correndo apagar o incêndio. César aproveitou esse respiro para avançar até a ilha de Faros e dominar a entrada marítima da cidade, à espera de reforços. E, como sempre, o brilhante general romano acabou vencendo a disputa tática. Ptolomeu XIII muito oportunamente morreu afogado no Nilo, deixando a irmã viúva e todo-poderosa.

Plutarco, que escreveu um século e meio depois dos acontecimentos, afirma que o fogo desse incêndio provocado pelos sequazes de César saltou dos navios para a Grande Biblioteca e a reduziu a cinzas, um retumbante réquiem para o sonho alexandrino. Foi assim que tudo terminou?

Há motivos para duvidar disso. César, em sua *Guerra civil*, fala da queima dos navios,[258] mas não menciona a destruição da biblioteca, nem mesmo para se justificar. Seu lugar-tenente Hírcio, que escreveu uma crônica sobre *A guerra de Alexandria*, também não diz nada. Pelo contrário, afirma que os grandes prédios da cidade eram incombustíveis, porque haviam sido construídos com mármore e argamassa, sem madeira nos tetos e assoalhos.[259] Nenhum personagem contemporâneo chora pela aniquilação do palácio dos livros. E o geógrafo Estrabão, que visitou Alexandria poucos lustros depois da revolta contra César, descreveu em detalhes o museu sem aludir a qualquer desastre recente. Também fazem silêncio outros escritores romanos e gregos (Lucano, Suetônio, Ateneu). No entanto, o filósofo Sêneca complica o quebra-cabeça ao escrever: "Em Alexandria foram queimados 40 mil rolos."[260]

Como num romance policial, cada nova voz conta uma versão diferente e traz pistas contraditórias. O que podemos concluir desse quebra-cabeça desconcertante? Qual é a realidade desfocada que se oculta atrás dos relatos e dos silêncios? Uma possível solução do enigma se baseia num detalhe que dois autores muito posteriores, Dião Cássio e Orósio, mencionam de passagem. Ambos dizem que o incêndio provocado por César destruiu o arsenal, os depósitos de grãos e alguns armazéns do porto,[261] nos quais se encontravam — por acaso — vários milhares de rolos,[262] livros que podiam ser novas aquisições da biblioteca que esperavam o traslado definitivo para o museu ou simplesmente rolos em branco, propriedade de mercadores e destinados à venda nas rotas comerciais do Mediterrâneo.

Talvez Plutarco tenha interpretado mal as fontes que descreviam a queima desse depósito de livros — que em grego também se chamaria *bibliothéke* — e imaginado uma fogueira apocalíptica no museu. Talvez essa primeira destruição da Grande Biblioteca tenha sido, afinal, uma lembrança inventada, ou um pesadelo premonitório, ou então um incêndio mítico que simbolizava, no fundo, o ocaso de uma cidade, de um império e de uma dinastia que começou com o sonho de Alexandre e acabou com a derrota de Cleópatra.

80

As alianças políticas e sexuais de Cleópatra — primeiro com César e mais tarde com Marco Antônio — visavam evitar que a voracidade romana engolisse o reino do Egito. Mas só conseguiram atrasar a mordida. Depois do suicídio da rainha, no ano 30 a.C., o país do Nilo foi anexado ao nascente Império Romano. Alexandria deixou de ser a capital de um território orgulhoso para se transformar em periferia da nova globalização.

Os recursos para financiar a comunidade de sábios, que até então dependiam dos reis Ptolomeus, passaram a ser responsabilidade dos imperadores de Roma. O museu e sua biblioteca superaram a crise dinástica, mas em pouco tempo ficou evidente que os melhores tempos já pertenciam ao passado. Aquele ambicioso centro de conhecimento e de criação vivera seus dias dourados graças a uma combinação explosiva de riqueza, vaidade e cálculo imperialista por parte da estirpe macedônia. Mas o dinheiro e a vaidade dos imperadores romanos tinham muitas outras demandas além de Alexandria. Não sabemos se o incêndio cesariano chegou a afetar a biblioteca, mas, sem dúvida, a seca de recursos imperiais desencadeou sua lenta decadência.

Nos dois primeiros séculos, a biblioteca ainda encontrou protetores generosos, como Adriano, mas o terceiro século teve um começo sombrio com as ameaças insensatas de Caracalla.[263] Esse imperador — a uma insignificante distância de sete séculos — dizia saber que foi Aristóteles quem envenenou Alexandre Magno e, para vingar seu ídolo, tramava incendiar o museu, por onde o espectro do filósofo ainda perambulava. A nossa fonte, o historiador Dião Cássio, não deixa claro se Caracalla chegou a cometer essa enorme vilania, mas conta que ele suprimiu o refeitório gratuito dos sábios e aboliu muitos dos seus privilégios. Tempos depois, por causa de um delito corriqueiro, ordenou que suas tropas saqueassem Alexandria, o que provocou a morte de milhares de inocentes, e — numa versão mediterrânea da Berlim da Guerra Fria[264] — dividissem a cidade com um muro patrulhado por guardas a intervalos regulares, para que as populações de um lado e de outro não pudessem conviver livremente.

Durante a segunda metade do século III, a crise romana se agravou. A situação econômica do império foi piorando progressivamente e o interesse cultural dos imperadores, sobrecarregados com graves desafios bélicos e políticos, minguando. Num mundo onde as glórias de Alexandria não passavam de um brilho longínquo, os recursos para manter a coleção foram sofrendo cortes sucessivos. Cada vez havia menos dinheiro para recuperar os rolos deteriorados, envelhecidos ou perdidos e para a aquisição de novidades. A decadência já era incontrolável.

O que veio depois foi um ciclo caótico de pilhagens e depredações. Na época do imperador Galiano, o governador do Egito proclamou-se imperador e cortou o fornecimento de víveres para Roma. Como Galiano não podia prescindir dos celeiros alexandrinos, mandou seu general Teódoto recuperar a cidade. O ataque violento deixou Alexandria quase destruída. Mais tarde, foi conquistada e depois perdida pela rainha árabe Zenóbia de Palmira, que dizia ser descendente de Cleópatra. Os imperadores Aureliano e, em seguida, Diocleciano entraram na orgia destrutiva dos cercos e das revoltas sufocadas a ferro e fogo. O soldado e historiador Amiano Marcelino, possivelmente exagerando com fins dramáticos, escreveu que, no fim do século III, o bairro amuralhado onde antes se erguia o museu tinha sido varrido do mapa.[265]

Não conhecemos nenhuma crônica detalhada dessa decadência, mas gosto de pensar que é exatamente isso o que Paul Auster tenta descrever no pós-apocalíptico *No país das últimas coisas*. Esse romance conta a viagem de uma mulher, Anna Blume, a uma cidade sem nome, em total desintegração, abalada pelas sequelas de um tempo de conflitos e expurgos. Nesse território opressivo, os nomes das ruas — bulevar Ptolomeu, perspectiva Nero, terminal Diógenes, estrada das Pirâmides — sugerem a cartografia impossível de uma Alexandria saqueada e fantasmagórica, no naufrágio de sua memória.

Anna chega à cidade seguindo o rastro do seu único irmão, um jovem jornalista que desaparecera por lá inexplicavelmente. A esperança do reencontro está condenada ao fracasso num lugar onde todas as certezas vão se esfumando e a catástrofe final parece iminente. Um dia, em suas andanças, Anna percorre o bulevar Ptolomeu e desemboca por acaso na devastada Biblioteca Nacional: "Era um prédio magnífico, fileiras de colunas em estilo italiano e belas incrustações de mármore, uma das construções mais notáveis da cidade. Entretanto, seus melhores dias tinham ficado para trás, como acontecia, aliás, com todo o restante. Um teto do segundo andar havia desabado, as colunas se inclinavam e rachavam, havia livros e papéis jogados por toda parte."

Anna se instala no telhado da biblioteca junto com Sam, um correspondente da imprensa estrangeira que conheceu o irmão dela e injeta força em suas fracas esperanças de encontrá-lo.[266] Embora a Grande Biblioteca seja praticamente uma ruína, serve de refúgio para náufragos de tempos melhores. Lá dentro vive uma pequena comunidade de sábios perseguidos que colaboram, fazendo uma trégua provisória em suas ferozes discrepâncias, para proteger o último cabedal de palavras, ideias e livros: "Não sei exatamente quanta gente morava na biblioteca naquela época, mas acho que mais de cem, talvez bem mais. Os residentes eram todos professores ou escritores, sobreviventes do Movimento de Purificação que se deu durante os distúrbios da década anterior. Entre as distintas facções da biblioteca havia surgido uma certa camaradagem, que permitia ao menos que muitos deles estivessem dispostos a se reunir para conversar ou trocar ideias. Toda manhã, durante duas horas (denominadas 'horas peripatéticas'), eram realizadas conversas públicas. Diziam que em determinada época a Biblioteca Nacional tivera mais de um milhão de volumes; este número já havia sofrido uma grande redução quando eu cheguei lá, mas ainda restavam centenas de milhares, uma assombrosa avalanche de palavras impressas."

A desordem e a catástrofe também se infiltraram na biblioteca. Anna observa que o sistema de classificação está totalmente desorganizado, o que torna quase impossível localizar algum livro nos sete andares de arquivos. Um livro perdido naquele labirinto de salas mofadas é como se tivesse deixado de existir: ninguém conseguirá encontrá-lo de novo.

De repente, uma violenta onda de frio se abate sobre a cidade, pondo em perigo os refugiados da biblioteca. Sem acesso a qualquer outro tipo de combustível, decidem queimar livros na estufa de ferro. Anna escreve: "Sei que parece horrível, mas não havia outra opção; tínhamos que escolher entre fazer isso ou morrer de frio. O curioso é que, para ser sincera, nunca senti remorsos; acho que até gostava de jogar aqueles livros nas chamas. Talvez isso fosse expressão de um rancor oculto; ou, quem sabe, o simples reconhecimento de que não me importava o que acontecesse com os livros. O mundo a que esses livros pertenciam havia terminado. De todo modo, a maioria deles não merecia ser aberta. Quando encontrava algum que parecia aceitável, eu o guardava para ler. Foi assim que li Heródoto. Mas no final tudo acabava na estufa, tudo se transformava em fumaça."

É assim que imagino os cientistas e eruditos do museu, vendo horrorizados seu tesouro ser sistematicamente saqueado e depois queimar e desabar. Num anacronismo imperdoável, imaginei aqueles intelectuais sisudos, vítimas de um ataque de humor ácido e niilista, imitando Bakhtin durante os dias sombrios do cerco nazista a Leningrado. Contam que o escritor russo, um fumante compulsivo, estava trancado num apartamento sob o terror cotidiano dos bombardeios. Tinha reserva de tabaco, mas não conseguia papel para fumar. Então, enrolou seus cigarros com as páginas de um ensaio ao qual tinha dedicado dez anos de trabalho. Folha por folha, baforada por baforada, fumou grande parte do manuscrito, na certeza de que tinha em Moscou outra cópia guardada em segurança — que no caos da guerra também acabou desaparecendo.[267] Lembro-me de que William Hurt conta esse episódio — quase lendário — no fascinante filme *Cortina de fumaça*, cujo roteiro foi escrito por Paul Auster. Creio que os bibliotecários alexandrinos apreciariam a comicidade pessimista desse relato de sobrevivência. Afinal de contas, os livros que eles guardavam também estavam se transformando em ar, em fumaça, em sopro, em miragem.

81

A Alexandria do século IV era um lugar turbulento. Seus habitantes, conhecidos pela cultura e pela sensualidade, também se ocupavam de passatempos mais brutais. A cidade tinha um longo histórico de revoltas nas ruas.[268] Os problemas sociais, as diferenças religiosas e as lutas pelo poder explodiam em forma de brigas tumultuosas e sangrentas ao ar livre. Podemos imaginar que era algo semelhante aos bairros assolados por violentas batalhas urbanas que Scorsese nos mostra no filme *Gangues de Nova York*.

Na capital egípcia estavam se materializando as convulsões de uma grande crise imperial romana. Por alguma misteriosa lei de reincidência, certos territórios estão constantemente recebendo descargas das tensões mundiais e de conflitos que ninguém consegue resolver. A região do Levante sempre foi, desde tempos remotos, um desses para-raios geopolíticos.

Pelas artérias de Alexandria circulavam exaltados líderes de diversos credos (judeus, pagãos e cristãos — que por sua vez se dividiam em facções em conflito: nicenos, arianos, origenianos, monofisistas e outros). Eram habituais as agressões mútuas, numa rivalidade de variáveis combinatórias. Entretanto, nem tudo ali era caos, fúria e barulho. Por baixo daquela violência confusa estava sendo gerada uma enorme mudança histórica. No começo do século, o imperador Constantino legalizou o cristianismo e, no ano 391, Teodósio promulgou uma série de decretos que proibiam os sacrifícios públicos pagãos e determinavam o fechamento dos principais centros de culto. Ao longo dessas décadas vertiginosas, perseguidos e perseguidores trocaram de papéis. Nada voltaria a ser como antes: o Estado tinha se convertido à nova fé e estava empreendendo a demolição do paganismo.

O museu e a biblioteca filial do Serapeu foram os centros nevrálgicos das batalhas religiosas. Os dois prédios também eram santuários e seus bibliotecários, sacerdotes. Os intelectuais que trabalhavam nas duas instituições compunham um *thíaso*, ou seja, uma comunidade de culto às musas — as nove deusas que protegiam a criação humana. A jornada de trabalho transcorria entre estátuas de divindades, altares e outros símbolos litúrgicos do culto pagão, pois os Ptolomeus mantiveram a antiga tradição oriental de guardar os livros no interior de templos. A continuidade das bibliotecas, criadas a serviço da cultura clássica pagã, não seria fácil sob um regime que a perseguia.

O Serapeu, templo do deus Serápis que hospedava a biblioteca irmã, era uma das maravilhas arquitetônicas de Alexandria. Com seus elegantes pátios dotados de pórticos, seus deuses esculpidos, suas obras de arte e sua pompa antiquada, era um lugar de devoção e encontro para os pagãos que estavam perdendo a disputa histórica. Estes se reuniam ali, como veteranos de uma guerra esquecida, para resmungar, alimentar a nostalgia e proclamar — como se faz em todas as épocas — que os tempos passados eram melhores.

No ano 391, tudo voou pelos ares.

O bispo Teófilo, líder espiritual da comunidade cristã alexandrina, impôs com violência os decretos do imperador Teodósio. Grupos de zelotes cristãos começaram a perseguir os pagãos. O pânico e o ódio carregavam a atmosfera de uma perigosa eletricidade. Nesse momento de tensão extrema, um escândalo desestabilizou a situação. Durante as obras de reforma de uma basílica cristã, construída sobre a capela do deus Mitra, os operários encontraram diversos objetos dos mistérios pagãos. O patriarca Teófilo mandou que esses símbolos secretos do culto fossem exibidos em uma procissão pelo Centro da cidade. Podemos ter uma ideia do impacto desse gesto lembrando do provocador passeio de Ariel Sharon pela Esplanada das Mesquitas que, apenas duas décadas atrás, acendeu a chama da Segunda Intifada. Os alexandrinos pagãos — e em particular os professores de filosofia, como especificam as fontes —, vendo suas crenças profanadas e expostas às zombarias da multidão, atacaram os cristãos com ferocidade. As ruas se tingiram de sangue. Temendo as possíveis represálias, os amotinados correram para o Serapeu e se entrincheiraram nas dependências do santuário. Como escudo, tinham capturado reféns cristãos e, uma vez lá dentro, os obrigaram a se ajoelhar diante dos velhos deuses ilegalizados. Do outro lado das barricadas, uma multidão armada com tochas cercava o templo.

O cerco terminou após alguns dias de tensão. Quando já parecia impossível, o massacre foi evitado. Chegou uma carta do imperador que reconhecia como mártires os cristãos mortos no tumulto, perdoava os pagãos rebeldes e mandava destruir as imagens do Serapeu, como exigia a nova legislação religiosa. Um destacamento de soldados romanos e um reforço de aguerridos monges anacoretas que vieram do deserto entraram no santuário, despedaçaram a famosa estátua de mármore, marfim e ouro do deus Serápis — que depois uma multidão enfurecida arrastou pedaço por pedaço até o teatro, para queimar em público — e destruíram as instalações. Sobre os restos do prédio foi construída uma igreja.

O desmembramento da estátua de Serápis e a pilhagem do templo chocaram os pagãos do Egito, mesmo os que não eram particularmente devotos.[269] Havia ocorrido uma coisa mais grave, mais definitiva do que a profanação de um altar antigo e o ataque a uma valiosa coleção de livros. Interpretaram aquilo como uma sentença coletiva. Perceberam que todos eles, com seu politeísmo hedonista, sua paixão filosófica e sua bagagem de clássicos, tinham sido jogados na sarjeta da história.

Ainda nos comove a voz de um desses exilados no tempo, o professor e poeta pagão Páladas. Ele nasceu e morreu em Alexandria, na passagem do século IV para o século V. Seu profundo desarraigamento está vivo em seus epigramas — cerca de 150 — conservados na *Antologia grega*. Páladas viu a cidade, fundada por Alexandre Magno para ser a síntese entre o Oriente e o Ocidente, ferver agitada pelos distúrbios sangrentos e pela intransigência. Viu as ruínas de seus deuses vencidos. Testemunhou a destruição da biblioteca[270] e o brutal assassinato de Hipátia — a quem chamou em seus versos de "estrela imaculada da sabedoria".[271] Soube da invasão dos hunos e da entrada dos bárbaros germanos em Roma. Quando o lemos hoje, ficamos impressionados com seu testemunho atualíssimo de outro apocalipse. Após o trauma do Serapeu, Páladas escreveu seu desconsolado poema "Espectros": "Não é verdade, gregos, que na profunda noite, enquanto tudo mergulha no abismo, vivemos apenas na aparência, imaginando que um mero sonho é vida? Ou por acaso estamos vivos quando a vida morreu?"

O último hóspede do museu foi o matemático, astrônomo e músico Téon, na segunda metade do século IV.[272] É difícil imaginar o que ainda restava do velho esplendor da instituição nessa época, mas Téon tentou salvar os rescaldos. Em meio a ferozes batalhas de rua e lutas sectárias, ele se dedicou a prever eclipses solares e lunares e a preparar a edição definitiva dos *Elementos*, de Euclides. Também instruiu sua filha, Hipátia — cujo nome significa "a maior" —, em ciência e filosofia, como se tivesse nascido homem. Ela colaborou com o trabalho do pai e, na opinião de seus contemporâneos, chegou a superá-lo em brilho intelectual.

Hipátia decidiu dedicar sua vida ao estudo e ao ensino. Nunca quis se casar, certamente para manter sua independência — e não por amor à virgindade, como supõem as fontes. Embora suas obras — com exceção de breves fragmentos — tenham se perdido no caos desses séculos turbulentos, sabemos que escreveu sobre geometria, álgebra e astronomia. Reuniu à sua volta um grupo muito seleto de alunos que acabariam ocupando postos importantes entre as elites do poder do Egito. Por influência de suas crenças gnósticas — e de seus preconceitos aristocráticos —, não aceitava em seu círculo pessoas de nível inferior, incapazes de entender suas excelsas doutrinas. Tudo indica que Hipátia era classista, mas não sectária. Não praticava o paganismo, simplesmente o considerava um elemento entre outros na paisagem cultural grega que era a sua. Entre seus discípulos havia cristãos — dois deles se tornaram bispos, como Sinésio de Cirene —, pagãos e ateus filosóficos. Hipátia estimulava a amizade entre todos. Mas, infelizmente, estava começando uma dessas épocas em que os moderados, os que preferem uma reflexão pausada, os conciliadores — aqueles que os exaltados chamam de frouxos — são um alvo fácil, longe da proteção das fileiras cerradas.

Até o seu trágico final, Hipátia conseguiu viver segundo as próprias regras e com uma insólita liberdade. Na juventude, era uma mulher extremamente atraente, mas com ideias muito claras em relação aos homens. Contam que um aluno, loucamente apaixonado por ela, lhe propôs casamento. Hipátia, seguidora de Platão e Plotino, explicou a ele que só aspirava ao elevado mundo das ideias, que não sentia atração pelos prazeres baixos e canalhas da matéria etc. Como o pretendente continuava com um joelho apoiado no chão, ela optou por um insólito — e escatológico — gesto para fechar-lhe a boca. Conhecemos o episódio graças a Damáscio, diretor da escola neoplatônica de Atenas, que descreve a surpreendente cena à sua maneira, oscilando entre a repugnância e a admiração: "Ela pegou uns panos que tinha manchado de menstruação e disse: 'É isto que você ama, jovem, e não é nada belo.' O rapaz ficou tão envergonhado e assustado com essa horrível visão que houve uma mudança em seu coração e imediatamente se tornou um homem melhor."[273] Porque esta é a moral da história: assustado com o pano, o aluno de Hipátia deixou de amar a podridão dos corpos e persistiu, por meio da filosofia, buscando a perfeição da beleza em si.

Hipátia, por sua vez, manteve-se solteira, sem perder o foco de suas paixões intelectuais. Ex-professora de muitos dirigentes da cidade, ela intervinha na vida pública e as autoridades municipais alexandrinas a respeitavam. Todos sabiam que os altos funcionários buscavam seus conselhos, e assim a influência política daquela mulher tão segura de si começou a despertar invejas. Circulavam boatos caluniosos sobre seus supostos poderes mágicos. Na certa, o interesse que tinha por astronomia e matemática devia ocultar um fundo mais sinistro: bruxaria e feitiços satânicos.[274]

Num ambiente cada vez mais rarefeito, o governador Orestes, cristão moderado, rompeu relações com o bispo Cirilo, sobrinho de Teófilo. A atmosfera explosiva daquele infeliz ano 415 está bem retratada no filme *Ágora*, embora Hipátia, que de fato continuava lecionando, já devesse beirar os 60 anos na época. Havia eclodido uma nova onda de distúrbios em Alexandria, dessa vez entre cristãos e judeus. Ocorreram os costumeiros episódios de violência no teatro, nas ruas e às portas de igrejas e sinagogas. Cirilo exigiu a expulsão da numerosa colônia judaica da cidade. Orestes, com o apoio de Hipátia e da intelectualidade pagã, se negou a aceitar essa ingerência do patriarca. Nas ruas se dizia que ela era a verdadeira causa da discórdia entre Orestes e Cirilo.

Uma multidão exaltada, sob as ordens de um tal Pedro, seguidor de Cirilo, sequestrou Hipátia em plena Quaresma, acusando-a de ser uma bruxa. Ela tentou se defender e gritou quando os agressores se precipitaram sobre sua liteira, mas ninguém se atreveu a ajudá-la. Os fanáticos conseguiram arrastá-la, sem qualquer oposição, até a Igreja de Cesário, que no passado havia sido um templo dos deuses da antiga religião. Ali, diante de todos, começaram a golpeá-la brutalmente com cacos de cerâmica. Arrancaram-lhe os olhos e a língua. Depois de morta, levaram seu corpo para fora da cidade, extraíram os órgãos e os ossos e, por fim, queimaram os restos em uma pira. Destruíram com fúria o cadáver dela, tentando aniquilar por completo o que Hipátia representava como mulher, como pagã e como mestra.

As fontes não coincidem quanto ao grau de responsabilidade de Cirilo como instigador do crime. As provas do que hoje chamaríamos autoria intelectual são sempre muito duvidosas, mas as suspeitas recaíram imediatamente sobre ele. Não se realizou uma investigação real. Orestes foi mandado para um novo destino e esses acontecimentos terríveis ficaram impunes. Poucos anos depois, outra turba assassinou o sucessor de Orestes no governo. Hoje Cirilo é considerado santo pelas Igrejas católica, ortodoxa, copta e luterana.[275]

O linchamento de Hipátia marcou a destruição de uma esperança. O museu e seu sonho de reunir todos os livros e todas as ideias do mundo haviam sucumbido no brutal ringue dos distúrbios alexandrinos. A partir de então, a Grande Biblioteca deixou de ser mencionada, como se a sua grande coleção tivesse desaparecido para sempre.

Não sabemos o que aconteceu com os restos do naufrágio durante esses séculos de silêncio. As bibliotecas, as escolas e os museus são instituições frágeis, que não podem sobreviver por muito tempo em um ambiente de violência. Na minha imaginação, a antiga Alexandria se tinge com a tristeza de tantas pessoas mansas, cultas, pacíficas, que se sentiram apátridas na própria cidade diante do horror, já sem justificativa, dos anos de fanatismo. Páladas, aquele velho professor de letras, escreveu: "Passei a vida inteira conversando com os defuntos na paz dos livros. Tentei difundir a admiração numa época desdenhosa. Do princípio ao fim, fui somente o cônsul dos mortos."[276]

82

Quando já não esperávamos mais notícias, a biblioteca reaparece pela última vez em duas crônicas árabes. Agora, o ponto de vista do relato não é pagão nem cristão, mas muçulmano, o que nos obriga a dar um pulo no tempo até o vigésimo ano da Hégira, ou seja, 642 da Era Cristã. "Conquistei Alexandria, a grande cidade do Ocidente, pela força e sem tratado", escreve o comandante Amr ibn al-As numa carta ao segundo sucessor de Maomé, o califa Omar I.[277] Depois de dar essa feliz notícia, Amr faz um inventário das riquezas e belezas da cidade: "Conta com 4 mil palácios, 4 mil banhos públicos, 400 teatros ou lugares de diversão, 12 mil comércios de frutas e 40 mil tributadores hebreus."

O cronista e pensador Ali ibn al-Kifti e o doutor Abd al-Latif afirmam que, alguns dias depois, um velhíssimo erudito cristão pediu autorização ao comandante muçulmano para ter acesso aos livros da Grande Biblioteca confiscados durante a invasão.[278] Amr ouviu com curiosidade as informações que aquele ancião lhe dava sobre o antigo esplendor do museu e da sua coleção arrasada pelo tempo, mas, ainda assim, valiosa. Amr, que não era um guerreiro inculto, entendia a importância daquele tesouro empoeirado e comido pelas traças, mas não se atreveu a dispor livremente dele: preferiu enviar outra missiva pedindo instruções a Omar.[279]

Antes de continuar, preciso fazer uma advertência. É verdade que Amr conquistou Alexandria no ano 640, e o quadro geral dos fatos também parece verídico, mas muitos especialistas pensam que Ali ibn al-Kifti e Abd al-Latif inventaram a história desse trágico fim da Grande Biblioteca. Os dois escreveram vários séculos depois dos fatos e, aparentemente, tinham interesse em desacreditar a dinastia do califa Omar ante o culto sultão Saladino. Talvez qualquer semelhança entre este relato e a realidade seja mera coincidência — ou talvez não.[280]

Uma carta levava, em média, doze dias de navegação e mais um trecho equivalente por terra para chegar à Mesopotâmia. Amr e o velho esperaram pela resposta do califa durante um mês. Enquanto isso, o comandante quis visitar a biblioteca. Foi guiado por uma rede de ruelas estreitas e vias imundas até um palácio, em estado avançado de abandono, protegido por um grupo de militares. Lá dentro, seus passos faziam eco; quase se podia ouvir o sussurro de todas aquelas palavras adormecidas. Os manuscritos estavam dispostos em prateleiras como grandes crisálidas em seus casulos de poeira e teias de aranha. "Convém, disse o ancião, que os livros sejam conservados e protegidos até o fim dos tempos pelos soberanos e seus sucessores."

Amr gostou da conversa do velho e passou a visitá-lo diariamente. Ouviu de seus lábios, como se fosse um conto de *As mil e uma noites*, a incrível história do rei grego que queria ter em seu palácio um exemplar de todos os livros do mundo e das buscas do seu diligente servo Zamira — como Ibn al-Kifti denominava Demétrio de Faleros — pela Índia, Pérsia, Babilônia, Armênia e outros lugares.

O enviado de Omar finalmente voltou a Alexandria com a resposta do califa. Amr leu a mensagem com o coração na mão. "Quanto aos livros da biblioteca, eis minha resposta: se o seu conteúdo coincidir com o Corão, são supérfluos; e, se não, são sacrílegos. Proceda e destrua-os."

Decepcionado, Amr obedeceu. Distribuiu os livros pelas 4 mil casas de banho públicas de Alexandria, onde foram utilizados como combustível nas estufas. Contam que aquele tesouro de imaginação e sabedoria levou seis meses para ser queimado. Só foram perdoados os livros de Aristóteles. No vapor daqueles banhos, a última utopia do seu discípulo Alexandre foi incendiada, crepitando até o silêncio das cinzas sem voz.

83

Depois de consumir doze anos de obras e 120 milhões de dólares, em outubro de 2002 foi inaugurada, com pompas espetaculares, a nova Biblioteca de Alexandria, no mesmo enclave onde se localizava a sua antepassada. O edifício representa o astro do saber iluminando o mundo; tem uma imensa sala de leitura, articulada em sete andares com um teto único, formado por milhares de painéis coloridos que modulam a luz solar durante o dia. O presidente do Egito e cerca de 3 mil dignitários de todo o mundo assistiram à cerimônia. Os discursos inaugurais proclamaram, com a ênfase adequada, que era um momento de orgulho para a população egípcia; que aquele antigo espaço de diálogo, entendimento e racionalidade estava renascendo; que ali se daria impulso ao espírito crítico. E certificaram a ressurreição das glórias passadas. Mas os fantasmas da intransigência, teimosos, também compareceram. O repórter da BBC que cobriu as comemorações procurou entre as prateleiras recém-inauguradas os livros do escritor egípcio Naguib Mahfouz, proibido pelas autoridades religiosas do país. Não encontrou nenhum. Quando perguntaram por essa ausência a um funcionário, ele respondeu: "Os livros difíceis serão adquiridos aos poucos."[281] O sonho louco daquele jovem macedônio prossegue em sua batalha interminável contra os velhos preconceitos.

84

As três destruições da Biblioteca de Alexandria podem parecer confortavelmente antigas, mas infelizmente a aversão aos livros é uma tradição muito enraizada em nossa história. A devastação nunca deixou de ser tendência. Como dizia uma tirinha do cartunista El Roto: "As civilizações envelhecem; as barbáries se renovam."

De fato, o século XX foi palco de uma horripilante biblioclastia (as bibliotecas bombardeadas nas duas guerras mundiais, as fogueiras nazistas, os regimes censores, a Revolução Cultural Chinesa, os expurgos soviéticos, a Caça às Bruxas, as ditaduras na Europa e na América Latina, as livrarias queimadas ou atacadas com bombas, os totalitarismos, o *apartheid*, a ambição messiânica de certos líderes, os fundamentalismos, os talibãs ou a *fatwa* contra Salman Rushdie, entre outros subcapítulos da catástrofe). E o século XXI já começou com o saque, consentido pelas tropas norte-americanas, de museus e bibliotecas no Iraque, onde a escrita caligrafou o mundo pela primeira vez.

Escrevo este capítulo durante os últimos dias de agosto, exatamente 25 anos depois do selvagem ataque à Biblioteca de Sarajevo. Na época eu era menina, e na minha memória essa guerra significou o descobrimento do mundo lá fora, maior — e também mais sombrio — do que eu tinha imaginado. Eu me lembro de que, nesse verão, comecei a me interessar por aqueles livros farfalhantes dos adultos que antes não me importavam. Sim, foi nessa época que li meus primeiros jornais, segurando-os de braços abertos em frente ao rosto, como os espiões dos desenhos animados. As primeiras notícias, as primeiras fotografias que me causaram impacto foram as daqueles massacres do verão de 1992. Ao mesmo tempo, nós vivíamos na Espanha a euforia e a glória das Olimpíadas de Barcelona, da Exposição Universal de Sevilha e do súbito triunfalismo de um país apressadamente moderno e rico. Sobrou pouco daquele sonho hipnótico, mas a paisagem de uma Sarajevo cinzenta e crivada de balas continua nas minhas retinas. Lembro-me de uma manhã, no colégio, quando nossa professora de ética nos mandou fechar os cadernos — éramos apenas três ou quatro crianças — e propôs, de surpresa, que conversássemos sobre a guerra na ex-Iugoslávia. Já esqueci o que dissemos, mas nessa hora nos sentimos adultos, importantes e a um passo de nos tornarmos qualificados especialistas em relações internacionais. Eu me recordo de que um dia abri um atlas e viajei com a ponta do dedo indicador da minha Zaragoza até Sarajevo. Pensei que os nomes das duas cidades tinham a mesma melodia. Lembro-me das imagens da biblioteca ferida pelas bombas incendiárias. Uma fotografia de Gervasio Sánchez — em que um feixe de sol atravessa aquele átrio destroçado e acaricia os escombros amontoados e as colunas mutiladas — é o ícone daquele mês de agosto estilhaçado.

O escritor bósnio Ivan Lovrenović conta que, numa longa noite de verão, Sarajevo brilhou com o fogo que brotava de Vijecnica, o imponente edifício da Biblioteca Nacional às margens do rio Miljacka.[282] Primeiro, 25 obuses incendiários atingiram o telhado, embora o prédio estivesse assinalado com bandeiras azuis para indicar sua condição de patrimônio cultural. Quando as chamas — diz Ivan — atingiram proporções dignas de Nero, começou um bombardeio maníaco e incessante para impedir o acesso a Vijecnica. Das colinas que cercam a cidade, franco-atiradores disparavam contra os moradores de Sarajevo, magros e esgotados, que saíam de seus refúgios para tentar salvar os livros. A intensidade dos ataques não permitiu que os bombeiros se aproximassem. Então as colunas mouriscas do edifício cederam e as janelas estouraram, deixando sair as chamas. Ao amanhecer, haviam ardido centenas de milhares de volumes — livros raros, documentos da cidade, coleções inteiras de publicações, manuscritos e edições únicas. "Aqui não sobrou nada", disse Vkekoslav, um bibliotecário. "Vi uma coluna de fumaça e papéis voando para todos os lados, e queria chorar, gritar, mas fiquei ajoelhado, com as mãos na cabeça. Vou carregar pela vida toda o fardo de lembrar como queimaram a Biblioteca Nacional de Sarajevo."

Arturo Pérez-Reverte, na época correspondente de guerra, presenciou o fogo de artilharia e o incêndio. Na manhã seguinte pôde ver, no chão da biblioteca devastada, escombros de paredes e escadas, restos de manuscritos que ninguém voltaria a ler, obras de arte desmembradas: "Quando um livro se queima, quando um livro é destruído, quando um livro morre, há algo de nós mesmos que se mutila irremediavelmente. Quando um livro se queima, morrem todas as vidas que o tornaram possível, todas as vidas nele contidas e todas as vidas às quais esse livro poderia, no futuro, dar calor e conhecimentos, inteligência, prazer e esperança. Destruir um livro é, literalmente, assassinar a alma do homem."[283]

Os rescaldos arderam durante dias, fumegantes, flutuando sobre a cidade como uma nevada escura. "Borboletas pretas"[284] é como os habitantes de Sarajevo chamavam essas cinzas dos livros destruídos que caíam sobre os transeuntes e as casas bombardeadas, as calçadas, os edifícios em ruínas, e afinal se decompuseram e se misturaram com os fantasmas dos mortos.

Curiosa coincidência: o capitão dos bombeiros incendiários que conhecemos em *Fahrenheit 451* usava a mesma metáfora. Com um livro nas mãos, ele ditava suas poéticas instruções para destruí-lo: "Queime a primeira página; depois, a segunda. Cada uma se transforma numa borboleta preta. Bonito, não é?" No futuro sombrio descrito no romance de Bradbury, ler é terminantemente proibido, e todos os livros são denunciados e destruídos. As brigadas de bombeiros, em vez de apagar incêndios, os provocam e atiçam para queimar as casas que escondem esses perigosos objetos clandestinos. Existe somente um livro legal: o regulamento das próprias brigadas encarregadas de atear fogo em todos os outros. E nesse único texto permitido se lê que as brigadas foram criadas em 1790 para queimar livros ingleses nos Estados Unidos e que o primeiro bombeiro foi Benjamin Franklin. Não sobreviveu nenhum escrito que permita rebater essas afirmações, e ninguém mais as questiona. Onde se eliminam documentos e os livros não circulam livremente, é muito fácil modificar à vontade, impunemente, o relato da história.

No caso da ex-Iugoslávia, arrasar o passado era um objetivo do ódio étnico. De 1992 até o fim da guerra, 188 bibliotecas e arquivos sofreram ataques. Um melancólico relatório da Comissão de Peritos das Nações Unidas estabeleceu que na ex-Iugoslávia houve uma "destruição intencional de bens culturais que não se pode justificar por necessidade militar".[285] Juan Goytisolo, que viajou à capital bósnia atendendo ao chamado de Susan Sontag, escreveu em seu *Caderno de Sarajevo*: "Quando a biblioteca se incendiou, pasto do ódio estéril dos brutais lançadores de foguetes, foi pior do que a morte. A raiva e a dor daqueles instantes me perseguirão até o túmulo. O objetivo dos sitiadores — varrer a substância histórica desta terra para montar um templo de mentiras, lendas e mitos sobre ela — nos feriu profundamente."[286]

Sobre as cinzas dos textos incendiados pode se construir uma versão interessada dos fatos. Os livros queimados ou destroçados pelos obuses também tinham, sem dúvida, suas próprias interpretações enviesadas. As obras que fazem parte das coleções bibliotecárias e são encontradas nas prateleiras das livrarias também são parciais, muitas vezes até propagandísticas. Lembro-me da história de um livreiro londrino que, durante os meses de bombardeios nazistas, cobriu o telhado do seu estabelecimento com os exemplares de *Minha luta* que tinha à venda em sua loja.[287] Mas o que permite confiar que não haverá ângulos cegos e vai ser possível detectar as manipulações é a multiplicidade de vozes que falam, matizam e se contradizem a partir de um número incalculável de páginas. Quem aniquila bibliotecas e arquivos defende um futuro menos plural, menos discrepante, menos irônico.

A Biblioteca de Alexandria foi queimada várias vezes até sua completa aniquilação, mas nem tudo nela foi fracasso. Os séculos de esforços para salvar a herança da imaginação não foram em vão. Muitos dos livros antigos que sobreviveram até os nossos dias têm marcas textuais e símbolos que costumavam ser usados pelos filólogos alexandrinos em suas edições. Isso significa que, num percurso acidentado, chegaram às nossas mãos cópias de cópias de cópias cujo primeiro elo remonta à biblioteca perdida. Durante centenas de anos, as edições cuidadosas dos livros disponíveis em Alexandria foram copiadas e disseminadas por uma rede de bibliotecas mais modestas e coleções particulares, que alimentou uma geografia crescente de leitores.[288] Multiplicar o número de exemplares era a única — remota — possibilidade de preservar as obras. Se alguma coisa sobreviveu após as devastações foi graças a essa lenta, suave, fértil irrigação de literatura manuscrita que se propagava com enorme dificuldade e chegava a lugares recônditos, retirados, seguros; lugares modestos que nunca seriam campos de batalha. As obras que lemos até hoje ficaram nesses recessos — refúgios periféricos, marginais —, resistindo à devastação durante os séculos perigosos, enquanto as destruições, os saques e os incêndios iam aniquilando as grandes concentrações de livros, localizadas habitualmente em centros do poder.

Durante a Antiguidade greco-romana nasceu uma comunidade permanente na Europa; uma chama que, por mais que encolha, nunca é apagada por completo, uma minoria até hoje inextinguível. Desde então, ao longo do tempo, leitores anônimos conseguiram proteger, por paixão, um frágil legado de palavras. Alexandria foi o lugar onde aprendemos a preservar os livros deixando-os a salvo das traças, da oxidação, do mofo e dos bárbaros com fósforos na mão.

85

Nos suplementos literários de verão, insistem em perguntar às grandes figuras da literatura que livro levariam para uma ilha deserta. Não sei quem pensou pela primeira vez em incluir a tal ilha na pergunta, nem por qual estranho mimetismo ela permaneceu aí, exótica e incongruente, incorporada à frase. Devemos a G. K. Chesterton a melhor resposta: "Nada me deixaria mais feliz do que um livro intitulado *Manual para a construção de lanchas*." Como Chesterton, eu também preferiria fugir de um lugar assim. Não me interessa uma ilha deserta onde não exista — no mínimo — uma livraria que contenha a *Odisseia*, *Robinson Crusoé*, *Relato de um náufrago* e *Oceano mar*.

O curioso é que se pode seguir o rastro salvador dos livros em quase todos os lugares do mundo, até mesmo nos mais sinistros.[289] Como conta Jesús Marchamalo em seu feliz *Tocar los libros*, o poeta Joseph Brodsky, preso na Sibéria pelo delito de "parasitismo social", encontrou consolo na leitura de Auden; e Reinaldo Arenas, trancafiado nos cárceres castristas, na *Eneida*. Também sabemos que Leonora Carrington, internada num hospital psiquiátrico em Santander durante o imediato pós-guerra, suportou aquela situação sórdida lendo Miguel de Unamuno.[290]

Nos campos de concentração nazistas também havia bibliotecas. Elas eram alimentadas com os livros confiscados dos prisioneiros quando chegavam. As novas aquisições eram pagas com o dinheiro usurpado dos próprios. Embora a SS investisse boa parte desses recursos em tratados propagandísticos, não faltavam livros populares nem os grandes clássicos, ao lado de dicionários, ensaios filosóficos e textos científicos. Havia até volumes proibidos, com encadernações camufladas pelos prisioneiros bibliotecários. A aventura dessas bibliotecas começou em 1933, e sabemos que no outono de 1939 havia 6 mil títulos só em Buchenwald; em Dachau chegou a haver 13 mil. A SS usava as bibliotecas como adereço, para mostrar aos visitantes que, naqueles humanitários acampamentos de trabalho, eles se preocupavam até com os interesses intelectuais dos prisioneiros. Parece que nos primeiros tempos eles podiam dispor dos próprios livros, mas logo depois esse privilégio foi suprimido.

Será que os livros das bibliotecas — próximos mas inacessíveis — deram algum alívio aos prisioneiros? E, ainda mais importante: será que a cultura pode ser um bote salva-vidas para alguém submetido a maus-tratos, à fome e à morte?

Temos um testemunho contundente e visceral: *Goethe em Dachau*. Seu autor, Nico Rost, era um tradutor holandês de literatura alemã.[291] Durante a guerra, mesmo depois da invasão do seu país, ajudou a publicar autores alemães incômodos para os nazistas. Além disso, era comunista — desafio duplo. Preso em maio de 1943 e mandado para Dachau, entrou como paciente na enfermaria, onde acabaria trabalhando em tarefas administrativas. Assim escapava das extenuantes jornadas de trabalho ao ar livre ou como mão de obra escrava nas fábricas de armamentos. Mas estar na enfermaria era uma bênção perigosa. Caso reparassem em você, inválido e parasitário, era fácil ser mandado para os trens rumo ao extermínio.

Em meio à angústia, sem nenhuma informação sobre os avanços dos Aliados, dizimados por uma epidemia letal de tifo e com porções mínimas de alimento — Nico conta que um companheiro emagreceu tanto que até a dentadura postiça ficava grande —, os presos estavam cada vez mais convencidos de que não iam conseguir sobreviver. Nessas circunstâncias, Rost tomou várias decisões perigosas. A primeira foi fazer um diário: conseguia papel com enorme dificuldade, escondia-se para rabiscar algumas linhas por dia e guardava suas anotações num esconderijo. O curioso é que esse diário, publicado depois da libertação do campo, não contém um relato de suas penúrias, mas uma crônica dos seus pensamentos. Escreve: "Quem fala da fome acaba tendo fome. E os que falam da morte são os primeiros que morrem. Vitamina L (literatura) e F (futuro) me parecem as melhores provisões."[292] Escreve: "Todos nós vamos nos contagiar e, com a má nutrição, morreremos todos. Ler ainda mais." Escreve: "No fundo é verdade: a literatura clássica pode ajudar e dar forças." Cita: "Viver entre os mortos, com Tucídides, Tácito e Plutarco, em Maratona ou Salamina é, afinal de contas, o mais honroso, quando não nos permitem outra atividade."

A segunda decisão arriscada de Nico foi organizar um clube de leitura clandestino.[293] Um *Kapo* amigo e alguns médicos aceitam pedir livros na biblioteca para os membros do grupo. Quando não conseguem textos, eles mesmos recitam frases decoradas de leituras antigas e as comentam. Dão breves conferências sobre sua literatura nacional — pois pertencem a um mosaico de países europeus. Reúnem-se em pé entre as camas, disfarçando, assustados, sempre com um vigia para dar o alarme quando um alemão aparece. Certa vez, o *Kapo* que costumava fazer vista grossa se aborrece e dissolve a rodinha vociferando: "Calem a boca!

Chega de conversa! Em Mauthausen vocês seriam fuzilados por isso. Aqui não há disciplina. Parece a droga de uma creche!"

Dois membros do clube estavam escrevendo livros na cabeça: uma monografia sobre direito de patentes e uma história infantil para as crianças que vão crescer entre as ruínas. Falam de Goethe, de Rilke, de Stendhal, de Homero, de Virgílio, de Lichtenberg, de Nietzsche, de Teresa de Ávila enquanto são bombardeados e o barracão treme, enquanto a epidemia de tifo se espalha e alguns médicos deixam morrer o maior número possível de doentes para caírem nas graças dos oficiais da SS.

A morte altera constantemente a composição do clube. Nico, que aglutina e mantém o grupo, se esforça para sondar e captar os novos pacientes que vão chegando. Seus amigos o apelidam de "holandês doido que engole papel". Seu diário redigido às escondidas é um gesto de rebelião por meio da escrita e da leitura, que eram coisas proibidas. Enquanto se acumulam cadáveres, Nico se obstina em exercer seu direito de pensar. Em 4 de março de 1945, um mês antes de ser libertado — mas sem saber que a salvação está perto —, ele se sente na fronteira entre a vida e a morte. Escreve: "Eu me nego a falar de tifo, de piolhos, de fome e de frio."[294] Conhece e sofre a existência de todos esses tormentos, mas pensa que os nazistas os conceberam para desesperar e animalizar os prisioneiros. Rost não quer concentrar sua atenção na engrenagem do matadouro; ele se aferra com urgência à literatura, sem ceticismo, buscando um salva-vidas. Há algo de paradoxal nesse comunista que prega o materialismo mais radical enquanto sobrevive a condições extremas graças à fé numa ideia.

As pessoas com quem compartilha conversas e leituras são dissidentes de diversos países (russos, alemães, belgas, franceses, espanhóis, holandeses, poloneses, húngaros). Em 12 de julho de 1944, afirma: "Formamos uma espécie de comunidade europeia — ainda que por obrigação — e poderíamos aprender muito do convívio com outras nações."[295] Gosto de pensar que, na verdade, ao contrário do que contam os severos livros de história, a União Europeia nasceu em um perigoso clube de leitura atrás das cercas de um *Lager* nazista.

Para além do fim da Europa — onde quer que fique a fronteira imaginária do continente —, no *gulag* soviético, outras vozes descobriam naqueles mesmos anos o sentido da cultura quando se sente o bafo da morte. Galia Safónovna nasceu nos barracões de um campo siberiano durante os anos 1940. Sua infância transcorreu como prisioneira entre os uivos do vento, ao lado de certas minas de fama apavorante, no país das neves perpétuas. Sua mãe, uma prestigiosa epidemiologista, fora condenada a trabalhos forçados porque se negara a denunciar um colega de laboratório. Naquela prisão gélida, onde era proibido escrever mais de duas cartas por ano e papel e lápis eram sempre escassos, as prisioneiras fabricaram às escondidas, para a menina que só conhecia o *gulag*, livros artesanais costurados a mão, com desenhos trêmulos feitos na escuridão e texto rabiscado à caneta. "Como me fazia feliz cada um desses livros!", contou uma Galia já anciã à escritora Monika Zgustova. "Quando eu era criança, foram os meus únicos pontos de referência culturais. E guardei-os por toda a vida; são o meu tesouro!" Elena Korybut, que cumpriu pena durante mais de dez anos nas minas de Vorkuta, situadas em uma tundra que fica muito além do círculo polar, mostrou a Zgustova um livro de Pushkin adornado com ilustrações antigas. "No campo, esse volume de origem desconhecida passou por centenas, talvez milhares, de mãos. Ninguém pode imaginar o que um livro significava para os presos: era a salvação! Era a beleza, a liberdade e a civilização em meio à barbárie!" Em *Vestidas para um baile na neve*, seu fascinante livro de entrevistas com mulheres que sobreviveram ao *gulag*, Monika Zgustova mostra até que ponto somos criaturas sedentas de histórias, mesmo nos abismos da vida.[296] É por isso que sempre carregamos livros conosco — ou dentro de nós — para toda parte; até para os territórios do horror, como eficazes estojos de primeiros socorros contra a desesperança.

Nico, Galia e Elena não foram os únicos. Na câmara de desinfecção de Auschwitz, tiraram de Viktor Frankl um manuscrito que continha as pesquisas de toda a sua carreira, e o desejo de reescrevê-lo o prendeu à vida.[297] O filósofo Paul Ricoeur, preso pelo governo de Vichy, começou a dar aulas e a organizar a biblioteca do centro de prisioneiros. A única posse do ainda adolescente Michel del Castillo em Auschwitz foi — simbolicamente — *Ressurreição*, de Tolstói.[298] Mais tarde, ele afirmou: "A literatura constitui minha única biografia e minha única verdade." Eulalio Ferrer, filho de um dirigente socialista cantábrico, tinha apenas 18 anos quando foi mandado para um campo de prisioneiros na França. Um miliciano lhe propôs trocar um livro por cigarros.[299] Era *Dom Quixote de la Mancha*, que ele releu durante meses, "estimulado por uma leitura que se repetia e me acompanhava nas horas de alento próprio e de delírio alheio". Todos eles foram uma espécie de Sherazade e se salvaram graças ao poder da imaginação e à fé nas palavras. O próprio Frankl escreveu depois que, paradoxalmente, muitos intelectuais suportavam melhor a vida em Auschwitz, apesar de terem pior condição física do que outros prisioneiros mais robustos.[300] Afinal — diz o psiquiatra de origem judia —, sofriam menos aqueles que eram capazes de se isolar daquele ambiente terrível, refugiando-se no interior de si mesmos.

Os livros nos ajudam a sobreviver nas grandes catástrofes históricas e nas pequenas tragédias da nossa vida. Como escreveu Cheever, outro explorador do subsolo escuro: "Não temos outra consciência além da literatura... A literatura foi a salvação dos condenados, inspirou e guiou os amantes, venceu o desespero e talvez, neste caso, possa salvar o mundo."

86

O pior foi o silêncio. Na época não existia uma palavra para denominar aquilo. Você podia dizer: riem de mim na sala de aula. Ou, mais dramática: me batem na escola. Mas isso só arranhava a superfície da realidade. Não era preciso ter visão de raios X para formar na mente dos adultos um diagnóstico instantâneo: coisas de criança.

Era a revelação precoce de um mecanismo tribal, primitivo, predador. Retiraram de mim a proteção do grupo. Havia uma cerca imaginária, e eu estava fora. Se alguém me xingava ou me empurrava da cadeira, os outros não ligavam. A agressão chegou a adquirir um aspecto rotineiro, habitual, nada surpreendente. Não quero dizer que acontecia todos os dias. Às vezes, sem ninguém saber por quê, transcorriam estranhos períodos de calmaria, o ferrolho da caixa de Pandora permanecia trancado durante semanas, a trajetória das bolas no recreio deixava de apontar para mim. Até que um dia, de repente, a professora repreendia em sala de aula algum dos meus perseguidores e, na saída, em meio à gritaria das crianças impacientes para ir brincar, nos corredores pintados de azul, eles me devolviam a humilhação: cdf, filha da puta, está olhando o quê? Quer apanhar? E acabava outra vez o período de trégua.

Os perseguidores dividiam os papéis entre si: um era o líder e os outros, seus fiéis seguidores. E me davam apelidos; faziam imitações grotescas do meu aparelho dentário; jogavam bolas em mim cujo golpe seco, e o atordoamento que causava, ainda tenho a impressão de sentir; quebraram meu dedo mindinho na aula de ginástica; divertiam-se com o meu medo. Imagino que os outros nem se lembrem. Talvez, escavando na memória, dissessem: é verdade, fizemos umas brincadeiras pesadas. Pois colaboravam exatamente assim, com a indiferença.

Durante o período mais turbulento, entre meus 8 e 12 anos, havia outras marginalizadas; eu não era a única. Uma repetente, uma imigrante chinesa que mal falava o nosso idioma, uma garota exuberante com a puberdade adiantada. Éramos os exemplares mais fracos da manada, que o predador observa e isola à distância.

Muita gente idealiza a infância, faz dela um território superestimado da inocência perdida. Eu não tenho qualquer recordação dessa suposta inocência das outras crianças. Minha infância é uma estranha barafunda de avidez e medo, de fraqueza e resistência, de dias tenebrosos e alegrias eufóricas. Estão lá as brincadeiras, a curiosidade, as primeiras amigas, o amor visceral dos meus pais. E a humilhação cotidiana. Não sei como se encaixam essas duas partes fraturadas da minha experiência. A memória as arquivou em pastas separadas.

Mas o pior, insisto, foi o silêncio. Aceitei o código vigente entre as crianças, aceitei a mordaça. Todo mundo sabe, a partir dos 4 anos, que dedurar é muito feio. O dedo-duro é um cagão, um mau colega, merece uma surra. O que acontece no pátio fica no pátio. Não se conta nada aos adultos — ou, eventualmente, só o mínimo imprescindível para que eles não pensem em intervir. Os arranhões? Eu fazia sozinha. Perdia as coisas que, na verdade, tinham me roubado e apareciam flutuando na água amarelada do fundo do vaso. Internalizei que o único resquício de dignidade ao meu alcance era resistir, calar a boca, não chorar na frente dos outros, não pedir ajuda.

Não sou um caso isolado. A violência entre crianças, entre adolescentes, transcorre sob a proteção de uma barreira de silêncio opaco. Durante anos me senti reconfortada por não ter sido a delatora da sala, a dedo-duro, a covarde. Não ter caído tão baixo. Por autoestima mal entendida, por vergonha, obedeci à norma: certas coisas não se contam. Querer ser escritora foi uma rebelião tardia contra essa lei. Mas as tais coisas que não se contam são justamente aquelas que é obrigatório contar. Decidi, então, me transformar na delatora que tanto temia ser. A raiz da escrita muitas vezes é obscura. E esta é a minha escuridão. Ela alimenta este livro, e talvez tudo o que escrevo.

Durante esses anos humilhantes, além da minha família, recebi ajuda de quatro pessoas que nunca vi: Robert Louis, Michael, Jack, Joseph. Depois, vim a descobrir que são mais conhecidos pelos sobrenomes: Stevenson, Ende, London e Conrad. Graças a eles aprendi que meu mundo é apenas um dos muitos mundos simultâneos que existem, incluindo os imaginários. Graças a eles descobri que podia armazenar as fantasias acolhedoras e guardá-las em minha biblioteca interna para ter um refúgio quando o granizo aumentasse lá fora. Essa revelação mudou minha vida.

Vasculho meus papéis antigos em busca de um conto intitulado "As tribos selvagens", que escrevi nos meus primeiros anos de exploração literária. Quando o releio, tanto tempo depois, me deparo com uma escrita de novata, mas desisto de meter o bisturi. É um estranho exercício de arqueologia pessoal, cavar até um estrato do passado em que a proximidade dos fatos ainda me protegia dos filtros bem-intencionados e trapaceiros da memória. E entre suas linhas inexperientes descubro que eu também, na minha pequena tragédia, encontrei o salva-vidas dos livros.

Eu era a capitã do navio. Estou no convés quando escuto um grito. Terra à vista! Vou até a proa e empunho a luneta. Na ilha há palmeiras e coqueiros e pedras de formas estranhas. A ilha do tesouro! Timoneiro, três graus a estibordo. Abaixem as velas. Atracamos. Vou explorar sozinha a ilha porque a tripulação toda está com medo. Os marinheiros contam histórias terríveis sobre os selvagens que habitam a ilha.

— O que você está fazendo aí?
— Ela está comendo um sanduíche. Precisa comer muito para ser a mais esperta e saber tudo.
— Pega. Ei, olha, é um sanduíche de queijo.
— Está bom?
— Pst. Vem ver. Agora, sim, vai ficar bom.
— Isso foi legal.
— Toma, cospe você também, assim.
— Agora devolve. Para ela comer.
— Isso, come. Vamos, come logo, queremos ver. Não vai começar a chorar.
— Não, ela não vai chorar. Todo mundo diz que é esperta. Vai comer tudo e não vai dedurar ninguém.

Encontro uma tribo e junto coragem. Tinha que acontecer! É melhor não irritá-los. Na sua língua me chamam de diabo branco e ardiloso. Agora me levam aos seus chefes. São dois. Eles me convidam para comer sua comida, senão me matam. Podem ser amistosos e podem ser muito cruéis. Vejo em volta os esqueletos das suas vítimas. Primeiro me servem minhocas vivas na folha grande de uma planta tropical. Meu estômago se revira de nojo, mas tenho que suportar aquilo e

267

afinal mastigo. Em seguida, engulo. Como tudo. Eles riem de alegria e me deixam ir embora. Salva! Segundo o mapa, a aldeia da tribo fica perto do esconderijo do tesouro. Chego a uma caverna de paredes úmidas e irregulares, avanço com cautela porque pode haver armadilhas. Depois de passar vários dias perambulando pelos corredores escavados na rocha, encontro o tesouro exatamente quando escuto a sirene que avisa que o recreio acabou.

ASSIM COMEÇAMOS A SER TÃO ESTRANHOS

87

De fato somos bastante estranhos, e, como diz Amelia Valcárcel, foram os gregos que começaram a ser estranhos como nós.[301] Em Alexandria aconteceram — pela primeira vez e em grande escala — algumas esquisitices que hoje fazem parte do nosso cotidiano. O que os Ptolomeus materializaram em sua capital do Nilo é uma ideia ao mesmo tempo assombrosa e familiar para nós. Depois da revolução tecnológica que a escrita e o alfabeto significaram, os sucessores de Alexandre colocaram em marcha um ambicioso projeto de acumulação de conhecimentos e acesso ao saber. O museu atraiu os melhores cientistas e inventores da época com a promessa de que poderiam dedicar a vida à pesquisa — e também apelava para os bolsos de suas túnicas, com o estímulo da isenção de impostos. A Grande Biblioteca e sua filial no Serapeu derrubaram as cercas que mantinham sob vigilância todas as ideias e todas as descobertas. A atmosfera eletrizante em torno daqueles rolos escritos e seu acúmulo na gigantesca biblioteca deve ter sido algo similar à explosão criativa que a internet e o Vale do Silício significam hoje.

E mais: os encarregados da biblioteca desenvolveram sistemas eficazes para se orientar em meio a toda aquela informação que começava a transbordar dos diques da memória. Inventar métodos como o sistema alfabético de ordenação e os catálogos, e formar o pessoal que cuidaria dos rolos — filólogos para corrigir os erros nos livros, amanuenses para multiplicá-los, bibliotecários pedantes e risonhos para guiar os não iniciados pelo labirinto virtual dos textos escritos —, foi um passo tão importante quanto inventar a escrita. Muitos sistemas de escrita surgiram de forma independente, em culturas distantes entre si no tempo e no espaço, mas relativamente poucos conseguiram sobreviver. Os arqueólogos descobriram numerosos vestígios de línguas esquecidas que se extinguiram porque não tinham métodos eficazes para catalogar seus textos e otimizar as buscas. De que adianta acumular documentos se a desordem os embaralha e as informações necessárias em cada momento são como agulhas em infinitos palheiros? O que distinguiu a Grande Biblioteca em sua época, tal como hoje a internet, foram suas técnicas simplificadas e avançadíssimas para encontrar o fio certo na caótica meada da sabedoria escrita.

Organizar a informação continua sendo um desafio fundamental no tempo das novas tecnologias, como já era na época dos Ptolomeus. Não é por acaso que em vários idiomas — francês, catalão e espanhol — chamamos nossos aparelhos informáticos exatamente de "ordenadores", e não de "computadores". Foi um professor de línguas clássicas da Sorbonne, Jacques Perret, que em 1955 propôs aos diretores franceses da IBM, pouco antes de lançarem as novas máquinas no mercado, substituir a palavra anglo-saxônica *computer*, que alude apenas às operações de cálculo, por *ordinateur*, que incide na função — muito mais importante e decisiva — de ordenar os dados.[302] A história das peripécias tecnológicas desde a invenção da escrita até a informática é, no fundo, a crônica dos métodos criados para dispor do conhecimento, arquivá-lo e recuperá-lo. O caminho de todos esses avanços contra o esquecimento e a confusão — que começou na Mesopotâmia — atingiu o apogeu na Antiguidade com o palácio dos livros de Alexandria e serpenteia sinuosamente até as redes digitais de hoje.

Os reis colecionadores deram outro passo anômalo e genial: traduzir. Até então, ninguém havia encarado um projeto de tradução universal com uma curiosidade tão ampla e tamanha profusão de meios.

Herdeiros da ambição de Alexandre, os Ptolomeus não se conformaram em cartografar o mundo inexplorado; quiseram abrir caminho até a mente dos outros. E isso foi um passo decisivo, porque a civilização europeia se construiu por meio de traduções — do grego, do latim, do árabe, do hebraico, dos diversos idiomas de Babel. Sem traduções, nós seríamos outros. Os habitantes de cada região de uma Europa cortada por montanhas, rios, mares e fronteiras linguísticas teriam ignorado os achados alheios, e as nossas limitações teriam nos isolado ainda mais. É impossível que todos conheçam cada um dos idiomas falados pela literatura e o saber, e infelizmente a maioria das pessoas não é capaz de irradiar a capacidade de falar línguas. Mas o nosso antigo hábito de traduzir construiu pontes, amalgamou ideias, deu início a uma conversa polifônica infinita e nos protegeu dos piores perigos do nosso chauvinismo provinciano, ensinando-nos que nossa língua é apenas mais uma — e, na verdade, mais de uma.

O ato de traduzir, que todos consideramos evidente, tem aspectos misteriosos. Em *A invenção da solidão*, Paul Auster reflete sobre essa experiência quase mágica, um verdadeiro jogo de espelhos. Os meandros dessa atividade sempre o intrigaram porque, durante muitos anos, o escritor ganhou a vida traduzindo livros de outros escritores. Ele se sentava diante da escrivaninha, lia um livro em francês e, depois, com esforço, escrevia o mesmo livro em inglês. Na verdade, é e não é o mesmo livro, por isso a tarefa nunca deixou de surpreendê-lo. Há uma fração de segundo em que qualquer tradução beira a vertigem, o inquietante encontro cara a cara com o próprio duplo, o desconcerto quântico da superposição de estados. Auster se senta diante de sua mesa para traduzir o livro de outra pessoa e, embora só haja uma presença no recinto, na verdade há duas. Ele se imagina uma espécie de fantasma vivo de outra pessoa — muitas vezes, morta —, que está e não está ali, cujo livro é e não é o que ele está traduzindo naquele momento. Então, diz para si mesmo que é possível estar sozinho e não estar ao mesmo tempo.[303]

A transferência de línguas é filha de um conceito que, em grande medida, Alexandre inventou e ainda hoje chamamos por um nome grego:

o cosmopolitismo. A melhor parte do sonho megalomaníaco de Alexandre — sua realização, como em qualquer utopia que se preze, claudicou de maneira evidente — consistia em gerar uma união duradoura de todos os povos da *oikoumene*, criando uma nova forma política capaz de garantir paz, cultura e leis a todos os seres humanos. Plutarco escreveu: "Alexandre não tratou os gregos como caudilhos e os bárbaros despoticamente, como Aristóteles o havia aconselhado, nem se comportou com os outros como se fossem plantas ou animais. Pelo contrário, mandou que todos considerassem o mundo como a própria pátria, parentes os bons e estranhos os maus."[304] Trata-se aqui, sem dúvida, de um resumo hagiográfico que esconde cuidadosamente os aspectos mais escabrosos da aventura imperial grega. Ainda assim reflete, através de um prisma deformado, o excepcional processo de globalização iniciado por Alexandre.

O projeto de criar um reino que se estendesse até os limites do mundo habitado morreu com o jovem macedônio, mas suas conquistas abriram um espaço ampliado de relações humanas. A civilização helenística foi, de fato, a maior rede de intercâmbios culturais e mercantis que o mundo havia conhecido até então. E as novas cidades, fundadas por Alexandre e por seus sucessores como celebração viva de sua glória, inauguraram uma forma de viver inovadora no crepúsculo da civilização clássica. Enquanto, na Grécia europeia, a existência ainda transcorria segundo as pautas tradicionais, nas ruas aglomeradas das grandes cidades alexandrinas do Oriente Médio e da Ásia Menor a mixórdia cotidiana de gente com origens, costumes e crenças variadas abriu o caminho para híbridos bastante ousados.

Muitos estudiosos acreditam que quem melhor encarnou os novos horizontes do helenismo foi Eratóstenes, convocado no século III a.C. pelo rei Ptolomeu III para dirigir a Biblioteca de Alexandria. O novo diretor retificou o antigo mapa geográfico a partir das informações trazidas pela expedição de Alexandre. Segundo o pesquisador Luca Scuccimarra, "Eratóstenes exprimiu, com uma clareza sem precedentes, o reconhecimento pleno da diversidade étnica e linguística do gênero humano".[305] A Alexandria que esse novo cartógrafo da realidade global conheceu era uma projeção do mundo futuro: uma cidade grega na África, a mais extraordinária das Babéis, o mais prodigioso ponto de contato entre as ideias, artes e crenças do nosso velho mundo.

Ali, à beira do Mediterrâneo, nasceu a primeira cultura que queria acolher os saberes de toda a humanidade. Essa fantástica ambição era herdeira do desejo de entrar em contato com os outros, a que Heródoto dedicou sua vida e que instigou Alexandre em seu galope rumo aos limites da Terra. Como lembra o professor George Steiner, Heródoto levantou a questão quando disse: "Todo ano enviamos nossos navios à África com grande ameaça às vidas e grandes gastos para perguntar: Quem sois? Como são vossas leis e vossa língua? Eles nunca enviaram um navio para vir perguntar-nos."[306] O helenismo poliu e ampliou a ideia de uma viagem de conhecimento de duas formas: o deslocamento físico — em caravanas, barcos, carroças, lombo de cavalgaduras — e o trajeto imóvel do leitor que espreita a imensidão do mundo ao percorrer os caminhos de tinta de um livro. Alexandria, representada pelo farol e pelo museu, foi o símbolo dessa dupla caminhada. Na cidade-crisol, encontramos as bases de uma Europa que, com suas luzes e suas sombras, suas tensões e seus desvarios, e até com sua periódica inclinação à barbárie, nunca perdeu a sede de conhecimento nem o impulso de explorar. Em *Visión desde el fondo del mar*, Rafael Argullol pede para si mesmo um epitáfio simples, composto de uma só palavra: "Viajou!"[307] E diz: "Eu viajei para fugir e tentar me ver a partir de outro ponto de vista. Quando você consegue se ver de fora, encara a existência com mais humildade e perspicácia do que quando, como um tolo açulado por outros tolos, considerava seu eu o melhor eu, sua cidade, a melhor cidade e o que chamava de vida, a única vida concebível."

Alexandria, em sua condição ambígua de cidade grega além da Grécia e germe da Europa fora do território europeu, inaugurou esse olhar externo sobre si mesma. Durante os melhores tempos da biblioteca, e seguindo a trilha de Alexandre, pela primeira vez os filósofos estoicos se atreveram a ensinar que todas as pessoas são integrantes de uma comunidade sem fronteiras e têm obrigação de respeitar a humanidade em qualquer lugar e circunstância em que se encontrem. Pensemos na capital grega do delta como o lugar onde todo esse magma fervilhava, onde as línguas e tradições alheias começaram a ser importantes e a compreensão do mundo e do conhecimento, um território compartilhado. Nessas aspirações descobrimos um precedente do grande sonho europeu de uma cidadania universal. A escrita, o livro e sua incorporação às bibliotecas foram as tecnologias que possibilitaram essa utopia.

O mais comum é o esquecimento, o desaparecimento do legado de palavras, o chauvinismo e as muralhas linguísticas. Graças a Alexandria nos tornamos muito extravagantes: tradutores, cosmopolitas, memoriosos. A Grande Biblioteca me fascina — a mim, a pequena marginalizada do colégio de Zaragoza — porque inventou uma pátria de papel para os apátridas de todos os tempos.

II

OS CAMINHOS DE ROMA

UMA CIDADE DE MÁ REPUTAÇÃO

1

O novo centro do mundo era uma cidade de péssima reputação. Desde o início, os romanos tinham uma terrível lenda, com a particularidade de que fora inventada por eles mesmos. Para começar, um fratricídio.[1] Conta o mito que os irmãos Rômulo e Remo, netos impacientes do rei de Alba Longa, saíram de lá para fundar uma cidade naquele lendário 21 de abril do ano 753 a.C. Os dois concordaram que a localização da futura urbe seria à beira do rio Tibre, mas logo em seguida se engalfinharam numa luta pelo poder. Sendo gêmeos, nenhum dos dois tinha a vantagem da idade sobre o outro e ambos alegavam presságios divinos a seu favor — os deuses também sabem se precaver. O fato é que Remo pulou provocadoramente as muralhas que Rômulo tinha começado a construir por conta própria. Tito Lívio diz que, na briga que se seguiu, o calor das ambições levou a derramamento de sangue. Rômulo assassinou o irmão e, tremendo de raiva, gritou: "Assim morrerá qualquer um que pular estes muros." Criou, assim, um precedente útil para a futura política externa romana, que sempre aludiria, para se justificar depois de ter atacado, a uma agressão ou ilegalidade anterior da outra parte.

O passo seguinte foi organizar uma verdadeira concentração de delinquentes. A urbe recém-inaugurada precisava de cidadãos. O jovem rei, sem a menor cerimônia, declarou Roma território de asilo para criminosos e foragidos, anunciando que não seriam perseguidos dentro de seus muros.[2] Uma multidão indiscriminada de condenados e gente de passado nebuloso — conta Tito Lívio — fugiu dos territórios vizinhos e veio a se tornar os primeiros romanos. O problema mais urgente passou a ser a ausência de mulheres. E assim chegamos ao terceiro episódio abjeto: um estupro em massa.

Rômulo convidou as famílias das aldeias vizinhas para assistir a alguns jogos em homenagem ao deus Netuno. Aparentemente, os moradores da região estavam ansiosos por ver a nova cidade, que na época ainda era um lodaçal com cabanas de barro e uma ou outra ovelha como grande atração. Ainda assim, no dia previsto, uma multidão curiosa se dirigiu a Roma. Em companhia de suas mulheres e filhas, apareceram os habitantes de aldeias próximas com nomes extravagantes como Caenina, Antemnae e Crustumério — se esta última tivesse chegado a ser uma grande potência imperial no lugar de Roma, hoje seríamos todos crustumerianos. Mas, na verdade, a festa religiosa era uma armadilha. Quando chegou a hora dos jogos, e os olhos e a mente de todos os convidados sabinos estavam concentrados no espetáculo, foi dado o sinal combinado. E então os romanos raptaram as jovens que tinham vindo com suas famílias.[3] Lívio conta que quase todos se apoderaram às pressas da primeira mulher que estava ao alcance, mas, como existe hierarquia em tudo, os principais patrícios reservaram as mais bonitas para si e pagaram a alguém com o propósito de que as levassem para casa. Em inferioridade numérica, os pais e maridos das sequestradas fugiram, atordoados de dor, lançando recriminações amargas aos violentos vizinhos.

O historiador imediatamente explica, para evitar mal-entendidos, que o rapto era uma medida necessária para os romanos se quisessem assegurar a sobrevivência da cidade. E depois os apresenta fazendo promessas de afeto, reconciliação e amor àquelas jovens assustadas. "Tais argumentos foram reforçados pela ternura desses maridos, que justificaram seu comportamento invocando a força irresistível da paixão, argumento sempre eficaz porque apela para a natureza feminina." Como se não bastasse, essa lendária brutalidade coletiva serviu de modelo para a cerimônia de casamento romana, que durante séculos encenou o rapto das mulheres. O ritual exigia que a noiva se refugiasse nos braços da mãe e o noivo fingisse puxá-la à força enquanto ela chorava, resistia e gritava.

O enredo desse mito chegou até o filme *Sete noivas para sete irmãos*, uma inofensiva comédia romântica de 1954 na qual uma canção simpática sobre as sabinas ajuda os rudes rapazes protagonistas a resolverem seus problemas de celibato de uma vez por todas. E, aliviados, os alegres parceiros cantam em coro: "Aquelas sabinas choravam e choravam, mas por dentro estavam contentes. Gritavam e beijavam, beijavam e vociferavam nas campinas romanas. Não se esqueçam das bem-dispostas sabinas. Jamais se viu nada mais caseiro, com um bebê romano em cada joelho, chamados Cláudio ou Bruto. E essas choronas sabinas, quando os romanos saíam para confabular e lutar, passavam as noites muito entretidas, cosendo togas pequeninas para seus moleques." Pelo visto, a pudica Hollywood do código Hays, que censurava beijos e camas de casal na tela, considerava edificante a velha história de um sequestro múltiplo como passo preliminar de uma vida familiar feliz e caseira.

Entretanto, os inimigos de Roma viam nesses sombrios mitos fundadores uma antecipação e uma advertência da sua posterior índole predadora. Séculos depois, um desses adversários escreveria: "Desde o início, os romanos não possuíam nada, exceto o que roubaram: seu lar, suas esposas, suas terras, seu império."[4] Pois os descendentes daquele obscuro e inescrupuloso Rômulo, em apenas 53 anos — segundo os cálculos de Políbio —, conquistaram a maior parte do mundo conhecido.

2

A criação do grande império mediterrâneo levou, na verdade, vários séculos. Esses 53 anos do século II a.C. demarcam o período em que todos os outros povos foram entendendo com espanto e terror que Roma tinha fabricado a engrenagem bélica mais devastadora jamais vista.

As primeiras batalhas não lendárias de Roma datam do século V a.C. Foram escaramuças locais cotidianas — às vezes defensivas, às vezes agressivas — nos territórios adjacentes. Somente no século IV a.C. a expansão romana começou a chamar a atenção dos gregos, força dominante na época. No ano 240 a.C., depois de uma sequência vertiginosa de vitórias, o território romano já abrangia quase toda a Itália e a Sicília. Um século e meio depois, dominava quase toda a Península Ibérica, a Provença, a Itália, toda a costa adriática, a Grécia, a Ásia Menor e o litoral norte-africano entre as atuais Líbia e Tunísia. Entre 100 a.C. e 43 a.C., anexou a Gália, o restante da península da Anatólia, a costa do mar Negro, a Síria, a Judeia, Chipre, Creta, a faixa costeira da atual Argélia e parte de Marrocos. Os habitantes daquela pequena cidade das restingas do Tibre, que antes viviam atolados em um lamaçal fedorento, passaram a dispor de todo o Mediterrâneo como lago interno para desfrute exclusivo.

As campanhas militares se tornaram um aspecto cotidiano na vida dos romanos. Um historiador hispânico do século V só registra — como uma raridade inédita — um ano sem guerra ao longo daquele extenso período de expansão imperial.[5] Esses insólitos meses de indolência bélica aconteceram no ano 235 a.C., durante o consulado de Caio Atílio e Tito Mânlio. O mais habitual, porém, era que eles dedicassem imensos esforços e recursos para guerrear.[6] E, embora contassem suas batalhas por vitórias, deixaram no caminho uma terrível fieira de vítimas próprias — para não mencionar as alheias. Mary Beard conta que todo ano, durante a etapa de conquistas, entre 10% e 25% da população masculina adulta tinha que servir nas legiões, numa proporção bem maior do que a de qualquer outro Estado pré-industrial e, segundo os cálculos mais elevados, equivalente ao índice de recrutamento da Primeira Guerra Mundial. Na batalha de Canas contra Aníbal, que durou uma única tarde, o ritmo de mortes romanas foi estimado em cem por minuto. E é preciso levar em conta que muitos combatentes sucumbiram mais tarde por causa das feridas, pois as armas antigas serviam mais para mutilar do que para matar — a morte vinha depois, por infecção.

O sacrifício foi enorme, mas os benefícios superaram as fantasias mais ambiciosas daqueles implacáveis legionários. Em meados do século II a.C., o butim de tantas vitórias havia transformado a população romana na mais rica do mundo. A guerra adubava o negócio mais lucrativo da época: a escravidão. Milhares e milhares de cativos se transformaram em mão de obra escrava que trabalhava nos campos, minas e moinhos romanos. Carroças carregadas de lingotes saqueados nas cidades e reinos orientais abarrotavam até o topo o Tesouro romano. Em 167 a.C., a superabundância de ouro era tão insultante que o Estado decidiu suspender os impostos diretos aos seus cidadãos. É verdade que essas riquezas súbitas também foram desestabilizadoras para os romanos — principalmente para os que não puderam se apropriar delas. Repetiu-se o panorama de sempre: os ricos ficaram mais ricos e os pobres, ainda mais pobres. As famílias patrícias se beneficiaram com grandes latifúndios, baratos graças à mão de obra escrava, enquanto os pequenos agricultores livres, cujas terras Aníbal havia arrasado durante a Segunda Guerra Púnica, ficaram ainda mais pobres por culpa dessa concorrência desleal. O melhor dos mundos possíveis nunca é o melhor para todos.

Desde tempos remotos, uma enorme quantidade de guerras foi desencadeada com a intenção de capturar prisioneiros, possuí-los e traficá-los. A riqueza mundial andou de braços dados com a escravidão com muita frequência. Este é um nexo real entre a Antiguidade e épocas mais modernas: da Muralha da China à Estrada dos Ossos de Kolimá, do sistema de irrigação da Mesopotâmia às plantações de algodão norte-americanas, dos bordéis romanos ao tráfico de mulheres na atualidade, das pirâmides egípcias à roupa barata *made in* Bangladesh. Na Antiguidade, os escravos certamente eram um dos principais motivos — e muitas vezes o único — para se fazer uma expedição de conquista. Eram um fator econômico tão poderoso que nem se tentava esconder. Júlio César, famoso por sua clemência, uma vez vendeu no ato toda a população de uma aldeia recém-conquistada na Gália, não menos de 53 mil pessoas.[7] O negócio pôde ser fechado com rapidez porque os comerciantes de escravos formavam um segundo exército que seguia logo atrás das legiões para ir comprando a mercadoria fresca assim que a noite caía nos campos de batalha.

Prisioneiros, vizinhos e adversários sofreram na pele a eficiência da organização romana. O novo império tornou realidade a ambição unificadora que os gregos nunca cumpriram porque, na hora da verdade, sempre se revelaram políticos incompetentes. Os sucessores de Alexandre, como eu já disse, criaram dinastias rivais que se envolveram em uma série de guerras entre si, fragmentando o império herdado e mergulhando-o na incerteza das suas alianças oscilantes e das constantes eclosões de uma violência brutal. Todos os contendores se acostumaram a recorrer aos romanos como aliados em suas lutas locais ou como árbitros dos conflitos, e afinal acabaram sendo engolidos por amigos tão perigosos.

Não se pode afirmar que os romanos tenham inventado a globalização, porque ela já existia no desmembrado mundo helenístico, mas, sim, que a elevaram a um grau de perfeição que até hoje nos impressiona. De uma ponta à outra do império, da Espanha à Turquia, uma constelação expansiva de cidades romanas se mantinha em comunicação graças a estradas tão sólidas e bem planejadas que muitas delas ainda existem. Essas cidades criaram um modelo de urbanismo reconhecível e confortável: avenidas largas que se cruzavam em ângulo reto, ginásios, termas, foro, templos de mármore, teatros, inscrições em latim, aquedutos, redes de esgoto. Aonde quer que fossem, os forasteiros encontravam traços de uma cartografia uniforme, assim como os turistas de hoje se deparam, de uma ponta à outra do planeta, com franquias das mesmas marcas de roupa, informática e hambúrguer instaladas em vias comerciais idênticas.

Tais transformações provocaram um formigueiro de gente que ia e vinha de um lado para outro, como nunca se vira no mundo antigo. A princípio eram, em geral, movimentos de exércitos e migrações em massa forçadas. Calcula-se que, no começo do século II a.C., chegavam à península Itálica, em média, 8 mil escravos por ano, capturados na guerra. Nessa mesma época, viajantes, comerciantes e aventureiros romanos partiam pelas águas do Mediterrâneo, viajando fora da Itália por longos períodos. As águas desse mar, que eles decidiram batizar, sem rodeios, de *nostrum*, eram um fervedouro de homens de negócios que tiravam proveito das oportunidades comerciais abertas pela conquista. Comerciar escravos ou fornecer armas tornaram-se ofícios de grande demanda no mercado de trabalho. Em meados desse mesmo século II a.C., mais da metade dos cidadãos adultos do sexo masculino tinha visto os horizontes do mundo exterior e contribuído com entusiasmo para a variedade étnica, deixando atrás de si — e entregues à própria sorte — incontáveis filhos mestiços.

Todo o poderio militar de Roma, sua riqueza, as impressionantes redes de transporte e obras de engenharia formavam uma maquinaria poderosa, invencível, mas árida sem o orvalho da poesia, dos relatos e dos símbolos. As rachaduras abertas por essas ausências foram as rotas imprevisíveis pelas quais Édipo, Antígona e Ulisses trilharam as estradas do mundo globalizado.

A LITERATURA DA DERROTA

3

Os romanos conseguiram sua extraordinária sequência de vitórias graças a uma mistura muito eficaz de violência e capacidade de adaptação, na melhor tradição darwiniana. Os rústicos sequazes de Rômulo aprenderam rapidamente a imitar o que seus inimigos tinham de melhor, apoderar-se do que lhes agradava sem o menor escrúpulo chauvinista e, depois, combinar todos os ingredientes copiados para criar formas novas e próprias. Desde as primeiras escaramuças, eles saqueavam os adversários vencidos não somente no terreno material, mas também no simbólico. Nas lutas contra os samnitas, imitaram as estratégias bélicas destes — principalmente o manípulo como unidade básica da legião — e as utilizaram de forma muito eficaz para derrotá-los com as armas deles mesmos. Na Primeira Guerra Púnica, os lavradores romanos lograram construir uma frota muito semelhante à cartaginesa, e com ela ganharam suas primeiras batalhas navais. Os terra-tenentes itálicos de ideias mais tradicionais e linhagem mais bolorenta adotaram rapidamente as modernas explorações agrícolas helenísticas em forma de plantação.

Graças a todas essas apropriações, os romanos criaram uma força invasora tão invencível quanto o exército de Alexandre — e administraram suas conquistas melhor do que ele. Mas, deixando de lado seu incontestável pendor para a guerra e a barbárie, eles tiveram um lampejo de assombrosa humildade ao assumir que a cultura grega era muito superior.[8] Os membros mais lúcidos das classes dirigentes compreenderam que toda grande civilização imperial precisa fabricar um relato unificador e vitorioso sustentado por símbolos, monumentos, arquiteturas, mitos formadores de identidades e formas sofisticadas de discurso. E para obter tudo isso com rapidez, como era seu costume, decidiram imitar os melhores. Eles sabiam onde encontrar o modelo. Mary Beard resume a situação daqueles tempos com um aforismo contundente: "A Grécia inventa e Roma quer."[9] Os romanos começaram a falar a língua dos gregos, copiar suas estátuas, reproduzir a arquitetura dos seus templos, escrever poemas de tipo homérico e imitar seus refinamentos com um zelo típico dos novatos.

O poeta Horácio captou esse paradoxo quando escreveu que a Grécia, que foi conquistada, tinha invadido o seu feroz vencedor.[10] Hoje é muito difícil determinar até que ponto Roma pegou emprestada toda a cultura grega e em que medida os romanos eram — ou não — bárbaros e selvagens até que os gregos os civilizaram, mas era assim que as duas partes contavam a história. Os intelectuais e criadores latinos sempre se apresentaram como discípulos dos gregos clássicos. Os vestígios das formas culturais autóctones foram esquecidos ou apagados. E muitos romanos ricos aprenderam a se defender na língua de seus súditos helenísticos — mas sabemos que os gregos de verdade caçoavam sem piedade do macarrônico sotaque romano. Há registro de que, no começo do século

I a.C., uma delegação grega fez uso da palavra no Senado de Roma sem necessidade de tradutor.[11] Esse esforço dos conquistadores para falar, em seus cenáculos mais cultos, o idioma de uma das suas muitas colônias é um gesto assombroso e extraordinário, o polo oposto da habitual arrogância cultural das metrópoles imperiais. Imaginemos os britânicos fazendo suas reuniões literárias de Bloomsbury num destemido sânscrito, ou Proust suando para manter uma conversa refinada em banto com os aristocratas parisienses que tanto o fascinavam.

Pela primeira vez, uma grande superpotência antiga assumia o legado de um povo estrangeiro — e derrotado — como ingrediente essencial de sua própria identidade. Sem grandes conflitos, os romanos reconheceram a superioridade grega e ousaram explorar seus achados, interiorizá-los, protegê-los e prolongar sua onda expansiva. E essa sedução teve consequências enormes para todos nós. Ali nasceu o cordão que enlaça o nosso presente com o passado, que nos mantém ligados a um brilhante mundo extinto. Em cima dele, como equilibristas, avançam de um século para outro as ideias, as descobertas da ciência, os mitos, os pensamentos, a emoção, e também os erros e as misérias da nossa história. Chamamos de clássicos toda essa fileira de palavras que se equilibram sobre o vazio. Por causa do fascínio que elas ainda despertam em nós, a Grécia continua sendo o quilômetro zero da cultura europeia.[12]

4

A literatura latina é um caso muito peculiar: ela não nasceu espontaneamente; foi gerada por encomenda, *in vitro*. O parto induzido ocorreu num dia do ano 240 a.C., para comemorar a vitória de Roma sobre Cartago.[13]

Muito antes desse dia inaugural, os romanos haviam aprendido a escrever — como não podia deixar de ser — imitando os gregos que viviam desde o século VIII a.C. nas prósperas colônias do sul da Itália, uma região conhecida como Magna Grécia. Pela via do comércio e das viagens, sua cultura e a escritura alfabética acabaram desembarcando no norte. Os primeiros italianos setentrionais a aprender o alfabeto grego e adaptá-lo à sua língua foram os etruscos, que dominaram o centro da península entre os séculos VII a.C. e IV a.C. Seus vizinhos do sul, os romanos — que, embora não gostassem de admitir, foram submetidos durante décadas a uma dinastia da Etrúria —, lançaram-se avidamente sobre aquela maravilhosa novidade e também adotaram a escrita etrusca, com certos ajustes para adequá-la ao latim.[14] O alfabeto da minha infância, este que agora me observa nas fileiras do teclado do meu computador, é uma constelação de letras errantes que os fenícios embarcaram em suas naves. Cruzaram o mar em direção à Grécia, depois navegaram para a Sicília, chegaram às colinas e aos olivais da atual Toscana, rondaram pelo Lácio e, de mão em mão, foram mudando até chegar ao traço que meus dedos acariciam hoje.

Os testemunhos mais antigos desse alfabeto viajante não deixam brechas a devaneios. Os romanos — pragmáticos, organizadores natos — limitaram seu uso ao registro de fatos e normas. Os textos mais antigos — do século VII a.C. e, principalmente, do VI a.C. — são um grupo de inscrições breves (por exemplo, marcas de propriedade rabiscadas num recipiente). Dos séculos seguintes, conhecemos apenas leis e rituais escritos. Não há qualquer vestígio de escritos de ficção — uma luta mortal pelo poder estava sendo travada nos campos de batalha, e eram tempos difíceis para a lírica. A literatura romana teve que esperar; foi um acontecimento tardio, gerado durante um descanso dos guerreiros. Só depois de cumprir sua tarefa, no relaxamento e no ócio da vitória, quando o inimigo mais perigoso já havia batido as botas, foi que os romanos se permitiram pensar nos jogos da arte e nos prazeres da vida. A Primeira Guerra Púnica terminou no ano 241 a.C. Poucos meses depois, os romanos desfrutaram a primeira obra literária em latim. O público conheceu-a em setembro do ano 240 a.C., no palco de um teatro da capital, por ocasião dos *Ludi Romani*. Como grande atração das festividades, estreou um drama — não sabemos se comédia ou tragédia — traduzido do grego, cujo título caiu no esquecimento. Não é por coincidência que uma tradução marca o início da literatura romana, sempre enfeitiçada pelos mestres gregos, sempre num ambíguo jogo de ecos, nostalgia, inveja, homenagem e todas as nuances do amor complexado.

Essa representação inicial encerra uma história estranha: a poesia veio do lado adversário para Roma, em meio ao estrépito das armas, por obra de um escravo estrangeiro. Lívio Andrônico, o improvável iniciador da literatura latina, não era romano de nascimento. Ganhava a vida como ator em Tarento, um dos maiores enclaves de cultura grega no sul da Itália, uma cidade suntuosa, refinada e amante do teatro. O jovem caiu prisioneiro durante a conquista, no ano 272 a.C., e conheceu a sorte amarga dos vencidos: o mercado de escravos. Eu o imagino vislumbrando a Urbe pela primeira vez, por entre as frestas da carreta em que o transportavam como se fosse gado para vender. Um negociante habilidoso conseguiu colocá-lo na rica mansão dos Lívio. Lá, sua inteligência e sua eloquência o livraram dos trabalhos mais penosos. Contam que deu aulas aos filhos do amo e que a família, agradecida, o alforriou anos depois. Como era costume entre os libertos, ele manteve o sobrenome da família dos seus antigos donos, acrescentando um apelido grego que simbolizava sua identidade extirpada. Sob a proteção da poderosa família que o havia comprado e depois libertado, abriu uma escola na capital. Por falta de poetas autóctones, esse estrangeiro, bilíngue à força, passou a receber as encomendas literárias de Roma.[15] Eu gostaria de saber que emoções contraditórias o assaltavam ao escrever na língua de quem o derrotara. Sabe-se que traduziu as primeiras tragédias e comédias que foram encenadas na capital do império, e também a *Odisseia* homérica. Graças a ele, foi criada uma congregação de escritores e atores sob as asas do Templo de Minerva, no Aventino.[16] Quase não restam fragmentos dos seus versos inaugurais. Gosto do som evocativo de uma frase truncada da sua *Odusia*: "Os montes abruptos e os campos poeirentos e o imenso mar."

Falta resolver um pequeno mistério. Tudo indica que, naquele tempo, Roma era um páramo onde praticamente não havia livros, nem bibliotecas públicas, nem livreiros. Como Lívio Andrônico conseguia os originais para suas traduções? Os patrícios ricos podiam enviar mensageiros às cidades gregas do sul da Itália, onde havia comerciantes de livros, mas essa solução era impensável para um humilde liberto.

Os apaixonados por literatura dos nossos dias têm dificuldade para imaginar o deserto de livros que era a época manuscrita. No nosso século XXI, a catarata de letras impressas supera todos os diques do comedimento. Publica-se um título novo a cada meio minuto, 120 por hora, 2.800 diariamente, 86 mil por mês.[17] Um leitor médio consegue ler em toda a sua vida o que o mercado editorial produz numa única jornada de trabalho, e todo ano milhões de exemplares órfãos são destruídos. Mas essa fartura é muito recente. Durante séculos, conseguir livros exigia ser muito bem relacionado e, mesmo com os contatos adequados, implicava despesas, esforços, tempo e, em determinadas ocasiões, enfrentar os perigos de uma viagem.

Com meios próprios e o estigma da origem, Lívio Andrônico jamais poderia dedicar-se a ler, traduzir e dirigir uma escola sem o apoio dos seus poderosos protetores. Provavelmente foram os Lívio que arcaram com as despesas de reunir — com a intenção de exibir riqueza e alardear cultura — uma pequena biblioteca de clássicos gregos. O antigo servo devia madrugar todos os dias para lhes fazer uma visita de respeito — a *salutatio matutina* —, ficar entediado na sala de espera até que seu patrono se dignasse aparecer e, como ator que fora na juventude, inclinar a cabeça e falar no tom apropriado, diariamente grato por lhe permitirem tocar com as mãos gregas, antes escravas, nos rolos da luxuosa coleção.

5

Os nobres romanos se apaixonaram pelos livros, objetos escassos e exclusivos que não estavam ao alcance de todos. A princípio, mandavam pacificamente seus servos a Alexandria e outros grandes centros culturais com a missão de encomendar cópias aos mercadores especializados.

Depois, descobriram que era muito mais prático arrebatar bibliotecas inteiras durante suas expedições bélicas em território grego. Assim, a literatura se transformou em butim de guerra.

No ano 168 a.C., o general Emílio Paulo derrotou o último rei da Macedônia. Permitiu que Cipião Emiliano e seu filho, ambos amantes do saber, levassem para Roma todos os livros da casa real macedônia, à qual pertenceu Alexandre. Graças a esse valioso roubo, os Cipiões foram proprietários da primeira grande biblioteca particular da cidade e se tornaram patrocinadores da jovem geração da literatura romana.[18] Um dos escritores-satélites que gravitavam em torno desses livros foi o dramaturgo Terêncio, de quem se dizia ter origem escrava. Seu apelido *Afer* ("o Africano") dá uma pista sobre sua procedência e a cor da sua pele. Nessa época, se adotava uma divisão de tarefas culturais. Os poderosos patrícios se encarregavam de saquear livros — às vezes até os compravam, num arroubo de honestidade — para enriquecer suas coleções privadas e aglutinar em torno de si os autores mais talentosos. Os escritores propriamente ditos eram, salvo exceções, uns esfarrapados a seu serviço (escravos, estrangeiros, prisioneiros de guerra, pobres com mais de um emprego e o resto da ralé social).

Na esteira dos Cipiões, outros generais seguiram o cômodo caminho de colecionar livros. O impiedoso Sila[19] se apoderou do que provavelmente era o troféu mais cobiçado: a coleção do próprio Aristóteles,[20] que permanecera escondida durante muito tempo e reapareceu a tempo de se transformar em butim de guerra. Em Roma também foi famosa a biblioteca de Lúculo, adquirida graças a um saque metódico durante suas vitoriosas campanhas militares no norte da Anatólia. Desde que foi afastado do comando, em 66 a.C., Lúculo passou a dedicar a vida a uma vagabundagem suntuosa, sustentada pelas riquezas que havia acumulado em seus anos de predador. Contam que sua biblioteca particular seguia o modelo arquitetônico de Pérgamo e Alexandria: rolos armazenados em salas estreitas, pórticos para leitura e salões para se reunir e conversar.[21] Lúculo foi um ladrão generoso: pôs seus livros à disposição de parentes, amigos e dos estudiosos estabelecidos em Roma. Plutarco diz que turbas de intelectuais se reuniam e davam conferências em sua mansão, como uma permanente recepção das musas.[22]

A maioria dos textos que embelezavam as bibliotecas dos Cipiões, de Sila e de Lúculo era grega. Com o tempo, chegariam alguns em latim — mas eram minoria. Como os romanos haviam começado a escrever tarde, toda a sua literatura reunida representava uma fração vergonhosamente minúscula dos textos disponíveis.

Imagino que os artistas romanos daquela época deviam se sentir suplantados e diminuídos pela torrente de obras artísticas que chegavam na bagagem dos ávidos conquistadores. Grande parte desse butim eram obras-primas deslumbrantes. Na época, a literatura e a arte gregas tinham atrás de si mais de meio milênio de história. Não é fácil competir com quinhentos anos de criação apaixonada.

O arroubo colecionista romano faz lembrar os ricos capitalistas norte-americanos que, maravilhados com os muitos séculos da arte europeia e por um punhado de dólares, espoliavam retábulos, afrescos arrancados das paredes, claustros completos, portais de igrejas, antiguidades frágeis e telas dos grandes mestres. E também bibliotecas inteiras. Foi assim que F. Scott Fitzgerald imaginou o jovem milionário Jay Gatsby. Sua fortuna, proveniente de contrabandos, brilhava numa grande mansão em Long Island, onde não faltava luxo nem refinamento. Gatsby era conhecido por suas festas caríssimas e extravagantes, das quais nunca participava. Na verdade, por trás de suas exibições de opulência pulsava um amor jovial e comovente. O esbanjamento, a luz, os bailes até de madrugada, os carros vistosos e a arte europeia eram fogos de artifício para deslumbrar a jovem que o havia abandonado anos antes, quando ainda não era rico o suficiente. Na mansão que Gatsby construiu como celebração *kitsch* da sua ascensão social, não podia faltar "uma biblioteca gótica, revestida de carvalho inglês entalhado, que provavelmente havia sido trazida inteira de alguma ruína localizada no outro lado do oceano".[23]

A percepção mútua de romanos e gregos foi alimentada por estereótipos parecidos com os nossos sobre norte-americanos e europeus. Pragmatismo, poder econômico e militar, frente à bagagem de uma história extensa, uma grande cultura e a nostalgia de esplendores passados. Marte e Vênus. Embora geralmente manifestassem respeito mútuo, os dois lados tinham um repertório de piadas e caricaturas nacionais para rir do outro pelas costas. Posso imaginar os gregos contando piadas na intimidade sobre aqueles legionários brutos e descerebrados que não eram capazes de fazer uma mísera inscrição sem erros de ortografia. Do outro lado da cerca, os velhos romanos conservadores também esbravejavam. Em uma de suas sátiras, Juvenal reclama que não aguenta mais a cidade cheia de gregos, uma ralé faladeira e parasita que trouxe consigo seus vícios junto com a língua, corrompeu os costumes e ocupou o lugar dos verdadeiros cidadãos.[24]

De fato, nem tudo era admiração. Os processos globalizadores sempre despertam reações contraditórias e complexas. Algumas das vozes mais cáusticas dos séculos III a.C. e II a.C. atacaram a influência das culturas estrangeiras em geral e da grega em particular. Não gostavam das novidades que começavam a virar modas perigosas, como a filosofia, os luxos gastronômicos e a depilação. O campeão desses críticos foi Catão, o Velho, contemporâneo e rival de Cipião, o Africano, que ele ridicularizava por ficar pulando em ginásios gregos e se misturar com o povaréu nos teatros sicilianos. Segundo esse ranzinza, os costumes sofisticados dos estrangeiros acabariam minando a força do caráter romano. Contudo, sabemos que o próprio Catão ensinou grego ao filho, e os fragmentos conservados dos seus discursos demonstram que não esqueceu de estudar os artifícios da retórica grega que tanto menosprezava em público.

Todas essas ambivalências da identidade romana se refletem em sua primeira literatura. As peças teatrais de Plauto e Terêncio já são algo mais do que meras traduções calcadas no grego. Sempre se apresentam como adaptações fiéis que respeitam o enredo dos originais helenísticos, mantendo a ambientação na Grécia, mas na verdade são híbridos pensados para agradar ao público barulhento e festeiro de Roma. Ao contrário da Atenas clássica, na Urbe o teatro tinha de competir com outras diversões populares, como os combates de luta livre, o equilibrismo ou as lutas de gladiadores.[25] Por isso, quase todas as comédias giravam em torno de uma trama básica e infalível: "garoto consegue garota". O público esperava que em toda comédia aparecesse o típico escravo astuto e enganador que provoca mil confusões. Para agradar a todo mundo, um final feliz era garantido. Mas, por baixo da epiderme frívola dessas obras romanas, havia um ingrediente novo. Por meio delas, os espectadores se debruçavam sobre a complexidade cultural do novo e vasto mundo imperial.

A ação de todas as comédias transcorria na Grécia, o que exigia do público certas noções de geografia distante. Em uma de suas peças, Plauto se atreveu a apresentar um protagonista cartaginês, que se expressa em sua genuína língua púnica — e os linguistas de hoje têm ali um testemunho único para conhecer essa língua extinta. Em outra, dois personagens se disfarçam de persas. No prólogo de várias comédias aparece uma piada recorrente sobre as adaptações. Referindo-se à sua tradução, Plauto diz: "Um grego escreveu isto e Plauto o barbarizou."[26] Esse verso, como explica Mary Beard, era uma refinada piscadela dirigida ao público. Ao ouvi-lo, os espectadores de origem grega esboçavam uma risadinha disfarçada à custa dos novos e bárbaros donos do mundo.

Entre risos e piadas, o teatro ajudava a compreender melhor a nova realidade de horizontes ampliados. O público aprendia que as velhas tradições não podiam manter sua pureza ancestral; que, apesar das resistências conservadoras, a forma mais inteligente de trilhar os novos caminhos era adaptá-las e adaptar-se à sabedoria do mundo que tinham conquistado. A jovem literatura híbrida era a vanguarda de uma sociedade cada dia mais mestiça. Roma estava descobrindo as mecânicas da globalização e seu paradoxo essencial: aquilo que adotamos de outros lugares também faz de nós quem somos.

6

Os impérios jovens têm apetites singelos: simplesmente querem tudo. Aspiram à pujança militar, ao poderio econômico e, também, aos esplendores do velho mundo. Com esse afã, os Cipiões transplantaram a Biblioteca Real da Macedônia para Roma e, em torno daqueles valiosos livros, atraíram um círculo de escritores gregos e latinos. Pela força das armas e do dinheiro, queriam deslocar os centros de gravidade da criação literária. Isso aconteceu muitas vezes: a política redesenha os mapas culturais.

O desejo de apropriação daqueles romanos ricos não é tão diferente, no fundo, do entusiasmo que levou a norte-americana Peggy Guggenheim a transferir para seu país a pintura abstrata europeia, nos anos 1940, desenhando novas geografias artísticas. Seu pai, membro de uma dinastia de magnatas das minas e das fundições, morreu no naufrágio do *Titanic*. Ela se estabeleceu em Paris para viver a boemia no mirante confortável da sua herança milionária. E começou sua famosa coleção de arte vanguardista. Ainda estava lá quando a França foi invadida pelos nazistas. Em vez de fugir, ela aproveitou para comprar obras de arte como se não houvesse amanhã. Seu lema era "um quadro por dia". Com o Exército alemão irrompendo pelo norte do país, não faltavam vendedores. Em geral comprava de famílias judias em fuga desesperada ou diretamente dos artistas, a preço de banana. Dois dias antes da queda de Paris, escondeu sua coleção no celeiro de um amigo e fugiu para Marselha, onde viveu um namorico com Max Ernst, fugitivo de um campo de concentração. Seu dinheiro lhe permitiu resgatar Ernst e um grupo de artistas amigos, com os quais escapou para os Estados Unidos.[27]

Em Nova York, abriu uma galeria para expor a arte da escola parisiense. Ao redor dessas obras e dos refugiados europeus que buscaram proteção na galeria de Peggy — Duchamp, Mondrian, Breton, Chagall e Dalí, entre outros —, nasceu a vanguarda norte-americana.[28] Os jovens artistas da época puderam ver as obras dessa arte nova e ficaram impressionados. O governo norte-americano, interessado em tirar a primazia da Europa no campo da arte, havia criado o programa Federal Art Project, que oferecia 21 dólares por semana a pintores desempregados para decorarem instituições públicas.[29] Foi ali que Pollock, Rothko e De Kooning se conheceram e se tornaram os novos protegidos de Peggy.

Jackson Pollock declarou numa entrevista: "A pintura mais importante dos últimos cem anos foi feita na França. Os pintores norte-americanos, de modo geral, não se acertaram em absoluto com a pintura moderna. É muito importante que os grandes artistas europeus estejam entre nós."[30] Esses jovens pintores passavam muitas tardes no MoMA contemplando *Guernica*, de Picasso, refugiado no museu, a salvo das ditaduras e das guerras da Europa. O expressionismo abstrato norte-americano nasceu à sombra da vanguarda europeia.

Em maio de 1940, três semanas antes da ocupação de Paris, outro exilado fugiu para os Estados Unidos, na penúltima viagem do navio *Champlain*, antes que o afundassem. Como muitos escritores europeus perseguidos, Vladimir Nabokov encontrou asilo nas universidades norte-americanas. Também se exilou voluntariamente da sua língua, aventurando-se no abismo de escrever seus livros decisivos em inglês. Chegou a declarar que se sentia tão norte-americano quanto o mês de abril no Arizona. Ao mesmo tempo, detectava em seu novo país um halo daquela Europa que as revoluções e as guerras lhe haviam arrebatado. Numa carta à sua agente literária, escreveu: "O que mais me cativa na civilização norte-americana é justamente esse toque do Velho Mundo, esse jeito antiquado marcado, apesar do duro exterior brilhante, na agitada vida noturna, nos lavabos modernos, nas publicidades resplandecentes e coisas assim."[31]

O cinema, inventado na França, também transferiu sua meca para os Estados Unidos. Os criadores dos grandes estúdios do cinema clássico de Hollywood foram, em sua maioria, imigrantes centro-europeus, muitos dos quais camuflaram seus nomes e sua origem sob uma pátina norte-americana.[32] Esses homens de origem humilde, que desembarcaram em Nova York com um punhado de dólares costurados no forro do colete, ergueram a grande indústria cinematográfica que em pouco tempo atraiu uma plêiade de diretores, atores e técnicos europeus — Fritz Lang, Murnau, Lubitsch, Chaplin, Frank Capra, Billy Wilder, Preminger, Hitchcock, Douglas Sirk e tantos outros.[33] Curiosamente, John Ford, numa operação de camuflagem oposta à dos pioneiros dos estúdios, se disfarçou de europeu: o Homero do *western* norte-americano, nascido no Maine, fantasiava com um passado em Innisfree, uma aldeia irlandesa inexistente.[34] Inventou um relato conscientemente mítico da sua história familiar, e mais de uma vez chegou a declarar que viera ao mundo numa casa com telhado de sapê com vista para a baía de Galway. Ford, patriarca do cinema norte-americano, sabia que a época dourada de Hollywood foi, em grande medida, um invento europeu.

Todos esses exemplos — aos quais se poderiam acrescentar nomes de filósofos como Hannah Arendt, cientistas como Einstein ou Bohr e escritores espanhóis emigrados durante a ditadura como Juan Ramón Jiménez ou Sender — mostram que, em meados do século XX, graças a um esforço muito calculado de acolhimento e gastos, o epicentro da arte e do saber mudou de continente. Na Antiguidade greco-latina, o traslado cultural aconteceu em condições mais desumanas. Não havia sonho romano, nem galerias de arte, nem universidades ávidas por abrigar o talento estrangeiro, mas um número enorme de intelectuais e artistas gregos que desembarcaram na Urbe para ser vendidos como escravos.

O UMBRAL INVISÍVEL DA ESCRAVIDÃO

7

A escravidão, para gregos e romanos, era o monstro que espreitava embaixo da cama, o terror sempre rastejando nas proximidades. Ninguém podia viver totalmente seguro de que nunca seria escravizado, independentemente de quão rica e aristocrática fosse a sua estirpe. Havia muitas portas abertas para o inferno, até mesmo para os nascidos livres. Se a sua cidade ou o seu país fossem assolados pela guerra — uma experiência quase cotidiana na Antiguidade —, com a derrota você passava a ser butim do exército vitorioso. *Vae victis* ("Ai dos vencidos!") era uma máxima latina bem descritiva. As lendas mais antigas deixavam claro que não havia compaixão com o que hoje denominamos "população civil". Em *As troianas*, de Eurípides, andamos entre as cinzas fumegantes de Troia e a desolação da rainha e suas princesas, sorteadas entre os generais invasores. Ainda na véspera elas vestiam trajes luxuosos e eram recebidas com reverências. Após uma noite de matança e conquista, os gregos as arrastam pelos cabelos, as distribuem e as estupram.

Se você, numa viagem marítima, fosse atacado por piratas — um termo curinga para todo tipo de inimigos ou malfeitores em um barco —, teria poucas chances de escapar da escravidão.

Se fosse sequestrado em terra firme, provavelmente ninguém pediria um resgate à sua família. Era mais rápido e menos perigoso vendê-lo para um negociante. Esse cruel comércio de gente arrancada de seus lares livres se tornou um negócio muito lucrativo, com o qual se podia fazer dinheiro com rapidez. As comédias de Plauto frequentemente colocam em cena crianças raptadas, irmãos separados, pais que envelheceram procurando os filhos desaparecidos e, por fim, os encontram transformados em escravos ou prostitutas a serviço do vilão de plantão.

Se você estivesse em situação econômica ruim, seus credores podiam vendê-lo como último recurso para se ressarcir dos empréstimos.

Se um personagem poderoso quisesse se vingar de você, podia matá-lo ou, se fosse ainda mais cruel, decidir entregá-lo a um traficante. O filósofo Platão sofreu esse destino na própria pele. Contam que, durante sua estada na Sicília, enfureceu o tirano Dionísio com uma observação desconfiada sobre sua forma de governar e sua ignorância. Dionísio queria executá-lo, mas seu cunhado Dião, discípulo do filósofo, insistiu que lhe poupasse a vida. Como a sua insolência merecia um castigo, Platão foi levado à ilha de Egina para ser vendido no animado bazar de escravos.[35] Para a sorte dele, a história teve um final feliz. Foi comprado por um colega filósofo — partidário de outra escola de pensamento, antagônica à de Platão, mas não de maneira muito acirrada — que o deixou regressar, escaldado porém livre, para casa em Atenas.

Segundo a lei romana, os escravos eram propriedade dos seus amos e não tinham direitos jurídicos. Podiam sofrer castigos corporais e, de fato, muitos deles eram açoitados com frequência para manter a disciplina ou só para extravasar. O comprador tinha direito de decidir separá-los dos filhos, de levá-los para a cama, vendê-los, espancá-los ou executá-los sumariamente. Era permitido obter benefícios econômicos com eles da maneira que fosse, incluindo lutas de gladiadores ou exploração sexual — a maioria das prostitutas era constituída de escravas. Nos julgamentos, o testemunho de um escravo só tinha validade quando obtido sob tortura.[36]

Flagelo. Abismo. Calvário. Como descrever a dolorosa mudança de vida de todos aqueles cidadãos livres submetidos à escravidão por culpa de um acaso, uma dívida, uma derrota ou um tráfico desumano? Pessoas de vida pacífica, trabalhadoras, felizes, eram arrancadas com enorme violência da proteção de suas esperanças e seus direitos para serem jogadas na intempérie radical de se tornarem propriedades humanas. O filme *12 anos de escravidão* retrata um contexto similar, muitos séculos depois, nas plantações norte-americanas. Acorrentado em um porão escuro, Solomon Northup tenta recompor o quebra-cabeça de sua memória. À medida que as lembranças emergem no caos da sua mente atordoada, esse homem negro nascido em liberdade, culto, violinista, que vivia com a mulher e os dois filhos em Nova York, percebe que foi enganado, drogado e sequestrado para ser vendido como escravo. Procura em vão seus documentos, única prova da sua condição de homem livre. Preso num subsolo em Washington, à sombra do Capitólio, Solomon se inicia no aprendizado da dor. Os carcereiros começam a domar o rebelde: surras, chicotadas, quantidade insuficiente de comida, sujeira, roupa fétida. Uma noite o embarcam clandestinamente para o Sul e lá o entregam a um traficante da Louisiana. Vai perder uma década de sua juventude colhendo algodão nas plantações de diversos amos sulinos, que o maltratavam constantemente para dobrá-lo, sem notícias dos seus entes queridos. O filme, baseado num personagem real, descreve a odisseia de um indivíduo atônito e indefeso — de quem foi arrancado todo e qualquer apoio possível, inclusive o amparo das leis — que tentam desumanizar pelo medo.

No mundo antigo, muitas pessoas foram forçadas a atravessar esse umbral invisível em que perdiam a condição de seres livres para se transformarem em mercadoria.

Durante duzentos anos chegaram a Roma quantidades gigantescas desses escravos gregos, em decorrência das vitórias sobre os reinos helenísticos da Macedônia, da Grécia continental, da Turquia, da Síria, da Pérsia e do Egito. A irrupção dos conquistadores romanos desencadeou um longo período de violência e caos no Mediterrâneo oriental, criando condições propícias para uma captura em massa de escravos. O mar era infestado de piratas. Os exércitos marchavam através de extensos territórios, escurecendo o horizonte com sua presença ameaçadora. Cidades e Estados inteiros caíam no abismo das dívidas por causa dos tributos desumanos que os romanos impunham. As cifras são estarrecedoras. Em meados do século I a.C. devia haver uns 2 milhões de escravos na Itália, o equivalente a cerca de 20% do censo.[37] Quando, na primeira época imperial, alguém teve a brilhante ideia de obrigá-los a usar uniforme, o Senado rejeitou a medida com horror — ninguém desejava que a população escrava soubesse como era numerosa.

Os gregos não foram o único povo que os romanos escravizaram: uma multidão de hispânicos, gauleses e cartagineses, entre outros, também foi submetida à servidão. A peculiaridade dos cativos gregos consistia em que muitos deles eram mais cultos do que seus amos. As profissões de prestígio, que hoje são exercidas por filhos das classes médias e altas, eram território de escravos em Roma. Para nossa surpresa, os médicos, banqueiros, administradores, escrivães, assessores fiscais, burocratas e professores daquela época muito frequentemente eram gregos privados de liberdade. Os nobres romanos com aspirações culturais podiam ir aos mercados bem abastecidos da capital em uma manhã qualquer para comprar um intelectual grego do seu agrado, que poderia educar seus filhos ou, simplesmente, lhes daria o prestígio de ter em casa um filósofo de plantão. Fora do lar, a maioria dos professores de escola também era constituída de escravos ou libertos gregos. Todo o trabalho de colarinho branco e de escritório era a especialidade deles. Além disso, mantinham a administração do império e seu sistema legal.

Cícero dá a entender em suas cartas que era proprietário de uns vinte escravos desse tipo, incluindo secretários, administradores, bibliotecários, amanuenses, "leitores" — que liam livros ou documentos em voz alta para o conforto do amo —, assistentes, contabilistas e garotos de recados.[38] O famoso orador possuía várias bibliotecas, uma em sua casa da capital e outras distribuídas em numerosas propriedades rurais. Precisava de pessoal muito qualificado para administrar tanto essas coleções quanto sua própria obra. Seus escravos se ocupavam das tarefas cotidianas: devolver os rolos às respectivas prateleiras, reparar os volumes danificados e manter o catálogo em dia. Escrever com uma caligrafia bonita era parte essencial do trabalho. Se os amigos do amo lhe emprestavam livros que despertavam seu interesse, eles faziam cópias a mão de todas as obras, por mais extensas que fossem. Quando o chefe terminava de redigir um novo ensaio ou discurso, tinham que elaborar às pressas uma tiragem manuscrita que o vaidoso autor distribuía entre os amigos e colegas. E isso era uma tarefa árdua (Cícero era um autor muito presunçoso, muito prolixo e com muitos amigos).

Para a organização geral da sua biblioteca, ele achou que a equipe habitual não era suficiente. Apaixonado por seus livros, quis contar com os serviços de um especialista. Recorreu então a Tiranion, um daqueles muitos estudiosos gregos arrancados da pátria para ser vendidos como escravos.[39] Apesar de seu duro destino, o escritor cativo se destacava pela personalidade amável. Anteriormente, ele já havia conquistado uma grande reputação organizando a famosa Biblioteca de Sila segundo o modelo alexandrino. Cícero escreveu a um amigo: "Quando vieres, poderás ver a maravilhosa organização que Tiranion realizou de meus livros na biblioteca." Mas nem todos os escravos ilustrados de Cícero eram tão dóceis, nem lhe deram tantas alegrias.

No outono do ano 46 a.C., o orador escreveu uma carta a outro amigo, o governador da Ilíria (um território que hoje compõe parte da Albânia, da Croácia, da Sérvia, da Bósnia e de Montenegro). Estava irritado e decepcionado. Seu bibliotecário-chefe, um escravo chamado Dionísio, andava roubando livros para vendê-los e, quando finalmente foi descoberto e ia receber um castigo, sumiu do mapa.[40] Um conhecido julgou que o tinha visto em Ilíria. Cícero pediu a um amigo, general dos exércitos destacados na área, que lhe fizesse o insignificante favor — uma ninharia — de apanhá-lo e trazê-lo de volta. Mas, para seu desgosto, o roubo de livros não estava entre as prioridades do governador romano na província, e as legiões romanas não se mobilizaram para capturar o fugitivo.

A história dos livros em Roma tem os escravos como protagonistas. Eles participavam de todas as etapas da produção de obras literárias, de ensinar a escrever até fazer as cópias. Chama a atenção o contraste entre a multidão de escravos gregos ilustrados e o analfabetismo quase obrigatório das civilizações posteriores. Nos Estados Unidos, até a derrota da Confederação, em 1865, era ilegal em muitos estados do Sul que os escravos aprendessem a ler e escrever, e os capazes de fazê-lo eram considerados uma ameaça para a continuidade do sistema escravagista.[41] Daniel Doc Dowdy, um homem negro nascido escravo em 1856, descreveu os terríveis castigos destinados aos infratores dessa lei: "Na primeira vez que você era pego tentando ler ou escrever, era açoitado com uma correia de couro, na segunda, com um chicote de sete pontas e na terceira, cortavam a primeira falange do seu dedo indicador." Apesar de tudo, alguns escravos analfabetos se esforçaram para aprender a ler, desafiando seus amos e arriscando a vida. Esse esforço, devido à proibição, exigia vários anos de paciência e sigilo. Os relatos desses aprendizados são muitos e heroicos. Belle Myers, entrevistada nos anos 1930, explicou que tinha aprendido as letras enquanto cuidava do filho do seu amo, que brincava com um quebra-cabeça alfabético. O dono, suspeitando das intenções de sua escrava, lhe deu vários pontapés preventivos. Mas Belle perseverou, estudando às escondidas as letras do quebra-cabeça e algumas palavras de uma cartilha infantil. "Um dia encontrei um livro de hinos e soletrei: 'Quando Leio Com Clareza Meu Nome.' Nesse dia me senti tão feliz que fui correndo contar aos outros escravos."

Em *12 anos de escravidão*, Solomon tem que esconder a todo custo, se quiser evitar as surras brutais, que sabe ler e escrever. Sua tragédia consiste em estar obcecado, ao mesmo tempo, por mandar uma carta à sua família nova-iorquina explicando onde encontrá-lo, para que o resgatem daquele inferno de fome, exploração e brutalidade. Durante anos, aproveita qualquer oportunidade para ir roubando dos amos alguns pedaços pequenos de papel e, quando consegue o suficiente, fabrica na clandestinidade da noite uma pena rudimentar e um sucedâneo de tinta com suco de amora. As mensagens proibidas, que consegue escrever com esforço e correndo um enorme perigo, representam sua única e frágil esperança de recuperar algum dia a vida anterior de homem livre. Em sua *História da leitura*, Alberto Manguel escreve: "Em todo o Sul dos Estados Unidos, era frequente que os proprietários das plantações enforcassem qualquer escravo que tentasse ensinar os outros a soletrar. Os donos de escravos (tal como os ditadores, os tiranos, os monarcas absolutos e outros detentores ilícitos do poder) acreditavam firmemente na força da palavra escrita. Sabiam que a leitura é uma força que requer poucas palavras para ser arrasadora. Quem é capaz de ler uma frase é capaz de ler tudo; uma multidão analfabeta é mais fácil de governar. Como a arte de ler não pode ser desaprendida uma vez adquirida, o melhor recurso é limitá-la. Por todos esses motivos, era preciso proibir a leitura."[42]

Os habitantes da civilização greco-latina, em contraste, consideravam apropriado que seus escravizados se encarregassem dos trabalhos de cópia, escrita e documentação, por razões que hoje nos parecem, no mínimo, surpreendentes.

Como já expliquei, a leitura antiga não era o ato silencioso que praticamos hoje. Com notáveis exceções, sempre se lia em voz alta, mesmo quando se estava a sós. Para os antigos, a operação de dar som às letras escritas guardava um feitiço inquietante. As crenças mais antigas ensinavam que o hálito era a sede do espírito de uma pessoa. Nas primeiras inscrições funerárias, os mortos, para reviver e anunciar quem jazia no sepulcro, pediam ao passante: "Empresta-me tua voz." Os gregos e romanos acreditavam que todo texto precisa se apropriar de uma voz viva para se completar e atingir a plenitude. Por isso, o leitor que passava os olhos pelas palavras e começava a lê-las sofria uma espécie de possessão espiritual e vocal: a laringe era invadida pelo hálito do escritor. A voz do leitor se submetia e se unia ao escrito. O escritor, mesmo depois de sua morte, usava outros indivíduos como instrumento vocal, quer dizer, os colocava a seu serviço. Ser lido em voz alta significava exercer um poder sobre o leitor, mesmo através das distâncias do espaço e do tempo. Por isso — pensavam os antigos —, era adequado que os profissionais da leitura e da escrita fossem escravos. Porque sua função era justamente servir e submeter-se.

Em contrapartida, o amor de homens livres pela leitura era visto com certa desconfiança. Só se salvavam os ouvintes do texto, que escutavam outra pessoa ler sem submeter a própria voz ao escrito: os que dispunham, como Cícero, de escravos leitores. Estes, possuídos pelo livro, no momento da leitura deixavam de pertencer a si mesmos. Punham na própria boca um "eu" que não era o deles próprios. Eram simples instrumentos de uma música alheia. Curiosamente, as metáforas empregadas para essa atividade em obras de Platão e de outros autores, entre os quais Catulo, são as mesmas que se usavam para designar a prostituição ou o parceiro passivo nas relações sexuais. O leitor é sodomizado pelo texto.[43] Ler pessoalmente é emprestar o corpo para um escritor desconhecido, um ato audaciosamente promíscuo. Não era considerado totalmente incompatível com o status de cidadão, mas os bem-pensantes da época proclamavam que devia ser praticado com certa moderação, para não se transformar em vício.

8

Os livros são filhos das árvores, que foram o primeiro lar da nossa espécie e, talvez, o mais antigo receptáculo das palavras escritas. A etimologia da palavra contém um velho relato sobre os primórdios. Em latim, *liber*, que significa "livro", originariamente dava nome à casca da árvore ou, mais exatamente, à película fibrosa que separa a casca da madeira do tronco. Plínio, o Velho, afirma que os romanos escreviam em cascas de árvore antes de conhecer os rolos egípcios.[44] Durante muitos séculos, diversos materiais — o papiro, o pergaminho — ocuparam o lugar daquelas antigas páginas de madeira, mas, numa viagem de ida e volta, com a adoção do papel, os livros voltaram a nascer das árvores.

Como eu já expliquei, os gregos chamavam o livro de *biblíon*, rememorando a cidade fenícia de Biblos, famosa pela exportação de papiro. Atualmente o emprego dessa palavra, em sua evolução, ficou reduzido ao título de uma única obra, a Bíblia. Para os romanos, *liber* não evocava cidades nem rotas comerciais, mas o mistério do bosque onde seus antepassados começaram a escrever, em meio aos sussurros do vento nas folhas. Os nomes germânicos — *book, Buch, boek* — também descendem de uma palavra arbórea: a faia de tronco esbranquiçado.

Em latim, o termo que significa "livro" tem quase o mesmo som que o adjetivo que significa "livre", embora as raízes indo-europeias de ambos os vocábulos tenham origens diferentes. Muitas línguas neolatinas, como o espanhol, o francês, o italiano e o português, herdaram a coincidência dessa semelhança fonética, que convida ao jogo de palavras, identificando leitura e liberdade. Para os iluministas de todas as épocas, são duas paixões que sempre acabam confluindo.

Hoje aprendemos a escrever com luz sobre telas de cristal líquido ou de plasma, mas ainda ouvimos o chamado originário das árvores.

Em suas cascas redigimos um disperso inventário amoroso da humanidade.[45] Antonio Machado, em seus passeios pelos *Campos de Castela*, costumava parar junto ao rio para ler algumas linhas desse livro dos amantes:

> *Voltei a ver os álamos dourados,*
> *álamos do caminho na ribeira*
> *do Douro, entre San Polo e San Saturio,*
> *atrás das muralhas velhas*
> *de Soria [...].*
> *Estes choupos do rio, que acompanham*
> *com o som de suas folhas secas*
> *o som da água, quando o vento sopra,*
> *têm em suas cascas*
> *gravadas iniciais que são nomes*
> *de apaixonados, números que são datas.*[46]

Quando um adolescente risca duas iniciais com a ponta do canivete na casca prateada de um álamo, reproduz, sem saber, um gesto muito antigo. Calímaco, o bibliotecário de Alexandria, já menciona no século III a.C. uma mensagem amorosa numa árvore. Não é o único. Um personagem de Virgílio imagina como a casca, com o passar dos anos, irá se alargar e corroer seu nome e o dela: "E gravar meus amores nas jovens árvores; crescerão as árvores e com elas crescerão vocês, amores meus." Talvez o costume, ainda vivo, de tatuar letras na pele de uma árvore para conservar a lembrança de alguém que viveu e amou tenha sido um dos episódios mais antigos de escrita na Europa. Talvez, à beira de um rio que corre e passa e sonha, como dizia Machado, os antigos gregos e romanos tenham escrito os primeiros pensamentos e as primeiras palavras de amor. Sabe-se lá quantas dessas árvores acabaram se transformando em livros.

9

O acesso aos livros no mundo romano era, principalmente, uma questão de contatos. Os antigos criaram sua peculiar versão da sociedade do conhecimento, baseada em quem conhecia quem.[47]

A literatura antiga nunca chegou a criar um mercado nem uma indústria tal como entendemos hoje, e a engrenagem da circulação de livros sempre funcionou graças a uma combinação de contatos e copistas. Na época das bibliotecas particulares, quando um indivíduo rico desejava um livro antigo, pedia emprestado a um amigo — se algum amigo o tivesse — e mandava algum servo, às vezes um escravo próprio, outras vezes o esforçado amanuense de uma oficina, fazer uma cópia. Chegava-se às novidades contemporâneas pela via do favor. Naquele tempo, em que não havia editoras, quando um escritor dava seu livro por encerrado, encomendava certo número de cópias e começava a presenteá-las a torto e a direito. A sorte da obra dependia do perímetro e da importância do seu círculo de conhecidos, colegas e clientes dispostos a lê-la, por afeto e, sobretudo, por compromisso. Contam que um rico orador chamado Régulo mandou fazer mil cópias de um texto horrível que havia escrito sobre seu filho morto — Plínio comenta venenosamente que parecia mais um livro escrito por um menino do que sobre um menino — e as enviou para seus conhecidos em toda a Itália e nas províncias. Além disso, entrou em contato com vários decuriões das legiões romanas e pagou-lhes para que escolhessem os soldados de melhor voz em suas fileiras e organizassem leituras públicas da obra — uma espécie de lançamento — em diversas regiões do império. Promover e difundir a literatura ficava a cargo do escritor — quando podia arcar com a despesa, como Régulo — ou dos seus aristocráticos protetores — quando era um forasteiro sem recursos, como costumava acontecer.[48]

Havia, claro, pessoas que desejavam ler um livro recém-publicado, mas não conheciam pessoalmente o autor, por isso não estavam nas listas de distribuição. Nesses casos, a única solução era recorrer a alguém que estivesse no circuito e encomendar uma cópia do exemplar. Assim que o escritor começava a "distribuir" uma obra nova, esse livro passava a ser considerado de domínio público e qualquer pessoa podia reproduzi-lo. O verbo latino que hoje traduzimos como "editar" — *edere* — na realidade tinha um significado mais próximo de "doação" ou "abandono". Implicava largar a obra à própria sorte. Não existia absolutamente nada parecido com direitos autorais. Em toda a cadeia do livro, só recebia um pagamento direto de tanto por linha quem fazia a cópia (se não fosse um escravo doméstico), como hoje nos cobram por página quando tiramos fotocópias.

O doutor Johnson, um inglês de grande saber, dizia que, à exceção de algum cabeça-oca, ninguém jamais escreveu por outro motivo que não fosse o dinheiro. Não sabemos do que era formada a cabeça dos escritores antigos, mas todos eles tinham pleno conhecimento de que não havia a menor esperança de ganhar dinheiro com a venda de exemplares. No século I, o humorista Marcial se queixava: "Minhas páginas só agradam de graça."[49] Desde sua chegada a Roma, esse bilbilitano constatou na própria carne que a profissão literária não era rentável, nem mesmo para um autor de sucesso. Conta que certa vez um ricaço desconhecido o abordou na rua e apontou para ele o dedo e o olhar, como fazem os caçadores de *selfies* hoje com os famosos: "Não é você? É, sim, você, aquele Marcial cujas maldades e piadas todo mundo conhece?", perguntou. E prosseguiu: "E por que está com esse casaco tão puído?"[50] "Porque sou um mau escritor", respondeu Marcial, com uma ironia que antecipava o futuro humor *somarda* aragonês.

O que levava alguém como Cícero a publicar seus discursos e ensaios? Expandir suas ambições sociais e políticas, aumentar sua fama e influência; fabricar uma imagem pública sob medida para seus interesses; e ter certeza de que seus amigos — e inimigos — conheceriam suas conquistas. Os mecenas que sustentavam brilhantes escritores pobres buscavam coisas parecidas: glória, brilho, adulação.

Os livros serviam, principalmente, para criar ou fortalecer o prestígio de certas pessoas. A literatura passava livre e voluntariamente de umas mãos para outras, como presente ou empréstimo pessoal entre indivíduos nela interessados, e ajudava a demarcar um pequeno grupo de elite cultural, uma comunidade íntima de gente rica na qual se admitiam, por seu talento, alguns protegidos de origem humilde ou escrava. Por conta própria, sem relações poderosas, a sobrevivência de leitores e de escritores era impossível.

Depois dessa origem forasteira e servil da cultura literária, começaram a surgir timidamente alguns escritores autóctones, mas eles tinham de escrever em prosa e sobre assuntos respeitáveis como história, guerra, direito, agricultura ou moral. Cícero e César foram as duas figuras mais conhecidas dessa primeira safra republicana de autores romanos de boa família. Ao contrário dos poetas escravos trazidos do mundo grego, eles eram cidadãos que, ainda por cima, escreviam. E o faziam abordando temas sérios. Os estrangeiros não podiam escrever sobre leis ou tradições pátrias, e tampouco era bem-visto que um romano de boa família dedicasse seu tempo à poesia — tal como muitas pessoas da nossa época considerariam fora de questão que o chefe de Estado escrevesse letras de canções pop.

Por isso, existiram durante muito tempo duas literaturas paralelas e contemporâneas. Por um lado, os versos que os escravos ou libertos gregos compunham para agradar a seus cultos protetores aristocráticos; por outro, a obra diletante — sempre em prosa — dos cidadãos respeitáveis. "A poesia não está em um lugar de honra, e se alguém se consagra a ela é chamado de mendigo", escreveu Catão, o Velho.[51] Desde então, os titereiros, músicos e artistas têm essa fama de gentinha de baixo nível, de Caravaggio a Van Gogh; de Shakespeare e Cervantes a Genet.

Em Roma, os cidadãos de pleno direito podiam se dedicar a atividades artísticas e literárias, se assim o desejassem, desde que fossem ocasionais e, acima de tudo, desinteressadas. No entanto, pretender ganhar a vida com as letras era um objetivo pouco decoroso para as pessoas de bem. Quando o conhecimento se misturava com o espírito de lucro, ficava imediatamente desprestigiado. Eu já disse que até os ofícios intelectuais de maior sabedoria, como a arquitetura, a medicina ou a educação, eram próprios das classes baixas. Os mestres-escolas antigos, em sua maioria escravos ou libertos, realizavam um trabalho humilde e menosprezado. "Ele tinha origem obscura", comenta Tácito sobre um indivíduo — um arrivista — que começou a carreira exercendo esse ofício plebeu.[52] Os patrícios e aristocratas valorizavam o saber e a cultura, mas desprezavam a docência.[53] Dava-se o paradoxo de que era ignóbil ensinar o que era honroso aprender.

Quem diria que no tempo da grande Revolução Digital voltaria a ganhar força a velha ideia aristocrática de cultura como passatempo de amadores. A antiga ladainha ressoa outra vez, repetindo que se os escritores, dramaturgos, músicos, atores e cineastas querem comer, deveriam arranjar um ofício sério e deixar a arte para as horas vagas. No novo quadro neoliberal e no mundo em rede — curiosamente, como na Roma patrícia e escravista —, querem que o trabalho criativo seja gratuito.

10

Nesse universo de riqueza e alta sociedade no qual a cultura começou a fincar raízes, também havia mulheres que colecionavam livros. Graças às cartas de Cícero, conhecemos Caerellia, leitora ávida e proprietária de uma biblioteca filosófica. Acontece que essa rica dama patrícia conseguiu, de algum jeito — talvez recorrendo ao suborno —, uma cópia pirata do tratado ciceroniano *Sobre o supremo bem e o supremo mal* antes que o autor pusesse o livro oficialmente em circulação.[54] "Sem dúvida, Caerellia esbanja um entusiasmo ardoroso pela filosofia", escreveu um irritado Cícero em tom sarcástico.

O caso dessa leitora impaciente não foi uma exceção. Nas famílias romanas de alta classe era frequente haver mulheres muito cultas. No século II a.C., Cornélia, mãe dos Graco, dirigia pessoalmente os estudos de seus filhos e se empenhava em escolher os professores mais bem preparados.[55] Além disso, era anfitriã de saraus literários que antecipavam o salão francês de Madame de Staël, onde se reuniam os políticos e escritores da época.[56] Semprônia, mãe de Bruto, assassino de César, amava a leitura, tanto em latim quanto em grego.[57] Cícero descreve sua filha Túlia como *doctissima*.[58] Uma das várias esposas — não simultâneas — de Pompeu era muito apegada à literatura, à geografia e à música da lira.[59] Além do mais, tal como Caerellia, "assistia com prazer às discussões filosóficas".

Os aristocratas romanos costumavam dar boa educação às suas filhas. Geralmente não as mandavam à escola; preferiam ter tutores particulares em casa para manter sob controle a castidade das meninas. Os antigos se preocupavam com os perigos da rua para seus nobres filhos. Num mundo em que a pederastia pairava no ambiente, todo cuidado era pouco. Por isso as famílias nobres tinham um escravo para escoltar as crianças em seus trajetos cotidianos até o colégio — que era chamado de "pedagogo", *paedagogus*, palavra que originalmente significava apenas "acompanhante de criança". Mas a solução doméstica também tinha seus riscos. As relações entre um célebre professor chamado Quinto Cecílio Epirota e a filha do seu amo, a quem dava aulas, provocaram um mar de murmúrios no século I a.C. e acabaram levando ao exílio aquele liberto libertino.[60]

Os últimos degraus do conhecimento eram vedados às mulheres: a educação superior era um território exclusivamente masculino. Tampouco permitiam a elas, como aos jovens, cursar um ano de estudos em Atenas ou em Rodes, o que vinha a ser a bolsa acadêmica daquele tempo. As jovens de boa família não iam às aulas de retórica, não viajavam à Grécia para aperfeiçoar o idioma, não faziam turismo na Acrópole nem saboreavam a liberdade longe dos pais. Enquanto seus irmãos estavam admirando as estátuas gregas e desfrutando o amor grego, as adolescentes, que os pais casavam muito jovens com homens já maduros, ficavam à caça de marido. Os antigos pensavam que o casamento tinha o mesmo significado para as mulheres que a guerra para os homens: a realização da sua verdadeira natureza.

Ao longo dos séculos, encontramos vestígios de um acalorado debate sobre as vantagens e os riscos de ensinar as letras às garotas. A vida noturna teve uma importância decisiva nessa controvérsia. Os gregos deixavam as mulheres em casa e iam sozinhos aos banquetes, onde eram mimados até de madrugada por prostitutas de luxo. As romanas, por sua vez, iam a jantares fora de suas mansões, e por isso era importante para os maridos que soubessem manter diálogos inteligentes com outros comensais. Por isso, nos lares aristocráticos romanos era possível encontrar mulheres orgulhosas do seu engenho, da sua eloquência e dos seus conhecimentos.

Encontramos um retrato ácido e caricaturado dessas damas cultas nas sátiras de Juvenal. No fim do século I, esse poeta cômico começou a escrever versos que, conforme ele mesmo dizia, nasciam da indignação. Ele era um humorista resmungão e reacionário dominado pela nostalgia de um passado inexistente. Não foi por acaso que se conservaram tantos manuscritos medievais de suas *Sátiras*, pois os monges adoravam aquelas devastadoras denúncias da depravação humana — material insuperável para sermões edificantes. Num dos seus poemas, Juvenal adverte os homens contra os tormentos do casamento. Apresenta um catálogo de "maldades" femininas: a luxúria com os gladiadores, as infidelidades com estrangeiros piolhentos — "serás pai de um etíope, logo ocupará teu testamento um herdeiro negro que jamais poderás ver à luz do dia" —, as despesas extravagantes, a crueldade com os escravos, as superstições, a insolência, o mau humor, os ciúmes... e a cultura. ("É uma chata a mulher que no início de um jantar cita Virgílio e o põe na balança com Homero. Os mestres se retiram e os professores são derrotados, todos se calam, nem o advogado nem o pregoeiro dirão uma palavra. Detesto a sabichona que relê e decora a gramática mantendo sempre as regras e a norma da linguagem, e que sabe versos que eu ignoro e corrige expressões da sua amiga do interior com as quais nenhum marido se preocupa.")[61]

A misoginia dessa sátira é tão gritante e violenta que alguns especialistas questionam se Juvenal era realmente um reacionário esbravejante ou se manifestava os argumentos mais extremistas para ridicularizá-los. Mas é quase impossível julgar a seriedade ou a ironia de um texto a vinte séculos de distância. Em todo caso, o humor de Juvenal não teria feito sucesso se não houvesse ingredientes verídicos por trás da brincadeira. É inquestionável que, no começo da nossa era, o prazer da leitura era partilhado por muitas mulheres romanas. E algumas delas, apaixonadas por literatura e pela linguagem, eram capazes de deixar os maridos em apuros. Pela primeira vez, havia mães e filhas ilustradas nas famílias nobres que conversavam, liam, conheciam a liberdade dos livros e sabiam utilizar o poder indestrutível — "como um deus ou como um diamante" — da palavra.[62]

11

Quem aprendia a ler e possuía livros na civilização romana? Não há nada que demonstre a existência, na Antiguidade, de algo parecido com a educação universal. Foi só na Idade Moderna, há muito pouco tempo, que alguns países conseguiram implantar uma alfabetização generalizada, e isso não se deu de forma espontânea: foi necessário um grande esforço coletivo. Os romanos nunca tentaram universalizar as letras nem criaram uma escola pública. A educação era voluntária, não obrigatória. E cara. É difícil reconstruir o grau de alfabetização daquela época, que oscila entre aqueles que escreviam com muita dificuldade o próprio nome e os que devoravam a intrincada prosa de Tácito. As habilidades de escrita e leitura não eram uniformes entre homens e mulheres nem entre áreas rurais e urbanas. De modo geral, os estudiosos são precavidos e vagos em suas conjecturas. O historiador W. V. Harris se atreve a fornecer números precisos sobre a população de Pompeia, sepultada pela lava do Vesúvio no século I, onde foi possível estudar detalhadamente os milhares de grafites e pinturas nas paredes — mensagens de gente comum, como um anúncio de aluguel de uma casa, declarações de amor, objetos perdidos, insultos e obscenidades diversas semelhantes às que encontramos nas portas dos nossos banheiros públicos, ofertas de putas, um fã torcendo por seu gladiador favorito... Segundo Harris, menos de 60% dos homens e menos de 20% das mulheres estavam em condições de ler e escrever naquela cidade; no total, não mais do que 2 ou 3 mil pompeanos.[63] Embora essas cifras possam nos parecer pobres, elas revelam um nível de educação nunca antes atingido e um acesso à cultura mais aberto do que em qualquer outra época anterior.

Na classe privilegiada, a vida das crianças dava uma reviravolta quando elas completavam 7 anos. Nessa idade, deixavam a proteção da casa, onde a mãe as educava e um escravo grego lhes ensinava sua língua — como aquelas professoras estrangeiras nos romances do século XIX. Concluída a etapa do aprendizado caseiro, tinham que passar por uma experiência dura, e até mesmo violenta. Até os 11 ou 12 anos, padecia a didática obsessiva e monótona da escola primária. Ali se martelava insistentemente cada fase — as letras, as sílabas, os textos —, sem tentar atrair a curiosidade do aluno, com uma indiferença absoluta pela psicologia infantil. Tal como na Grécia, o método era passivo: a memória e a imitação eram os talentos mais valorizados.

Além disso, o professor não costumava tornar mais agradável o aprendizado. Em todos os escritores antigos, a recordação da escola está associada a agressões físicas e terror. No século IV, o poeta Ausônio mandou uma carta ao neto para animá-lo a começar sem medo sua nova vida de colegial: "Ver um professor não é uma coisa tão horrível", dizia. "Embora tenha uma voz desagradável e ameace com ásperas repreensões franzindo a testa, você se acostumará com ele. Não se assuste se ressoarem na escola muitos golpes de vara. Não se perturbe com a gritaria quando a ponta da vara vibrar e os banquinhos balançarem com os tremores e o medo."[64] Imagino que essas palavras supostamente tranquilizadoras devessem provocar pesadelos no pobre menino. Agostinho de Hipona, que jamais esqueceu seus sofrimentos quando era aluno, escreveu aos 62 anos: "Quem não recuaria horrorizado e preferiria perecer se tivesse que escolher entre a morte ou voltar à infância!"[65]

O ofício dos professores do curso primário era denominado em latim *litterator*, ou seja, "que ensina as letras". Aqueles pobres-diabos, geralmente severos, ásperos e mal remunerados — não devemos nos espantar com o fato de que muitos tivessem mais de um emprego —, deram o nome à "literatura", outra profissão propensa a penúrias.[66] Os estabelecimentos nos quais eles lecionavam tampouco eram exatamente monumentais: lugares de aluguel barato, às vezes simples pórticos separados do barulho da rua e dos curiosos por algumas cortinas leves de pano. Os alunos se sentavam em tamboretes simples, sem encosto, e escreviam apoiados nos joelhos porque não havia mesas. Horácio os descreve a caminho da escola, "carregando no braço esquerdo a caixinha com as pedras para fazer as contas e a tabuleta para escrever". Esse era o conteúdo das primeiras mochilas infantis.[67]

As crianças precisavam de materiais de escrita baratos para suas tarefas escolares, os ditados, as práticas de caligrafia, os rascunhos. Como o papiro era um produto de luxo, as tabuletas enceradas foram, desde os romanos, o suporte da escrita cotidiana e íntima da infância. Nelas as crianças aprendiam a ler e nelas registravam seus êxitos, seus amores, suas lembranças. Geralmente eram simples peças lisas de madeira ou de metal que tinham um ligeiro rebaixamento, revestido de cera de abelha misturada com resina. Nessa camada macia as letras eram riscadas com um estilete afiado de ferro ou de osso. Na outra ponta, esse instrumento terminava numa espécie de espátula para alisar a cera e, assim, poder reutilizar a tabuleta ou apagar um erro. Esse suporte permitia uma reciclagem infinita, simplesmente trocando a camada de cera. Nas escavações de Pompeia apareceram, quase intactos, dois retratos de mulheres pensativas com a ponta de um *stilus* tocando a boca, tal como um intelectual do século XX posaria com seus óculos, seu cigarro e sua barba cuidadosamente desleixada. No mais conhecido dos dois retratos — que, fantasiando com uma imagem que não existe, batizamos como "a poeta Safo" —, uma mulher jovem medita com o estilete encostado nos lábios e as ceras numa das mãos, enquanto sua mente fabrica um verso. Cada vez que mordiscamos a ponta de uma caneta ou um lápis, concentrados, com o olhar perdido, estamos perpetuando, sem ter consciência disso, um repertório de gestos tão antigos quanto a escrita.

A mão da jovem Safo pompeana segura um bloco de cinco ou seis tabuletas. Era comum fazer pequenos orifícios num canto das tabuletas para uni-las depois com argolas, cordões ou correias. Às vezes eram fabricados dípticos ou polípticos unidos por dobradiças. Graças a um grande depósito de material encontrado no Forte Vindolanda, perto da muralha de Adriano na Grã-Bretanha, também conhecemos a existência de objetos do tamanho de um caderno feitos com pranchas de madeira comum ou tábuas de bétula dobradas como um acordeão — extraídas das árvores na primavera, quando a seiva circula por elas e a madeira é mais flexível para ser vincada, como os modernos folhetos desdobráveis. Nesses conjuntos de tabuletas encadernadas como páginas de madeira — em latim, *codices* —, encontramos o elo entre o passado mais remoto da escrita e o presente. Foram os precursores do livro tal como hoje o conhecemos.

As tabuletas eram muito comuns e tinham os usos mais diversos. Muitas certidões de nascimento e cartas de alforria de escravos — duas formas de começar uma nova vida — foram escritas nelas. Também serviam para anotações pessoais, contabilidade doméstica e registros comerciais de pequenos negócios, além de arquivos, cartas e as primeiras versões de poemas que lemos ainda hoje. Em seu manual erótico *A arte de amar*, Ovídio adverte os amantes clandestinos para que apaguem com muito cuidado as frases comprometedoras antes de voltar a utilizar uma tabuleta. Segundo o poeta, muitas infidelidades eram descobertas por descuidos desse tipo — as ceras antigas, aparentemente, eram tão delatoras quanto os celulares de hoje.[68] Esse problema, sem dúvida, causou muitos desgostos aos nossos antepassados da era pré-digital, uma vez que o popular *Kama Sutra*, de Vatsiaiana, também dedica um amplo espaço a ensinar às mulheres a arte de esconder as cartas incriminatórias de seus casos amorosos.

Às vezes as tabuletas recebiam uma camada de gesso para que se pudesse escrever nelas com tinta usando o cálamo, um bambu rígido que terminava numa ponta fendida com um corte no centro, como a pena das canetas. Dessa forma, era mais fácil para uma mão pouco experiente desenhar as letras com traços e linhas simples.[69] O poeta Pérsio descreve uma criança em idade escolar resmungando desesperada com cada pingo de tinta que caía da ponta do cálamo salpicando seus exercícios de caligrafia.[70] Essa cena se repetiu nas salas de aula durante muitos séculos, até um passado bastante recente. Minha mãe ainda se lembra da paisagem dos seus cadernos escolares borrifada com aquelas lágrimas pretas.

Eu, em contrapartida, pertenço à era da caneta esferográfica, invento genial do jornalista húngaro László Bíró. Contam que László teve a ideia simples — fabricar um novo instrumento de escrita com uma bola de metal dura dentro de um orifício — enquanto observava uns meninos jogando bola. Percebeu que esta deixava um rastro no chão quando rolava depois de passar por uma poça d'água. Imagino essa partida de futebol numa cidade chuvosa — os gritos, as risadas, o dia cinzento, o chão salpicado de espelhos, o rastro molhado da bola — como um novo alfabeto recém-inventado. Dela descendem as inesquecíveis Bic Cristal hexagonais da minha infância, com a tampa azul e o buraquinho lateral. Voltam à minha mente as longas tardes tediosas em que as usávamos como zarabatanas para arremessar grãos de arroz contra a nuca dos colegas de turma, e eu mirava tentando — com a falta de jeito adolescente — chamar a atenção de alguém que talvez me atraísse.

12

A estética *gore* e o fascínio pela violência extrema, que nos parecem tão contemporâneos, já tinham adeptos entre os romanos. A mitologia grega tem o seu repertório de brutalidades — estupros, olhos arrancados, fígados humanos devorados por abutres e gente esfolada com ferocidade —, mas no topo do gênero reinam, sem dúvida alguma, as crônicas de mártires cristãos, com suas descrições explícitas de torturas, desmembramentos, mutilações e sangue, muito sangue.

Um dos grandes mestres sádicos e truculentos nasceu na Hispânia em meados do século IV, provavelmente em César Augusta — quer dizer, sua infância deve ter transcorrido entre os mesmos rios e ventos que a minha. Aurélio Prudêncio Clemente recebeu dos pais um nome pacífico e ocupou diversos cargos pouco significantes como funcionário imperial, mas por trás dessa fachada banal se escondia o bisavô romano de Tarantino ou Dario Argento. Já próximo dos 50 anos, esse hispânico tranquilo teve um violento arroubo criativo, deixou de lado suas responsabilidades oficiais e escreveu 20 mil versos febris em sete anos. Entre outros livros, publicou uma coleção de poemas com um título grego, *Peristephanon*, "Sobre as coroas dos mártires", que relata, com todos os detalhes e coreografias estilizadas do tormento, o suplício de catorze cristãos que foram torturados para que renegassem sua fé.

São Cassiano foi vítima de um desses martírios mórbidos que tanto comoveram Prudêncio. A crônica de sua morte é um dos textos mais aterrorizantes da literatura latina e também, inesperadamente, um documento extraordinário para conhecer — numa perspectiva macabra — a vida cotidiana da escola antiga e os instrumentos de escrita dos nossos antepassados romanos. Prudêncio conta que Cassiano era um professor de curso primário nada gentil com seus discípulos. Dava deveres aos menores, passava ditados para que aprendessem a escrever e costumava aplicar duros castigos.[71] Diariamente açoitados, seus alunos incubaram uma mistura perigosa de medo, violência e ressentimento, como aqueles meninos loiros cujo olhar gélido nos deixa arrepiados no filme *A fita branca*, de Haneke.

Eram anos sombrios de perseguições religiosas. Quando se desencadeou a enésima onda de repressão contra os cristãos, Cassiano foi preso por se negar a cultuar os deuses pagãos. Segundo Prudêncio, as autoridades decidiram entregá-lo, sem o manto e de mãos amarradas nas costas, aos meninos da sua sala, para que fossem eles seus verdugos. A narração, até esse momento bastante previsível, de repente se torna sombria. A morte e a crueldade têm aqui um rosto infantil: "Todos liberam com ânsia o fel e o ódio que haviam armazenado em forma de ira silenciosa. Jogam e quebram frágeis quadros de ardósia na cara do professor, e o ponteiro pula ao bater na testa dele. Atacam-no com as tabuletas de escrever enceradas, e as páginas quebradas e úmidas ficam vermelhas de sangue. Outros fazem vibrar nas mãos os estiletes e punções de ferro com cuja ponta, traçando sulcos, se escreve na cera. Duzentas mãos espetam seu corpo ao mesmo tempo; alguns penetram em uma víscera, outros arrancam sua pele."

Prudêncio quer fazer o leitor impressionável tremer para que sua fé se fortaleça. Dirige com habilidade os recursos do terror: espicha a cena, demora nos detalhes, nos movimentos, nos sons e nos impactos. Transforma os objetos cotidianos em armas e explora a dor que eles podem causar. Também nos revela que os punções utilizados para traçar as palavras na cera eram afiados como facas. Essa escrita com punhais simboliza a violência que imperava na escola romana da letra e do sangue. Assim, o poema se transforma, paradoxalmente, num tenebroso arrazoado contra os castigos físicos às crianças. Todos os alunos parecem ter suportado os sarcasmos e os açoites do professor, e o terrível relato de sua vingança nos força a testemunhar a transformação das crianças em carrascos, de inocentes em assassinos. É um espetáculo assustador, insalubre: "De que te queixas?", diz com crueldade um dos meninos ao mestre caído em desgraça. "Tu mesmo nos entregaste o punção e com ele armaste as nossas mãos. Agora te devolvemos os milhares de signos que recebemos durante teu ensino. Não deveria irritar-te que escrevamos. Tantas vezes te pedimos descansos que nos negavas, mestre avaro dos nossos esforços! Vai, exerce tua autoridade, tens direito de castigar o discípulo mais preguiçoso." O final do poema é absolutamente macabro. As crianças se divertem prolongando a tortura do professor, enquanto o calor da vida escapa pouco a pouco pelos cortes do seu corpo perfurado.

A intenção de Prudêncio era denunciar os crimes contra os cristãos, mas em seu tétrico relato também se infiltra o terror da vida escolar. Outro hispânico, nascido em meados do século I em Calagurris — atual Calahorra —, foi um dos primeiros escritores a questionar os métodos brutais na educação. Em suas *Instituições oratórias*, Quintiliano afirma que o desejo de aprender depende apenas da vontade, "onde não cabe a violência". Ele se opunha aos castigos humilhantes na escola — "só adequados para escravos", dizia, demonstrando que seus impulsos humanitários tinham lá suas exceções e suas brechas.[72] Talvez estivesse se lembrando da própria infância de espancamentos quando escreveu que as crianças que são agredidas com frequência sofrem de medo, dor e vergonha, uma vergonha tão profunda que destrói a felicidade infantil. Por isso, acrescenta, sendo a infância uma idade desamparada, ninguém deveria ter um poder ilimitado sobre as criaturas mais indefesas.

A história horripilante de Cassiano parece demonstrar que os açoites e as pancadas nunca desapareceram das salas de aula romanas, mas também distinguimos áreas de luz nesse panorama tétrico. Mais ou menos no começo da nossa era, surgiram os primeiros defensores de uma pedagogia mais compassiva e divertida.[73] Essa corrente preferia as recompensas aos castigos e procurava despertar nas crianças a sede de aprender. Sabemos que alguns professores começaram a fabricar brinquedos educativos para seus alunos e, como prêmio aos seus primeiros balbucios na leitura, davam bolinhos e biscoitos no formato das letras que estavam aprendendo.[74] Tais excessos de indulgência provocaram uma reação imediata dos caudilhos da velha tradição. Um personagem do *Satíricon*, de Petrônio, investe contra os costumes depravados e frouxos da época — o reinado de Nero, no século I — e anuncia uma decadência iminente de Roma se — onde já se viu! — as crianças estudarem brincando.[75] As batalhas entre a velha e a nova escola são muito antigas.

UMA JOVEM FAMÍLIA

13

Na verdade, quando voltamos os olhos para nossas origens, descobrimos que os leitores são uma família muito jovem, uma novidade meteórica. Há 3,8 milhões de anos, certas moléculas se uniram no planeta Terra para formar determinadas estruturas particularmente grandes e intrincadas chamadas organismos vivos. Animais muito parecidos com os humanos modernos apareceram pela primeira vez há 2,5 milhões de anos. Há 300 mil anos nossos antepassados domesticaram o fogo. Há 100 mil anos a espécie humana conquistou a palavra. Entre o ano 3500 a.C. e o ano 3000 a.C., sob o sol escaldante da Mesopotâmia, alguns gênios sumérios anônimos riscaram na argila os primeiros signos que, superando as barreiras temporais e espaciais da voz, conseguiram deixar marcas duradouras da linguagem.[76] Foi só no século XX, mais de cinco milênios depois, que a escrita se tornou uma habilidade difundida, ao alcance da maioria da população — um longo percurso; uma aquisição muito recente.

Tivemos de esperar até as últimas décadas do século passado, quase na soleira do século XXI, para que pessoas de origem muito humilde, pertencentes às subculturas das grandes cidades, imersas num mundo de gangues e tribos urbanas, aprendessem o alfabeto e se apropriassem dele para soltar as amarras de seus protestos, seu descontentamento e seus desencantos. Os grafites contemporâneos foram um dos acontecimentos mais inovadores que atingiram o alfabeto romano em muitos séculos, ícones imprevistos de décadas de um árduo trabalho para difundir a alfabetização. Pela primeira vez em nossa história, grupos de pessoas muito jovens — crianças e adolescentes, em boa parte nascidos em guetos e periferias —, tiveram meios e autoconfiança suficientes para inventar suas próprias expressões gráficas, criando uma arte original baseada em garatujas e letras. Jean-Michel Basquiat, um jovem negro de raízes haitianas, vivia de fazer bicos antes de começar a expor seus grafites em galerias de arte, nos anos 1980. Letras aos borbotões invadem muitas das suas telas, talvez como autoafirmação em um sistema que apartava os marginalizados. Ele escrevia e logo riscava algumas palavras para torná-las mais visíveis; dizia que o simples fato de serem proscritas nos obriga a lê-las com mais atenção.

Curiosamente, os grafites — ou *writing*, como diziam os envolvidos — se espalharam pelos edifícios, plataformas de metrô, tapumes e outdoors publicitários de Nova York, Los Angeles e Chicago e, depois, pelos de Amsterdã, Madri, Paris, Londres e Berlim, na mesma época em que ocorria a Revolução Informática nos quintais do Vale do Silício.[77] Enquanto os novos especialistas em tecnologia exploravam as fronteiras do ciberespaço, a juventude urbana que morava nos subúrbios marginalizados sentia pela primeira vez o prazer de desenhar letras em paredes e vagões de trens e metrôs — e a beleza do ato físico de escrever. Na mesma época em que os teclados começavam a revolucionar os gestos da escrita, a cultura alternativa juvenil descobriu com paixão a caligrafia, que até então era um deleite minoritário. Fascinados pelo poder de dar nome às coisas, pelas possibilidades criativas que as letras proporcionam e pela consciência do risco que há na escrita — é um ato perigoso, sempre à beira da fuga —, os adolescentes adotaram o alfabeto manuscrito como uma nova forma de se expressar, de empregar o tempo livre e de merecer o respeito dos seus iguais. O fato de ser tão atual essa apropriação só se explica pela juventude da escrita em relação ao longo trajeto da humanidade — ela é apenas o último piscar de olhos da nossa espécie, o batimento mais recente de um velho coração.

Vladimir Nabokov tinha razão ao nos criticar, em *Fogo pálido*, por não nos assombrarmos com essa inovação prodigiosa: "Estamos absurdamente acostumados com o milagre de que alguns poucos signos escritos são capazes de conter um imaginário imortal, evoluções do pensamento, novos mundos com pessoas vivas que falam, choram, riem."[78] E faz uma pergunta inquietante: "E se um dia acordássemos, todos nós, e descobríssemos que somos totalmente incapazes de ler?" Seria um retorno a um mundo não tão longínquo, anterior ao milagre das vozes desenhadas e das palavras silenciosas.

14

A expansão da leitura provocou um novo equilíbrio dos sentidos. Até então, a linguagem passava pelos ouvidos; após o achado das letras, parte da comunicação migrou para o olhar. E os leitores começaram a ter problemas de vista. Pelas queixas de alguns escritores romanos, descobrimos que o uso cotidiano das tabuletas enceradas fatigava e cansava a vista. Na superfície da cera, os traços eram simples fendas, sem contraste — árduas ranhuras de palavras. O poeta Marcial mencionou em seus versos "os desfalecentes olhos" de quem lê em tabuletas, e Quintiliano recomendava a todas as pessoas de vista frágil que só lessem livros escritos com tinta na superfície do papiro ou do pergaminho, preto sobre pardo.[79] Descobrimos, assim, que o suporte mais barato e acessível ao alcance dos nossos antepassados deixava sequelas.

Naquele tempo, não havia maneira de corrigir os erros de refração ocular. Por isso, a vista cansada de muitos leitores e estudiosos do passado estava condenada, com muita frequência, a afundar lentamente numa neblina sem volta ou a se dissolver numa tempestade de manchas de onde as cores e a luz escapavam.[80] Os óculos ainda estavam esperando para ser inventados. Dizem que o imperador Nero olhava através de uma esmeralda enorme para poder distinguir do seu camarote os detalhes de suas amadas lutas entre gladiadores.[81] É possível que tivesse problemas de vista e empregasse suas grandes joias lapidadas como lentes de uma luneta. De qualquer modo, pedras preciosas de tamanho gigantesco estavam ao alcance de imperadores, mas não de intelectuais com algibeira magra e teias de aranha nos bolsos da túnica.

Muitos séculos depois, em 1267, Roger Bacon demonstrou cientificamente que letras pequenas podiam ser aumentadas e vistas com mais nitidez usando lentes polidas de uma forma precisa. Depois desse descobrimento, as fábricas de Murano começaram a fazer experiências com vidro e se tornaram o berço dos óculos.[82] Descobertas as lentes, era preciso criar armações confortáveis, leves e que não as deixassem escorregar. Algumas das primeiras soluções receberam o apelido de "amassa-narizes", mas os novos artefatos rapidamente se transformaram num símbolo desejável de prestígio social.

Numa cena de *O nome da rosa*, Guilherme de Baskerville, diante do maravilhado Adso, tira uns óculos da bolsa pendurada em seu saio, à altura do peito, e os põe no rosto. No século XIV, época em que transcorre a história, aquilo era uma raridade. Os monges da abadia, que nunca tinham visto nada parecido, observam com curiosidade — mas sem se atrever a perguntar nada — aquela estranha prótese de vidro. O jovem Adso a descreve como "uma forquilha construída de tal modo que podia ser montada no nariz de um homem como um cavaleiro no lombo do seu cavalo. De ambos os lados, essa forquilha se prolongava em duas argolas ovais de metal que, colocadas na frente dos olhos, tinham engastadas duas amêndoas de vidro, grossas como o fundo de um copo".[83] Guilherme explica ao seu atônito ajudante que o tempo endurece os olhos e que, sem esse instrumento prodigioso, muitos sábios morreriam para a leitura e a escrita ao completarem cinquenta primaveras. Os dois dão graças ao Senhor por alguém ter descoberto e fabricado esses fabulosos discos capazes de ressuscitar a visão.

Os leitores ricos da Antiguidade não podiam comprar os ainda inexistentes óculos, mas tinham à disposição os rolos mais luxuosos do mercado para proteger e dar conforto aos olhos. A maioria dos livros era feita por encomenda, e a qualidade do produto artesanal dependia, como em todas as épocas, da despesa que o comprador estava disposto a assumir. Para começar, havia diversos tipos de papiro. Como Plínio documenta, o papiro mais fino procedia de tiras fatiadas da polpa interna do junco egípcio. Se o colecionador tinha uma algibeira recheada, a caligrafia do copista seria maior e mais bonita, e o livro poderia ser lido com mais facilidade e duraria mais tempo.[84]

Imaginemos por um instante os rolos mais bonitos, mais refinados, mais exclusivos. As margens das folhas de papiro, cuidadosamente polidas com pedra-pomes, eram adornadas com uma faixa colorida.[85] Para reforçar a consistência dos livros, esculpiam-se uns bastõezinhos chamados de "umbigos", feitos de marfim ou madeira de lei e às vezes folheados a ouro.[86] Os arremates desse umbigo eram empunhaduras muito enfeitadas. Os rolos da Torá judaica utilizados nas sinagogas mantêm vivo o aspecto desses primeiros livros. Para os judeus, esses cilindros de madeira com seus punhos — "árvores da vida" — são imprescindíveis devido à proibição ritual de tocar com a mão o pergaminho ou as letras dos livros sagrados. Entre os gregos e romanos, acariciar o texto nunca foi um sacrilégio, e os umbigos simplesmente ajudavam a desenrolar e depois rebobinar o rolo com mais facilidade.

Os artesãos inventaram outros acessórios caros para bibliófilos sofisticados, como caixas de viagem e capas de couro para preservar o papiro das inclemências do tempo. Nos exemplares de luxo, essa capa era tingida de púrpura, a cor do poder e da riqueza. Sabemos que também havia um unguento caríssimo — o óleo de cedro — para untar o papiro, a fim de afugentar as traças que devoram palavras.[87]

Somente os aristocratas e patrícios romanos podiam ostentar bibliotecas tão luxuosas. Exibiam assim com orgulho a sua fortuna, tal como aqueles que hoje em dia se pavoneiam dirigindo um Rolls-Royce. Os poetas, sábios e filósofos, salvo exceções, não pertenciam a esses círculos privilegiados. Alguns olhavam de esguelha para os belíssimos livros que estavam fora de alcance e, resmungando para seus botões, escreviam sátiras agudas como vingança contra os colecionadores incultos. Chegou até nós um desses libelos rancorosos, intitulado *Contra um ignorante que comprava muitos livros*: "Quem não obtém qualquer benefício dos livros, o que faz ao comprá-los senão proporcionar trabalho aos ratos, refúgio às traças e pancadas aos escravos que não cuidam deles direito? Poderia emprestá-los a quem faria melhor proveito, já que não sabe o que fazer com eles. Mas é como um cachorro que, deitado no estábulo, não come a cevada nem deixa o cavalo comer, aquele que poderia fazê-lo." Essa obra-prima de raiva e insulto retrata com ódio a paisagem de escassez anterior à imprensa, quando ler era, muitíssimas vezes, sinal de um privilégio imerecido.[88]

15

Durante muito tempo, os livros circularam de mão em mão no interior dos círculos fechados de amizade e das clientelas mais exclusivas. Na Roma republicana, quem lia era somente a elite e seus satélites.

Transcorreram muitos séculos nos quais só quem tinha um grande patrimônio ou era habilidoso para a adulação podia pôr os olhos em livros, dada a ausência de bibliotecas públicas na Urbe.

No século I a.C., divisamos pela primeira vez a existência de leitores por prazer, sem grande fortuna nem pretensões sociais. Essa fresta foi aberta graças às livrarias. Sabemos que já havia comércio de livros na Grécia, mas quase não há elementos para reconstruir a imagem dessas primeiras bancas de livros. Do mundo romano, pelo contrário, chegaram até nós muitos detalhes substanciosos (nomes, endereços, gestos, preços e até piadas).

O jovem poeta Catulo — que sempre foi jovem, pois morreu aos 30 anos — conta uma reveladora história de amizade e livrarias ambientada em meados do século I a.C. Antecipando os nossos costumes de Natal, durante as festas saturnais, no fim de um frio mês de dezembro, ele recebeu de seu amigo Licínio Calvo um presente em tom de brincadeira: uma antologia poética dos autores que ambos consideravam os mais nefastos do momento. "Grandes deuses, que horrível e condenado livrinho enviaste ao teu Catulo para que morresse de uma vez", resmunga Catulo. E em seguida trama a sua vingança: "Esta barbaridade não te sairá barata, engraçadinho, porque assim que amanhecer vou correr até os baús dos livreiros e comprarei os piores venenos literários para te devolver estes suplícios. Enquanto isso, voltai para onde lamentavelmente saístes, calamidade do nosso tempo, péssimos poetas."[89]

Com esses versos galhofeiros descobrimos que já era frequente nessa época o costume de presentear, durante as saturnais, livros adquiridos no mercado. E também que o vingativo Catulo não tem qualquer dúvida de que encontrará, na alvorada do dia seguinte, várias livrarias abertas em Roma para comprar o que havia de pior e mais mortífero na produção poética contemporânea, que lhe servirá para se vingar da malícia de seu amigo.

Essas livrarias 24 horas eram, sobretudo, oficinas de cópias por encomenda. Tais estabelecimentos atendiam principalmente pessoas de classe baixa que não tinham sequer um escravo para fazer esse trabalho. Chegavam com um original debaixo do braço e pediam determinado número de cópias manuscritas, mais ou menos luxuosas, segundo a possibilidade econômica de cada um. Os funcionários da oficina, em sua maioria escravos, manobravam o cálamo com rapidez. O bilbilitano Marcial, que no mundo antigo foi o grande campeão da poesia breve, afirmava que fazer uma cópia do seu segundo livro de epigramas — de trinta páginas na minha edição impressa — levava apenas uma hora. Ele apresenta assim as múltiplas vantagens da sua literatura rápida e ecológica: "Primeiro, eu consumo menos papiro; segundo, o copista copia todos os meus versos em uma hora, e não fica escravo das minhas bobagens por muito tempo; e em terceiro lugar, ainda que o livro seja ruim do começo ao fim, só vai importunar por um tempinho."[90]

A mesma palavra, *librarius*, designava o copista e o livreiro, porque se tratava do mesmo ofício. Antes da invenção da imprensa, os livros eram reproduzidos de um em um, letra por letra, palavra por palavra. O preço do material e do trabalho era constante. Produzir de uma só vez uma tiragem de milhares de exemplares, como fazemos hoje, não resultaria em qualquer economia. Pelo contrário, manufaturar muitos livros sem um comprador garantido seria pôr em risco o negócio. Os romanos franziriam a testa incrédulos ante os conceitos atuais de público potencial e ampliação de mercado. Entretanto, a anedota de Catulo dá a entender que era possível ir às livrarias e comprar algumas obras já prontas, sem necessidade de levar um original — certamente, um punhado de novidades e alguns clássicos imprescindíveis. Os livreiros começavam a assumir um certo grau de risco empresarial, oferecendo livros *prêt-à-porter* de autores em que confiavam.

Marcial foi o primeiro escritor que demonstrou ter uma relação amistosa com a corporação dos livreiros. Com certeza ele próprio, que sempre protestava contra a mesquinharia dos seus mecenas, devia se abastecer de livros nas lojas. Vários dos seus moderníssimos poemas contêm publicidade disfarçada,[91] talvez paga: "No bairro de Argileto, em frente ao foro de César, há uma livraria cuja porta está toda tomada de cartazes, de maneira que podes ler rapidamente os nomes de todos os poetas. Procura-me ali. Atrecto — assim se chama o dono da livraria — te dará da primeira ou da segunda prateleira um Marcial polido com pedra-pomes e adornado com púrpura por 5 denários."

A julgar pelo preço de 5 denários que o poeta menciona para o seu magro livrinho — 1 denário era o valor pago por uma jornada de trabalho —, Atrecto e os escribas da sua oficina faziam produtos de luxo, mas supomos que também fabricavam livros baratos para orçamentos mais magros.

Além de Atrecto, Marcial salpica em seus versos os nomes de outros três livreiros: Trífon, Segundo e Quinto Polião Valeriano.[92] Ao último, dedica algumas palavras sarcásticas de gratidão por manter à venda seus livros de principiante: "Todas as minúcias que escrevi quando era jovem, leitor, tu as pedirás a Quinto Polião Valeriano, graças a quem minhas bobagens não perecem." E faz publicidade do negócio de Segundo, incluindo o endereço: "Para que não ignores onde estou à venda e não fiques vagando de um lado para outro por toda a cidade, segue as minhas instruções: procura Segundo, o liberto do culto Lucense, atrás do templo da Paz e do Foro de Palas." Numa sociedade que não reconhecia os direitos autorais, Marcial não recebia qualquer percentual pela venda de seus livros nessas livrarias — nem em nenhuma outra —, mas possivelmente cobrava para anunciá-las em seus poemas, o que faria do nosso poeta um precursor romano das publicidades indiretas das novelas e séries de televisão atuais. É provável, também, que ele gostasse de circular por essas lojas nas suas horas de lazer e quisesse imortalizá-las em seus epigramas. Certamente devia se sentir mais à vontade comentando as últimas fofocas literárias em companhia daqueles inteligentes empresários libertos do que nas mansões dos aristocratas desdenhosos que o mandavam entrar pela porta de serviço.

Os poemas de Marcial nos ajudam a reconstruir como eram aquelas primeiras livrarias: estabelecimentos com letreiros na porta e fileiras de nichos ou prateleiras no interior. Por analogia com alguns comércios pompeanos preservados pela lava vulcânica, imagino uma loja de livros com um balcão maciço e afrescos mitológicos multicoloridos nas paredes; uma porta dos fundos devia ligar o recinto em que o dono atendia o público à oficina onde os escravos copistas trabalhavam em um ritmo impiedoso, curvados durante horas e horas sobre as páginas de papiro ou pergaminho, suportando estoicamente a dor nas costas e as cãibras nos braços.

Por intermédio dos livreiros, os versos de Marcial começaram a chegar às mãos de leitores desconhecidos, fora do círculo dos seus mecenas, e o poeta ficou encantado com essa nova promiscuidade literária. Outros escritores, porém, viviam com medo e pudor aquela abertura incontrolada para um público cada vez mais amplo e sem rosto. Horácio confessou seu acanhamento numa epístola em que dialoga com o seu próprio livro. Repreende a obra mais recente como se ela tivesse vida própria ou, mais exatamente, como se fosse um jovem efebo com uma vontade enorme de ir para a rua e se exibir ao público.[93] A discussão esquenta e o poeta acusa sua suposta criatura de desejar ir à livraria dos Sósios para se prostituir: "Odeias os ferrolhos e os lacres que agradam ao pudoroso, te queixas de ser mostrado a poucos e louvas, apesar da tua criação, os lugares públicos. O que fiz, pobre de mim?, dirás, quando teu amante saciado se cansar. Quando, manuseado pelo vulgo, comeces a sujar-te."

Por trás desses gracejos em clima erótico, pulsa uma mudança histórica no acesso à leitura. Nasceu entre os séculos I a.C. e I um novo destinatário no Império Romano: o leitor anônimo.[94] Hoje parece triste publicar um livro que só será lido pelos parentes e amigos; para os autores romanos, porém, era a situação mais habitual, segura e confortável. Abolir essas fronteiras, aceitar que qualquer pessoa se debruçasse sobre seus pensamentos e emoções em troca de um punhado de denários, foi uma experiência vivida por muitos escritores como um desnudamento traumático.

A epístola de Horácio anuncia o fim do monopólio aristocrático dos livros. Também exprime uma profunda desconfiança em relação a um público de leitores estranhos — até plebeus —, alheios às suas relações, distantes no espaço e no tempo. O autor acaba ameaçando o livrinho descarado com um destino humilhante: "Servirás de pasto em silêncio para as reles traças, ou a velhice te alcançará num lugar pequeno ensinando as letras às crianças, ou serás enviado para Ilerda (a atual Lérida) num pacote." A menos que o desavergonhado exemplar se comporte com decência, ficando em casa e entre pessoas de confiança, sofrerá o insuportável vexame de se transformar em texto escolar ou, pior ainda, o ultraje de pertencer à biblioteca de um tosco leitor hispânico.

Comparada à de Horácio, merece destaque a atitude aberta e irreverente de Marcial, nascido para lá de Ilerda, na celtibera Bilbilis (hoje Calatayud) e, portanto, isento de preconceito contra provincianos. Era o começo de uma nova época em que não seria mais necessário cortejar os ricos para aceder aos livros. Marcial e os livreiros aplaudiam essa ampliação do campo de batalha.

LIVREIRO: OFÍCIO DE RISCO

16

Helene era filha de imigrantes. Seu pai, um humilde camiseiro, conseguia entradas para os teatros da Filadélfia em troca das peças de roupa que vendia. Graças a esses escambos, Helene podia se recostar, em plena Grande Depressão norte-americana, nas poltronas puídas e, quando as luzes da sala se apagavam para iluminar o palco, seu coração batia depressa, como um cavalo desenfreado na escuridão do teatro. Com 20 anos e uma bolsa limitada, ela se instalou em Manhattan para dar início à vida de escritora. Passou décadas morando em lugares sórdidos com os móveis caindo aos pedaços e cozinhas infestadas de baratas, sem poder prever de um mês para outro como ia pagar o aluguel. Só sobrevivia como roteirista de televisão enquanto escrevia, uma atrás da outra, dezenas de peças que ninguém queria produzir.

Sua melhor obra, que foi crescendo e ganhando forma lentamente durante os vinte anos seguintes, nasceu da maneira mais inocente e inesperada. Helene viu um anúncio minúsculo de uma livraria londrina especializada em livros esgotados. No outono de 1949, mandou seu primeiro pedido ao número 84 da Charing Cross Road. Os livros, de preços acessíveis graças ao câmbio, começaram a atravessar o oceano rumo às prateleiras — feitas com caixas de laranja — de seus sucessivos apartamentos.

Desde o início, Helene enviava à livraria algo mais do que simples listas de livros e o dinheiro correspondente aos pagamentos. Suas cartas explicavam o prazer de desembrulhar o volume recém-chegado e acariciar suas lindas páginas de cor creme, suaves ao toque; sua cômica decepção se a obra não estivesse à altura das suas expectativas; suas impressões ao ler os textos, seus apertos financeiros, suas manias — "adoro esses livros de segunda mão que se abrem naquela página que o dono anterior lia com mais frequência". O tom, a princípio rígido, das respostas do livreiro, que se chamava Frank, foi relaxando com o passar dos meses e das cartas. Em dezembro, chegou à Charing Cross Road um pacote natalino que Helene mandou para os funcionários da livraria. Continha presunto, latas de conserva e outros produtos que, no difícil pós-guerra inglês, só era possível conseguir no mercado clandestino. Na primavera, ela pediu a Frank, por favor, uma pequena antologia de poetas "que saibam falar de amor sem choramingar" para ler ao ar livre, no Central Park.

O extraordinário dessas cartas é como elas revelam nas entrelinhas o que não contam. Frank nunca menciona isso, mas sem dúvida ele dava a alma em busca dos livros mais belos para Helene, percorrendo grandes distâncias e vasculhando cada detalhe das remotas bibliotecas particulares à venda. E ela responde com novos pacotes de presentes, novas confidências cômicas sobre si mesma, novas encomendas prementes. Uma emoção sem palavras e um desejo calado se infiltram nessa correspondência comercial que nem sequer é privada, porque Frank faz uma cópia de cada carta para o arquivo da empresa. Passam-se os anos — e os livros. Frank, casado, vê suas duas filhas deixarem a infância e a adolescência para trás. Helene, sempre sem dinheiro, continua sobrevivendo graças à escrita alimentícia de roteiros de televisão. Os dois trocam presentes, encomendas e palavras, cada vez mais espaçadas. Depuraram uma linguagem própria para se comunicar, limpa de sentimentalismos, reticente, cheia de frases engenhosas para diminuir o amor omitido.

Helene sempre anunciava que iria a Londres — e à livraria — assim que conseguisse dinheiro para a passagem, mas a eterna penúria da escrita, um problema dentário e as despesas das suas incessantes mudanças adiavam o encontro um verão após outro. Com frases sempre recatadas, Frank lamentava que, entre tantos turistas norte-americanos fascinados pelos Beatles, Helene nunca chegasse. Em 1969, Frank morreu subitamente de peritonite aguda. Sua viúva escreveu algumas linhas à norte-americana: "Não me incomodo de reconhecer que algumas vezes senti muito ciúme de você." Helene reuniu todas as cartas e publicou a correspondência dos dois em forma de livro. E, então, obteve o sucesso fulgurante que sempre lhe dera as costas durante anos e anos de trabalho duro. Em pouco tempo *84, Charing Cross Road* se tornou um romance *cult*, e foi adaptado para o cinema e o teatro. Depois de décadas escrevendo peças que ninguém se dispunha a produzir, Helene Hanff teve sucesso no palco com uma obra que nunca pretendeu ser teatral. Graças à publicação do livro, ela finalmente pôde viajar a Londres — pela primeira vez, mas tarde demais: Frank estava morto e a livraria Marks & Co. havia desaparecido.

Mas o que está na correspondência entre a escritora e seu livreiro-confidente é só metade da história. A outra metade pulsa nos livros que ele selecionou para ela, porque recomendar e entregar uma leitura escolhida é um gesto poderoso de aproximação, de comunicação, de intimidade com outra pessoa.

Os livros nunca perderam por completo esse valor primitivo que tinham em Roma, a sutil capacidade de desenhar um mapa dos afetos e das amizades. Quando uma página nos comove, um ser querido vai ser o primeiro a quem falaremos dela. Quando damos um romance ou um livro de poemas a alguém com quem nos importamos, sabemos que a opinião dessa pessoa sobre o texto se refletirá em nós. Se um amigo, a amada ou o amante põe um livro em nossas mãos, rastreamos no texto seus gostos e suas ideias, ficamos intrigados ou aludidos pelas linhas sublinhadas, iniciamos uma conversa pessoal com as palavras escritas e nos abrimos mais intensamente ao seu mistério. Procuramos em seu oceano de letras uma mensagem engarrafada para nós.

Quando mal se conheciam, meu pai deu à minha mãe um exemplar de *Trilce*, os poemas de juventude de César Vallejo. Talvez nada do que aconteceu depois tivesse sido possível sem a emoção que aqueles versos despertaram. Certas leituras são uma forma de derrubar barreiras, certas leituras nos recomendam o desconhecido que as ama. Eu não tenho parentesco com o prodigioso César Vallejo, mas já o enxertei na minha árvore genealógica. Tal como meus remotos bisavós, o poeta foi necessário para que eu existisse.

Apesar da força do marketing, dos blogs e das críticas, quase sempre devemos as coisas mais bonitas que lemos a algum ser querido — ou a um livreiro que virou um amigo. Os livros continuam nos unindo e entrelaçando de uma forma misteriosa.

17

As livrarias desaparecem rapidamente, seus rastros no tempo são mais tênues do que as pegadas das grandes bibliotecas. Em seu imprescindível ensaio — e guia de viagens bibliófilas —, Jorge Carrión escreve que o diálogo entre coleções particulares e coleções públicas, entre a livraria e a biblioteca, é tão velho quanto a civilização, mas a balança histórica sempre se inclina para o lado da segunda.[95] Enquanto o bibliotecário acumula, entesoura, quando muito empresta temporariamente a mercadoria, o livreiro adquire para se desfazer do que adquiriu, compra e vende, põe em circulação. Seu negócio é o tráfico, a passagem. Enquanto as bibliotecas são atreladas ao poder, aos governos municipais, aos Estados e seus exércitos, as livrarias vibram com a energia do presente, são líquidas, temporais. E, eu acrescentaria, perigosas.

Os livreiros exercem um ofício de risco desde o tempo de Marcial. O poeta presenciou em Roma a execução de Hermógenes de Tarso, um historiador que aborreceu o imperador Domiciano com certas alusões inseridas em sua obra. Para complementar a punição, também receberam pena de morte os copistas e livreiros que puseram em circulação o volume maldito.[96] Suetônio explicou o veredito destes últimos com palavras que não necessitam de tradução: *librariis cruci fixis*.

Com esses crucificados, Domiciano inaugurou uma triste lista de opressões. A partir de então, inúmeros censores aplicaram o mesmo método que o imperador, punindo responsabilidades indiretas. O sucesso do mecanismo repressor se baseia exatamente em estender a ameaça de represálias, multas ou prisão a todos os elos da cadeia (dos amanuenses ou impressores de antigamente ao administrador de um grupo ou provedor de internet). Amedrontar esses agentes ajuda a silenciar os textos incômodos, pois é pouco provável que todos os envolvidos estejam dispostos a correr os mesmos riscos que o autor, comprometido mais visceralmente com a publicação de sua própria obra. Portanto, as ameaças aos livreiros são parte essencial dessa guerra sem quartel contra os livros livres.

Não sabemos praticamente nada sobre os livreiros que o imperador castigou por copiar e vender a história de Hermógenes, da qual talvez nem sequer gostassem. Só foram salvos do esquecimento por uma frase fugaz de Suetônio, num parágrafo sobre o terror que Domiciano instaurou. Eles aparecem e desaparecem no mesmo instante, deixando-nos com um gosto de curiosidade insatisfeita. São mencionados pela primeira vez quando morrem, e aí termina tudo. Que história teriam contado? Por quais penúrias passaram, que alegrias conheceram em sua profissão? Teriam sido vítimas de um castigo arbitrário ou apoiavam o espírito subversivo do autor do texto que lhes custou a vida?

Um apaixonante livro de memórias dá voz aos livreiros de outra época incerta, caótica e autoritária: a Espanha do século XIX, que saía do reinado absolutista de Fernando VII. Seu autor, George Borrow, a quem os madrilenos chamavam "*don* Jorgito, o inglês", foi enviado ao nosso país pela British and Foreign Bible Society com a missão de divulgar os livros sagrados em sua versão anglicana. Borrow percorreu toda a geografia da Península Ibérica por estradas poeirentas e às vezes quase clandestinas para deixar seus exemplares da Bíblia nas principais livrarias de capitais e povoados. Em meio a uma paisagem variada de estalajadeiros, ciganos, feiticeiras, lavradores, tropeiros, soldados, contrabandistas, salteadores, toureiros, grupos carlistas e funcionários demitidos, Borrow retrata o esfaimado mundo editorial que conheceu. Em 1842, ao publicar o relato de suas viagens originais em *The Bible in Spain* [A Bíblia na Espanha], afirmou sem rodeios: "A demanda por obras literárias de qualquer gênero é miseravelmente reduzida na Espanha."[97]

A obra nos mostra uma galeria impagável de livreiros fazendo relatos em primeira pessoa, teimosos, queixosos, maltratados — e, em alguns casos, inquietantes. O livreiro de Valladolid, "homem simples, de coração bondoso", só podia se dedicar à venda de livros em paralelo com outros negócios heterogêneos, pois a livraria não lhe rendia o suficiente para viver. Borrow conseguiu convencer um intrépido livreiro de Leão a vender suas bíblias anglicanas e anunciá-las. Mas os leoneses, "carlistas furiosos, com raras exceções", abriram um processo no tribunal eclesiástico contra seu heterodoxo concidadão. O livreiro, em vez de se acovardar, manteve a provocação e chegou até a pôr um anúncio na porta da catedral. Em Santiago de Compostela, Borrow fez amizade com um veterano do ofício, que o levava para percorrer os arredores da cidade durante os suaves crepúsculos do verão. Depois de várias caminhadas, afinal teve coragem de falar com ele de peito aberto e confiar-lhe as perseguições sofridas: "Nós, livreiros espanhóis, somos todos liberais. Amamos muito a nossa profissão e todos, alguns mais, outros menos, padecemos por causa dela. Muitos dos nossos foram enforcados nos tempos de terror, por vender inofensivas traduções do francês ou do inglês. Eu tive que fugir de Santiago e me refugiar na parte mais agreste da Galícia. Se não fosse pelos meus bons amigos, não estaria contando isto agora; ainda assim, custou muito dinheiro resolver esse problema.

Enquanto estava escondido, os funcionários da cúria eclesiástica assumiram a livraria, e diziam à minha mulher que deviam me queimar por ter vendido livros maus."

O mais sombrio de todos — um Sweeney Todd ibérico — foi um livreiro-barbeiro louco, da cidade de Vigo, que, como contaram a Borrow, tanto podia lhe vender um livro quanto querer cortar seu pescoço a pretexto de fazer-lhe a barba. Não fica claro do que dependia a atitude amável ou homicida desse bom homem. Eu gostaria muito de saber se a sua minguante clientela arriscava a pele ao opinar sobre literatura.

Quase 1.800 anos separam Domiciano e Fernando VII, mas a história dos seus livreiros respira uma atmosfera compartilhada. Em épocas tirânicas, as livrarias costumam ser lugares de acesso ao proibido — portanto, levantam suspeitas. Em épocas de fobia à influência estrangeira, são portos em terra firme, passagens fronteiriças difíceis de vigiar. As palavras estrangeiras, as palavras repudiadas ou incômodas encontram nelas um esconderijo. Minha mãe ainda guarda intacta a lembrança dos fundos de certas livrarias durante a ditadura: o ritual de entrada, o medo e a alegria rebelde e infantil de ser admitida no esconderijo e, por fim, como era poder tocar na mercadoria perigosa — livros exilados, ensaios revoltados, romances russos, literatura experimental, títulos que os censores haviam qualificado como obscenos. Você pagava por um livro e ainda tinha que escondê-lo o tempo todo; comprava segredo e perigo; pagava para ser batizado como proscrito.

Lembro-me de uma manhã, nos anos 1990, em que estava com meu pai em Madri. Tínhamos entrado num sebo daqueles de que ele tanto gostava (reino do caos e da desordem). Podia passar horas ali. Chamava aquilo de bisbilhotar ou farejar, mas na verdade parecia mais que estava escavando uma mina. Afundava toda a extensão dos braços para alcançar os livros que estavam na base das pilhas, apalpava, tateava, provocava desmoronamentos. Quando ficava sob o foco de luz de uma lâmpada, via-se uma auréola de poeira flutuando à sua volta. Era feliz fuçando nos amontoados, nas caixas, nas prateleiras colonizadas por três fileiras de lombadas. O esforço físico da busca fazia parte do prazer de comprar. Nessa manhã dos anos 1990, em Madri, meu pai desenterrou uma curiosa pepita. Pelo aspecto, um *Dom Quixote*. O fidalgo magro na capa rústica, o primeiro capítulo, a adarga antiga, a panela com mais vaca do que carneiro, os duelos e as devastações aos sábados. Mas, no lugar do segundo capítulo, começava outra obra: *O capital*. Meu pai sorriu com uma plenitude pouco habitual. Ficou iluminado. Aquele tandem de Cervantes e Marx não era um exótico erro de impressão; era um livro clandestino, uma lembrança viva da juventude do meu pai, um fantasma que vinha dos mesmos anos, ambientes, sussurros e escamoteações que ele tinha vivido. Centenas de lembranças minúsculas o invadiram de repente. Aquele estranho enxerto — Karl encravado em Miguel — significava muito para ele, talvez porque despertasse a nostalgia de suas leituras camufladas. Também sobrevoou sobre mim a memória e a ameaça daqueles anos de que não tenho lembranças, daqueles anos em que nem era nascida — meus pais decidiram não ter filhos enquanto Franco vivesse.

18

Pouco antes de escrever este capítulo, caiu nas minhas mãos *Sem lugar no mundo*, de Françoise Frenkel, o cativante relato autobiográfico de uma livreira judia expropriada e nômade. As primeiras palavras da obra me encantaram imediatamente: "É um dever dos sobreviventes prestar testemunho para que os mortos não sejam esquecidos nem os obscuros sacrifícios, desconhecidos. Tomara que estas páginas possam inspirar uma reflexão piedosa pelos que foram silenciados para sempre, derrubados pelo caminho ou assassinados."

A tradução do título ao pé da letra, mais expressiva — "Sem lugar onde repousar a cabeça" —, resume sua história de desarraigamento. Françoise nasceu na Polônia, mas seus passos errantes a levaram a Paris, onde aprendeu o ofício de livreira e suas sutilezas. ("Eu conseguia desvendar um caráter, um estado de ânimo ou um pensamento só pela maneira como alguém segurava um volume, quase com ternura; pela delicadeza com que virava as páginas, e depois como lia piedosamente ou folheava a toda a velocidade, sem prestar muita atenção, e em seguida o largava de novo na mesa, às vezes com tanto descaso que chegava a danificar essa parte tão sensível que são os cantos. Eu me aventurava a pôr discretamente nas mãos do leitor o livro que considerava mais adequado para ele, a fim de poupá-lo do embaraço de se ver influenciado por uma recomendação. Quando a pessoa gostava, eu me sentia radiante.")[98]

Anos mais tarde, em 1921, ela fundou uma livraria francesa em Berlim, La Maison du Livre. Lá, recebia uma clientela cosmopolita e organizava palestras de escritores de passagem pela Alemanha (Gide, Maurois, Colette). A colônia de russos brancos estabelecidos em Charlottenburg era a principal clientela do negócio de Françoise. Nabokov, que morava no mesmo bairro, certamente passou tristes tardes crepusculares de inverno nessa livraria. Foram anos efervescentes para a livreira.

Em 1935, com os nazistas no comando do país, começaram as dificuldades.

Primeiro foi a obrigação de se submeter a um serviço especial encarregado de avaliar os livros importados. Às vezes a polícia aparecia e confiscava alguns volumes e periódicos franceses que estavam na lista proibida. O número de publicações francesas autorizadas era cada vez mais limitado, e a simples comercialização de obras proibidas levava os livreiros diretamente para o campo de concentração — mais uma vez, a estratégia de Domiciano.

Depois da aprovação das leis raciais de Nuremberg, o cerco começou a se fechar. Françoise foi interrogada pela Gestapo. Na escuridão, ouvia, de sua cama, as rondas noturnas dos camisas-pardas. Desafiadores, eles cantavam hinos que glorificavam a força, a guerra e o ódio.

Na Noite dos Cristais, Berlim crepitou sob a luz das tochas e das sinagogas incendiadas. Ao amanhecer, Françoise, sentada nos degraus da sua livraria, viu dois indivíduos armados com barras compridas de ferro se aproximarem. Eles paravam diante de certas vitrines e as quebravam. Os vidros saltavam em pedaços. Depois, entravam na loja pelo buraco cortante que tinham aberto e começavam a chutar e pisar nos produtos. Em frente à La Maison du Livre, consultaram a lista. "Não está", disseram, e passaram ao largo. A precária proteção da embaixada francesa tinha evitado por enquanto o ataque à loja. Françoise pensou que se naquela noite sua livraria tivesse sido o alvo, ela teria defendido cada livro com unhas e dentes, não só por apego ao ofício, mas também por repugnância, "por uma nostalgia infinita da morte".

Foi durante a primavera de 1939 que ela se rendeu à evidência: não havia mais espaço em Berlim para o seu pequeno oásis de livros franceses. O mais sensato seria fugir. Passou sua última noite na Alemanha velando as prateleiras repletas, aquele pequeno perímetro que seus clientes visitavam para esquecer, para se consolar, para respirar livremente. Já em Paris, soube que suas coleções de livros e discos, assim como seus móveis, tinham sido confiscados pelo governo alemão por motivos raciais. Tinha perdido tudo. Começou a guerra. O monstruoso cupinzeiro humano que Françoise tinha visto nascer na Alemanha agora ameaçava se espalhar por toda a Europa. Ela, sem casa, quase sem pertences, sem lugar nenhum onde descansar, era uma simples gota no oceano de fugitivos europeus. As memórias que escreveu relatam suas peripécias e sua vida ameaçada até cruzar clandestinamente a fronteira da Suíça.

É pouco provável que Hitler tenha entrado alguma vez pela porta de La Maison du Livre. Entretanto, a literatura fora um refúgio para ele também. Devido aos seus problemas pulmonares na adolescência, tinha se tornado um leitor compulsivo. Segundo seus amigos de juventude, frequentava livrarias e bibliotecas que emprestavam volumes. Lembravam-se dele cercado de pilhas de livros, principalmente tratados de história e sagas de heróis alemães. Ao morrer, deixou uma biblioteca com mais de 1.500 volumes. *Minha luta* fez de Hitler o autor do grande best-seller alemão dos anos 1930. Nessa década, esse foi o livro mais vendido depois da Bíblia.[99] Recebeu quantias milionárias pelas vendas e, aureolado pelo sucesso e pelo dinheiro, conseguiu apagar sua imagem de fanfarrão de cervejaria. Depois do fracasso como golpista, a escrita lhe devolveu a autoestima. A partir de 1925, ano da publicação do primeiro volume de *Minha luta*, Hitler preencheu suas declarações de renda com "escritor" no espaço destinado à profissão — a liderança de massas, a intimidação e o genocídio eram atividades não remuneradas nessa época. Até o fim da guerra, calcula-se que foram distribuídos 10 milhões de exemplares da obra, traduzida para dezesseis idiomas. Desde que entrou em domínio público, em 2015, foram vendidos mais de 100 mil exemplares na Alemanha. Os responsáveis pelas sucessivas edições reconhecem: "Os números nos deixam perplexos."[100]

Em 1920 — quase ao mesmo tempo que Françoise se lançava à sua aventura berlinense, e enquanto Hitler pronunciava com seu espalhafato característico os primeiros discursos para as massas —, Mao Tsé-Tung abriu uma livraria em Changsha.[101] O negócio deu tão certo que chegou a ter seis funcionários contratados — essa aventura capitalista precoce foi tão espantosamente rentável que durante anos financiou sua incipiente carreira revolucionária. Algum tempo antes, ele havia trabalhado numa biblioteca universitária, na qual era lembrado como um leitor voraz. Quarenta e seis anos depois, com uma fúria inexplicável, promoveria a Revolução Cultural, que deixou uma trilha de livros queimados e de intelectuais submetidos a sessões humilhantes de autocrítica, presos ou assassinados. Como escreve Jorge Carrión, as pessoas que criaram os maiores sistemas de controle, repressão e execução do mundo contemporâneo, que demonstraram ser os mais eficientes censores de livros, também eram estudiosos da cultura, escritores, grandes leitores.

Embora as livrarias pareçam espaços serenos e afastados do nosso mundo frenético, em suas prateleiras vibram as lutas de cada século.

19

Três anos atrás, o jornal *Heraldo de Aragón* me encomendou um artigo para a seção cultural de um suplemento comemorativo. Decidi escrever sobre livrarias; sobre sua silenciosa irradiação, sobre os campos magnéticos que criam nas ruas e bairros onde se instalam.[102] Meu ponto de partida era uma reflexão do livreiro Paco Puche em seu *Memoria de la librería*: "Não se pode medir o efeito que uma livraria tem na cidade que a acolhe, nem a energia que espalha por suas ruas, que transmite aos seus habitantes. Evidentemente, não bastam os números de clientes e de vendas, nem as cifras de negócios, porque a influência da livraria na cidade é sutil, secreta, inapreensível."[103]

Entrevistei cinco livreiros de duas cidades — herdeiros daqueles que Borrow conheceu. Escolhi-os por motivos íntimos, porque com todos eles, em épocas diferentes da minha vida, aprendi a ler. Desde a infância gosto de passar pela porta dessas lojas-refúgios e ver os livreiros postados como sentinelas entre montanhas de livros disponíveis para folhear, cheirar, acariciar; livros arrumados e desarrumados, vitoriosos ou órfãos raquíticos, feitos com delicadeza artesanal ou inexpressivos filhos da lucratividade. Montanhista de prateleiras, eu sempre respiro a plenos pulmões quando me aproximo dessas cordilheiras de papel e poeira. Por mais que pareçam abarrotadas, as livrarias expandem o espaço.

Foi apaixonante perguntar, ouvir e rabiscar as páginas de uma caderneta com a minha escrita nervosa — e neste momento a folheio: setas e colchetes nas margens, auréolas de uma xícara de chá nas páginas, sublinhados, cantos dobrados e meus riscos raivosos. Ali consta que Chema, livreiro do pequeno torreão encantado que é a Anónima, me disse ser movido pelo apoio às causas perdidas. Impossível resistir ao filão literário desse romantismo empedernido. A ironia e a paixão, juntas ou separadas, foram os registros mais frequentes nas vozes dos meus cinco entrevistados. Tempos difíceis, claro. Alguns ainda lembravam o dano que as fotocópias causaram ao negócio; outros lamentaram as feridas abertas pela venda na internet. Risco muito alto, repetiam, recordando belíssimos projetos pessoais que fracassaram. Hoje em dia é complicado ter um sucesso empresarial como o de Mao Tsé-Tung, quando criou seis postos de trabalho na sua livraria e pôde se dedicar ao planejamento da demolição do capitalismo sem passar apertos.

No bosque misterioso e orgiástico da sua livraria Antígona, Julia e Pepito me disseram que se sentiam como médicos de família prescrevendo os remédios da leitura — e pode se esperar que qualquer um dos dois, brincalhões e libertários, receitem um livro recôndito ou proíbam uma obra aclamada. "Conselheiro" era uma palavra frequente na boca de Pablo, da mítica livraria Paris, com sua atmosfera de barco pilotado por marinheiros jovens e bronzeados. Essa coincidência me pareceu notável e me fez pensar nas peculiares habilidades que esse ofício milenar requer: administrar farmácias de livros; entender os gostos, as opiniões e as tendências dos leitores; captar as razões da sua admiração, do entusiasmo, da alegria ou do desagrado por esta ou aquela obra; ou seja, penetrar no feudo dos caprichos e obsessões individuais e todo dia abrir as portas para um trabalho de expediente extenso, recibos, fretes e dor nas costas, frequentemente idealizado. George Orwell, que foi auxiliar de meio período numa livraria entre 1934 e 1936, comentou em suas *Bookshop Memories* que, se você nunca trabalhou em uma livraria, facilmente as imagina como uma espécie de paraíso onde velhinhos veneráveis circulam eternamente entre volumes encadernados em couro de vitelo. Mas os clientes, na realidade, não eram tão excêntricos e adoráveis quanto Eric Blair — o verdadeiro nome de Orwell — gostaria, e o escritor ficava no seu canto rangendo os dentes ao ver os títulos que ele amava definharem sem encontrar um lar. Não podemos omitir que os amigos de Eric lembram dele como um vendedor rígido e antissocial. Parece que lhe faltou criatividade para criar um personagem carismático que tutelasse com graça aquele seu reino de papel. Talvez não tenha entendido que o livreiro é um fingidor, o ilusionista de um teatro mágico.[104]

Em frente à ampla vitrine da Los Portadores de Sueños, que permitia a entrada de cascatas de luz em seu espaço de paz e palavras, Eva e Félix me falaram do esforço das livrarias para ocupar o espaço dos saraus artísticos e literários dos velhos cafés. Do desejo de que aconteçam coisas ali (o acaso do encontro, a possibilidade de reencontros, exposições, planos, efervescência, ideias que constroem um hábitat cultural), rituais em que se integram tanto os tímidos quanto os de palavra exuberante. A vocação dos nossos livreiros adubou o terreno para o nascimento de editoras, a multiplicação de ilustradores, o fervilhar de escritores. Quando um refúgio como Los Portadores de Sueños fecha as portas, padecemos uma solidão estranhamente inquietante.

Vivo, eu sei, numa terra de clima áspero e livrarias hospitaleiras, um lugar afortunado para a tribo incorrigível e reincidente dos leitores, que necessitam passar longos períodos entre livros bem selecionados, percorrendo, acariciando, perguntando, em busca de descobertas. Quem sabe foi o vento mistral — que abunda em nossos invernos e nos açoita, nos tira do prumo, despenteia os cabelos, faz as árvores rangerem e joga terra em nossos olhos, acostumando-nos a lidar com o invisível — que fez de nós, na proteção das nossas casas, uma das comunidades mais leitoras da Espanha.

Eu já estava terminando de reunir o material, o artigo já parecia encaminhado, quando de repente descobri um detalhe inquietante, uma curva esquecida, a sombra de outro artigo a ser escrito. Foi por acaso, como costuma acontecer com tudo o que depois parece inevitável. Eu estava conversando com Paco na livraria Cálamo, sem tomar notas, sem gravador, os dois relaxados, já fazendo os pequenos gestos de despedida — pigarros leves, encaixe da tampa na caneta. Em seu jardim suspenso de livros e passarinhos de papel engaiolados, Paco evocava a inauguração da Cálamo trinta anos antes, sua vontade de participar da vida da cidade por intermédio dos livros, e o medo. Graças a ele, descobri que nós também tivemos as nossas noites de cristais quebrados.

Sempre que se fala da Transição, minha mãe leva a mão ao peito. É o sublinhado mímico das palavras que ela sempre usa para descrever essa etapa da sua juventude: "anos de infarto". O que ninguém tinha me contado é que os livreiros sofreram na linha de frente a angústia dessa taquicardia histórica. Durante longos meses — o apogeu durou de 1976 até a primavera de 1977 —, livrarias de Madri, Barcelona, Zaragoza, Valência, Pamplona, Tenerife, Córdoba, Tolosa, Getxo e Valladolid, entre outras cidades, foram alvo de uma série de atentados que lembram a atmosfera dos últimos dias berlinenses de Françoise Frenkel.[105] De fato, vários desses ataques foram reivindicados por um grupo que se denominava "Comando Adolf Hitler". Em seus comunicados, eles justificavam suas ações mencionando a presença de livros marxistas, liberais e de esquerda nas livrarias. "Uma livraria atacada a cada duas semanas", anuncia uma manchete da imprensa da época.[106] Mais de duzentos estabelecimentos sofreram sabotagens e alguns foram vítimas de múltiplos atentados — como a livraria Pórtico, de Zaragoza, por exemplo.[107] Os procedimentos da agressão eram variados: cartas anônimas, ameaças verbais, telefonemas anunciando a explosão de bombas, incêndios criminosos, rajadas de metralhadora, tiros de revólver, arremesso de latas de tinta e de cargas explosivas, quando não utilizavam excrementos para lambuzar as vitrines.

A Pórtico ficava na esquina da rua Baltasar Gracián. Numa noite de novembro de 1976, um potente artefato explodiu lá. A blindagem de aço que protegia as portas e vitrines do estabelecimento voou em pedaços pelos ares, e as grossas chapas metálicas, transformadas em estilhaços, voaram em todas as direções. Os impactos danificaram os alpendres de pedra que rodeiam a praça. Era o quinto atentado em poucos meses. Não houve prisões. O livreiro José Alcrudo declarou à imprensa: "Eu só vendo livros. Por isso, acho que esses atentados não são contra mim, apesar de ser eu quem os sofre, mas contra a cultura. E, se não forem tomadas medidas claras, acabaremos fechando, porque sabemos que contra bombas não há defesa nem blindagem possível."

A frágil livraria sobreviveu à violência. Anos mais tarde, eu brincaria de esconde-esconde entre suas intrincadas ilhotas de livros, ouvindo — sem saber quem era — Charlie Parker, enquanto meu pai, de mangas arregaçadas até os cotovelos, praticava sua paixão pela mineração livresca ou mergulhava em longas conversas, cheias de meandros, com José Alcrudo. Eu, então menina, ouvia aqueles diálogos lentos, fluviais, estranhos e indecifráveis como feitiços. Para mim, falar parecia ser o objetivo da existência adulta.

As livrarias sempre foram um refúgio sitiado. Ainda são. Os livreiros se definem como médicos sem jaleco, mas não é improvável que, nos tempos difíceis, tenham que usar coletes à prova de balas no trabalho. Quando Salman Rushdie publicou seus satíricos *Versos satânicos*, em 1988, imediatamente foi desencadeada uma espiral de censura e violência que, pela primeira vez, teve alcance global. Um ministro da Índia acendeu o pavio ao condenar a obra como blasfema. Uma semana depois, milhares de fotocópias com as passagens consideradas mais ofensivas começaram a circular nos centros de estudos islâmicos. Em janeiro de 1989, as televisões mostraram imagens de muçulmanos queimando exemplares nas ruas. Os incidentes se espalharam por todo o planeta, e poucas semanas depois o autor recebia ameaças de morte em sua casa londrina. Uma multidão assaltou o Centro de Informações norte-americano em Islamabad, e cinco pessoas morreram atingidas por tiros enquanto a multidão gritava: "Rushdie, você é um homem morto." Em fevereiro, o aiatolá Khomeini decidiu acabar com as irreverências do livro por meio de uma *fatwa* que incitava à execução, o mais rapidamente possível, do autor e de todos aqueles que tivessem relação com a edição e a distribuição da obra. Um artefato explodiu numa livraria de Berkeley, e em Londres e na Austrália outros estabelecimentos foram atacados com bombas incendiárias. O tradutor japonês do livro, Hitoshi Igarashi, foi assassinado; o tradutor italiano, Ettore Capriolo, foi apunhalado; e o editor norueguês, William Nygaard, levou três tiros dentro da própria casa. Várias livrarias foram destruídas e completamente saqueadas. Trinta e sete pessoas morreram em outro protesto. A editora Penguin jamais pensou em retirar o livro das livrarias, mesmo que isso implicasse que seu pessoal tivesse que usar colete à prova de balas. Rushdie passou onze anos escondido. Em 1997, a recompensa por sua cabeça chegava a 2 milhões de dólares.[108]

Dias antes de *Os versos satânicos* chegarem às livrarias, em plena campanha de divulgação, um jornalista indiano chamou Salman Rushdie de lado. "O senhor está consciente da confusão que vem por aí?", perguntou-lhe. O romancista foi taxativo: "É absurdo pensar que um livro pode provocar tumultos. Que forma mais estranha de ver o mundo!"

Entretanto, passando em revista a história universal da destruição dos livros, observamos que a forma estranha de ver o mundo — o oásis, o insólito paraíso, Shangri-La, o bosque de Lothlórien — é na verdade a liberdade de expressão. A palavra escrita foi perseguida com tenacidade ao longo dos séculos; estranhos são os tempos de paz, aqueles em que as livrarias só têm visitantes tranquilos, que não empunham estandartes, não balançam dedos fiscalizadores, não quebram vitrines, não acendem fogueiras nem se entregam à atávica paixão de proibir.

20

O caos das livrarias se parece muito com o caos das memórias. Seus corredores, suas prateleiras, seus umbrais são espaços habitados pela memória coletiva e pelas memórias individuais. Nelas nos deparamos com biografias, testemunhos e longas prateleiras repletas de ficções em que os escritores desnudam a verdade de muitas vidas. As grossas lombadas dos livros de história despontam, como camelos de uma vagarosa caravana, para nos guiar pelos caminhos do passado. Pesquisas, sonhos, mitos e crônicas cochilam juntos na mesma penumbra. A casualidade de um encontro ou de um resgate é sempre possível.

Não é por acaso que em *Austerlitz*, de W. G. Sebald, o protagonista recupera a memória suprimida da sua infância justamente numa livraria. Criado num povoado de Gales por pais adotivos idosos que nunca lhe revelaram sua origem, Jacques Austerlitz arrastava pela vida uma tristeza inexplicável. Como um sonâmbulo que teme o próprio despertar, durante anos ele se fechara para qualquer lembrança da tragédia da qual sua vida era um capítulo arrancado. Não lia jornais, só ligava o rádio em horas determinadas, aperfeiçoou um sistema de isolamento que o mantinha a salvo de qualquer contato com sua história prévia. Mas essa tentativa de se imunizar contra a memória vinha acompanhada de alucinações e sonhos angustiantes, e acabou explodindo em forma de colapso nervoso. Certo dia de primavera, em Londres, durante um dos seus desanimados passeios pela cidade, entrou em uma livraria nas proximidades do Museu Britânico. A proprietária, que estava sentada numa posição ligeiramente inclinada diante de uma escrivaninha cheia de papéis e livros, atendia pelo mitológico nome de Penelope Peacefull. Pois o viajante reticente, sem saber, havia acabado de encontrar o caminho de volta para Ítaca.

A calma reinava na livraria. Penelope de vez em quando levantava a cabeça, sorria para Jacques e depois voltava a olhar para a rua, mergulhada em seus pensamentos. Do velho rádio ligado brotavam vozes crepitantes porém suaves, que cativaram o recém-chegado. Pouco a pouco ele foi ficando imóvel, como se não pudesse perder uma sílaba daquela transmissão. Duas mulheres recordavam como tinham sido enviadas da Europa Central para a Inglaterra no verão de 1939, ainda crianças, para se salvarem da perseguição nazista. Austerlitz, aterrorizado, percebeu que as lembranças fragmentárias dessas mulheres também eram as dele. De repente voltou a ver a água cinzenta do porto, as cordas e correntes da âncora, a proa do navio, mais alta do que uma casa, as gaivotas que sobrevoavam sua cabeça grasnando furiosamente. As eclusas de sua memória se abriram definitivamente, liberando uma catarata de certezas angustiantes. Que era um refugiado judeu. Que sua primeira infância transcorrera em Praga. Que aos 4 anos fora separado da família verdadeira para sempre. Que o restante da sua vida consistiria em procurar — quase certamente em vão — o rastro de todas as suas perdas.

— O senhor está bem? — perguntou a livreira Penelope, preocupada com seu aspecto petrificado.

Austerlitz enfim entendeu o motivo de sempre ter sentido que estava de passagem em toda parte, sem terra nem bússola, solitário e perdido.

A partir dessa manhã na livraria, acompanhamos o protagonista em seu deslocamento por uma dolorosa rota de cidades europeias, rastreando a identidade que lhe arrebataram. Depois, ocorre uma série de epifanias. Jacques consegue reconstruir a figura da mãe, uma atriz de teatro de variedades assassinada no campo de concentração de Theresienstadt. Em Praga, encontra uma velha amiga dos pais, com quem conversa. Recupera fotografias antigas. Examina, em câmera lenta, um documentário propagandístico dos nazistas, procurando um rosto de mulher que lhe provoque uma lembrança. Vai a lugares onde reverberam ecos:

bibliotecas, museus, centros de documentação, livrarias. O romance é, no fundo, uma reverência a esses territórios em que o esquecimento é conjurado.

Na obra de Sebald, a proporção entre ficção e não ficção costuma ser uma incógnita. Temos a impressão de que seus personagens vêm de zonas fronteiriças entre ambas. Não sabemos se o melancólico Austerlitz é um indivíduo real ou um símbolo, mas caminhamos a seu lado, tocados pelo horror e pela tristeza de suas palavras. Seja como for, fica claro que o escritor, tal como seu personagem, precisa dar testemunho de uma época infernal que está desvanecendo como névoa dispersa pelo vento. Não se pode reparar a dor que atravessa a história, os vazios são impossíveis de preencher, mas a tarefa de documentar e testemunhar nunca é em vão. O esquecimento incessante engole tudo, a não ser que façamos o esforço abnegado de registrar o que aconteceu. As futuras gerações têm o direito de nos exigir o relato do passado.

Os livros têm voz e sua voz salva épocas e vidas. As livrarias são territórios mágicos nos quais, num ato de inspiração, ouvimos os ecos suaves e crepitantes da memória desconhecida.

INFÂNCIA E SUCESSO DOS LIVROS DE PÁGINAS

21

Faz tempo que os catastrofistas sentenciam os piores augúrios: os livros são uma espécie em extinção e vão desaparecer em algum momento do futuro próximo, devorados pela concorrência de outras formas mais preguiçosas de ócio e pela expansão canibal da internet.

Essa previsão concorda com as nossas sensações como habitantes do terceiro milênio. Tudo avança cada vez mais rápido. As últimas tecnologias já estão encurralando as novidades triunfantes de anteontem. Os prazos da obsolescência são cada vez mais curtos. O guarda-roupa tem que ser renovado com as tendências da estação, o móvel mais recente substitui o antigo; nossos equipamentos nos pedem constantemente para atualizar programas e aplicativos. As coisas engolem as coisas precedentes. Se não estivermos alertas, tensos e à espreita, o mundo tomará a dianteira.

Os *mass media* e as redes sociais, com sua vertigem instantânea, alimentam essas percepções. Querem nos forçar a admirar todas as inovações que nos chegam rápido como um surfista na crista da onda, sustentadas pela velocidade. Mas os historiadores e antropólogos nos recordam de que, nas águas profundas, as mudanças são lentas. Víctor Lapuente Giné escreveu que a sociedade contemporânea padece de um claro viés futurista. Quando comparamos uma coisa velha com uma nova — como um livro e um tablet, ou uma freira sentada no metrô ao lado de um adolescente teclando —, pensamos que o novo tem mais futuro. Na verdade, acontece o contrário. Quanto mais tempo perdura entre nós um objeto ou um costume, mais futuro ele tem. As coisas mais novas, em média, perecem antes. É mais provável que haja freiras e livros no século XXII do que WhatsApp e tablets. No futuro haverá cadeiras e mesas, mas talvez não existam telas de plasma ou celulares. Continuaremos festejando o solstício de inverno quando já tivermos deixado de nos bronzear com raios UV. Um invento antediluviano como o dinheiro tem muitas possibilidades de sobreviver ao cinema 3-D, aos drones e aos carros elétricos. Muitas tendências que hoje nos parecem incontornáveis — do consumismo desenfreado às redes sociais — perderão força. E velhas tradições que nos acompanham desde tempos imemoriais — da música à busca da espiritualidade — não vão desaparecer nunca. Ao visitar as nações mais avançadas socioeconomicamente do mundo, na verdade somos surpreendidos por seu amor aos arcaísmos — da monarquia ao protocolo e aos rituais sociais, passando pela arquitetura neoclássica e os vetustos bondes.

Se o poeta Marcial pudesse conseguir uma máquina do tempo e visitasse minha casa esta tarde, encontraria poucos objetos conhecidos. Ficaria assombrado com o elevador, a campainha da porta, o roteador, os vidros das janelas, a geladeira, as lâmpadas, o micro-ondas, as fotografias, as tomadas, o ventilador, o aquecedor, a descarga do vaso sanitário, o fecho ecler, o garfo e o abridor de latas. Ficaria assustado ao ouvir o assobio da panela de pressão e daria um pulo quando começassem os arrancos da máquina de lavar. Alarmado, procuraria as pessoas que falam pelo rádio. Ficaria nervoso — como eu, aliás — ao escutar o som do alarme do despertador. À primeira vista, não teria a menor ideia da utilidade do esparadrapo, do spray, do saca-rolhas, do esfregão, das brocas, do secador, do espremedor de limão, dos discos de vinil, do barbeador elétrico, dos fechos de velcro, do grampeador, do batom, dos óculos escuros, das bombinhas tira-leite ou dos absorventes. Mas se sentiria à vontade entre os meus livros. Porque os reconheceria. Saberia pegá-los, abri-los, virar as páginas. Seguiria o sulco das linhas com o dedo indicador. Ficaria aliviado: algo do seu mundo ainda existe entre nós.

Por isso, diante da enxurrada de previsões apocalípticas sobre o futuro do livro, eu peço: mais respeito. Não há tantos artefatos milenares que permaneçam conosco até hoje. Os que subsistem demonstraram ser sobreviventes difíceis de substituir (a roda, a cadeira, a colher, as tesouras, o copo, o martelo, o livro...). Há algo em seu desenho básico e em sua simplicidade depurada que não admite melhoras radicais. Eles superaram muitas provas, principalmente a prova dos séculos, sem que fosse descoberto algum artefato melhor para cumprir sua função — não considerando pequenos ajustes em seus materiais ou componentes. Chegam à beira da perfeição em sua humilde esfera utilitária. Por isso, acredito que o livro continuará sendo o suporte essencial para a leitura — algo muito parecido com o que nunca deixou de ser, mesmo antes da invenção da imprensa.

E mais: os objetos longevos, as coisas que estão entre nós há séculos, moldam as novidades e imprimem seu selo nelas. Os livros arcaicos serviram como modelo para os nossos avançados computadores pessoais. No fim dos anos 1970, os computadores eram grandes, ocupavam salas inteiras e custavam o mesmo que casas. Para programar aqueles trambolhos de dimensões imobiliárias, concebidos para uso militar e empresarial, usavam-se cartões perfurados. Alan Kay, quando era um jovem cientista da computação contratado pelo Palo Alto Research Center (PARC) da Xerox, teve uma visão que promoveria uma reviravolta espetacular na nossa vida. Refletindo sobre a relação que os seres humanos podiam estabelecer com os computadores, intuiu seu potencial como um instrumento mais pessoal. Percebeu que eles poderiam se tornar um fenômeno de massas e uma tecnologia colocada na sala de estar de qualquer casa, usada por milhões de pessoas independentemente da sua ocupação profissional. Kay esboçou como poderia ser seu novo computador: tinha que ser pequeno e portátil como um livro, acessível e fácil de usar.[109] Construiu modelos de papelão, confiando que em poucos anos a capacidade da informática teria progredido a ponto de tornar realizável a sua ideia. No PARC, Kay continuou desenvolvendo sua visão. Chamou o invento de Dynabook. Esse nome sugere o que seria: um livro dinâmico, ou seja, parecido com os códices arcaicos, mas interativo e controlado pelo leitor. Assim, proporcionaria os arcabouços cognitivos, da mesma forma que os livros e a mídia impressa fizeram nos últimos séculos, agregando as vantagens atuais da computação.

Os primeiros Dynabooks provisórios receberam o nome de "Alto". Na segunda metade da década de 1970, o computador Alto já estava em funcionamento. Eram usados quase mil aparelhos, não só no PARC, como também em universidades, no Senado e no Congresso dos Estados Unidos, assim como na Casa Branca, todos doados pela Xerox. Um novo mundo surgia. Na maioria desses centros, apesar das numerosas funções do Alto, ele era empregado sobretudo para processamento de texto, desenho e comunicação. Na essência, era como um livro informático. Em 1979, Steve Jobs visitou o PARC. Ficou atordoado com o que viu. O aspecto e a estética do Alto se integraram a todos os computadores Apple que viriam depois, e atualmente a essência de sua fisionomia continua presente nos produtos mais novos. Os notebooks, os tablets e os smartphones aprofundaram essa busca por um computador leve, compacto e portátil — como um livro de bolso.

Em 1984, o calígrafo Sumner Stone se tornou o primeiro diretor de tipografia da empresa Adobe. Contratou uma equipe de desenhistas e pediu a eles novas fontes, recomendando que buscassem inspiração nas tradições mais antigas. O programa Adobe Originals selecionou três destaques estilísticos da evolução da caligrafia anterior à imprensa: "Lithos", uma silhueta de inspiração grega — o desenhista observou a inscrição da dedicatória do templo de Atena em Priene, hoje no Museu Britânico; "Trajan", uma tentativa meticulosa de transformar em caracteres as letras da coluna de Trajano em Roma; e "Charlemagne", que, apesar do nome, se inspirava nas letras capitulares do anglo-saxão *Benedictional*, de St. Ethelwold. Assim, a tradição ocidental do manuscrito chegou à era digital.[110] Além disso, a Adobe desenvolveu, nos anos 1980, a linguagem de programação PostScript, que proporcionava um aspecto informático muito parecido com uma página de papel. Com a criação do PDF, em 1993, que é um formato de documento portátil (*portable document format*), a Adobe deu mais um passo. Possibilitou fazer marcas nos documentos eletrônicos, tal como nos originais datilografados ou escritos a mão. E consolidou uma forma de entender toda a arquitetura de um documento a partir dos velhos livros.

Foram decisões inteligentes. Sem introduzir pelo menos alguma correspondência entre o aspecto e a sensação do mundo antigo — em papel — e o novo — na tela —, os computadores pareceriam artefatos estranhos, confusos e inviáveis para seu público inicial. Sem uma organização visual identificável e uma relação estreita com os documentos cotidianos, ninguém captaria rapidamente como o novo instrumento poderia ser útil. Este é o paradoxo do progresso tecnológico: o fato de conservar certas coordenadas tradicionais — estruturas de página, convenções tipográficas, formas de letra e diagramações limitadas — foi determinante para abrir caminho rumo às mudanças transformadoras que o mundo digital trazia. É um erro pensar que toda novidade apaga e substitui as tradições. O futuro sempre avança olhando de esguelha para o passado.

22

Em 1976, o escritor bósnio Izet Sarajlić escreveu um poema intitulado "Carta ao ano 2176": "O quê?/ Ainda escutam Mendelssohn?/ Ainda colhem margaridas?/ Ainda festejam aniversários das crianças?/ Ainda põem nomes de poetas nas ruas?/ E sempre me garantiam, nos anos setenta de dois séculos atrás, que os tempos da poesia tinham passado — como o jogo de prendas, ou ler as estrelas, ou os bailes na casa dos Rostov. / E eu, tolo, quase acreditei!"[111]

23

O nosso "livro de páginas", que hoje é o livro por definição — aquele que deixamos aberto com a lombada para cima, como se fosse o telhado de um pagode, que marcamos a página dobrando os cantos das folhas por falta de marcador, que amontoamos em pilhas verticais, como estalagmites de palavras —, tem cerca de 2 mil anos de idade. É uma grande invenção anônima que nunca saberemos a quem agradecer. Até ser alcançada, foram necessários séculos de buscas, ensaios e tentativas. Chegou-se à solução mais simples, como tantas vezes acontece, por um itinerário tortuoso.

Desde a invenção da escrita, nossos antepassados olhavam em volta indagando-se que superfície conservaria melhor o rastro fugidio das letras (pedra, terra, casca de árvore, juncos, couro, madeira, marfim, tecido, metal...). Queriam desafiar as forças do esquecimento fabricando o livro perfeito, transportável, duradouro e confortável. No Oriente Próximo e na Europa, os protagonistas dessa etapa inicial foram os rolos de papiro ou pergaminho e as tabuletas rígidas. Os romanos conviveram com esses dois métodos até que, num feliz achado, inventaram um novo objeto híbrido que ainda nos acompanha.

Os rolos sempre foram uma mercadoria luxuosa e cara. Para a escrita mais cotidiana — exercícios escolares, cartas, documentos oficiais, anotações, rascunhos —, os antigos costumavam recorrer às tabuletas. O leitor que queria consultá-las em determinada ordem as guardava em caixas ou bolsas, ou então as perfurava num ângulo e unia com argolas ou correias. Esses conjuntos de tabuletas amarradas eram chamados em latim de "códices". A ideia revolucionária consistiu em substituir as pequenas placas de madeira ou metal por folhas flexíveis de pergaminho ou papiro, o material dos rolos. O resultado inicial deve ter sido uma caderneta muito rudimentar, mas prenhe de futuro.

Esse primeiro híbrido abriu caminho para o códice mais avançado, composto por folhas de papiro ou couro dobradas em forma de páginas. Os romanos tentaram costurar essas páginas, e assim nasceu a arte da encadernação. Logo aprenderam a proteger essas cadernetas com capas duras, geralmente de madeira forrada de couro. O corpo dos livros ganhou um novo elemento anatômico que chamamos de "lombada" ou "lombo", como se nossas leituras fossem dóceis animais de estimação. A partir de então, escrevemos o título de cada obra nesses dorsos serenos, e nossos olhos podem viajar com rapidez ao longo das prateleiras de uma biblioteca identificando pela lombada os exemplares que dormem ali.

Temos uma dívida com as pessoas esquecidas que inventaram o códice. Graças a elas, a expectativa de vida dos textos aumentou. Com o novo formato, a página escrita e protegida pela encadernação podia perdurar por mais tempo do que nos rolos sem se deteriorar nem rasgar. Por sua forma plana e compacta, os novos livros podiam ser armazenados confortavelmente nas prateleiras dos armários. Ocupavam menos espaço, eram mais leves e fáceis de transportar. Além disso, os dois lados de cada página podiam ser utilizados. Calcula-se que, com a mesma superfície, o códice oferecia uma capacidade seis vezes maior do que o rolo.[112] A economia de material barateou o preço de um produto ainda minoritário, e sua flexibilidade favoreceu a aparição dos primeiros livros de bolso de que temos notícia: os códices *pugillares*, chamados assim porque cabiam em um punho. E às vezes podiam ser reduzidos a uma miniatura (Cícero afirmou ter visto um pergaminho da *Ilíada* de Homero que cabia na casca de uma noz).[113]

Os novos inventos e os avanços materiais costumam acontecer junto com as grandes revoluções do conhecimento. Na civilização romana, o preço mais acessível dos livros permitiu que muitas pessoas até então excluídas dos privilégios pudessem ler.[114] Entre os séculos I e III, há fartas evidências da ampliação da cultura para leitores fora dos círculos da nobreza. Nos muros e casas de Pompeia — engolida e conservada pela erupção do Vesúvio no ano 79 —, os arqueólogos descobriram inscrições que incluem obscenidades, piadas, slogans políticos e anúncios de bordéis. Esses grafites revelam a existência de uma população de classe média ou média baixa capaz de compreender a letra escrita. Além disso, os mosaicos, afrescos e relevos dessa época mostram, cada vez com mais frequência, cenas de leitura em toda a extensão do império. Na mesma época floresceram as bibliotecas públicas romanas. Há notícias de um livreiro que oferecia sua mercadoria de porta em porta, como os nossos obsoletos vendedores de enciclopédias.[115]

É arriscado conjecturar sobre os números, mas parece evidente que a quantidade de leitores cresceu de forma notável. Esses primeiros séculos do milênio foram uma época dourada de panfletos com intenção proselitista — entre eles, chamam a atenção textos subversivos de rebeldes contra a dominação de Roma. Também não é por acaso que nessa época tenha triunfado, à margem dos gêneros tradicionais, uma literatura de entretenimento e consumo (tratados de culinária e esportes, relatos eróticos com ilustrações explícitas, textos mágicos ou de interpretação dos sonhos, horóscopos, romances de enredo, histórias contadas em vinhetas — precursoras da *graphic novel*). Alguns autores de prestígio se divertiam escrevendo obras frívolas ou híbridos de alta e baixa cultura. Ovídio, adiantando-se aos tutoriais de maquiagem dos nossos dias, publicou um livrinho em versos com conselhos de cosmética para mulheres. Suetônio adorava misturar história e imprensa marrom em suas biografias de imperadores. Petrônio escandalizou a sociedade bem-pensante com seus personagens canalhas, imorais e desbocados. Os três miravam amigavelmente aqueles novos leitores livres, não aristocráticos, inexperientes, homens e mulheres que liam por prazer.

24

Marcial era um imigrante hispânico em Roma. No ano 64, quando tinha por volta de 25 anos, ele se mudou para a cidade que na época era a capital das oportunidades — um precedente do sonho americano — e recebia levas de gente oriunda de todas as províncias do império. Marcial descobriu rapidamente que a Urbe era um lugar hostil. Em seus poemas, fala de multidões pálidas de fome. Não era fácil ficar rico, nem mesmo obter o ganha-pão. Em certo epigrama, Marcial conta que em Roma havia muitos advogados que não conseguiam pagar o aluguel e muitos poetas talentosos que tiritavam de frio porque não tinham roupa de inverno. A concorrência era feroz; todo mundo queria prosperar. A riqueza do próximo era observada, invejada. Muitos viviam à caça de heranças, espreitando os potentados mais idosos. O próprio poeta chegou a pensar nisso, a julgar por suas palavras: "Paula deseja casar-se comigo, eu não quero me casar com Paula: é velha. Eu o faria se fosse mais velha."[116]

Com certeza o bilbilitano batia os dentes com sua túnica furada nos invernos de Roma. Provavelmente o frio, os alojamentos sórdidos e as dificuldades para sobreviver explicam suas insólitas escolhas literárias. Um dia decidiu romper o silêncio protocolar e pactuado para lançar chacotas contra o dinheiro. Em sua poesia, transgredindo os imperativos da elegância, começou a satirizar os mecenas sovinas, a intelectualidade empenhada em depená-los, a paixão social pelo luxo, a ostentação e a aparência, a vaidade dos ricos e a grande rede de senhores e aduladores que enlaçava a vida de todos os habitantes da Urbe imperial.

Marcial foi um poeta cômico, irreverente, sem sentimentalismos, interessado na dimensão material das coisas e em seu enorme poder de definir as pessoas que as possuem. Quando menciona livros em seus poemas, não se trata de símbolos abstratos do talento literário, mas de objetos concretos que eram dados de presente para ascensão social ou eram vendidos nas livrarias. Esses livros, que na obra de Horácio e Ovídio encarnavam a imortalidade do ato criativo, em seus epigramas apareciam como livrinhos perecíveis, muito manuseados, baratos ou caros, muitas vezes defeituosos por culpa de um copista apressado, à venda em lojas de Roma — lojas que Marcial aproveita para anunciar. Eram livros de todos os tipos (de papiro ou de pergaminho, rolos ou códices que cabiam na mão e viajavam junto com o leitor; livros que são a mercadoria com que um liberto — seu vendedor — ganha ou perde dinheiro; livros de sucesso que todos querem ler de graça, mas pelos quais não estão dispostos a pagar; livros sem leitores, cujas páginas acabam sendo usadas para embrulhar uns filhotes de atum numa cozinha escura ou viram cones para guardar pimenta).

Marcial foi o primeiro escritor a se interessar pelo surgimento dos códices. Ele manifestou esse interesse num dos seus primeiros livros, ironicamente intitulado *Apophoreta*, uma palavra bombástica que em grego significava "presente".[117] O poeta teve a brilhante ideia de publicar no mês de dezembro — temporada universal dos mimos — catálogos em verso de objetos para presentear (delícias gastronômicas, livros, cosméticos, tinta para cabelo, roupa, lingerie, utensílios de cozinha, enfeites...). A cada produto, Marcial dedicava um epigrama que informava ao leitor seu material, preço, características ou para que servia.[118] No livro, o repertório de presentes se organizava em uma sequência alternada de sugestões caras (para ricos) e baratas (para ricos pães-duros): um broche de ouro e um palito para limpar as orelhas; uma estátua e um sutiã; uma escrava gaditana e uma matraca; a última extravagância da moda — um belo frasco para beber neve — e um urinol de barro. Esses poemas nos permitem debruçar-nos, hoje em dia, sobre a vida cotidiana da Antiguidade e assombrar-nos com a naturalidade insolente e escabrosa de Marcial. Sobre o sutiã, ele escreve: "Prende o teu peito com um couro de touro, porque tua pele não sustenta teus seios." E sobre a dançarina gaditana: "Tão tremelicantemente ela rebola que faria o mais casto masturbar-se."

Apophoreta era um manual humorístico para indecisos, um surpreendente exercício de poesia aplicada às necessidades da vida diária. Em certa medida, o poeta estava inventando as campanhas publicitárias de

Natal, mas o fazia com uma proposta literária cheia de mordacidade. Na época, era um uso transgressor, baixo e frívolo do verso. Com esse livro-catálogo, Marcial manifestava sua simpatia pelo novo público leitor recém-chegado ao mundo dos livros, que agradecia pela poesia fácil, pela falta de esnobismo, pelo humor sem disfarces, pelos toques de um realismo reconhecível e pelo frescor; aqueles que eram o público-alvo natural dos códices.

Em *Apophoreta*, Marcial oferecia ao comprador incauto catorze obras literárias. Cinco delas, descritas como códices "de bolso" em pergaminho — *pugillares membranei* —, figuravam entre os presentes baratos. Graças a esse testemunho, sabemos que nos anos 80 do século I o livro de páginas já estava no mercado, e a um preço acessível. Suas vantagens, além das econômicas, eram evidentes. Vários epigramas manifestam um deslumbramento com a capacidade ampliada do códice, comparado implicitamente com os rolos: "Virgílio em pergaminho. Que pequeno pergaminho contém o imenso Virgílio!"; "Tito Lívio em pergaminho. Nestes pequenos couros se condensa o grande Lívio". Marcial proclamava que os quinze livros — equivalentes a quinze rolos — de *As metamorfoses*, de Ovídio, cabiam num único códice. Essa condensação não significava apenas uma economia de espaço e de dinheiro, como também uma garantia de que as diversas partes de uma obra não iriam se dispersar e se perder. Portanto, as possibilidades de sobrevivência dos textos aumentavam exponencialmente. No difícil caminho em direção ao futuro, esse avanço se revelaria decisivo.

O poeta reconheceu no códice um companheiro de estrada confortável e portátil: "Cícero em pergaminho. Se este pergaminho te acompanhar, pensa que empreendes uma longa viagem com Cícero." Anos depois, também divulgaria a versão em códice dos seus próprios poemas, com o mesmo argumento: "Tu que desejas que meus livrinhos estejam contigo em toda parte e queres tê-los como acompanhantes de uma longa viagem, compra os exemplares que o pergaminho comprime em pequenas páginas. Deixa a biblioteca para os livros grandes; a mim, uma única mão me encerra."

O livro de páginas, tal como nós o conhecemos, havia irrompido com força no mercado. Alguns escritores, como Marcial, o receberam entusiasmados. Outros intelectuais mais conservadores se aferraram ao aristocrático rolo de papiro, lamentando que os tempos estivessem mudando e tudo se degenerando. Supomos que a maior parte dos romanos simplesmente se acostumou a conviver com a variedade de formatos. Nas oficinas de livros eram oferecidas as duas variantes, à escolha do freguês.

Em relação aos séculos seguintes, não temos outra testemunha atenta, curiosa e aberta às novidades como Marcial. Sabemos que o códice foi ganhando terreno em relação ao rolo graças à decidida preferência dos cristãos.[119] Vítimas de perseguições por séculos, forçados a ter esconderijos e a interromper bruscamente suas reuniões, eles se organizaram em grupinhos clandestinos. O livro de bolso era mais fácil de esconder às pressas entre as dobras da túnica. Permitia localizar mais rápido determinado parágrafo do texto — uma epístola, uma parábola evangélica, uma homilia — e conferir para ter certeza de que era o correto, pois um erro podia pôr em risco a salvação da alma. Era possível fazer anotações na margem e deixar marcadores nas páginas com passagens importantes. Além do mais, esses livros eram fáceis de transportar com discrição em viagens de apostolado. Vantagens enormes para comunidades de leitores furtivos. Por sua vez, os cristãos queriam romper com o simbolismo judaico e pagão do rolo e afirmar sua identidade peculiar. Os livros de páginas, mais leves, começaram a circular aos montes pelas mãos ávidas de um público de cultura média ou média baixa, setor em que a mensagem cristã tinha mais adeptos. O novo formato impulsionou a leitura individual secreta, assim como a leitura em voz alta no transcurso das perigosas reuniões comunitárias. Os fiéis desenvolveram um vínculo muito profundo com esses textos religiosos, cuidadosamente selecionados. A tal ponto que, séculos mais tarde, o Corão descreve os cristãos como "gente do livro" (*ahl ao-kitâb*), com uma mistura de respeito e espanto.

Todos nós que algum dia lemos às escondidas, desafiando a proibição dos adultos — no silêncio da noite, em horas não permitidas às crianças, sob a camuflagem de um cobertor, com a lanterna acesa, apagando-a cada vez que se ouvia o barulho de passos se aproximando —, somos descendentes diretos daqueles primeiros leitores furtivos. Não podemos esquecer que o livro de páginas foi vitorioso, em grande medida, porque favorecia as leituras clandestinas, negadas, não consentidas.

25

O códice se impôs gradualmente entre os séculos III e V, primeiro no Ocidente e mais tarde no Oriente. Fora do mundo cristão, os pioneiros dessa mudança foram os profissionais do direito, pois o livro de páginas permitia localizar com mais rapidez artigos específicos nos repertórios de leis. Uma recopilação de leis organizada por ordem do imperador Justiniano foi justamente chamada de *Código* — ou seja, o códice por antonomásia —, e legou esse termo à posteridade, em todos os compêndios legais, até os nossos dias. Esse formato também era muito útil para livros de estudo, por sua capacidade e resistência, e em pouco tempo os médicos o adotaram para seus vade-mécuns, alvos de muitas consultas. A invenção dos índices de conteúdo facilitou as buscas. Com o tempo, os códices se tornaram o suporte preferido para a literatura — principalmente para as narrativas longas, conjuntos de tragédias ou comédias e antologias. Comparando-os com o manuseio complicado do rolo, que exigia as duas mãos, os leitores mais sonhadores se apaixonaram pelos livros de páginas, que podem ser lidos com "uma só mão" — para usar a expressão de Luis García Berlanga aplicada à literatura erótica. O códice podia acompanhar seu leitor a qualquer lugar.[120] Graças às fontes literárias, descobrimos que os romanos se sentiam livres para ler a qualquer hora: quando iam caçar, no momento em que esperavam que a presa caísse na rede, ou durante a noite, para vencer o tédio da insônia. Descrevem uma mulher lendo enquanto anda, um viajante em sua carruagem, um comensal deitado e uma adolescente em pé numa galeria, todos absortos em seus livros.

Mas nunca houve um afã compulsivo de substituir o velho pelo novo. Assim como hoje convivem os livros de papel e os eletrônicos, durante muitos séculos os rolos e os códices coexistiram. Os antigos cilindros de escrita eram usados para textos honoríficos e diplomáticos — documentos rituais em que a tradição ainda tinha peso. E também faziam parte da paisagem da vida cotidiana na Idade Média. As instituições e as ordens monásticas recorriam a eles por amor à antiga solenidade. As ladainhas e crônicas se prestavam a ser copiadas no antigo formato. Os rolos aparecem até mesmo no território adversário — podemos reconhecê-los em miniaturas que ilustravam os códices medievais mais luxuosos.

Os chamados *rotuli mortuorum* eram rolos de pergaminho em que se anunciava o falecimento de alguma pessoa de nível; em percursos que às vezes passavam de mil quilômetros, um mensageiro transportava o rolo entre as diversas instituições de algum modo relacionadas com o falecido, e em cada uma delas era acrescentada ao rolo uma oração ou alguma outra manifestação de condolência. O "Rolo de Matilde", filha de Guilherme, o Conquistador, e abadessa da Trindade de Caen, que tinha vinte metros de extensão, foi destruído durante a Revolução Francesa. Na Inglaterra e em Gales ainda se denomina Master of the Rolls o arquivista da corte real. Não havendo "ponto", na Idade Média os atores de teatro costumavam usar rolos em suas apresentações para auxiliar a memória. Daí deriva, em espanhol, o termo *rol* (papel) do ator.

Na verdade, os rolos não nos abandonaram por completo. Nas nossas tradições, e também em nossas palavras, em nossos computadores, na internet, nas projeções de futuro, a lembrança dos rolos sobrevive.[121] Algumas universidades continuam concedendo seus diplomas com essa roupagem arcaica. Quando falamos de um livro "longo" ou "extenso", é porque somos herdeiros involuntários da terminologia específica do rolo. Chamamos inapropriadamente os códices, que não se enrolam mais, de "volumes" — do latim *volto* (dar voltas, girar). Na linguagem coloquial, ainda dizemos que é "uma enrolação" algo que se desenrola devagar e parece que não acaba mais. E hoje a palavra *scroll*, que em inglês designava o rolo manuscrito, é usada para descrever o ato de avançar ou retroceder verticalmente um texto na tela de qualquer aparelho informático, tal como se manuseavam os velhos *rotuli*. Por sua vez, as companhias tecnológicas mais inovadoras estão desenvolvendo telas de televisão enroláveis que podem ser guardadas quando não são usadas.[122] Na história dos formatos, a pauta é a convivência e a especialização, não a substituição. Os primeiros livros se recusam a ser extintos por completo.

26

Marcial e Perec têm razão: os objetos, sua materialidade, suas características, os gestos que exigem não são mera anedota. Na verdade, são decisivos. Na luta pela sobrevivência das palavras — tão frágeis, simples porções de ar —, o formato e a matéria-prima dos livros sempre tiveram papel crucial: quanto tempo duram, de que material são fabricados, quanto custam, de quanto em quanto tempo será preciso voltar a copiá-los.

As mudanças de formato deixam enormes quantidades de vítimas pelo caminho. Tudo o que não é transferido do velho para o novo suporte desaparece para sempre. E esse perigo continua nos ameaçando atualmente. Desde a chegada dos primeiros computadores pessoais, na década de 1980, perdemos nossos dados mil vezes, parcial ou integralmente, se não conseguimos reciclar nossa memória informática passando de um disquete para um disco de 3 ½ polegadas, depois para um CD e agora para um *pen drive*. Com certeza, nenhum computador atual pode ler os primeiros disquetes, que pertencem à era pré-histórica da informática.

No século XX, o cinema sofreu sucessivas ondas de destruição provocadas pelas mudanças de suporte. Agustín Sánchez Vidal nos fornece um cálculo das perdas: "O material mais afetado foi o anterior a 1920, pois nessa época os rolos foram destruídos quando os filmes passaram de uma ou duas bobinas (com uma duração entre dez e trinta minutos) para a duração-padrão de uma hora e meia. A emulsão era aproveitada para recuperar os sais de prata e o suporte de celulose, para confeccionar pentes e outros objetos.[123] As perdas por esse motivo beiram 80% dos filmes. Por volta de 1930, cerca de 70% foi perdido com uma onda de destruições ainda mais sistemáticas, decorrentes da passagem do cinema mudo para o sonoro. E na década de 1950 ocorre a terceira, com a troca do filme inflamável de celoidina pela segurança do acetato. Nesse caso não é fácil quantificar as perdas. Tomando como exemplo o nosso país [Espanha], pode-se estimar que apenas 50% dos filmes do período sonoro até 1954 foram preservados." Cada passo do progresso implica, ao mesmo tempo, uma devastação.

Martin Scorsese recriou esse triste naufrágio em *A invenção de Hugo Cabret*. Lembro-me particularmente de uma cena melancólica na qual o celuloide dos deliciosos filmes de Georges Méliès acaba sendo reutilizado pela indústria de calçados para fabricar saltos. Este é um capítulo insólito da história dos objetos: a beleza das histórias e das imagens que viveram na mente dos pioneiros do cinema acabou sendo reciclada em pentes e saltos de sapato. Na década de 1920, pessoas anônimas andaram em cima de obras de arte. Enfiaram essas obras nas poças das calçadas. Pentearam-se com elas. Deixaram vestígios da sua caspa. Nunca desconfiaram que esses utensílios eram, na verdade, pequenos túmulos, monumentos cotidianos da destruição.

Com a substituição dos antigos rolos, certamente perdemos para sempre todo um tesouro de versos, crônicas, aventuras, ficções, ideias. Ao longo dos séculos, o descuido e o esquecimento destruíram mais livros do que a censura ou o fanatismo. Mas também sabemos de grandes esforços para salvar o legado das palavras. Certas bibliotecas — é impossível descobrir quantas — embarcaram na paciente tarefa de transcrever seus acervos no suporte vencedor, voltando a copiá-los a mão, traço por traço, frase por frase, livro por livro. No século IV, o filósofo e alto funcionário Temístio deixou escrito que na Biblioteca de Constantinopla trabalhavam para o imperador Constâncio II artesãos capazes de "trasladar o pensamento de um envoltório desgastado para outro novo, recentemente confeccionado". No século V,

Jerônimo de Estridão mencionou outra biblioteca, na cidade romana de Cesareia — situada na costa mediterrânea do que atualmente é Israel, entre Tel Aviv e Haifa —, onde também haviam empreendido a tarefa de passar todos os livros do acervo para o formato códice.[124]

Durante vinte séculos, até a recente aparição dos tablets e livros digitais, os leitores não voltaram a sofrer o abalo de uma grande mudança de formato. Aqueles livros de páginas que Marcial recebeu com entusiasmo no século I continuam ao nosso lado no século XXI, sempre fiéis, simples, conservando nossa memória, transportando nossa sabedoria, suportando os ultrajes do tempo.

BIBLIOTECAS PÚBLICAS NOS PALÁCIOS DA ÁGUA

27

Em 15 de março do ano 44 a.C. — nos idos de março, segundo o calendário romano —, Júlio César foi assassinado no Senado, apunhalado em frente à estátua do seu velho inimigo Pompeu, que ficou manchada com respingos de sangue.[125] Em nome da liberdade, um grupo de senadores enfiou suas adagas repetidas vezes no corpo de um homem de 56 anos, que perfuraram seu pescoço, as costas, o peito e a barriga. Vendo as adagas erguidas por todos os lados, o último movimento de César foi um gesto de pudor. À beira da morte, cego pelo sangue, ainda se preocupou em esticar a túnica sobre as pernas para cair com mais nobreza, sem mostrar o sexo. As adagas continuaram a lhe desferir golpes ferozes enquanto ele jazia indefeso em frente às escadas do pórtico. Levou 23 punhaladas, das quais, segundo Suetônio, só uma foi mortal.

Os conspiradores gostavam de referir-se a si mesmos como "os libertadores". Consideravam César um tirano que queria ser rei. Esse assassinato político, talvez o crime mais famoso da história, despertou tanto admiração quanto repugnância.[126] Não foi por coincidência que John Wilkes Booth, 1900 anos depois, utilizou "idos" como senha para o dia em que mataria Abraham Lincoln e gritou uma frase em latim, *Sic semper tyrannis* [Este é o destino dos tiranos], enquanto fugia da cena do crime.

Júlio César era um tirano em formação? Sem dúvida foi um general carismático e um político sem escrúpulos. Alguns dos seus contemporâneos qualificaram sua campanha na Gália como genocídio. É verdade que, em seus últimos anos de vida, ele se esforçava cada vez menos para esconder sua ambição gigantesca. Tinha sido nomeado ditador vitalício, e se arrogou o direito de usar sempre que quisesse o traje triunfal — incluída a coroa de louros, de praticidade inigualável para disfarçar a calvície. Para a posteridade, seu nome se tornou símbolo de um título de poder autoritário (césar, czar). Mas seu assassinato não salvou a República: o crime dos idos foi um cruel derramamento de sangue que não atingiu nenhum dos objetivos pretendidos. Desencadeou uma guerra civil prolongada, mais mortes, mais destruições e, no fim, sobre as ruínas fumegantes, Augusto instaurou a monarquia imperial. O jovem imperador, herdeiro e sucessor do tio, mandou fazer uma estrutura de concreto para marcar e isolar o cenário do crime. Hoje, tantos séculos depois, os gatos das ruas de Roma se refugiam no Largo di Torre Argentina, onde Júlio César agonizou.

Como dano colateral, nos idos de março os leitores pobres saíram perdendo. Entre outros projetos, César tinha planejado construir a primeira biblioteca pública de Roma, o mais completa possível, e confiado a tarefa de adquirir e classificar os livros ao sábio Marco Varrão.[127] Essa nomeação era lógica, porque Varrão havia escrito um ensaio intitulado *Sobre bibliotecas*, do qual sobreviveram apenas fragmentos exíguos.[128]

Anos depois, Asínio Polião, seguidor de César, realizou o sonho deste com a farta pilhagem de uma expedição militar de saqueio. Inaugurou uma biblioteca no mesmo prédio que — simbolicamente — abrigava o santuário da deusa Liberdade. Só conhecemos esse primeiro templo público dos livros por menções de vários escritores, pois seus restos desapareceram sem deixar vestígios. Sabemos que o espaço interno era dividido em duas seções, uma para obras em grego e outra para obras em latim. Essa organização bilíngue e bimembre se repetiria em todas as bibliotecas romanas posteriores.[129] Por imperativo do amor-próprio nacional, as duas seções precisavam ter exatamente a mesma dimensão, por mais que naquele momento uma estivesse transbordando e a outra, acusadoramente vazia. Enquanto de um lado havia cerca de sete séculos de textos gregos, no compartimento romano só era possível escolher entre dois séculos de literatura. Sem se importar com tais minúcias, a mensagem que a biblioteca oficial de Polião transmitia era dupla: as obras gregas estavam incorporadas à bagagem dos romanos em sua língua original; em compensação, era necessário fingir que os chefes do poderoso império valiam tanto quanto seus brilhantes súditos helenos. Nenhum aspecto do libreto podia delatar que os colonizadores, na realidade, se sentiam complexados diante do avassalador patrimônio intelectual de um território conquistado.

Outra característica que todas as bibliotecas romanas herdaram foram as estátuas de autores famosos. Em Roma, aqueles bustos em espaços públicos eram o equivalente literário das estrelas na calçada da fama de Hollywood. Quem recebia essa homenagem havia entrado para o cânone.[130] Polião só encomendou para sua biblioteca o retrato de um escritor vivo: Varrão. Décadas mais tarde, o falastrão Marcial, atento a todas as batalhas da feira das vaidades romana, se gabaria de que seu busto já adornava algumas mansões aristocráticas. Na verdade, ele ambicionava uma estátua nas galerias de personagens ilustres das bibliotecas públicas.[131] Tudo parece indicar que, como aqueles eternos aspirantes ao prêmio Nobel, ele sempre ficou a um passo. Em seus epigramas não faltam estribilhos de pedinte, mendigando sem rodeios honras, elogios ou dinheiro, muito embora, como ele mesmo contou com humor e autoironia, suas esperanças geralmente desembocassem em grandes decepções.

Sabemos que a biblioteca de Asínio ficava aberta aos leitores do amanhecer até o meio-dia. Devia ter um público variado: escritores, estudiosos, amantes do conhecimento, assim como copistas mandados por seus amos ou por livreiros com a missão de fazer cópias das obras. É bem provável que houvesse pessoal especializado para buscar os livros nos armários. Também sabemos que algumas bibliotecas autorizavam os empréstimos. O escritor Aulo Gélio conta um episódio que prova isso. Ele tinha se encontrado com uns amigos para jantar e conversar. Quando lhes serviram neve derretida para beber, um convidado especialista em Aristóteles advertiu a todos que, segundo o filósofo, aquilo era prejudicial à saúde.[132] Como alguém negou essa afirmação, o teimoso comensal, ferido em seu orgulho, se deu o trabalho de ir até a biblioteca da cidade, conseguiu que a abrissem e voltou com um exemplar da obra de Aristóteles que incluía o parágrafo em questão — era assim a trabalhosa forma de resolver as discussões antes da existência dos mecanismos de busca na internet. O imperador Marco Aurélio e seu professor Frontão também mencionam em suas cartas que levavam livros emprestados para casa.[133] Além desses testemunhos casuais, em Atenas conservou-se uma inscrição da época imperial a qual avisava que os diretores proibiam o serviço de empréstimo, de onde se deduz que em outros estabelecimentos devia ser permitido. A inscrição reza textualmente: "Daqui não sairá nenhum livro; assim o juramos."

As duas bibliotecas públicas seguintes na Urbe foram construídas por Augusto, uma no monte Palatino e a outra no Pórtico de Otávia. Os arqueólogos encontraram restos da Biblioteca Palatina. Graças às escavações, temos uma imagem confiável do seu desenho arquitetônico e do seu interior. Foram encontradas duas câmaras contíguas, de tamanho idêntico, para a coleção bilíngue. Em ambas, os livros estavam armazenados dentro de armários de madeira com prateleiras e portas, embutidos em grandes nichos cuja numeração remetia ao catálogo. Tendo em vista a grande altura desses nichos, eles deviam contar com pequenas escadas portáteis para alcançar as prateleiras superiores. No conjunto, o prédio nos lembra mais nossos salões de leitura contemporâneos do que as bibliotecas gregas, nas quais não havia instalações para os leitores. Os leitores gregos escolhiam um rolo das prateleiras e se dirigiam para um pórtico contíguo. Em Roma, os espaços eram projetados para oferecer um ambiente amplo, belo e luxuoso. Os livros ficavam nos armários, ao alcance da mão, mas sem obstruir a passagem. Havia mesas, cadeiras, madeiras entalhadas, mármores — um prazer para a vista, um esbanjamento de espaço.

À medida que as coleções cresciam, novos armários se faziam necessários. Os problemas de armazenamento eram difíceis de resolver porque os nichos para livros eram integrados à estrutura arquitetônica do prédio e não podiam ser improvisados. Era necessário fundar novas bibliotecas. O imperador Tibério criou uma — ou talvez duas — durante seu reinado e Vespasiano, outra, no Templo da Paz, provavelmente para celebrar com livros e declarações de concórdia que havia subjugado a revolta da Judeia a ferro e fogo.

Os restos mais bem conservados são os das duas bibliotecas gêmeas construídas por ordem de Trajano no ano 112, como parte do seu foro monumental. A sala grega e a latina ficavam uma em frente à outra, separadas por um pórtico em cujo centro ainda se ergue a famosa Coluna de Trajano.[134] Os arqueólogos pensam que esse emblemático monumento representava um grande rolo de pedra, com seus 38 metros de cenas em baixo-relevo multicolorido sobre as guerras da Dácia — como vinhetas de uma história em quadrinhos bélica. O relato das campanhas se desenvolve em uma faixa contínua que sobe em espiral: milhares de romanos e dácios minuciosamente esculpidos marcham, constroem, lutam, navegam, recuam, negociam, imploram e perecem em 155 cenas — uma autêntica *graphic novel*.

O interior das duas bibliotecas era um prodígio de luxo, aberto a todos os públicos: dois andares de armários, colunas, galerias, cornijas, revestimentos de mármore policromado da Ásia Menor e estátuas.[135] Imagino os rostos boquiabertos das pessoas comuns diante daquela exibição de beleza estética e conforto, até então prerrogativas da aristocracia, e daquela coleção de uns 20 mil livros acessíveis a todo leitor. Graças ao primeiro imperador hispânico, em Roma não era mais preciso cortejar os ricos para ler num ambiente suntuoso.

A biblioteca de Trajano foi a última de sua espécie. A partir do século II, os novos salões de leitura se integraram aos banhos públicos imperiais. Além de oferecer todos os serviços de termas — salas tépidas, salas quentes, saunas, banhos frios, salas de massagem —, os banhos se tornaram verdadeiros complexos de ócio, e anteciparam os nossos centros comerciais. As termas de Caracalla, inauguradas no ano 212, incluíam ginásios, espaços para leitura, salas para conversar, um teatro, banhos próprios, jardins, espaços destinados a exercícios ou jogos, estabelecimentos onde comer e bibliotecas grega e latina separadas; tudo pago pelo Estado.[136]

Com a construção desses banhos grandiosos e gratuitos, os imperadores conquistavam seus súditos. "O que há pior do que Nero?", perguntava Marcial. "E o que há melhor do que suas termas?"[137] Essas termas eram frequentadas por todos os romanos, homens e mulheres, jovens e velhos, ricos e pobres. Alguns tomavam banhos e se deitavam nos leitos de massagem, outros jogavam bola ou avaliavam o jogo dos outros com conselhos que ninguém tinha pedido, faziam reuniões, conversavam com os amigos, fofocavam pelas costas sobre os conhecidos, reclamavam das contas municipais, queixavam-se do preço dos grãos, devoravam salsichas ou bisbilhotavam na biblioteca. O filósofo Sêneca, que ficava desesperado tentando se concentrar no seu escritório situado justamente em cima de uma terma, escreveu uma divertida descrição dos folguedos e da alegria dos banhos: "Quando os atletas se exercitam com pesos de chumbo, escuto seus assobios e sua respiração ofegante. Ouço o estalo da mão do massagista golpeando as costas de alguém. Quando o jogador de bola chega de repente e começa a contar os pontos, você está perdido. Acrescente ainda o briguento, o ladrão capturado e aqueles que pulam na piscina fazendo grande estrépito com seus mergulhos. Pense no depilador que dá um grito agudo para chamar a atenção e faz os outros gritarem quando rapa seus sovacos. Depois, o vendedor de bebidas, o salsicheiro, o confeiteiro e os vendedores apregoando sua mercadoria com uma modulação peculiar."[138] Sem dúvida, a atmosfera mais adequada para o autor das reflexões sobre a serenidade que lemos em *De tranquilitate animi*.

Ao contrário das refinadas bibliotecas dos foros, as salas de leitura dos banhos eram direcionadas ao gosto de um público amplo, díspar e frívolo. A maioria dos leitores devia ser de gente curiosa em busca de entretenimento, que recorria aos livros como alternativa aos jogos de bola, aos mergulhos e à conversa trivial. Supomos que as coleções de livros incluíam, sobretudo, clássicos de renome em ambas as línguas, autores contemporâneos em voga, talvez um ou outro filósofo. A criação de bibliotecas dentro dos abarrotados banhos romanos foi uma conquista enorme. Uniu sob um mesmo teto cultura, entretenimento, negócios e educação, numa fusão vigorosa. Foi um impulso enorme para universalizar os livros, que os colocou num ambiente popular e buliçoso que não intimidava os leitores inexperientes.

Além do mais, as bibliotecas das termas levaram a leitura a todos os recantos do império. Aqueles centros de ócio não eram exclusivos da capital, formavam uma verdadeira rede em toda a extensão dos territórios conquistados pelos romanos. Na verdade, alguns especialistas pensam que a cultura do banho era a única instituição pública comum que unia os distantes cidadãos imperiais.

O gozo dos prazeres da água tornou-se uma marca de identidade da cultura pagã e da civilização de Roma, a tal ponto que os cristãos mais rígidos abominavam as termas por as considerarem sinal de sibaritismo, sensualidade e corrupção espiritual. Conservou-se uma carta de um monge camponês do século V que afirmava: "Não queremos lavar-nos nos banhos." Os homens santos entendiam o fedor como medida da sua devoção ascética. Rejeitavam o asseio para manifestar sua oposição ao estilo de vida dos romanos. Simeão, o Estilita, se negava a deixar a água tocar seu corpo, e "tão potente e hediondo era o fedor, que não se podia subir, nem sequer até o meio da escada, sem sentir mal-estar; alguns dos discípulos que se forçavam a chegar até ele só podiam subir depois de untarem o nariz com incenso e unguentos aromáticos". Depois de passar dois anos numa caverna, são Teodoro de Siceão emergiu "com um fedor tão grande que ninguém suportava ficar perto dele".[139] Clemente de Alexandria escreveu que o bom cristão gnóstico não quer cheirar bem: "Repudia os prazeres espetaculares e outros refinamentos do luxo, como os perfumes que adulam o sentido do olfato, as atrações dos diversos vinhos que seduzem o paladar ou as grinaldas aromáticas feitas com diferentes flores que enfraquecem a alma por meio dos sentidos." Naquele tempo, o "cheiro de santidade" era fétido.[140]

Entretanto, deixando de lado as minorias fundamentalistas, os habitantes das províncias imperiais abraçaram com entusiasmo os prazeres do banho, e as termas trouxeram consigo, entre outros passatempos e luxos, uma maré de livros.[141]

29

A cidade das 29 bibliotecas: um catálogo das construções emblemáticas de Roma, escrito no ano 350, menciona esse número preciso. Fora da capital, porém, é difícil seguir o rastro dos livros. Contamos apenas com informações caprichosas, incompletas, às vezes desconcertantes. Em Pompeia, os arqueólogos descobriram restos de uma sala de leitura. Uma inscrição na cidade de Comum — hoje Como — recorda que o escritor Plínio, o Jovem, doou à sua cidade de origem uma biblioteca e a soma de cem mil sestércios para mantê-la.[142] Outra inscrição encontrada na costa, não longe de Nápoles, fala de uma biblioteca financiada por Matídia, a sogra do imperador Adriano.[143] Há rastros ocasionais de outras coleções públicas doadas, em Tibur (atual Tívoli) e em Volsinii (Úmbria).[144]

De modo geral, o dinheiro para financiar essas coleções não vinha do erário, mas das arcas de doadores generosos. Durante toda a Antiguidade, pesava sobre os ricos a obrigação não escrita de gastar parte de sua riqueza com a comunidade: financiar jogos circenses, construir anfiteatros, pavimentar estradas ou fazer aquedutos. Se por trás de toda grande fortuna sempre há um crime, como escreveu Balzac, os antigos consideravam que investir em benfeitorias coletivas era a melhor forma para indenizar a sociedade por aqueles delitos iniciais. Nos edifícios públicos não faltam as letras DSPF (*de sua pecunia fecit*) junto ao nome de um cidadão. Esses alardes de filantropia nem sempre eram estritamente voluntários: os potentados que se negavam a contribuir eram pressionados e não conseguiam se recusar por muito tempo, pondo em risco o próprio prestígio. Se um milionário avarento precisava de um empurrãozinho para abrir a algibeira, os plebeus iam à porta da casa da pessoa, cantavam versos sarcásticos e caçoavam dela. É bem possível que alguma biblioteca do interior tenha se originado em um desses escrachos do passado.

Na área de fala grega do império, existiam bibliotecas públicas desde a época helenística. Os imperadores romanos apoiaram esses prestigiosos centros de saber, investindo nas coleções de Alexandria e Pérgamo.[145] No século II, a venerável cidade de Atenas ganhou duas novas bibliotecas, uma delas presente de Adriano e a outra, de um concidadão que pagou por um pórtico, uma sala com os livros e toda a decoração do recinto "com seu próprio dinheiro" — como ele proclama numa inscrição, enfático e aparentemente com o bolso ainda dolorido. Em Éfeso, um tal Tibério Júlio Celso construiu uma biblioteca em memória do pai, grande amante dos livros.

O Ocidente, por sua vez, aparece à primeira vista como um grande deserto. Em toda a área geográfica que hoje abarca a Inglaterra, a Espanha, a França e a costa setentrional da África, só há provas da existência de bibliotecas em dois lugares: Cartago, na Tunísia, e Timgad, na Argélia.[146] Da primeira temos notícia pela menção de um escritor; da segunda, graças à arqueologia.

É verdade que, segundo os estereótipos da época, o foco da civilização estava no Oriente, enquanto os habitantes do poente chapinhavam na barbárie, no subdesenvolvimento e na incultura. Em todas as épocas, as potências mais poderosas criam suas oposições geográficas — norte/sul, leste/oeste — e não permitem que os fatos estraguem um bom preconceito. Na Antiguidade, a Europa ocidental teve culturas muito sofisticadas, e quase todas elas foram destruídas por seus civilizados invasores. De qualquer modo, no início da época imperial a globalização romana havia atenuado as diferenças entre os territórios. Os arquitetos e engenheiros de Roma urbanizaram o Ocidente com esmero, substituindo as aldeias autóctones por uma rede de cidades, grandes e pequenas, dotadas de redes de esgoto, aquedutos, templos, foros e termas. Nelas certamente havia livros. Durante esses anos, embora não estivesse tão arraigada quanto no mundo grego, a cultura escrita se expandiu nas comunidades romanizadas. Havia professores que ensinavam latim nas escolas das principais localidades, enquanto os grandes centros ofereciam educação secundária e retórica. Em capitais como Cartago ou Marselha, os cidadãos mais ricos podiam cursar o equivalente à formação universitária da época. Marcial, que nasceu na cidade celtibérica de Bílbilis e chegou a Roma aos 20 anos, demonstra um excepcional domínio da língua latina. Se não foi em seu município natal, com certeza ele teve acesso a uma biblioteca em César Augusta ou em Tarraco. E, tal como em Bílbilis ou César Augusta, em dezenas de centros importantes do Ocidente também havia cidadãos — homens e mulheres — com riqueza, ambições culturais e apetite por livros.[147]

Quando ando pelas ruas de traçado romano da minha cidade, penso que, tal como na mágica Oxford, em algum lugar uma grande biblioteca dorme no subsolo. Esmagadas pela agitação das ruas, debaixo do asfalto e da pressa, mil vezes pisadas e saqueadas, certamente devem sobreviver as últimas lascas dos nichos em que os nossos remotos antepassados conheceram os livros.

DOIS HISPÂNICOS: O PRIMEIRO FÃ E O ESCRITOR MADURO

30

A imagem de adolescentes gritando, chorando e desmaiando ao ver seus ídolos musicais não nasceu com Elvis nem com os Beatles. Na verdade, nem sequer é um fenômeno que surgiu com o *rock'n'roll*, mas com a música clássica. Os *castratti* do século XVIII já despertavam paixões nos palcos. E um pianista húngaro que balançava a cabeleira quando se debruçava sobre o teclado, nas civilizadas salas de concerto do século XIX, provocou um autêntico delírio de massas que ficou conhecido como lisztomania, ou "febre Liszt".[148] Se atualmente os fãs jogam as roupas íntimas na cara das estrelas de rock, em Franz Liszt os fãs jogavam joias. Ele foi o ícone erótico do século vitoriano. Na época se dizia que seus movimentos ao tocar e suas poses estudadas provocavam êxtases místicos na plateia. Primeiro como menino-prodígio e depois como jovem histriônico, Liszt protagonizou turnês multimilionárias pelo continente. Durante suas apresentações públicas, os fãs se aglomeravam, gritavam e suspiravam entontecidos. Eles o seguiam pelas sucessivas capitais onde dava concertos. Tentavam roubar-lhe lenços e luvas, usavam seu retrato em broches e camafeus. As mulheres queriam cortar mechas do cabelo dele, e, quando uma corda do piano se rompia, ocorriam verdadeiras batalhas campais para pegá-la e fazer uma pulseira com ela. Algumas admiradoras o seguiam pelas ruas e bares munidas de frascos de vidro nos quais guardavam a borra do café de sua xícara. Certa vez, uma mulher encontrou a ponta do seu charuto ao lado do pedal do piano e passou a levá-la no decote, dentro de um medalhão, até o fim da vida. A palavra *celebrity* foi usada pela primeira vez para se referir a Liszt.

Entretanto, podemos recuar no tempo ainda mais. Seguramente, as primeiras estrelas internacionais foram um grupo de escritores da época imperial romana (Tito Lívio, Virgílio, Horácio, Propércio e Ovídio).[149]

Na verdade, o primeiro fã de que se tem notícia na história foi um hispânico de Gades, obcecado por conhecer seu ídolo, o historiador Tito Lívio.[150] Contam que no começo do século I ele fez uma perigosa viagem, "do rincão mais remoto do mundo" — ou seja, a atual Cádiz — até Roma só para ver de perto, com os próprios olhos deslumbrados, seu artista favorito. Supondo que ele fez o trajeto por terra, esse devotado gaditano levou mais de quarenta dias para concluir sua peregrinação idólatra, sofrendo com a péssima comida e o suplício dos piolhos nas hospedarias poeirentas, chacoalhou em lombo de pangarés ou em carroças velhas, tremendo de medo dos salteadores nos bosques solitários. Percorreu as estradas do império ladeado por cadáveres de bandidos que apodreciam empalados em estacas no lugar em que haviam cometido seu delito. De noite, rezava para que os escravos que o escoltavam não fugissem ou se voltassem contra ele em terra estrangeira. Gastou vários sacos de moedas pelo caminho. Também emagreceu em consequência das gigantescas diarreias causadas por águas contaminadas. Quando chegou a Roma, perguntou pelo famoso Lívio. Conseguiu vê-lo de longe, talvez tenha observado sua forma de se pentear e de usar a toga para imitá-lo, e, em seguida, sem se atrever a lhe dirigir a palavra, deu meia-volta para regressar ao lar — mais quarenta dias de viagem. Plínio, o Jovem, contou esse episódio em uma de suas cartas, sem saber que estava descrevendo o primeiro perseguidor de celebridades de que se tem conhecimento.

A globalização romana gerou leitores em territórios muito distantes da Urbe. Horácio se vangloriava de que seus livros eram conhecidos no Bósforo, na Líbia, nos atuais Cáucaso e Hungria, no país do Reno e na Hispânia. Propércio afirmava que sua glória havia chegado às invernais margens do rio Borístenes, hoje Dniepre. Ovídio escreveu, sem rodeios nem falsa modéstia, que era muito lido "em todo o mundo". De modo geral, os romanos tendiam a confundir os limites do seu império com os do planeta. Trata-se de um traço típico das visões imperiais — o rei acádio Sargão, o Grande, cujos domínios se estendiam do golfo Pérsico ao Mediterrâneo, já se gabava de ter conquistado o mundo inteiro. No caso dos escritores romanos, deixando de lado as imprecisões geográficas e as fanfarronices, de fato as fronteiras da leitura estavam se expandindo numa progressão assombrosa: os livros de sucesso começavam a atravessar continentes, mares, desertos, montanhas e selvas ainda durante a vida dos seus autores. As ideias e as palavras circulavam pelas modernas estradas. Os livros de Marcial podiam ser comprados em Viena e na Britânia;[151] os de Plínio, o Jovem, numa livraria de León.[152] Juvenal, um conservador que resistia à nova cultura inclusiva e global, indignava-se ao imaginar um imundo cantábrio com livros de filosofia romana em suas mãos bárbaras: "Agora o orbe inteiro tem uma cultura grega e romana; a eloquente Gália formou advogados bretões e, em Thule, já se fala em contratar um professor de retórica. Onde havia, na época do velho Metelo, um cantábrio estoico?"[153]

Na capital, os nativos e forasteiros eram capazes de reconhecer na rua os escritores mais famosos, e os assediavam como fazem os admiradores e *groupies* dos dias atuais. Virgílio, que sofria de uma timidez patológica, muitas vezes saiu correndo dos grupos de fãs que o perseguiam e apontavam para ele.[154] Entretanto, não eram só problemas. A nobreza romana tinha o costume de legar parte dos grandes patrimônios a pessoas de importância para a comunidade, e nesses casos os escritores não eram esquecidos. Conta-se que dois grandes autores rivais, Tácito e Plínio, o Jovem, mediam sua fama pela quantidade de heranças que eram doadas a um e a outro. Numa época em que não se podia competir pelo número de exemplares vendidos — era impossível estabelecer um cálculo confiável —, o *top ten* das estrelas do firmamento literário se media pelas gorjetas que recebiam nos testamentos aristocráticos.

De Lívio a Liszt, temos uma longa história desconhecida de fama, fetichismo, fãs avassaladores e paixões incontroláveis pelos clássicos.

31

Esta vai ser sua última grande viagem. Você tem quase 60 anos quando deixa Roma para trás, agitado pelo entusiasmo da aventura. A navegação de Óstia a Tarraco é tranquila; balançado pelas ondas e pelos ventos favoráveis, o navio embala seus pensamentos no mar da memória. Você morou na Urbe durante 35 anos. Chegou muito jovem à capital do império, onde conseguiu sobreviver escrevendo livros — e dando golpes nos ricos. Sempre foi um parasita simpático e divertido nas mansões nobres, o piadista imprescindível dessas festas. E era tratado um pouco melhor do que um mordomo, mas bem pior do que um amigo.

Sem contratempos, a nave o deixa na Hispânia, num dia azul de luz ofuscante. Em Tarraco, você contrata um guia com uma carroça e duas mulas. E começam o percurso sem pressa: vão passar seis dias nas estradas até chegar à sua terra natal.

Certa tarde, uma tempestade repentina os surpreende num caminho de terra. Como animais, os dois têm que puxar a carroça, que atolava na lama sem parar. Quando você finalmente atravessa os muros de César Augusta, sujo e com os olhos injetados, mais parece um mendigo sarnento do que uma celebridade de Roma. Vai às termas, e lá transpira, conversa e cochila. Fica zanzando em meio à agitação do porto, ao lado do rio amarelento, e aproveita para comprar dois escravos num leilão. Alguém que fez sucesso lá fora deve chegar escoltado por homenzarrões de costas largas e peito frondoso.

Outra vez na estrada, você fica emocionado ao ver a silhueta solitária do monte Cayo — que séculos depois chamaremos de Moncayo, e cuja sombra oferecerá refúgio e inspiração a outros escritores, como um tal Bécquer e um tal Machado. Ao se aproximar do rio Jalón, você revive o chapinhar barulhento da sua infância com outros meninos em suas águas pouco profundas. Sujo novamente com a poeira do caminho, sonha em voltar para o tranquilo balneário de Aquae Bilbilitanorum — as mesmas águas mornas que mais tarde receberão o nome muçulmano de Alhama. Você reconhece a paisagem da infância: as serras, a curva do rio, as minas de ferro, as espigas altas esperando a colheita, os pinheiros, os carvalhos, a sombra dos pâmpanos. Uma lebre se esconde atrás de um matagal, e desperta seu apetite pelos manjares da caça. Por fim, ali está a íngreme Bílbilis, com os telhados das casas em declive, a silhueta do templo, as lembranças. Seu coração bate forte. Você encontrará em sua terra os louros da glória ou as pontadas da inveja? Conhecendo seus vizinhos, provavelmente alguma frase desdenhosa dita à boca pequena. Pelo menos aqui vai acabar a insônia de Roma, o concerto de cocheiros se xingando à noite, a obrigação de madrugar e suar a toga correndo para a casa dos poderosos, as palavras falsas. Sob o céu tranquilo da Celtibéria, amigo Marcial, você vai dormir como uma pedra.

Ainda não sabe, mas ali conhecerá uma viúva madura e rica, chamada Marcela, que admira seus versos. Envaidecida com a ideia de ter um amante famoso em Roma, ela lhe dará de presente uma chácara com seus prados, rosais, uma fonte que sussurra estrofes de água, tanques cobertos onde nadam enguias, uma horta de verduras e um branco pombal. Graças a ela — corpo robusto e quente, sua última companheira de cama, sua mecenas mais generosa —, você por fim escapará da ameaça da miséria, que em Roma nunca o abandonou completamente. Comerá a uma mesa farta. Será indolente. Fará longas sestas, de barriga para cima, sob as sombras das árvores que suavizam o verão sem nuvens. Durante o inverno, passará horas fascinado pela dança hipnótica do fogo na lareira. Por fim vai conhecer a calma, mas deixará de escrever. De estômago cheio, sua raiva se apaziguará e sua fantasia de *enfant terrible* ficará para trás.[155]

Quando estava em Roma, você se irritava com a vida artificial e a hipocrisia que observava ao seu redor. Estava farto de adular os poderosos. Nessa época, a nostalgia lhe ditava poemas que enumeravam os ásperos nomes da sua terra. Bem, agora você voltou ao seu pequeno paraíso de quietude. Em breve começará a reclamar entre dentes, resmungando sua saudade das reuniões, dos teatros, das bibliotecas de Roma, da perspicácia do seu círculo social, dos prazeres e da agitação da capital; em suma, de tudo o que abandonou em busca de tranquilidade.[156]

HERCULANO: A DESTRUIÇÃO QUE PRESERVA

32

As majestosas bibliotecas de Roma, que povoavam os sonhos nostálgicos de Marcial na Hispânia, acabaram sucumbindo depois de uma sucessão de desastres, saqueios, incêndios e acidentes. Paradoxalmente, a única biblioteca antiga que foi preservada sobreviveu graças à ação de forças destrutivas.

Em 24 de outubro do ano 79, sob o império de Tito, o tempo parou em Pompeia e Herculano, duas cidades da moda que se situavam na baía de Nápoles e onde os cidadãos mais ricos da capital haviam construído suas mansões. O sol resplandecia, as águas eram de um azul puríssimo, o cheiro de murta adoçava o ar, sucediam-se festas para divertir os veranistas, a vida era relaxada e de prazeres fáceis. Contudo, naquele dia de outono, um fiapo de fumaça negra se elevou da cratera do Vesúvio, desafiador, desde a primeira hora da manhã, em direção ao céu. Em pouco tempo, começou a cair uma espécie de lama sobre as ruas de Herculano, mistura de chuva, cinzas e lava, que cobriu os telhados e penetrou pelas janelas e por todas as frestas. Finalmente, um fluxo vulcânico a 600°C arrasou tudo. Sobraram apenas os ossos dos habitantes. Pompeia foi envolvida por vapores de enxofre que deixaram o ar irrespirável. Depois de uma finíssima garoa de cinzas, começou um granizo de pequenas pedras vulcânicas e, por fim, de pedras-pomes de vários quilos. As pessoas saíam apavoradas das casas, mas era tarde demais para fugir.[157]

A cidade, sepultada durante quase mil anos sob uma camada de cinzas solidificadas e lapíli, acabou se tornando uma espécie de cápsula do tempo. A temperatura de 300°C formou crostas de cinza vulcânica em torno dos corpos retorcidos dos seus habitantes. No século XIX, os arqueólogos injetaram gesso nos vãos fantasmais que os corpos mortos deixaram nas cinzas. Esses moldes de gesso nos permitem ver os pompeanos eternizados em seu último ato em vida: um casal que buscou refúgio num abraço eterno, um homem que morreu sozinho com a cabeça baixada entre as mãos, um cão de guarda que tentou freneticamente se libertar da correia, uma menina que se abrigou convulsa no colo da mãe, como se quisesse voltar para o seu ventre. Alguns ainda parecem se contorcer, diminuídos pelo medo, dois mil anos depois. No filme *Romance na Itália*, de Rossellini, um casal em crise que viaja pelo país assiste angustiado à escavação das estátuas de gesso de dois amantes que encontraram a morte juntos, engolidos pela lava.

Várias gerações antes da catástrofe, Lúcio Calpúrnio Pisão, sogro de Júlio César, mandara construir em Herculano um palácio com duzentos metros de fachada. Quando os arqueólogos trouxeram à luz os restos dessa suntuosa residência, em meados do século XVIII, encontraram mais de oitenta estátuas de bronze e de mármore e a única biblioteca sobrevivente do mundo clássico. A coleção contém cerca de 2 mil rolos carbonizados, que a erupção destruiu e ao mesmo tempo preservou. Em virtude desse achado sem precedentes, a grande vila de Pisão ficou conhecida como Vila dos Papiros. Essa mansão romana sepultada pela lava impressionou o magnata do petróleo Jean Paul Getty de tal forma que ele mandou fazer uma idêntica em Malibu — atualmente essa réplica é uma das sedes do Museu Getty.

Durante décadas, a vila de Lúcio Calpúrnio foi o ponto de encontro de um conhecido círculo de filósofos epicuristas, entre os quais o poeta Virgílio.[158] Pisão era um magistrado poderoso e leitor entusiasta das obras do pensamento grego. Cícero, seu inimigo político, retratou o riquíssimo aristocrata entoando cançonetas obscenas e se divertindo nu "em meio à fetidez e ao lodaçal dos seus amantes gregos" — a sutileza não imperava nas invectivas políticas da época.[159] Mas, independentemente de Pisão organizar ou não suas orgias esporádicas, é bem provável, a julgar pelo conteúdo da sua biblioteca, que os convidados da vila passassem a tarde em Herculano dedicados a entretenimentos apaixonantes, embora talvez menos sensuais.

Os romanos poderosos do fim do período republicano e do começo do império consideravam que o ócio intelectual era um dos seus privilégios mais estimados. Muitos passavam longas horas na vida — ocupadíssimas — debatendo com argúcia e seriedade sobre os deuses, as causas dos terremotos, dos trovões e dos eclipses, a definição do bem e do mal, as metas legítimas da vida e a arte de morrer. Enquanto os escravos os serviam, eles se aferravam, no conforto de suas elegantes vilas, aos tesouros de suas bibliotecas e àquelas civilizadas conversas intelectuais como se quisessem acreditar, de algum modo, que seu velho mundo continuava intacto apesar das guerras civis, da violência, das tensões sociais, dos boatos sobre distúrbios, do aumento no preço dos cereais e das lentas colunas de fumaça que o Vesúvio vomitava. Esses homens e mulheres privilegiados, que viviam no epicentro da maior potência do mundo, refugiavam-se em suas luxuosas mansões para esquecer todos os perigos ou reduzi-los a ameaças remotas, assuntos de pequena importância pelos quais não valia a pena perder a calma ou interromper uma conversa especulativa sobre, por exemplo, os testículos dos castores, tema que tanto interessava Aristóteles. Desse hábito dos nobres romanos de se deitarem nos seus confortáveis divãs — triclínios ou leitos em forma de mesa — sobre almofadas de púrpura bordada para debater tranquilamente uns com os outros, enquanto lhes serviam bebida e manjares, é que nasceu a expressão em espanhol *hablar largo y tendido*, que significa falar muito e detidamente sobre um assunto.

As escavações na Vila dos Papiros revelaram que os livros do sibarita Pisão eram guardados num quarto de três metros por três cheio de prateleiras nas paredes e com uma estante de cedro no centro, isolada, com prateleiras nos dois lados. Os rolos eram levados ao pátio adjacente para que pudessem ser lidos com boa luz, entre estátuas luxuosas. Nesse projeto, o arquiteto da vila seguiu o modelo grego.

Naquele 24 de outubro, a explosão de gás do vulcão carbonizou os rolos de papiro antes que a cidade fosse enterrada sob uma fina cinza vulcânica que depois se esfriou e solidificou. Quando os escavadores e caçadores de tesouros exploraram a vila, no século XVIII, confundiram os restos dos rolos com pedaços de carvão e troncos queimados. Chegaram até a usar alguns deles como tochas, carbonizando as antigas palavras dos livros perdidos — um curioso caso de comunicação por sinais de fumaça. Ao se darem conta do que tinham nas mãos, especularam se não seria possível lê-los. Na euforia da descoberta, recorreram a métodos pouco delicados (usaram as unhas ou, pior, facas de açougueiro para cortá-los, obtendo resultados previsíveis e lamentáveis). Pouco depois, um italiano inventou uma máquina para tentar abri-los com delicadeza, mas era um trabalho desesperadamente lento. Foram necessários quatro anos para desdobrar o primeiro rolo. E, de todo modo, os fragmentos obtidos com a máquina, pretos como jornal queimado, eram frágeis e difíceis de conservar porque tendiam a se despedaçar.

Desde então, os pesquisadores procuram ferramentas tecnológicas para decifrar os segredos ocultos nos rolos carbonizados de Pisão. Em algumas peças não se distingue nada; em outras, podem ser identificadas algumas letras com o microscópio. A manipulação constante aumenta o risco de que esses rolos se transformem em pó preto em cima da mesa. Em 1999, cientistas da Brigham Young University, nos Estados Unidos, examinaram os papiros com raios infravermelhos. Em determinada longitude de onda, obtiveram um bom contraste entre o papel e a tinta. Tocadas pela luz invisível, as letras começaram a aflorar. Em vez de tinta preta sobre papel preto, dessa vez os especialistas distinguiram traços escuros sobre um fundo cinza pálido. As possibilidades de reconstrução dos textos aumentaram notavelmente. Em 2008, imagens multiespectrais propiciaram um novo avanço. Contudo, nenhum dos rolos identificados até agora — todos eles em grego — contém algum dos tesouros destruídos que tanto cobiçamos — nem poemas desconhecidos de Safo, nem tragédias perdidas de Ésquilo e Sófocles, nem os diálogos extraviados de Aristóteles. Os livros que voltaram à luz são, em sua maioria, tratados filosóficos sobre assuntos muito específicos. Talvez o achado mais notável seja o ensaio *Sobre a natureza*, de Epicuro. Entretanto, muitos estudiosos acreditam que na mansão de Lúcio Calpúrnio também houvesse uma biblioteca latina, ainda por descobrir. Enquanto isso, a moderna cidade italiana de Ercolano ruge e vibra sobre as velhas ruínas, o que impede escavações mais profundas. Quem sabe no futuro apareçam — e seja possível lê-los — fascinantes livros perdidos. Talvez vivamos nas próximas décadas um pequeno milagre literário sob o vulcão.

Os primeiros arqueólogos da antiga Herculano descobriram um bom número de rolos espalhados na área da Vila dos Papiros, empilhados no chão e dentro de estojos de viagem, como se o dono de então estivesse fazendo um último esforço para transferir a coleção antes que fosse sepultada sob os vinte metros de detritos vulcânicos que a cobriram. Imagino esse homem, 2 mil anos atrás, preocupado em salvar seus livros enquanto seu mundo desaparecia, carbonizado pelo fluxo abrasador de rocha e ar em chamas que se derramou sobre Herculano a trinta metros por segundo e a 600°C. Por uma estranha ironia histórica, essa biblioteca do apocalipse é, para nós, a única sobrevivente de uma extensa cartografia apagada.

33

As jazidas do passado atraíram a peregrinação de um exército de novos fãs. Quando o rei de Nápoles e futuro rei da Espanha Carlos III ordenou que se fizessem escavações em Pompeia, Herculano e Estábia, no século XVIII, uma febre por antiguidades foi desencadeada. As cidades conservadas devido à catástrofe despertaram jovens paixões na Europa. Um mundo até então apenas imaginado tornou-se visível de repente, fazendo da civilização antiga a última moda no continente. A partir desse reduto de uma época perdida, foram delineados e irradiados certos traços da modernidade: o Grand Tour e o início do turismo, a arqueologia como disciplina científica, as gravuras de ruínas, a arquitetura neoclássica dos centros do poder, a utopia estética de Winckelmann, a vocação greco-latina que pulsava atrás da alma revolucionária dos iluministas.

OVÍDIO EM CONFLITO COM A CENSURA

34

Ele fez sucesso — muito sucesso —, e desfrutava isso. Não se envergonhava dos seus leitores sem sobrenomes aristocráticos. Era divertido, sociável, hedonista. Gostava da *dolce vita* romana tal como ela era: às vezes vulgar, extravagante, glutona; outras, melancólica, poética e frágil. Escrevia com facilidade, sem sofrimento e, mesmo assim, sabia ser deslumbrante. Era quase imperdoável um homem ser tão feliz assim.

Havia nascido numa tradicional família de latifundiários ambiciosos. O pai mandou-o estudar em Roma com a esperança de transformá-lo num grande advogado, rico e respeitável, mas ele frustrou todas as expectativas dele: gostava mais de poesia do que de direito. Entediado com os tribunais e os bons propósitos, rapidamente abandonou sua promissora carreira para se dedicar por inteiro à literatura. Com seus poemas, não só decepcionou o pai biológico, como tempos depois desagradou também ao pai simbólico de todos os romanos, o imperador Augusto.[160] Pagaria muito caro por essa segunda rebeldia. Contudo, antes de escorregar rumo ao precipício, saboreou plenamente a glória e os aplausos.

Ovídio foi um explorador de novos territórios literários e o primeiro escritor que dedicou atenção especial às leitoras.[161] Já mencionei que ele escreveu um tratado específico sobre os cosméticos e a maquiagem feminina. Seu *Arte de amar*, um manual em versos para aprender a paquerar, passa um longo capítulo — um terço do total da obra — dando conselhos de conquista às mulheres e explicando-lhes os truques dos sedutores para enganá-las no amor. Estabeleceu uma intimidade até então desconhecida entre um escritor e suas leitoras. Numa época de rápida expansão nos horizontes da leitura, Ovídio adotou com entusiasmo a transgressão dos valores arcaicos e das antigas normas. Sua literatura jovem, inconformista e erótica atraía as romanas da época; ele sabia disso e testava os limites. Não via o abismo em que estava pisando.

Alguns contemporâneos o acusaram de frívolo, esquecendo que a frivolidade pode ser profundamente subversiva. Ovídio tinha um ponto de vista revolucionário sobre alguns assuntos essenciais na Roma do século I a.C.: o prazer, o consentimento e a beleza. Naquela época os casamentos eram um acerto entre as famílias, que costumavam entregar moças adolescentes a homens poderosos já bastante maduros. Eram tempos de débito conjugal, tempos em que os escravos de ambos os sexos estavam à disposição do apetite dos seus amos, como um harém em potencial. Por definição, as relações sexuais não eram recíprocas nem igualitárias: as pessoas eram passivas ou ativas, penetravam ou eram penetradas. Havia distinções muito intrincadas, regras assumidas e limites codificados — como sempre, o principal era uma questão de privilégio. O que era aceitável para um homem rico não o era para um pobre; o que se consentia aos homens era inadmissível para as mulheres. A pedofilia era permitida com alguém de nível inferior — escravo, estrangeiro, não cidadão. Marcial não se envergonha de tornar público o desejo e a atração que sentia por uma escrava de sua propriedade, que chama em seus poemas de Erotión, morta aos 6 anos de idade.[162] Ovídio estilhaçou todas essas convenções e lugares-comuns ao escrever que gostava de mulheres maduras, não de meninas. E que seu prazer erótico necessitava do prazer da sua companheira. Traduzo livremente uma passagem de *Arte de amar*: "Prefiro uma amante que tenha ultrapassado a idade de 35 anos e já encontre fios grisalhos em sua cabeleira: que os apressados bebam o vinho novo; eu prefiro uma mulher madura que conhece o seu prazer.[163] Tem experiência, que constitui todo o talento, e no amor conhece mil posições. A voluptuosidade nela não é falsa. E, quando a mulher goza ao mesmo tempo que seu amante, é o auge do prazer. Odeio o abraço em que ambos não se dão por inteiro. Odeio essas uniões que não deixam os dois exaustos. Odeio a mulher que se entrega porque tem de fazê-lo, que não se umedece, que pensa em suas tarefas. Não quero uma mulher que me dê prazer por obrigação. Que nenhuma mulher faça comigo o amor por dever! Gosto de ouvir sua voz traduzindo sua alegria, murmurando que devo ir mais devagar, que ainda preciso me conter. Gosto de ver minha amante gozando com os olhos vencidos, que desfaleça e não permita que a acaricie mais."

A norma tradicional ditava que, para os homens livres, o sentimento era uma fraqueza e a vontade de estar no lugar do outro, uma loucura. Como escreve Pascal Quignard, Ovídio é o primeiro porta-bandeira do desejo recíproco e também o primeiro romano a defender que é preciso dominar a urgência masculina a fim de esperar o prazer da matrona.[164]

Arte de amar foi considerado um livro imoral e perigoso. Ovídio, anos mais tarde, lembrando o começo de suas desgraças, escreveu que muitos o chamaram de "professor de adultérios obscenos" por causa dessa obra.[165] É verdade que os jogos eróticos que ele ensinava a praticar transcorriam fora do casamento. E não podia ser de outra forma: o desejo e a atração raramente apareciam no horizonte da vida conjugal. Os casamentos dos romanos ricos eram, antes de mais nada, uma decisão dinástica, um cálculo de alianças e pactos familiares. Os pais utilizavam as filhas como peões de suas manobras políticas e não faziam objeção a divorciá-las de um marido e casá-las com outro, mesmo estando grávidas do primeiro, se isso conviesse aos seus interesses políticos. Não era raro que dois patrícios fizessem amigáveis trocas de mulher: Catão de Útica, recordado como um modelo de virtudes, "emprestou" a esposa, Márcia, a um amigo — quer dizer, pediu divórcio para ceder o lugar ao novo pretendente — e depois se casou com ela pela segunda vez quando ficou viúva, ganhando de quebra uma enorme herança.[166] Enquanto tramava essa manobra nupcial, Catão consultou o pai de Márcia, mas não quis saber a opinião dela: para a mentalidade tradicional, as mulheres eram subalternas e eternas adolescentes. O modo de agir dos ambiciosos pais de família não fomentava o afeto nem a lealdade entre maridos e mulheres. Nesse panorama, as paixões brotavam fora do casamento. Ovídio teve o descaramento de retratar essa realidade em seus versos. E o fez em péssima hora: colidiu diretamente com o programa de moralização do imperador Augusto e, sobretudo, com suas Leis Júlias, aprovadas entre os anos 18 a.C. e 9 d.C. com a finalidade de assumir a defesa da família e das antigas tradições, que castigavam o adultério com o exílio e multavam quem não tinha filhos.

No ano 8 d.C., Ovídio, que mal tinha 50 anos, repentinamente foi banido, por decreto imperial, para a aldeia de Tomi — a atual Constança, na Romênia. Sua terceira esposa ficou em Roma, para administrar as propriedades comuns e suplicar seu indulto. O poeta partiu sozinho para o exílio. Nunca mais os dois voltariam a se encontrar. Augusto havia escolhido para ele um castigo severo, de uma crueldade calculada. Não se conformou com expulsá-lo para alguma das ilhas do Mediterrâneo usadas habitualmente para tais fins; lançou-o num território selvagem situado nos limites do império, na fronteira do desconhecido, onde Ovídio ficaria longe de tudo o que, na sua opinião, tornava a vida digna de ser vivida: amigos, amor, livros, conversas e, sobretudo, paz. Nessa aldeia desolada, submetido aos frios de um clima hostil, entre gente que falava um idioma ininteligível, sempre temendo as investidas de exércitos nômades, Ovídio estava sentenciado à morte. Sobreviveu por nove anos, enviando súplicas constantes a Roma e escrevendo seus *Tristia*, antecessores da carta *De profundis* redigida na prisão, séculos mais tarde, por outro grande libertino castigado: Oscar Wilde.

Sobre os motivos do seu desterro, Ovídio afirmou que sua perdição foram dois delitos: "um poema e um erro."[167] Nunca explica em que consistiu seu erro, para não pôr o dedo na ferida — talvez tenha testemunhado orgias clandestinas de alguma pessoa muito importante ou se envolvido em uma conspiração política. Quanto ao poema, há poucas dúvidas. Trata-se do seu manual para amantes. "Não sou mais preceptor de amor", escreveu no exílio, "essa obra teve o castigo que merecia".[168] Dois séculos depois, um historiador afirmou, taxativo: "Augusto castigou o poeta Ovídio com o exílio porque escreveu três livrinhos sobre a arte de amar."[169] Ovídio chorou ao saber que, na sua ausência, também houve represálias contra suas obras. Augusto tomou o cuidado de desterrar seus versos das bibliotecas públicas depois do desterro do homem.[170]

Pelo que sabemos, esse episódio inaugurou na Europa a censura do tipo moralizante, uma obsessão de controle que se deparou aqui com seu primeiro fracasso. *Arte de amar*, um livrinho alegre e erótico perseguido por um dos imperadores mais poderosos de Roma e várias vezes proibido em épocas posteriores por ser obsceno e escandaloso, encontrou o caminho até nossas bibliotecas. Sua história é a história de um longo salvamento, realizado século após século pelos leitores em que Ovídio confiou, enfrentando as autoridades. A subversão também forja clássicos.

35

No começo do século II, Roma já havia conhecido uma longa série de imperadores desconfiados, sem muito senso de humor. A censura e o medo começavam a degradar a atmosfera. O historiador Tácito apalpou as cicatrizes da amputação e teve a coragem de verbalizá-las. Nostálgico de um passado inexistente, ele fantasiava com "a estranha felicidade dos tempos em que é permitido pensar como se quer e dizer o que se pensa".[171] Decidiu pesquisar o que fere os poderosos, por que se escandalizam as pessoas dadas a se escandalizar, quais são suas proibições e fobias, o que elas pretendem enterrar no silêncio e tudo o que há por trás das rasuras que mutilam os textos.

Tácito relata detalhadamente um episódio de repressão que ocorreu durante o mandato de Tibério, pouco depois da morte de Ovídio no desterro. O historiador Cremúcio Cordo, de ideias republicanas, foi processado por uma frase arrojada.[172] Ele escreveu em seus *Anais* que Bruto e Cássio, os assassinos de Júlio César, foram "os últimos romanos". Acusado do delito de lesa-majestade por essas palavras, Cordo foi convocado a comparecer ao Senado. Lá se defendeu com coragem, mas ao sair do interrogatório já tinha decidido morrer de fome para escapar à condenação que cabia esperar da independência judicial de então. Como era costume na época, o processo prosseguiu apesar do pequeno contratempo que foi a morte do acusado. Afinal, o veredito exigiu a queima de todos os exemplares do livro. Em Roma essa tarefa coube aos edis e nas outras cidades do império, aos correspondentes magistrados.

Os *Anais* se salvaram da destruição graças à valentia de Márcia, filha de Cremúcio, que se arriscou a esconder um único exemplar. Márcia conhecia o valor dos livros: era uma grande leitora, com apetite especial pela filosofia. Sêneca dedicou a ela um ensaio em que dizia que "as mulheres têm o mesmo poder intelectual que os homens e a mesma capacidade para os atos nobres e generosos".[173] Sem dúvida, admirava a jovem Márcia por ela se atrever a desobedecer. Arriscando a vida toda vez que revistavam sua casa, ela escondeu o último manuscrito do pai até que o novo imperador, Calígula, suspendeu a proibição. Depois de conseguir o indulto, a filha mandou fazer novas cópias da obra e a pôs novamente em circulação. As gerações seguintes leram com avidez aquela crônica histórica que tanto ofendera o poder. Alguns fragmentos — os mais polêmicos — chegaram até nós.

Os censores de todas as épocas estão sempre correndo o risco de provocar um efeito contraproducente, e este é seu grande paradoxo: chamam a atenção justamente para aquilo que pretendiam esconder. Tácito escreveu: "São tolos aqueles que pensam que com seu poder do momento podem extinguir até a memória da posteridade. Ao contrário, cresce a estima pelos talentos castigados, e os que empregam a severidade não conseguem outra coisa além da própria desonra e a glória daqueles que castigaram."[174] Atualmente, a internet e as redes sociais geram atenção instantânea para qualquer mensagem proibida pelas autoridades. Se estas mandam retirar uma obra de arte, todo mundo começa a falar dela. Se condenam um *rapper* por injúria, dispara o número de downloads das suas canções. Se uma denúncia provoca a decisão judicial de recolher um livro, o povo vai correndo comprá-lo.

Embora a censura raramente faça desaparecer as ideias que persegue — muitas vezes lhes dá asas —, os governantes têm uma estranha mania de reincidir nela.[175] Calígula cogitou retirar das bibliotecas os exemplares de Homero, seguindo as ideias de Platão.[176] Cômodo proibiu a leitura da biografia de Calígula escrita por Suetônio, sob pena de morrer destroçado pelas feras no anfiteatro.[177] Caracalla, grande admirador de Alexandre Magno, pensava que Aristóteles não havia sido alheio à sua morte, e namorou a ideia de queimar todas as obras dele.[178] Durante a perseguição de Diocleciano, no começo do século IV, houve um verdadeiro furor incendiário de livros cristãos, comparável às fogueiras dos nazistas em 1934. Sabemos de mártires que se sacrificaram para proteger seus escritos. Três irmãs de Tessalonica, Ágape, Quiônia e Irene, morreram na fogueira por terem escondido em casa livros proscritos. E, tal como elas, Felipe, Euplo, Vincêncio, Félix, Dativo e Ampélio foram mártires por se negarem a entregar seus livros. Tempos depois, quando o cristianismo se tornou religião oficial, começaram as cremações igualmente violentas de livros pagãos.

Todos esses esforços destrutivos tiveram pouco efeito: os imperadores conseguiam exercer sua influência quanto aos escritores que protegiam, mas raramente conseguiam impor suas proibições, como provam as malogradas tentativas de destruir os poemas eróticos de Ovídio ou a crônica republicana de Cremúcio Cordo. O sistema de circulação de livros na Antiguidade — sem distribuidores nem editores — era tão incontrolável que a censura do poder não tinha como se impor. Com escravos treinados para copiar livros ou amanuenses profissionais, era fácil multiplicar clandestinamente as obras condenadas.

Como já sabia Tácito, o efeito mais poderoso dessa pulsão persecutória é, acima de tudo, atemorizar os outros, os menos valentes, a própria criatividade. A autocensura sempre se revela mais eficaz do que a censura, que o historiador chamou de *inertiae dulcedo*, "a doce inércia". Referia-se à acomodada renúncia a correr riscos, à tentação recôndita de não transgredir a escala de valores vigentes para evitar conflitos ou preocupações — a perigosa covardia que ameaça os criadores. Tácito foi testemunha de uma época submissa, na qual até os rebeldes se calavam e obedeciam. Ele escreveu: "Nós demos, sem dúvida, uma grande demonstração de paciência. Teríamos perdido a memória junto com a voz se o esquecer estivesse tanto em nossas mãos quanto o calar."[179] Seus textos tocam na ferida dolorosa, abrem nossos olhos: em todas as épocas, o campo de batalha não é apenas a censura do poder: é também os medos internos.

VIAGEM AO INTERIOR DOS LIVROS E COMO NOMEÁ-LOS

36

Até a invenção da imprensa, os livros eram objetos artesanais, isto é, de fabricação trabalhosa, únicos e incontroláveis. Copiados um por um, sob demanda, muitas vezes na própria casa do leitor por um dos seus escravos pessoais, que ordem poderia deter sua difusão?

Os livros eletrônicos de hoje são a antítese daqueles antigos manuscritos: objetos baratos, etéreos, sem peso, fáceis de multiplicar ao infinito, placidamente hospedados em servidores e unidades de armazenamento em *data centers* espalhados pelo mundo todo — mas estritamente controlados. Em 2009, numa disparatada tentativa de censura, a Amazon apagou sigilosamente dos Kindles dos seus clientes o romance *1984*, de George Orwell, alegando um suposto conflito de direitos autorais.[180] Milhares de leitores denunciaram que o livro desapareceu de repente dos seus dispositivos, sem aviso prévio. Um estudante de Detroit que estava preparando um trabalho acadêmico protestou porque, junto com o arquivo, desapareceram todas as suas notas de leitura. Não sabemos se a Amazon tinha consciência do simbolismo literário implícito. Em *1984*, os censores governamentais apagam todo e qualquer rastro de literatura incômoda para o Grande Irmão jogando-a num incinerador que denominam "o buraco da memória".

Nas redes sociais não faltam comentários denunciando o desaparecimento das edições digitais de diversos títulos. Na realidade, quando escolhemos a opção "Comprar agora" para incorporar um livro em formato PDF à nossa conta, não estamos adquirindo nada tangível. Não temos quase nenhum direito sobre esses textos que flutuam atrás do vidro da tela. O buraco da memória está sempre à espreita e poderia engolir nossas bibliotecas virtuais.

Eu, que quando era criança pensava que todos os livros tinham sido escritos para mim e que o único exemplar no mundo estava na minha casa, caio facilmente na tentação de idealizar aqueles manuscritos antigos irreproduzíveis. Na verdade, eram livros bem menos amigáveis do que os nossos. A escrita antiga tinha o aspecto de uma selva intrincada e extenuante, em que as palavras se amontoavam sem separação entre si, não se distinguiam as letras minúsculas das maiúsculas e os sinais de pontuação eram usados de forma errática. O leitor tinha que desbravar seu caminho com muito esforço, ofegando, hesitando e retrocedendo para ter certeza de que não ia se perder naquele emaranhado de letras. Por que os antigos não deixavam o texto respirar? Em parte, para aproveitar ao máximo o papiro ou o pergaminho, materiais caros. Depois, porque os primeiros livros eram destinados a pessoas que liam em voz alta, destrinchando com o ouvido aquilo que para os olhos era uma sucessão ininterrupta de signos. Por fim, os aristocratas, orgulhosos de sua superioridade cultural, não tinham o menor interesse em facilitar a vida dos leitores novos-ricos — com menos acesso à educação — para que entrassem no feudo exclusivo dos livros.

Os avanços para a simplificação da leitura foram lentos, indecisos, graduais. Os eruditos da Biblioteca de Alexandria inventaram um sistema de acentos e outro de pontuação. Ambos são atribuídos a um bibliotecário de memória fabulosa, Aristófanes de Bizâncio.[181] Quando as palavras não estavam separadas, inserir uns poucos acentos — como indicadores de rota num caminho sinuoso — proporcionava uma enorme ajuda ao leitor.

A separação das letras em palavras e frases avançou paulatinamente. Houve um método de escrita que consistia em dividir o texto em linhas com sentido completo, para ajudar os leitores menos seguros a elevar ou abaixar a voz no fim de um pensamento. Jerônimo de Estridão, no fim do século IV, conheceu esse sistema em livros de Demóstenes e de Cícero, e foi o primeiro a descrevê-lo e recomendá-lo. Ainda assim, o método não se impôs, e as vicissitudes da pontuação continuaram.[182] A partir do século VII, uma combinação de pontos e traços indicava o ponto; um ponto elevado ou mais alto equivalia à nossa vírgula; e o ponto e vírgula já era utilizado como hoje em dia. É provável que a leitura silenciosa já fosse um hábito suficientemente comum no século IX para que os escribas ou copistas começassem a separar as palavras das suas vizinhas intrometidas, embora provavelmente também o fizessem por questões estéticas.

As ilustrações nos manuscritos também eram, necessariamente, artesanais. Desde a sua origem nos *Livros dos mortos* dos egípcios, elas tinham uma função mais explicativa do que decorativa. A imagem nasceu como ajuda visual para elucidar e complementar os textos, devido à dificuldade de lê-los.[183] Quando o conteúdo era científico, usavam-se diagramas; quando literário, cenas narrativas. Na tradição greco-latina, às vezes a cabeça ou o busto do escritor apareciam desenhados num medalhão como marca de autoria. O primeiro exemplo conhecido disso é *Imagens*, de Varrão, uma obra perdida, mas descrita por Plínio, que relatava a vida de setecentos gregos e romanos célebres.[184] Publicado em torno do ano 39 a.C., esse ambicioso livro combinava um retrato de cada famoso com um epigrama e uma descrição. A escala do projeto sugere que os romanos talvez tivessem algum método de estampagem para atender ao comércio livreiro.[185]

A apropriação cristã do livro como símbolo teológico abriu novos caminhos decorativos. As próprias palavras se transformaram em formas ornamentais. As páginas se tingiram de púrpura imperial, a escrita era realizada em tinta de ouro e prata. Os livros deixaram de ser meros artefatos de leitura, tornaram-se relíquias e obras de arte em si mesmos, que enalteciam seus proprietários. O trabalho se especializou: o escriba costumava deixar indicações precisas e reservava os espaços destinados às ilustrações; depois, os pergaminhos eram entregues a miniaturistas e iluminadores. Já no século XIII, o espaço das páginas havia se tornado selvagem, complexo e utópico. Foi essa a origem marginal do gibi. Literalmente, os primeiros quadrinhos da história surgiram nas margens dos manuscritos antigos. Em torno das letras, apareceram nas páginas incríveis rendados de dragões, serpentes e trepadeiras que se enlaçam e se entrecruzam numa enorme riqueza de formas retorcidas. E os livros se povoaram de seres humanos, animais, paisagens, cenas cheias de vivacidade desenvolvidas em séries de desenhos. As pequenas ilustrações tinham uma moldura de orlas vegetais — daí se deriva o termo "vinheta", porque frisos de folhas de videira rodeavam cada quadro. A partir da época medieval gótica, emergem algumas pequenas faixas das bocas dos personagens com as frases que eles dizem, antecessoras dos balões das atuais revistas em quadrinhos. Independentemente do texto, as miniaturas nasceram para revitalizar o apetite humano pelo maravilhoso. Detalhistas ou fantasiosas, extraídas da vida real ou sonhadas pela imaginação, essas ilustrações demonstram como novas formas artísticas podem nascer e se impor partindo de lugares subalternos. Os quadrinhos, herdeiros desse elegante passado gráfico, conservam traços que nos lembram suas origens. Os personagens das revistas de hoje, tal como os seres que habitavam o espaço dos manuscritos antigos, muitas vezes pertencem a um mundo fronteiriço, estranho, hipnótico, distorcido. E, também como eles, demandam o nosso olhar, lutando para não ficar à margem.[186]

A grande mudança na cartografia interna dos livros chegou com a página impressa, que procurava facilitar uma leitura ágil por meio de uma estrutura diáfana. O texto, até então espremido em blocos compactos, começou a ser subdividido em parágrafos. Os cabeçalhos, os capítulos e a paginação serviam como bússola para se orientar na leitura. Como o prelo produzia uma edição inteira de exemplares iguais, desenvolveu-se uma nova parafernália de consulta: sumários com remissão às páginas, notas de rodapé e acordos estáveis nas convenções de pontuação. Os livros impressos foram se tornando cada vez mais fáceis de ler e, assim, mais acolhedores. Graças ao sumário, os leitores ganharam um mapa do interior dos livros. Podiam entrar e navegar por eles de forma cada vez mais livre. Com o passar dos séculos, as matas fechadas de letras, por onde se avançava à custa de transpiração, de facão na mão, foram se tornando metódicos jardins de palavras para passeadores tranquilos.

37

Se um livro é uma viagem, o título deve ser a bússola e o astrolábio de quem se aventura por seus caminhos. No entanto, ele nem sempre esteve disponível para orientar os navegantes. As primeiras narrativas, as mais antigas, vieram ao mundo sem nome nem batismo. Nossos antepassados deviam dizer, por exemplo: "Mãe, conta aquela história da menina que guardou uma montanha na cestinha." Ou então: "Quer ouvir aquela do grou que roubava sonhos?"

Sabemos que na época mais remota dos poemas e dos relatos escritos não havia uma forma única de nomeá-los.[187] As listas de livros das primeiras bibliotecas da história, no antigo Oriente, mencionam as obras pelo assunto. "Para rogar ao Deus-Tempestade", lê-se numa tabuleta de argila encontrada em Hatusa. O item seguinte da lista diz: "Sobre a purificação de um assassinato." Contudo, o método mais habitual era usar as primeiras palavras do texto: *Enûma Elish* (em acádio: "quando no alto..."). Tal como os antiquíssimos catálogos de argila, os *Pínakes* da Biblioteca de Alexandria também ofereciam listas de obras identificadas pela frase inicial. Na Roma do século I ainda detectamos formas fluidas de nomear os livros. Algumas vezes se menciona a *Odisseia* como "Ulisses", antecipando Joyce por vinte séculos. Marcial chama a *Eneida* de "*Arma virumque*" e Ovídio, de "Eneias prófugo". Essas fórmulas antigas, embora quase desaparecidas, sobrevivem em certos redutos: as encíclicas papais ainda adotam como título em latim as palavras iniciais do texto.

Mênin áeide theá. É bonito esse velho sistema de nomear as histórias usando seu início, como se, arrastados por seu feitiço, sem querer já começássemos a narrá-las. Italo Calvino resgatou esse procedimento antigo quando intitulou um dos seus romances mais fascinantes: *Se um viajante numa noite de inverno*.

Os primeiros títulos fixos, únicos e irremovíveis eram de obras teatrais. Os dramaturgos atenienses foram pioneiros em intitular suas peças, com as quais competiam em certames públicos em que era preciso evitar qualquer confusão na hora de anunciá-las, promovê-las ou declará-las vencedoras. *Prometeu acorrentado*, *Édipo Rei* ou *As troianas* nunca tiveram outro nome nem sobrenome. A prosa, por sua vez, demorou mais a adotar títulos duradouros, e, quando o fez, muitas vezes eles eram meramente descritivos: *História da guerra do Peloponeso*, *Metafísica*, *A guerra das Gálias*, *Sobre o orador*.

De maneira geral, os nomes que os gregos e os romanos davam às obras das respectivas literaturas eram concisos, compactos, desprovidos de ambição. Soam monótonos, carentes de originalidade e burocráticos.[188]

Têm uma função essencialmente de identificação. Quase sem exceções, são nomes próprios ou comuns, sem conjunções nem verbos — não há nada comparável a *O homem que era Quinta-feira*, de Chesterton, ou *Enquanto agonizo*, de Faulkner. Nem os substantivos nem a adjetivação têm grande densidade expressiva, e geralmente carecem de qualidades poéticas — nada parecido com *Vasto mar de Sargaços*, de Jean Rhys, ou *História universal da infâmia*, de Borges. Mas, apesar de tudo, os antigos nos legaram um punhado de títulos misteriosos e cintilantes em sua simplicidade, como *Os trabalhos e os dias*, de Hesíodo — que Alejandra Pizarnik reescreveu em seu livro de poemas *Os trabalhos e as noites* —; *Vidas paralelas*, de Plutarco; *A arte de amar*, de Ovídio — que Erich Fromm imitou —; ou *A cidade de Deus*, de Agostinho de Hipona — que deu título ao trepidante filme de Fernando Meirelles sobre as favelas do Rio de Janeiro.*

No tempo dos rolos de papiro, o lugar preferido para escrever o título e o nome do autor era no fim do texto, a parte mais protegida do livro rebobinado — o começo, na parte mais externa do cilindro, sofria uma deterioração maior e muitas vezes se rasgava. Foi no formato códice que o título conquistou a posição dianteira, o rosto dos livros — e também se apoderou da lombada, suas costas. Agostinho de Hipona deixa bem claro que no século IV já era habitual buscar essa informação "na página liminar", ou seja, o começo, o umbral do relato.[189] Hoje, o título e o autor são a primeira coisa que lemos quando o livro ainda é uma grande incógnita, e esperamos que nos definam seu universo em menos de dez palavras. Se o feitiço funciona, alguém pegará o livro na mesa querendo saber mais sobre ele.

Na verdade, foi só no século XIX que os títulos começaram a desenvolver poesia e chamarizes próprios. Quando se consolidaram os jornais, o mercado, a concorrência e, portanto, a necessidade de chamar a atenção do leitor, os escritores se propuseram a começar a seduzi-los já na capa dos livros. Foi entre os séculos XIX e XXI que surgiram, sem

---

* O filme brasileiro *Cidade de Deus*, de Fernando Meirelles, é também uma adaptação cinematográfica do livro homônimo de Paulo Lins (1997). (N. do E.)

dúvida, os títulos mais belos, os mais audazes. Traço aqui um catálogo incompleto e discutível.

Pela densidade poética: *O coração é um caçador solitário*, de Carson McCullers; *Em busca do tempo perdido*, de Marcel Proust; *Suave é a noite*, de Scott Fitzgerald; *Cem anos de solidão*, de García Márquez; *Amanhã na batalha pensa em mim*, de Javier Marías; *O general do exército morto*, de Ismail Kadaré.

Pela ironia: *Obras completas (e outros contos)*, de Augusto Monterroso; *Uma confraria de tolos*, de John Kennedy Toole; *A vida modo de usar*, de Georges Perec; *Mala noche y parir hembra* [Noite má e parir fêmea], de Angélica Gorodischer; *Fique quieta, por favor?*, de Raymond Carver.

Pela inquietação: *Nip the Buds, Shoot the Kids* [Arranquem os botões, fuzilem as crianças], de Kenzaburo Oe; *As virgens suicidas*, de Jeffrey Eugenides; *Virá a morte e terá os teus olhos*, de Cesare Pavese; *Matar uma cotovia* [tradução literal do título original, *To Kill a Mockingbird*, publicado no Brasil como *O sol é para todos*], de Harper Lee; *Os suicidas do fim do mundo*, de Leila Guerriero; *Perra mentirosa* [Cadela mentirosa], de Marta Sanz.

Por serem inesperados e enigmáticos: *Junto à Grand Central Station sentei-me e chorei*, de Elizabeth Smart; *Um bonde chamado desejo*, de Tennessee Williams; *Todos os nossos ontens*, de Natalia Ginzburg; *O ruído das coisas ao cair*, de Juan Gabriel Vásquez; *Androides sonham com ovelhas elétricas?*, de Philip K. Dick.

Pelos segredos pressentidos: *Debí decir te amo* [Devia ter dito te amo], de Juan Gelman; *Paraíso inabitado*, de Ana María Matute; *Cerrado por melancolía* [Fechado por melancolia], de Isidoro Blaisten; *A idade da inocência*, de Edith Wharton; *Jogos da idade tardia*, de Luis Landero; *A ridícula ideia de nunca mais te ver*, de Rosa Montero.

É um mistério como um bom título surge. Às vezes é o que se manifesta primeiro — "no princípio foi o verbo" —, e o livro inteiro se expande como um *big bang* verbal a partir dessa explosão diáfana. Outras vezes o título demora e martiriza o escritor durante um longo périplo de indecisão, ou então jorra de onde menos se esperava, numa frase entreouvida de passagem, ou é sugerido por outra pessoa, inspirada. Há várias histórias famosas de livros cujo autor queria batizar com títulos bem fracos ou impossíveis e, graças a outras pessoas — escritores amigos, editores, agentes —, encontrou o caminho para o seu título imprescindível. Tolstói queria chamar *Guerra e paz* de "Bem está o que bem acaba"; Baudelaire havia pensado em "As lésbicas" para título do seu livro de poemas que viria a ser *As flores do mal*; Onetti propôs "O casarão", mas ganhou de presente *Quando já não importa*; avisaram a Bolaño que "A tempestade de merda" não era uma grande ideia, e ele optou por *Noturno do Chile*. Em certas e raras ocasiões, uma tradução livre resulta no nome feliz que o próprio autor não soube encontrar. "Los buscadores" [Os buscadores, em tradução livre; originalmente, *The Searchers*] é um título pálido para um romance e o filme que John Ford transformaria em clássico. Mas um anônimo distribuidor espanhol, num lampejo de inspiração, decidiu estreá-lo com um maravilhoso *Centauros do deserto* — em português, livro e filme foram batizados de *Rastros de ódio*. Leila Guerriero escreve que quando ocorre a epifania do nome exato, sente-se algo próximo à felicidade, porque o título de um livro não é uma sucessão de palavras engenhosas, mas "um urdimento soldado ao coração de uma história da qual nunca mais poderá se separar".[190]

Depois de um longo percurso pela indiferença dos séculos, os títulos se transformaram em poemas mínimos; barômetros, olhos mágicos, buracos da fechadura, cartazes luminosos, anúncios de neon; a chave musical que define a partitura vindoura; um espelho de bolso, um umbral, um farol na neblina, um pressentimento, o vento que faz girar as pás dos moinhos.

O QUE É UM CLÁSSICO?

38

O artista moderno tem a obrigação de ser original; ele precisa oferecer sempre algo novo, nunca visto. Quanto mais destrutiva sua obra parecer em relação à tradição e às normas, melhores críticas receberá. Cada criador tenta ser rebelde à sua maneira — como todos os demais. Continuamos fiéis a um conjunto de ideias românticas: a liberdade é o oxigênio dos verdadeiros artistas, e a literatura que importa é aquela que constrói mundos próprios, com uma linguagem livre de convencionalismos e formas inexploradas de narrar.

As coisas não eram assim para os romanos. Eles queriam uma literatura que fosse o mais parecida possível com a grega. Por isso copiaram todos os seus gêneros, um por um: a épica, a lírica, a tragédia, a comédia, a história, a filosofia, a oratória. Por isso adotaram as formas métricas dos gregos, que não se encaixavam bem em sua língua, e no começo faziam os poemas soarem artificiais e postiços. Por isso construíram bibliotecas duplas — como torres gêmeas —, para sublinhar a irmandade. Pensavam que poderiam superar os melhores se os imitassem abertamente. Assumiram de forma voluntária um conjunto enorme de limitações e moldes importados. E o mais surpreendente é que, com normas tão rígidas, essa literatura esquizofrênica tenha criado algumas obras maravilhosas.

A emulação obsessiva se expressa nas críticas literárias de um personagem interessante: Quintiliano, que nasceu em Calagurris Nassica Iulia — gosto da sonoridade desse nome —, hoje Calahorra, a apenas 120 quilômetros de onde estou escrevendo.[191] No ano 35, vir ao mundo num canto remoto do império não era um obstáculo ao sucesso: se você pertencesse a uma família rica, a geografia não era o destino. Quintiliano conheceu cedo o êxito profissional. Advogado e professor de eloquência, foi o primeiro catedrático da história cujo salário era pago pelo erário. O imperador Vespasiano lhe concedeu essa honra sem precedentes, e Domiciano escolheu-o para educar seus sobrinhos-netos. Ele adulou sem pudor os dois imperadores que lhe deram emprego. Naquele tempo, a adulação era a linguagem protocolar do palácio, o que dificultava muito subir na vida sem cair no servilismo. De todo modo, Quintiliano gostava da companhia dos poderosos. Era um conservador tranquilo, bem tratado por todos, satisfeito com suas conquistas. Somente na maturidade foi atingido por desgraças pessoais. Depois de perder sua jovem esposa, de 19 anos, e seus dois filhos, escreveu: "Não sei que inveja secreta corta o fio das nossas esperanças."[192]

Os doze livros das *Instituições oratórias*, o ensaio pedagógico em que condensou toda a sua experiência como educador, trazem mensagens pioneiras. Como eu já disse, numa época em que se praticava o sistema de surras sistemáticas, Quintiliano condenava os castigos violentos na educação.[193] Ele achava que elogios eram mais eficazes do que a violência, e que o amor ao professor pouco a pouco se transformava em amor pela matéria. Não acreditava na validade universal dos preceitos, preferia adaptar seus métodos às circunstâncias e às capacidades individuais. Afirmou que a finalidade da pedagogia é deixar os estudantes encontrarem as respostas por si mesmos, tornando supérfluo o professor.[194] Foi um dos primeiros defensores da educação contínua.[195] Estimulava os profissionais do discurso a lerem tudo o que fosse possível após terminarem seus estudos, pois sabia que a leitura ajuda a falar melhor. E, para guiá-los nos caminhos da literatura, fez duas listas paralelas dos melhores escritores da Grécia e de Roma (31 dos primeiros e 39 dos segundos).[196]

Nas listas de Quintiliano, a competição é obsessiva. Ele tenta estabelecer uma simetria perfeita: cada autor grego devia ter um gêmeo latino à sua altura. Virgílio era o Homero romano. Cícero era o Demóstenes e o Platão romano — quem disse que um dos seus não podia contar por dois gregos? Tito Lívio era Heródoto ressuscitado e Salústio, o novo Tucídides. Lendo esse texto, temos a impressão de que o orgulho nacional precisava clonar todos os grandes escritores da Grécia, um por um. Estava em curso um estranho experimento de imitação programada. É assim que se compreende a necessidade patriótica da *Eneida* antes mesmo que estivesse escrita. É assim também que se explica o sucesso das *Vidas paralelas* que o astuto Plutarco escreveu com o *Leitmotiv* de equiparar grandes personagens da Grécia e de Roma: Teseu e Rômulo; Alexandre e Júlio César, e assim sucessivamente.

O espírito de emulação, ambição e competição encaixava bem com a mentalidade das elites da sociedade romana. Mas essa competitividade desenfreada deve ter sido exaustiva para os criadores. Imagino que para cada escritor estimulado pelo desafio havia outro oprimido pelo peso da tradição. As comparações eram permanentes e quase sufocantes. Os poetas e narradores trabalhavam constantemente à sombra de um complexo de inferioridade coletivo.

O paradoxo é que, apesar de tudo isso, os romanos foram originais. Criaram uma mestiçagem sem precedentes. Pela primeira vez uma civilização adotou uma literatura estrangeira — e a leu, conservou, traduziu, protegeu e amou independentemente das barreiras chauvinistas. Em Roma, amarrou-se uma corda que ainda nos entrelaça com o passado e com outras culturas, línguas, horizontes. As ideias, as descobertas da ciência, os mitos, os pensamentos, os sentimentos, inclusive os erros (que também inspiram), equilibram-se sobre ela, atravessando os séculos. Alguns escorregam e caem; outros conseguem manter o equilíbrio (os clássicos). Esse nexo, essa transmissão ininterrupta, essa conversa infinita, que continua até hoje, é um verdadeiro prodígio.

A paixão nostálgica e o complexo doloroso dos romanos, sua soberania militar, sua inveja e suas apropriações são fenômenos fascinantes. Porque esse amor difícil, construído com desejo e fúria, tecido de retalhos diferentes, abriu o caminho para o futuro que somos nós.

39

Até tempos muito recentes, só se dedicavam à literatura os ricos ou aqueles que os rondavam de olho em suas encomendas e seu dinheiro. Como diz Steven Pinker, a história é escrita menos pelos vencedores do que pelos abastados, uma pequena fração da humanidade que dispõe do tempo, do ócio e da educação indispensáveis para poder refletir. Nós costumamos esquecer a miséria de outras épocas, em parte porque a literatura, a poesia e as lendas celebram os que viveram bem e esquecem aqueles que se afogaram no silêncio da pobreza. Os tempos de escassez e de fome são mitificados, e até evocados, como eras douradas de simplicidade pastoril. Não o foram.

Qual é o mapa da origem dos clássicos literários, dos escritores mais admirados e suas obras emblemáticas? Não deveria nos surpreender o fato de que a própria palavra "clássico" deriva do vocabulário da riqueza e da propriedade. A princípio ela não tinha qualquer ligação com a criação ou com a arte: estamos falando de coisas sérias; essas minúcias viriam mais tarde. *Classici* provém da terminologia específica censitária. Os romanos chamavam de *classis* a camada mais rica da sociedade, em contraste com a ralé dos outros cidadãos, chamados sem rodeios de *infra classem*. O censo tinha uma importância enorme na antiga Roma, porque definia os direitos e deveres de cada cidadão e servia para armar as legiões. A quantidade de bens que possuía — ou, na maioria dos casos, sua escassez — decidia o lugar que cada indivíduo ocupava na sociedade.[197]

Segundo uma antiga tradição, o censo foi criado pelo rei Sérvio Túlio, e devia ser realizado de cinco em cinco anos. No fim, havia uma cerimônia de purificação em que se pediam bênçãos aos deuses para o cadastro e proteção contra as catástrofes. O rito era denominado *lustrum*, e é por isso que chamamos de "lustros" os períodos de cinco anos. Cada chefe de família tinha que se apresentar obrigatoriamente e declarar sob juramento os bens que possuía, assim como o número de membros da sua família, quer dizer, os filhos e os escravos com o valor correspondente. Esses quesitos determinavam quem podia e quem não podia participar das assembleias. Proletários eram aqueles que não dispunham de bens e, por isso, sua única posse eram os descendentes (*prole*). Eles não eram chamados para as fileiras, exceto em situações de emergência máxima, e eram isentos de pagar tributos. Em contrapartida, não participavam da tomada de decisões políticas mediante o voto. Aqueles que declaravam bens eram os *adsidui*, aptos ao serviço militar e membros das assembleias. Em função de suas propriedades, entravam em uma das seis classes censitárias. O sistema era diáfano. Os ricos pagavam impostos e, em compensação, influíam na política. Os pobres, por sua vez, não contribuíam e não eram levados em conta.

O advogado e escritor Aulo Gélio esclarece que os chamados "clássicos" eram *la crème de la crème* econômica, as grandes fortunas, o sangue azul republicano, os extravagantemente ricos que monopolizavam a primeira classe.[198] À literatura, a palavra chegou como metáfora. Num jargão que transportava para a arte a obsessão de fazer negócios, alguns críticos decidiram que havia autores de primeira classe, ou seja, confiáveis e abastados, aos quais valia a pena emprestar (a atenção) e nos quais era recomendável investir (tempo).[199] No outro extremo da hierarquia estavam os escritores "proletários", os pobres rabiscadores de papiro sem patrimônio nem padrinhos.[200] Não sabemos se o termo "clássico" chegou a ter um uso habitual em Roma: só aparece em dois textos latinos conservados. O verdadeiro sucesso da palavra ocorreu a partir de 1496, quando vários humanistas a resgataram, e mais tarde, quando se espalhou por todas as línguas românicas.[201] Continuou viva durante séculos, e seu uso foi extrapolado para outros âmbitos. Não se aplica mais somente à literatura, nem sequer somente à criação; hoje, para muita gente, um clássico se limita ao vocabulário futebolístico.

É verdade que falar de "clássicos" implica utilizar uma terminologia de origem classista, como a própria palavra indica.[202] Esse conceito vem de uma época que tinha uma visão hierárquica do mundo, impregnada de noções arrogantes de privilégio — como quase todas as épocas, aliás. No entanto, há algo de comovente no fato de considerar as palavras uma forma — ainda que metafórica — de riqueza, em contraposição à sempre avassaladora soberania da propriedade imobiliária e do dinheiro.

Tal como as estirpes dos ricos, os clássicos não são livros isolados; são mapas e constelações. Italo Calvino escreveu que um clássico é um livro que vem antes de outros clássicos, mas quem leu primeiro os outros e depois lê aquele reconhece imediatamente seu lugar na genealogia.[203] Graças a eles, descobrimos origens, relações, dependências. Os clássicos se escondem uns nas dobras dos outros: Homero faz parte da genética de Joyce e Eugenides; o mito platônico da caverna retorna em *Alice no País das Maravilhas* e em *Matrix*; o dr. Frankenstein, de Mary Shelley, foi imaginado como um moderno Prometeu; o velho Édipo reencarna no desafortunado rei Lear; o conto de Eros e Psiquê, em *A Bela e a Fera*; Heráclito, em Borges; Safo, em Leopardi; Gilgamesh, no Superman; Luciano, em Cervantes e em *Guerra nas estrelas*; Sêneca, em Montaigne; as *Metamorfoses* de Ovídio, em *Orlando*, de Virginia Woolf; Lucrécio, em Giordano Bruno e em Marx; Heródoto, em *Cidade de cristal*, de Paul Auster. Píndaro canta: "Sonho de uma sombra é o ser humano." Shakespeare o reformula: "Somos da mesma matéria de que são feitos os sonhos, e nossa breve vida é rodeada pelo sonho." Calderón escreve *A vida é sonho*. Schopenhauer entra no diálogo: "A vida e os sonhos são páginas do mesmo livro." O fio das palavras e das metáforas atravessa o tempo, emaranhando as épocas.

O problema, para alguns, é como chegamos aos clássicos. Incrustados nos programas escolares e universitários, acabaram se transformando em leituras obrigatórias. E aí corremos o risco de senti-los como imposições que nos afugentam. Em "O desaparecimento da literatura", Mark Twain propõe uma definição irônica: "Clássico é um livro que todo mundo gostaria de ter lido, mas ninguém quer ler." Pierre Bayard pega emprestada essa veia humorística em seu ensaio *Como falar dos livros que não lemos*, no qual analisa os motivos que nos levam à hipocrisia leitora.[204] Por um medo infantil de decepcionar, para não sermos excluídos em uma conversa, ou blefando em uma prova, nós dizemos que sim, quase sem nos darmos conta da mentira, que sim, já lemos algum livro que nunca esteve em nossas mãos. Quando estamos apaixonados, afirma Bayard, muitas vezes fingimos que somos leitores dos livros que a outra pessoa ama para nos aproximarmos dela. Depois de mentir, não há mais volta: somos obrigados a falar de certos textos tateando, sem conhecê-los, pelas opiniões que outros têm sobre eles. Esse tipo de fingimento é mais fácil de sustentar quando se trata de clássicos, porque eles de algum modo nos são familiares. Se não entraram na nossa vida por outra via, estão por aí como som de fundo, como presença atmosférica. Fazem parte da biblioteca coletiva. Conhecendo as coordenadas, conseguimos sair do aperto.

Mas, voltando a Italo Calvino, os clássicos são livros que, quanto mais pensamos já ter ouvido falar sobre eles, mais recém-descobertos, inesperados, inéditos nos parecem quando os lemos de verdade. Nunca dizem tudo o que têm a dizer. Isso, naturalmente, acontece quando emocionam e iluminam quem os lê. Não foram os leitores coagidos que protegeram esses textos como talismãs nas longas eras de perigo, mas os apaixonados.

Os clássicos são grandes sobreviventes. Na linguagem ultracontemporânea das redes sociais, poderíamos dizer que seu poder — sua riqueza, em termos censitários — mede-se pelo número de seguidores que têm. São livros que continuam atraindo novos leitores cem, duzentos, 2 mil anos depois de escritos. Eles se esquivam das variações do gosto, de mentalidades, de ideias políticas; e das revoluções, dos ciclos cambiantes, do desapego das novas gerações. E, nesse trajeto em que seria tão fácil se perder, eles conseguem acessar o universo de outros autores e os influenciam. Continuam subindo aos palcos dos teatros mundiais, são adaptados para a linguagem do cinema e transmitidos pela televisão, e até se desvencilharam da encadernação e da tinta para se tornarem luz na internet. Toda e qualquer nova forma de expressão — a publicidade, o mangá, o rap, os videogames — os adota e os remaneja.

Há uma grande história quase ignorada por trás da sobrevivência dos clássicos mais antigos: a história de todas as pessoas anônimas que conseguiram, por paixão, conservar um frágil legado de palavras e a sua misteriosa lealdade a esses livros. Enquanto os textos, e até os idiomas, das primeiras civilizações que inventaram a escrita no Crescente Fértil — Mesopotâmia e Egito — foram esquecidos no transcurso do tempo e, no melhor dos casos, só voltaram a ser decifrados muitos séculos depois, a *Ilíada* e a *Odisseia* nunca deixaram de ter leitores. Na Grécia teve início uma cadeia de transmissão e tradução que nunca se rompeu e conseguiu manter viva a possibilidade de lembrar e de conversar através do tempo, da distância e das fronteiras. Nós, leitores de hoje, podemos nos sentir solitários cultivando os nossos rituais vagarosos em meio à pressa cotidiana. Mas temos uma longa genealogia atrás de nós, e não podemos esquecer que protagonizamos, todos juntos, sem nos conhecer, um salvamento fantástico.

Nem tudo que é novo vale a pena: as armas químicas são uma invenção mais recente do que a democracia. Da mesma forma, nem sempre as tradições são convencionais, quadradas e chatas. As rebeldias de hoje se inspiram em correntes do passado, como o movimento abolicionista ou o sufragismo. Uma herança tanto pode ser revolucionária quanto retrógrada. Em algumas épocas, os clássicos foram profundamente críticos em relação ao seu mundo e ao nosso. E não avançamos tanto a ponto de podermos prescindir de suas reflexões sobre a corrupção, o militarismo ou a injustiça.

No ano 415 a.C., Eurípides apresentou sua tragédia *As troianas* durante um festival religioso num teatro abarrotado de gente. A obra recriava o fim da Guerra de Troia — o mito fundador dos gregos, a grande vitória patriótica dos seus antepassados. A imensa maioria dos atenienses que esperava nas arquibancadas o começo da sessão enquanto comia pão, queijo e azeitonas estava tão orgulhosa das façanhas de Aquiles em Troia quanto nós de termos derrotado o nazismo na Segunda Guerra Mundial. Mas, se eles esperavam um Spielberg ático que lhe inflasse o orgulho de estar do lado certo da história, como no filme *A lista de Schindler*, tiveram uma decepção de dimensões épicas. Eurípides pôs ante os olhos daquela plateia uma matança feroz, um frenesi de destruição vingativa, estupros coletivos, o assassinato a sangue-frio de uma criança jogada de cima das muralhas para o abismo, os horrores da guerra se precipitando sobre as mulheres derrotadas...

O que os atenienses ouviram nessa tarde turbulenta do século V a.C. foi a raiva e a desesperança das mães do lado inimigo, que os acusavam de crueldade. No fim, a velha rainha Hécuba, iluminada por um incêndio apocalíptico, denuncia com sua boca desdentada a orfandade universal das vítimas. ("Ai de mim, o fogo já devora a elevada fortaleza, e a cidade toda, e as mais altas muralhas. A poeira e a fumaça, nas asas dos ventos, roubam meu palácio. O nome deste lugar será esquecido, como tudo se esquece. Treme, treme a terra ao desabar

Troia; trêmulos membros meus, arrastai meus pés. Vamos viver na escravidão.")[205]

Nem é preciso dizer que Eurípides não foi premiado no festival de teatro daquele ano. Em tempos de guerra — e o mundo antigo estava sempre em guerra —, em uma produção financiada com dinheiro público, ele teve a coragem de tomar partido das mulheres frente aos homens, dos inimigos frente aos seus compatriotas, das perdedoras frente aos vencedores. Não ganhou o prêmio, mas, após cada uma das grandes guerras europeias — recentemente, em homenagem às viúvas e mães de Sarajevo —, sua obra voltou a ser representada, e a desdentada Hécuba falou de novo, nas trincheiras ainda quentes e entre escombros acumulados, em nome dos que foram atropelados pela guerra — antes que começássemos a esquecer.

A imagem consagrada e intocável dos clássicos nos impede de imaginar os enormes questionamentos que alguns deles sofreram e as tremendas gritarias que provocaram. Se houve um personagem realmente polêmico foi o multimilionário Sêneca. Investidor sagaz, ele criou o que hoje chamaríamos de um banco de crédito, com o qual enriqueceu graças à cobrança de juros exorbitantes. Comprou propriedades no Egito, o paraíso dos investimentos imobiliários na época. Multiplicou várias vezes o patrimônio e, com sinecuras e redes de contatos, chegou a acumular uma das maiores fortunas do século, mais de 10% da arrecadação anual de impostos de todo o Império Romano. Sêneca poderia ter tido uma vida de luxos, exibindo sua riqueza em imensas e caríssimas mansões com milhares de telhas — em Roma, o tamanho das casas não se media por metros quadrados de piso, mas pelo número de telhas que protegiam a cabeça do proprietário — ou colecionando antiguidades, escravos e troféus de caça. Mas era apaixonado por filosofia, e pela filosofia estoica, para grande ironia. Dedicou páginas cheias de convicção às suas ideias, páginas nas quais afirmava que um homem é rico quando suas necessidades são sóbrias. Sem necessidade de listas da revista *Forbes*, os contemporâneos de Sêneca sabiam que a fortuna dele chegava a níveis extravagantes. Era muito tentador fazer piada e zombar de todas aquelas suas apologias do desapego, da frugalidade e das vantagens de nos conformarmos com um simples pão. Ele foi ridicularizado inúmeras vezes por, ao mesmo tempo, defender um credo de sobriedade e filantropia e administrar seus negócios com métodos de capitalista sem freios. É difícil saber como encarar esse personagem ambivalente, banqueiro e filósofo, que nunca chegou a resolver sua contradição entre o pensado e o vivido. No entanto, alguns dos textos que tantas gozações lhe renderam em vida continuam nos desafiando até hoje. Uma passagem de suas *Cartas a Lucílio* marca um ponto sem retorno na história do pacifismo ocidental: "Nós castigamos os homicídios individuais, mas o que dizer das guerras e do glorioso delito de arrasar povos inteiros? Elogiamos fatos que se pagariam com pena de morte só porque quem os comete tem insígnias de general. A autoridade pública ordena o que está proibido aos particulares, a violência é exercida mediante decisões do Senado e decretos da plebe. O ser humano, o mais doce dos animais, não se envergonha de fazer guerras e de recomendar a seus filhos que também as façam."[206]

Esses textos têm séculos, mas recriam o nosso mundo com uma veracidade assombrosa. Como pode ser? É que desde a Grécia e Roma não paramos de reciclar nossos signos, nossas ideias, nossas revoluções. Os três filósofos da suspeição — Nietzsche, na metafísica, Freud, na ética, e Marx, na política — partiram do estudo dos antigos para dar uma reviravolta rumo à modernidade. Até a criação mais inovadora contém, entre outros elementos, fragmentos e despojos de ideias anteriores. Os clássicos são aqueles livros que, como os velhos roqueiros eternamente na ativa, envelhecem no palco e se adaptam a novos tipos de público. Os mitômanos coçam o bolso para assistir aos seus concertos, os irreverentes os parodiam, mas ninguém os ignora. Eles demonstram que o novo e o velho mantêm uma relação mais complexa e criativa do que parece à primeira vista. Como escreveu Hannah Arendt, "o passado não leva para trás, ele impulsiona para a frente e, ao contrário do que se poderia esperar, é o futuro que nos conduz ao passado".[207]

CÂNONE: HISTÓRIA DE UM JUNCO

41

Esta história começa num canavial ao lado de um rio que cintila sob o sol, em latitudes orientais quase despidas de árvores. A água lambe as margens úmidas nos quais nasce uma vegetação brenhosa, os grilos cantam com teimosia e o voo azul das libélulas brilha. Ao amanhecer, um caçador à espreita de suas presas na ribanceira ouve o chapinhar suave da água e o ranger dos juncos balançando com a brisa.

Era num lugar assim que cresciam, eretos como ciprestes, os caules da cana-do-reino (*Arundo donax*). O nome dessa espécie contém uma raiz semítica muito antiga (em língua assírio-babilônia, *qanu*; em hebraico, *qaneh*; em aramaico, *qanra*). Dessa raiz estrangeira vem o grego *canon*, que significa, literalmente, "reto como uma cana".

O que era um cânone? Uma vara de medir.[208] Os pedreiros e construtores antigos denominavam dessa forma umas tábuas de madeira simples que serviam para traçar linhas retas e determinar com precisão os tamanhos, proporções e escalas. Na ágora, onde os mercadores e seus fregueses discutiam aos berros, acusando-se mutuamente de vigaristas, costumava haver um padrão de pesos e medidas esculpido na pedra. Alguém resmungava: "Esta peça de pano não mede três côvados; ébrio, cara de cachorro, você vai me arruinar!" E o interpelado ladrava: "Morto de fome, lar de todas as pulgas, e ainda se atreve a me acusar de ladrão?" Com os cânones — antecessores do nosso metro de platina iridiada — resolvia-se a maioria das pendengas e dos regateios dos nossos antepassados gregos. Num salto para a abstração, o escultor Policleto intitulou *Kanón* seu tratado sobre as proporções físicas ideais. A figura humana perfeita mede, afirmou, sete vezes o tamanho da cabeça. Parece que sua escultura *Doríforo* exemplificava essas medidas masculinas desejáveis — e inaugurou a ditadura da imagem: os jovens se torturavam no *gymnásion* com o sonho de esculpir o corpo a imagem e semelhança daquele modelo de mármore.[209]

A nossa humilde cana-do-reino chegou, por meio de Aristóteles, ao distante terreno da ética. O filósofo escreveu que a norma da ação — o cânone moral — não deveria ser as ideias absolutas e eternas de Platão, mas "o comportamento de um homem honesto e cabal".[210] Essa receita aristotélica para resolver dilemas de consciência lembra uma frase de Cary Grant no filme *Boêmio encantador*: "Quando estou num aperto, eu me pergunto: o que a General Motors faria na minha situação? E faço o contrário." Por mais arcaico que possa parecer, ainda hoje o Código Civil espanhol exige que os cidadãos assumam obrigações "com a diligência de um bom pai de família".

As listas de melhores escritores e de melhores livros nunca foram chamadas de cânones no tempo dos gregos e romanos. Como chegamos ao nosso controverso conceito de "cânone literário"? Por intermédio do filtro cristão. Em meio às agitadas discussões sobre a autenticidade dos relatos evangélicos, as autoridades eclesiásticas foram perfilando o conteúdo do Novo Testamento: os Evangelhos de São Marcos, São Mateus, São Lucas e São João — estes quatro, não outros —, os Atos dos apóstolos e as Epístolas. O debate entre as comunidades cristãs que levou à exclusão dos textos considerados apócrifos foi longo e, muitas vezes, inflamado. No século IV, quando o repertório já estava quase concluído, o historiador Eusébio de Cesareia denominou "cânone eclesiástico" uma seleção de livros que as autoridades chamaram de inspiração divina e nos quais os fiéis podiam encontrar uma pauta de vida.[211] Mais de mil anos depois, em 1768, um erudito alemão utilizou pela primeira vez a expressão "cânone de escritores" no sentido atual.[212] O problema é que a palavra vinha carregada de marcas e conotações. Pela analogia bíblica, o cânone literário parecia perfilar-se como uma hierarquia vertical, ditada por especialistas, baseada na autoridade de um grupo de eleitos, intencionalmente fechada, permanente e atemporal. Não é nada estranho que a partir de então muitos leitores apaixonados, em defesa de sua liberdade, tenham sentido a tentação, como Cary Grant com a General Motors, de fazer — e ler — exatamente o contrário.

Na verdade, muitos clássicos se tornaram clássicos superando as autoridades que tentavam destruí-los. Por exemplo, os livros de Ovídio venceram Augusto; os versos de Safo, o papa Gregório VII. As ameaças de Platão contra os poetas não tiveram consequências, nem mesmo onde o filósofo tinha influência política. Calígula não acabou com os poemas de Homero nem Caracalla acabou com as obras de Aristóteles. Sobreviveram no cânone obras consideradas heréticas e perigosas, como *De rerum natura*, de Lucrécio; *Gargântua e Pantagruel*, de Rabelais; ou as narrativas de Sade. Os nazistas não conseguiram convencer o mundo de que nenhuma obra escrita por judeus era valiosa.

O cânone literário tem pouco em comum com o religioso. O repertório bíblico, sustentado pela fé, pretende ser imutável; o literário, não. Neste, encaixa-se muito melhor a imagem escolhida pelos romanos: o censo, uma classificação hierárquica, sim, mas constantemente atualizada, que pode ser uma ferramenta útil justo porque sua flexibilidade lhe permite registrar as mudanças. Na cultura não existem rupturas totais, assim como tampouco existe continuidade absoluta. Algumas obras são mais bem recebidas, outras, menos, segundo as variações das circunstâncias históricas. Os críticos iluministas, em sua obsessão por obras didáticas e morais, eram muito menos fascinados por Shakespeare do que nós. Atualmente ninguém se interessa em ler sermões ou discursos, que foram gêneros relevantes em outras épocas. No século XVIII, os intelectuais condenaram o romance de forma bastante unânime, sem desconfiar da sua ascensão ao topo do nosso cânone atual. A literatura infantil só se impôs quando a infância começou a ser uma etapa vital valorizada — e reinventada. Com o auge do feminismo, romances com heroínas oprimidas, como os que María de Zayas escreveu no Século de Ouro espanhol, deixaram de ser considerados curiosidades menores e adquiriram uma importância renovada. Tal como as empresas, certos autores abrem ou fecham segundo as mudanças na sensibilidade do público. Baltasar Gracián teve que esperar até os anos 1990 para que uns agressivos executivos dos Estados Unidos e do Japão fizessem de *Arte da prudência* um livro de cabeceira e best-seller internacional. Quase não se encena mais o teatro do conspícuo prêmio Nobel Jacinto Benavente e, em contrapartida, amamos o do seu contemporâneo Valle-Inclán, um marginal extravagante que mantinha uma relação esquiva com o público e o sucesso. Marcial teve que se defender muitas vezes da acusação de escrever poemas muito curtos, ao passo que atualmente a brevidade de seus epigramas — com as dimensões de um tuíte — joga a seu favor. Os romances de cavalaria, que durante séculos causaram furor, foram sendo abandonados enquanto se consagrava a sua paródia, *Dom Quixote*. O humor e a ironia ganharam terreno — e hoje preferimos livros ambíguos aos que tentam nos doutrinar.[213]

Inúmeros cânones conviveram ao longo do tempo, com infinitas ramificações parciais. Em quase todos os períodos, diversos críticos se enfrentaram e fizeram listas rivais. Os opositores sempre precisam de algo para se opor. Toda geração distingue entre o bom gosto — o meu — e a vulgaridade — a sua. Toda corrente literária desocupa os pedestais para encarapitar em cima deles os seus favoritos. No fim, é o tempo quem dá a última palavra. Cícero achava que o inovador Catulo era um rapazinho vaidoso sem um pingo de talento, e Catulo detestava Júlio César. Entretanto, os três terminaram juntos no cânone romano. Emily Dickinson só publicou sete poemas em vida, e os editores ainda acharam necessário corrigir a sintaxe e a pontuação deles. André Gide recusou o manuscrito de Proust para a editora Gallimard. Borges publicou na revista *Sur* uma crítica demolidora de *Cidadão Kane*, pela qual mais tarde se retrataria.

Como todas as taxonomias, os cânones revelam muito de quem os formula e de sua época. De fato, nos nomes escolhidos afloram preconceitos, aspirações, sentimentos, pontos cegos, estruturas de poder e autovalidações. O estudo das obras clássicas que deixaram de sê-lo, das que voltaram à tona depois de serem abandonadas e das que mantiveram sua influência de forma ininterrupta, isto é, a história das metamorfoses do cânone através dos séculos, proporciona uma perspectiva fascinante da nossa vida cultural. Reconhecer o contexto variável em que se dão os nossos juízos com vocação de eternidade é um avanço na compreensão histórica, que consiste, segundo J. M. Coetzee, em entender o passado como uma força que modela o presente. "O que resta do clássico, se é que ainda resta algo depois de adquirir historicidade, que ainda consegue falar conosco através das épocas?", pergunta o escritor sul-africano.[214] O clássico supera os limites temporais, guarda um significado para os tempos vindouros, vive. Sai ileso do processo de ser posto à prova todos os dias. Por mais que atravesse épocas sombrias, sua continuidade não se interrompe. Supera as reviravoltas da história, sobrevive até ao beijo da morte de sua consagração por parte de fascismos e ditaduras. Há algo nos filmes propagandísticos que Eisenstein fez para os comunistas soviéticos, ou nos de Leni Riefenstahl para os nazistas, que continua nos impressionando.

Os estudos culturais atacaram o cânone por ser autoritário e opressivo, e começaram a propor cânones alternativos com os excluídos como protagonistas. Esse debate, iniciado na década de 1960, se revitalizou no fim do século XX. No contexto de um mundo acadêmico que havia tomado consciência do multiculturalismo, o crítico norte-americano Harold Bloom, num tom elegíaco, denunciou o enfoque moralizante do que chamou de "escola do ressentimento" e decidiu publicar sua própria versão — descaradamente anglo-saxônica, branca e masculina — do cânone ocidental. Nunca antes se viram tantos reparos e, ao mesmo tempo, tanto zelo canonizador. A internet contém infinitas listas de livros, filmes e músicas. Os suplementos culturais classificam as novidades do ano o tempo todo. Os prêmios e festivais divulgam seleções dos melhores lançamentos literários. São publicados inúmeros livros intitulados *Os cem melhores...* As redes sociais têm milhões de recomendações postadas por leitores especialistas ou amadores. Nós detestamos as listas e, ao mesmo tempo, somos viciados nelas. Imprescindível mas imperfeito, o cânone expressa essa paixão contraditória. E, em meio à inundação de livros, aflora o nosso desejo de descansar da agitação do que é incomensurável.

Mas voltemos ao canavial onde essa longa caminhada começou. Debruçada sobre as canas-do-reino e os albardins, com seus espigões apertados, penso que escolhemos uma metáfora imperfeita. Os caules retos e rígidos daqueles juncos não evocam o caminho sinuoso do cânone. Seria melhor o rio, que muda, serpenteia, desenha meandros, enche e esvazia, mas continua ali, e parece ser sempre o mesmo a cantar sua estrofe inesgotável, embora com outra água.

42

Quando, em algum lugar, o último exemplar de um livro queimava, molhava-se até apodrecer ou era lentamente devorado por insetos, um mundo morria. Ninguém mais podia lê-lo, copiá-lo e salvá-lo. Ao longo dos séculos, sobretudo durante a Antiguidade e a Idade Média, muitas vozes se calaram para sempre por extinção. É difícil imaginar por quais estranhos meandros chegaram até nós algumas obras minúsculas, infantis ou grosseiras, enquanto outras sucumbiram em consequência dos mais extravagantes sistemas destrutivos.

Os sábios de Alexandria eram muito conscientes da fragilidade das palavras. A princípio, o esquecimento é o destino mais previsível de qualquer relato, de qualquer metáfora, de qualquer ideia. Os anos roubados ao silêncio e ao desaparecimento, pelo contrário, constituem uma exceção; uma exceção que, antes da imprensa, só podia se sustentar graças ao gigantesco esforço de copiar os textos a mão, letra por letra, para multiplicá-los e mantê-los em circulação. O cânone dos bibliotecários alexandrinos foi, antes de mais nada, um programa de salvamento; uma decisão de concentrar todas as energias disponíveis em algumas obras selecionadas, pois era impensável manter vivas todas elas; um passaporte para o futuro de certos relatos, versos e pensamentos, considerados mais importantes.

Os mecanismos do cânone foram uma questão de sobrevivência — naquela época, a palavra escrita era uma espécie em extinção. Havia mais exemplares dos livros escolhidos; seu prestígio se traduzia em números, que não eram cifras de negócios, mas de esperança. Todos eles acabavam nas bibliotecas públicas, que os protegiam das intempéries. Outro grande refúgio foi a escola. Os textos usados nas lições de escrita e leitura eram copiados em todos os recantos do território: o seguro de vida mais duradouro para um livro. Com um sistema educacional sem qualquer resquício de centralização e sem autoridades acadêmicas, cada professor podia escolher livremente os títulos que lia com seus alunos. Essa soma de decisões individuais inspiradas no cânone o influenciou e o transformou ao mesmo tempo.

Só há um gênero literário na Grécia e em Roma que, sem ter origem aristocrática nem pretensões de alta cultura, conseguiu criar seus próprios clássicos: as fábulas de animais. A figura imprecisa de Esopo teve — como não podia deixar de ser — seu gêmeo romano: o ex-escravo Fedro. As fábulas antigas olhavam a realidade de baixo para cima, como um enfrentamento entre os animais menores e humildes — as ovelhas, as galinhas, as rãs, as andorinhas — e as criaturas mais poderosas — os leões, as águias, os lobos. A analogia é evidente, assim como o diagnóstico: os seres indefesos costumam sair tosquiados. Em algumas poucas ocasiões, e só por meio da astúcia, o fraco consegue vencer; de modo geral, ele é atropelado com total desenvoltura pelos fortes. Numa dessas histórias pessimistas, um grou enfia a cabeça na garganta de um leão para tirar um osso com que a fera estava se engasgando, mas não recebe a recompensa prometida: *Por acaso não é suficiente eu não ter arrancado tua cabeça com uma dentada?* Em outra fábula, um cordeiro tenta rebater as acusações arbitrárias de um lobo, mas seus argumentos só servem para que, no calor da discussão, o predador se aproxime dele dissimuladamente e o devore sem cerimônia. A moral da história mais constante nesse gênero parece concluir que cada qual tem que arcar com a própria sorte. Os mais vulneráveis não encontrarão qualquer ajuda nas leis, que são uma teia de aranha que apanha as moscas, mas deixa passar as aves de rapina. No cânone não há nada parecido, por sua crueza e seu desencanto. E, se essas fábulas tão estranhas à elite conquistaram espaço, foi sem dúvida porque durante séculos os professores as usaram em suas aulas.

Um desses professores romanos, Quinto Cecílio Epirota, tomou a decisão revolucionária de estudar com seus discípulos obras de escritores vivos.[215] Graças à escola, alguns autores do século I puderam saborear, sem antes ter que morrer, o status de clássicos. Virgílio foi o mais favorecido deles. Como explica Mary Beard, cinquenta citações da poesia virgiliana foram encontradas rabiscadas nas paredes de Pompeia.[216] A maioria dos versos é do início dos livros I e II da *Eneida*, certamente as passagens preferidas dos professores. Parece que no ano 79 todo mundo sabia o início do poema, "*Arma virumque cano*", sem precisar lê-lo do princípio ao fim, assim como hoje não é necessário ser especialista em Cervantes para citar o lugar da Mancha de cujo nome não queremos nos lembrar. Um gozador parodiou a *Eneida* na parede de uma lavanderia pompeana para caçoar dos donos. Aludindo à ave que era mascote dos tintureiros, o humorista desconhecido escreveu: "Os pisoadores e sua coruja eu canto, não as armas e o varão." A piada é muita óbvia, mas Beard destaca que ela pressupõe um surpreendente marco de referências compartilhadas entre o mundo da rua e o da literatura clássica. Outros malcriados eram menos sutis em seus insultos — e mais parecidos com o pessoal que hoje em dia decora as portas dos banheiros públicos: "eu fodi a dona", escreveu um remoto pompeano na parede de uma taverna.

O século I a.C. foi uma época esperançosa para os escritores. Certos títulos selecionados eram copiados e distribuídos em uma imensa geografia, integrando-se numa rede sem precedente de bibliotecas públicas e privadas, bem como de escolas. Talvez pela primeira vez na história os escritores mais aplaudidos tivessem motivos sólidos para confiar num longo futuro. A condição para atingi-lo, porém, era entrar nas listas. Numa das passagens mais explícitas da ansiedade canônica romana, Horácio sugere sem rodeios ao seu protetor Mecenas que o inclua no pódio dos melhores: "Se me colocares entre os poetas líricos, tocarei nas estrelas com minha testa elevada."[217] Com o verbo *inserere*, ele traduzia o grego *enkrínein* — separar o grão da palha, peneirar —, metáfora que na linguagem dos bibliotecários de Alexandria significava selecionar um autor. Encantado de ler-se, Horácio se considerava um colega digno dos famosos nove líricos gregos e não hesitou em compartilhar com seus leitores uma opinião tão imparcial a respeito de si mesmo. No mesmo livro de odes, afirma que seus poemas, escritos em frágeis folhas de papiro, sobreviverão ao metal e à pedra: "Concluí um monumento mais duradouro do que o bronze e mais alto do que os túmulos régios das pirâmides, que não poderão ser destruídas pelas chuvas persistentes, pelos ventos frios nem pela passagem do tempo com sua série inumerável de anos. Não morrerei por completo."[218] Alguns anos depois, Ovídio manifestou a mesma confiança na duração de *Metamorfoses*: "Já culminei uma obra que não poderá ser destruída pela ira de Júpiter nem pelo fogo, nem pelo ferro, nem pelo tempo voraz."[219] Embora tais profecias possam parecer imprudentes, o fato é que até hoje elas se cumpriram.

Nem todos os escritores se atreveram a imaginar uma vida tão longa para suas obras. Marcial, um autor não presente nas escolas, tinha fantasias menos otimistas. Em seus *Epigramas*, ele graceja com a sorte dos livros descartados, o maltratado grupo dos excluídos do topo: *morituri te salutant*. Revela que muitos acabaram como embrulho de comida ou destinados a outros usos não muito solenes. E este é o risco que ameaça o livro dele: "Espero que, levado para uma cozinha escura, não acabes cobrindo umas cavalinhas com tuas folhas molhadas nem vires um cone para guardar incenso ou pimenta."[220] As imagens humorísticas do fracasso literário se sucedem em seus versos: rolos transformados em togas para os atuns, túnicas para azeitonas ou capuzes para o queijo. Possivelmente, Marcial receava entrar no submundo da literatura que morria nas cozinhas, entre resíduos de escamas e fedor de peixe podre.

Durante séculos, os vendedores embrulharam suas mercadorias em folhas arrancadas de livros velhos. Os sonhos do escritor e o esforço do copista — ou, mais adiante, do tipógrafo — extinguiam-se numa lojinha qualquer. Em *Dom Quixote*, Cervantes conta a mesma história triste que Marcial, só que com um final feliz. Bem no começo do livro, num audacioso capítulo metaliterário, encontramos o narrador da história perambulando pelo comércio da rua Alcaná de Toledo.[221] Vê passar um garoto levando algumas pastas cheias de papel usado para vender a um armarinho. Ele ainda não sabe, mas aqueles velhos documentos contêm a crônica das aventuras de Dom Quixote de la Mancha. "Como tenho mania de ler até os papéis rasgados na rua, peguei uma das pastas que o rapaz oferecia", escreve o narrador. Graças à curiosidade desse leitor *in extremis*, o manuscrito se salva de embrulhar cortes de tecido e o romance pode continuar. Esse episódio é um jogo literário, uma ficção urdida por Cervantes como paródia dos manuscritos encontrados por acaso, recurso muito usado nos romances de cavalaria. De todo modo, a imagem do menino vendendo papel usado nas lojas da rua Alcaná tem o aroma da vida cotidiana — e insinua uma realidade paralela na qual o nosso grande clássico poderia ter sido destruído folha por folha num armarinho anônimo de Toledo.

No limiar do século XX, o bibliômano britânico William Blades comprou os restos de um valioso livro salvo de um naufrágio escatológico. Conta Blades que, no verão de 1887, um amigo cavalheiro alugou uns aposentos em Brighton. Ao lado do vaso sanitário encontrou umas folhas de papel à disposição para se limpar. Colocou-as sobre os joelhos nus e, antes de usá-las para a higiene, passou os olhos no texto, escrito em letras góticas. Pressentiu ser um achado. Emocionado, resolveu às pressas suas necessidades corporais e as minúcias da limpeza e foi se informar se havia mais folhas no lugar onde encontraram aquelas. A senhoria lhe vendeu os restos desencadernados que ainda tinha e contou que seu pai, que adorava antiguidades, possuíra tempos atrás um baú cheio de livros. Depois da sua morte ela os conservou, até se cansar daquele estorvo. Imaginando que não tinham valor, decidiu usá-los no vaso sanitário, onde os últimos destroços da biblioteca herdada estavam prestes a desaparecer. O livro que estava nas mãos de Blades era um dos exemplares mais raros e escassos da gráfica de Wynkyn de Worde, uma obra intitulada *Gesta Romanorum*, na qual Shakespeare se inspirara para suas peças teatrais. Só lhe restava imaginar os tesouros bibliográficos que, por algum tempo, estiveram abastecendo diariamente a latrina daquela pensão inglesa.[222]

Em nossos dias, organizamos racionalmente a destruição de livros. Como diz Alberto Olmos, as nossas respeitosas sociedades exterminam a cada ano tanta letra escrita quanto os nazistas, a Inquisição e Shi Huandgi somados.[223] Discretamente, sem a épica das fogueiras públicas, eliminamos milhões de exemplares todos os anos, só na Espanha. Os depósitos das editoras se transformaram em crematórios que recebem os exemplares órfãos em sua primeira morte, quer dizer, quando são devolvidos pelas livrarias. O saldo negativo é enorme: 224 milhões de livros foram publicados na Espanha em 2016, dos quais quase 90 milhões terminaram no purgatório. Das obras com aspiração a best-seller são impressos intencionalmente muito mais exemplares do que os leitores podem absorver, porque se acredita que são as gigantescas pilhas de livros expostos que fazem com que esses títulos vendam. Os cálculos errados e as esperanças frustradas dos editores também mandam centenas de milhares de livros diretamente para o crematório. Como o armazenamento tem um custo alto para as empresas do setor, esses milhões de condenados acabam em manufaturas suburbanas nas quais são triturados, esmagados e convertidos em uma massa amorfa: a polpa de papel. Silenciosamente, vão se transformar em novos livros, nascidos à custa de canibalizar seus antecessores fracassados, ou então são reciclados e se tornam outros produtos novos e úteis, como embalagens Tetra Brick, guardanapos, lenços, porta-copos, caixas de sapatos, embalagens — a versão contemporânea das togas para atum de Marcial — ou até rolos de papel higiênico, que fazem de todos nós emuladores intestinais dos hóspedes daquela pensão de Brighton.[224]

O escritor tcheco Bohumil Hrabal trabalhou como empacotador numa prensa de reciclagem de papel. Baseado nessa experiência, seu romance *Uma solidão ruidosa* transcreve o monólogo de um operário isolado em um subterrâneo — com os ratos e as próprias reflexões — enquanto prepara fardos e mais fardos de papel velho para entregar aos transportadores. Seu covil fede como o inferno porque aquela papelada amontoada não está seca, mas úmida e podre, e já começa a fermentar, "espalhando uma catinga tal que, em comparação, o esterco exala um aroma delicioso". Três vezes por semana, os caminhões levam os fardos para a estação onde são colocados nos vagões que vão levá-los às fábricas de papel em que os operários os mergulham em tanques turvos de álcali e ácidos que os dissolvem. O protagonista, apaixonado por livros, sabe que na sua prensa expiram obras maravilhosas, mas não pode deter o fluxo da destruição. "Eu não passo de um açougueiro terno", escreve. Seu ritual de sobrevivência consiste em ser o último leitor dos livros que chegam ao subsolo onde trabalha e prepara com esmero seus túmulos, quer dizer, os fardos que faz: "Tenho a necessidade de embelezar cada fardo, de lhe dar minha personalidade, minha assinatura. No mês passado, jogaram no meu subterrâneo seiscentos quilos de reproduções de artistas célebres, de modo que agora embelezo cada um dos fardos com os campeões da pintura europeia e, ao anoitecer, enquanto os volumes enfileirados estão esperando em frente ao elevador de carga, eu me deleito contemplando aquela beleza, aqueles fardos enfeitados com *A ronda noturna*, *Saskia*, *Almoço na relva* ou *Guernica*. E só eu sei que no interior de cada um deles repousa, aberto, aqui, um *Fausto*, ali, entre papéis que escorrem sangue dos açougues, um *Hiperion* ou *Assim falou Zaratustra*. Sou ao mesmo tempo o artista e o único espectador." Hrabal escreveu esse romance quando sua obra havia sido proibida pelo regime comunista. Naquele tempo de escrita prisioneira, ele estava obcecado com os problemas da criação e da destruição, a razão de ser da literatura e o porquê da solidão. O monólogo do velho operário é uma fábula sobre a crueldade do tempo. E, indiretamente, um testemunho bem informado sobre a fantástica e improvável aventura que significa para um livro sobreviver por milênios.

CACOS DE VOZES FEMININAS

43

Numa paisagem de sombras, ela tem corpo, presença, voz. É um caso único em Roma: uma jovem independente e culta que insiste no seu direito ao amor; uma poeta de cuja vida e sentimentos ela mesma fala, com palavras próprias, sem mediação masculina.

Sulpícia viveu no século dourado do imperador Augusto. Foi uma mulher excepcional por muitos motivos — o mais importante deles era pertencer ao 1% da população romana que hoje classificamos como elite, situada no topo de um mundo duro e hierárquico. A mãe era irmã de Marco Valério Mesala Corvino, um poderoso general e mecenas literário. Na mansão do tio, Sulpícia conheceu alguns dos poetas mais aclamados da época, como Ovídio ou Tibulo. Favorecida pela riqueza e pelo parentesco, ela se atreveu a escrever poemas autobiográficos, os únicos versos de amor escritos por uma mulher romana da época clássica que chegaram até nós. Em sua poesia, fala uma voz feminina que exige coisas pouco comuns nessa época: liberdade e prazer. Convencida de que podia permitir-se qualquer atrevimento, Sulpícia se queixa da vigilância que seu tio exerce sobre ela, e o chama, com ironia e insolência, de "parente desalmado".[225]

São apenas seis os poemas de Sulpícia que chegaram até nós. Quarenta versos no total, seis episódios da sua paixão por um homem que ela chama de Cerinto. Fica evidente que não é o parceiro escolhido pela família. Pelo contrário, seus pais e o tio-tutor temem que durma com ele. A própria Sulpícia diz que alguns sofrem com a simples ideia de que ela sucumba, deixando-se levar para uma "cama ignóbil". Com certeza Cerinto pertencia a outro mundo, a outra classe social, talvez fosse até um liberto. Ninguém sabe. De todo modo, não parece ser um pretendente adequado à aristocrata Sulpícia — o que, aliás, não preocupa a jovem em nada. Se ela sofre, e às vezes sofre, é por outras razões. Por exemplo, censura a própria falta de coragem, sente angústia porque o lastro da educação que recebeu a impede de manifestar seu desejo.

O poema de Sulpícia que mais me impressiona é uma declaração pública, provocativa e desafiadora, de seus sentimentos. Traduzo livremente os dísticos da elegia:[226]

Por fim chegaste, Amor!
Chegaste com tal intensidade
que me causa mais vergonha

negar-te
do que me afirmar.
Cumpriu sua palavra, Amor,
aproximou-te de mim.
Comovido por meus cantos,
Amor trouxe-te ao meu regaço.
E me regozijo por ter cometido essa falta.
Revelá-lo e gritá-lo.
Não, não quero confiar meu prazer
à estúpida intimidade das minhas notas.
Vou desafiar a norma,
me dá nojo fingir só pelo disse me disse.
Fomos dignos um do outro,
que isso seja dito.
E aquela que não tiver sua história
que conte a minha.

O que aconteceu com os amantes? Não sabemos, mas é pouco provável que essa relação tenha conseguido se sobrepor aos obstáculos familiares. Mais cedo ou mais tarde, ela teria que ceder. Entre as classes altas, às quais Sulpícia pertencia, o páter-famílias decidia os casamentos baseado em motivos estratégicos de oportunidade. Assim, os clãs uniam duas pessoas por conveniência social, política ou econômica, não por paixão. Com certeza o tão desejado Cerinto foi expulso da vida de Sulpícia, e a ela só restaram a lembrança e os poemas — "deserta cama e espelho turvo e coração vazio", como escreveu Antonio Machado.

Rebelar-se contra a moral sexual, mesmo durante um breve parêntese juvenil, significava para Sulpícia uma viagem à beira do abismo. Ela estava cometendo um delito. Pouco tempo antes, Augusto mandara aprovar uma lei — a *lex Iulia de adulteriis* — que permitia condenar em processos públicos as relações sexuais de mulheres fora do casamento — mesmo que fossem solteiras ou viúvas. Tanto elas quanto seus cúmplices sofriam um castigo severo. Só eram excluídas da punição as prostitutas e as concubinas. Por isso, as fontes contam que mulheres patrícias, de nível senatorial ou equestre, começaram a declarar em público que exerciam a prostituição.[227] Era um ato de desobediência civil, um desafio aberto aos tribunais. Os protestos conseguiram fazer com que a norma, na prática, fosse muito pouco aplicada. Já no fim do século I, Juvenal, em sua feroz diatribe contra o gênero feminino, exclamava exasperado: "Onde estás, *lex Iulia*, talvez dormindo?"[228]

A outra grande transgressão de Sulpícia foi tornar públicos seus sentimentos e sua rebeldia por meio da escrita. Tal como os gregos, os romanos também pensavam que a palavra, ferramenta fundamental da luta política, era uma prerrogativa masculina. Tais ideias também se consolidaram no universo religioso, com o culto a uma deusa feminina do silêncio chamada Tácita Muda. Diz a lenda que Tácita era uma ninfa insolente que gostava de falar muito e, sobretudo, fora de hora.[229] Júpiter, para acabar com tanta conversa e deixar bem explícito quem controlava a jurisdição verbal, arrancou-lhe a língua. Impedida de falar, Tácita Muda era um símbolo eloquente. As romanas não podiam exercer cargos públicos nem participar da vida política. Somente uma geração permitiu a existência de oradoras, na primeira metade do século I a.C., mas em pouco tempo essa atividade foi proibida por lei. As mulheres romanas de boa família costumavam ter acesso à leitura, sim, mas para aplicá-la em suas funções de mães e professoras de futuros oradores. Educadas para educar, elas aprendiam a falar bem em benefício dos filhos, não para exercer a oratória, porque isso significaria ultrapassar a barreira da esfera privada a que pertenciam e usurpar um posto de trabalho no campo dos ofícios masculinos. Eram poucas as oportunidades que tinham de se destacar, ou mesmo de se manifestar, fora dos limites da casa. Quando o biógrafo Plutarco tentou repetir o sucesso de suas *Vidas paralelas* com uma obra sobre proezas protagonizadas por mulheres gregas, romanas e bárbaras, foi recebido com frieza.[230] Na verdade, até bem recentemente esse livro recebeu pouca atenção e poucos estudos.

É muito revelador estudar os fatores que contribuíram para a sobrevivência dos versos de Sulpícia. Estes não chegaram a nós sob o nome dela, mas inseridos entre os poemas atribuídos a um escritor que pertencia ao círculo do seu tio Tibulo. As dúvidas sobre a autoria e o grande prestígio de Tibulo ajudaram a preservar os textos durante séculos. Hoje, depois de minuciosas análises filológicas, os estudiosos aceitam quase por unanimidade que os poemas são obra de Sulpícia, embora alguns céticos continuem objetando que seu conteúdo é atrevido demais para uma dama romana. Paralelamente, até poucos anos atrás era habitual menosprezá-la, considerando-a uma simples amadora — uma triste redundância, pois nessa época nenhuma mulher podia fazer da literatura sua profissão. As romanas daquele tempo não tinham meios de conseguir que suas obras fossem conhecidas e divulgadas. A maioria delas nem pensava nisso. E o mais importante: quem avaliava se um livro merecia ou não passar para a posteridade nem sequer levava em consideração o que as mulheres escreviam. Na verdade, não deveria nos surpreender que esses poemas só tenham sobrevivido incrustados em um livro alheio.[231]

Apesar dos empecilhos, Sulpícia não foi a única que tentou. Conhecemos breves fragmentos, citações ou referências de 24 escritoras.[232] Todas elas tinham alguns traços em comum: eram ricas, pertenciam a famílias importantes e escreveram sob a proteção de homens poderosos. Como diz Aurora López, possuíam dote, fortuna e poder sobre seus escravos; a cidade lhes proporcionou tempo livre; elas administravam um espaço sempre privado, a casa, mas onde eram senhoras, afinal de contas. Ou seja, como queria Virginia Woolf, tinham dinheiro e um quarto próprio, requisitos necessários para que uma mulher seja escritora. Destacam-se entre elas Júlia Agripina — filha de Germânico, esposa de Cláudio, mãe de Nero —, cujas memórias perdidas só conhecemos por alusões, e Cornélia, mãe dos famosos Graco, de quem se conservam duas cartas incompletas.

Mas as atrevidas damas patrícias que decidiram invadir o terreno dos homens tiveram que respeitar certas delimitações e leis de fronteira. Só tinham permissão para praticar gêneros considerados menores ou associados à vida interior: lírica — Hóstia e Perila —, elogios — Aconia Fabia Paulina —, epigramas — Cornifícia —, elegias — Sulpícia —, sátira — outra Sulpícia —, cartas — Cornélia, Servília, Clódia, Pólia, Cecólia Ática, Terência, Túlia, Publília, Fúlvia, Ácia, Octávia Menor, Júlia Drusila —, memórias — Agripina. Conhecemos os nomes de três oradoras que atuaram durante o breve período em que lhes foi permitido — Hortênsia, Mésia e Carfânia —, mas não nos chegou um único parágrafo original dos seus discursos. Não temos qualquer notícia da existência de autoras de épica, tragédia ou comédia, pois não teriam a menor possibilidade de levar suas obras ao palco.

Os textos escritos por essas mulheres romanas chegaram até nós aos cacos. Podem ser lidos em sua totalidade em apenas uma ou duas horas. Assim, vislumbramos a dimensão do que foi perdido. Sulpícia foi beneficiada por um erro e avançou ao futuro com o seu pseudônimo masculino involuntário. As outras naufragaram lentamente no silêncio. Dentro do cânone, elas são exceções fragmentadas. Tal como Eurídice, elas voltam a afundar na escuridão quando alguém tenta resgatá-las. Seguindo o rastro de suas pegadas apagadas, tateamos uma paisagem sombria na qual só é possível conversar com os ecos.

44

No entanto, desde os tempos mais remotos, as mulheres contam histórias, cantam romances e fiam versos de amor ao calor da fogueira. Quando eu era criança, minha mãe me apresentou ao universo das histórias sussurradas, e isso não foi um fato casual. Ao longo dos tempos, as mulheres têm sido as principais responsáveis por desenredar à noite a memória das narrativas. Elas sempre foram tecedoras de relatos e de retalhos. Durante séculos desfiaram histórias enquanto faziam girar a roca ou manipulavam a lançadeira do tear. Foram as primeiras a conceber o universo como malha e como redes.[233] Entrelaçavam suas alegrias, esperanças, angústias, seus terrores e suas crenças mais íntimas. Tingiam a monotonia com cores. Cosiam verbos, lã, adjetivos e seda. É por isso que textos e tecidos compartilham tantas palavras: a trama da história, o nó da questão, o fio da meada, o desenlace do relato; costurar um acordo, rasgar o verbo, tecer comentários, urdir um plano. É por isso também que os velhos mitos nos falam do pano de Penélope, das túnicas de Nausícaa, dos bordados de Aracne, do fio de Ariadne, da linha da vida que as moiras fiavam, da tela dos destinos que as nornas costuravam, do tapete mágico de Sherazade.

Agora minha mãe e eu, de noite, sussurramos as histórias nos ouvidos do meu filho. Embora eu não seja mais aquela criança, escrevo para que as histórias não acabem. Escrevo porque não sei costurar nem fazer tricô; nunca aprendi a bordar, mas tenho fascinação pela urdidura delicada das palavras. Conto as minhas fantasias enoveladas com sonhos e lembranças. E me sinto herdeira dessas mulheres que sempre teceram e desteceram histórias. Escrevo para que não se arrebente o velho fio de voz.

O QUE SE JULGAVA ETERNO SE REVELOU EFÊMERO

45

Certo dia do ano 212, mais de 30 milhões de pessoas foram se deitar com uma identidade diferente daquela que tinham ao amanhecer do dia seguinte. O motivo disso não foi uma invasão maciça de ladrões de corpos, mas uma decisão assombrosa de um imperador romano. As fontes não nos dizem como foi recebida a mudança, se prevaleceu a desconfiança ou o regozijo. Sem dúvida, a surpresa predominou: não havia precedentes históricos para uma coisa como aquela — e tenho certeza de que não verei nada minimamente parecido no nosso século XXI.

Qual foi a causa de tanta comoção inesperada? O imperador Caracalla decretou que todos os habitantes livres do império, onde quer que morassem, da Britânia à Síria, da Capadócia à Mauritânia, a partir daquele momento adquiriam a cidadania romana.[234] Foi uma decisão revolucionária, que por meio de uma penada apagou a distinção entre nativos e estrangeiros. Um longo processo integrador culminava com a aprovação desse decreto.[235] Foi uma das maiores concessões de cidadania documentadas na história, se não a maior: da noite para o dia, dezenas de milhões de provincianos se tornaram legalmente romanos. Esse presente repentino ainda desconcerta os historiadores, porque rompeu com a política antiquíssima — e tão contemporânea — de só dar cidadania plena a uma pequena porcentagem dos pretendentes, de forma gradual e restritiva. O político e cronista antigo Dião Cássio suspeita que, sob a aparente generosidade de Caracalla, havia uma necessidade de arrecadar dinheiro, porque os novos romanos contraíam *ipso facto* a obrigação de pagar o imposto sobre heranças e o gravame pela alforria de escravos. Como diz Mary Beard, se esse fosse o motivo, era uma maneira muito incômoda de tratar o assunto. Não creio que algum Estado atual se disponha a legalizar de repente 30 milhões de indivíduos, por mais suculenta que seja a perspectiva de lhes cobrar impostos. Mas a decisão do imperador sem dúvida teve um peso simbólico importante. Em tempos de crise, dar a mais gente razões pessoais para se identificar com Roma podia ser uma medida inteligente.

Logicamente, a expansão da cidadania desvalorizou sua importância. Ao cair uma barreira de privilégio, logo surgiu outra no lugar. Ao longo do século III, adquiriu importância a distinção entre os *honestiores* — a elite enriquecida e veteranos do Exército — e os *humiliores* — os mais humildes, conceito atemporal que não necessita tradução. A legislação reconhecia direitos desiguais a esses dois grupos: os *honestiores* eram isentos, por lei, de receber castigos degradantes ou cruéis como a crucificação ou a flagelação, enquanto os *humiliores* continuavam expostos às humilhações antes reservadas aos escravos e aos não cidadãos. A fronteira da riqueza substituiu as fronteiras geográficas.

Embora na prática não faltassem altas doses de preconceitos, atritos e rapinagem, a civilização romana teve uma clara vocação integradora desde a sua origem. Caracalla culminou uma evolução que, segundo a lenda, Rômulo havia iniciado mil anos antes, quando ofereceu acolhimento — sem fazer perguntas — a todos os forasteiros que chegavam à recém-fundada Roma. O que distinguia a nova cidade era sua receptividade aos mais desesperados fugitivos e demandantes de asilo. E, realmente, os descendentes de Rômulo praticaram uma política de fusão sem precedente na história universal: consideravam irrelevante a pureza da estirpe, não se preocupavam muito com a cor da pele, libertavam os escravos com procedimentos simples e davam ao liberto um status quase de cidadão — os filhos dos libertos também eram livres por pleno direito. Não sabemos até que ponto a população romana era multicultural, entre outros motivos, porque não se prestava atenção a isso. É provável que tenha sido o grupo mais etnicamente diverso antes da época moderna. Em Roma não faltavam, naturalmente, aqueles que bradavam que tantos escravos iam acabar minando as essências patrióticas, e muitos acusavam os estrangeiros de fazerem pouco esforço para se integrar. Mas nem o mais recalcitrante desses ranzinzas sempre dispostos a protestar entenderia os nossos conceitos modernos de "imigrantes ilegais" ou "sem documentos".

É fato que a população circulava como nunca antes pelos quatro cantos dos territórios romanos: comerciantes, militares, administradores e burocratas, traficantes de escravos, provincianos ricos que sonhavam ter sucesso na capital. Havia cidadãos de classe alta na Britânia provenientes do norte da África. Todo ano eram enviados governadores e altos funcionários para os destinos mais longínquos. As legiões eram formadas por soldados de todas as origens. Até os mais desvalidos se incorporavam ao fluxo das migrações. A moral de uma fábula dizia: "Os pobres, por terem bagagem mais leve, passam com facilidade de uma cidade para outra."

Os imperadores estavam obcecados com a iconografia global, da qual faziam propaganda. Proclamava-se que Roma não era apenas a dominadora do mundo, mas também a pátria comum de toda a humanidade; a grande cidade mundial, a cosmópolis concretizada, capaz de dar acolhimento em seu perímetro a toda a gente dispersa em geografias distantes. Esse ideal encontrou talvez sua expressão mais característica no pomposo e adulador *Elogio a Roma*, do rétor Elio Arístides: "Nem o mar, nem todas as distâncias da terra impedem de obter a cidadania, e aqui não há distinção entre a Ásia e a Europa. Tudo está aberto para todos. Em Roma, ninguém que seja digno de confiança é estrangeiro."[236] Os filósofos da época insistiam que o império realizava o sonho cosmopolita herdado do helenismo. Com sua *Constitutio antoniniana*, do ano 212, Caracalla deu culminância jurídica a essas ideias. De resto, não deixou uma grande lembrança como governante. Caprichoso e homicida, ele acabou assassinado aos 29 anos por um dos seus guarda-costas enquanto urinava na valeta de uma estrada na Mesopotâmia. Não deu muitas mostras de idealismo em seu reinado, mas admirava Alexandre e quis imitar seu projeto de um império baseado na cidadania do mundo. Ele mesmo, nascido em Lugdunum (atual Lyon), era filho da mestiçagem: seu pai, Septímio Severo, vinha de uma estirpe berbere e tinha pele escura; sua mãe, Júlia Domna, havia nascido em Emesa (atual Homs, na Síria). E ele não era exceção. Quando foi nomeado, já fazia tempo que os imperadores não eram nativos de Roma, nem mesmo italianos. As elites do poder romano não tinham uma cútis tão branca quanto o mármore de suas estátuas.

Se não era a etnia, a cor da pele ou o lugar de nascimento, o que unia os habitantes da Escócia, da Gália, da Hispânia, da Síria, da Capadócia e da Mauritânia? Quais eram os vínculos que ajudavam os romanos, ao longo de extensões tão imensas de terra, a se entender, compartilhar aspirações e se reconhecer como membros da mesma comunidade? Um urdimento de palavras, ideias, mitos e livros.[237]

Sentir-se romano consistia em habitar cidades de avenidas largas que se cruzavam em ângulo reto; ter acesso a ginásios, termas, foros, templos de mármore, bibliotecas, inscrições em latim, aquedutos, rede de esgoto; saber quem eram Aquiles, Heitor, Eneias, Dido; olhar sem estranheza para os rolos e os códices como parte da paisagem cotidiana; pagar impostos aos temidos coletores; ter gargalhado com uma piada de Plauto nas arquibancadas de um teatro; conhecer os episódios da

Roma primitiva contados por Tito Lívio em *Ab urbe condita*; ter escutado um filósofo estoico falar de autodomínio; conhecer — ou mesmo ter integrado — a avassaladora maquinaria bélica das legiões. Mosaicos, banquetes, estátuas, rituais, frontões, baixos-relevos, lendas de vitória e de dor, fábulas, comédias e tragédias modelavam — com ar, pedra e papiro — aquela identidade romana ampliada até limites inimagináveis, o primeiro relato comum europeu.

Pelas estradas do império globalizado, ensaios e ficções circulavam de uma fronteira à outra da geografia conhecida. Encontraram abrigo numa constelação de bibliotecas públicas e privadas como não se conhecia antes. Foram copiados e postos à venda em livrarias de cidades distantes entre si, como Brindisi, Cartago, Lyon ou Reims. Seduziram pessoas de diversas origens, a quem as escolas romanas ensinaram a ler após gerações de analfabetismo imemorial. Tal como os aristocratas da capital, os provincianos mais ricos também compravam escravos especializados em copiar textos: o inventário dos bens de um rico cidadão romano, proprietário de uma quinta no Egito, inclui, entre seus 59 escravos, cinco tabeliães, dois amanuenses, um escriba e um restaurador de livros. Eram muitos os copistas que, a serviço de particulares ou de comerciantes, passavam longas jornadas diante de uma carteira, munidos de tinteiros, réguas e penas de cana dura para satisfazer as demandas de letra escrita. Nunca antes havia existido uma comunidade semelhante de leitores, espalhada por vários continentes e unida pelos mesmos livros. É verdade que não eram milhões de pessoas, tampouco centenas de milhares; talvez, nos melhores tempos, várias dezenas de milhares. Mas, vistos com o olhar daquela época, estamos falando de números prodigiosos.

Como diz Stephen Greenblatt, no mundo antigo houve um tempo — longuíssimo, aliás — em que parecia que um dos principais problemas culturais era a inesgotável produção de livros. Onde poderiam ser guardados? Como organizá-los nas estantes? Como reter na cabeça aquela profusão de conhecimento? A perda de tanta riqueza pareceria simplesmente inconcebível para qualquer pessoa que vivesse naqueles ambientes. Depois, não de repente, mas com a lógica gradual de uma extinção em massa, toda aquela empreitada chegou ao fim. O que parecia estável se revelou frágil e o que se julgava eterno acabou por se demonstrar efêmero.[238]

46

O solo tremeu sob os pés. Vieram séculos de anarquia, fracionamento, invasões bárbaras, sismos religiosos. Provavelmente os copistas foram os primeiros a perceber a gravidade da situação: cada vez recebiam menos encomendas. O trabalho de cópia foi interrompido quase por completo. As bibliotecas entraram em decadência, saqueadas durante guerras e confrontos, ou simplesmente descuidadas. Durante sucessivas décadas terríveis, sofreram a pilhagem dos bárbaros e a destruição por fanáticos cristãos. No fim do século IV, o historiador Amiano Marcelino se queixava de que os romanos estavam abandonando a leitura séria. Com um enfoque moralista característico de sua classe social, Marcelino se indignava ao ver seus compatriotas chapinhando na trivialidade mais absurda enquanto o império desmoronava de maneira inexorável e a conexão cultural se dissolvia: "Os poucos lares que antes eram respeitados pelo cultivo sério dos estudos agora se deixam levar pelos deleites da preguiça. E, assim, em vez de um filósofo, se demanda um cantor, e em vez de um orador, um perito em artes lúdicas. E, enquanto as bibliotecas estão sempre fechadas como sepulcros, fabricam-se órgãos hidráulicos, liras enormes que mais parecem carroças e flautas para os histriões."[239] Além disso, comentava com tristeza, o pessoal trafega numa velocidade vertiginosa em seus carros — como condutores suicidas — pelas ruas repletas de gente. A angústia que antecede o naufrágio era palpável na atmosfera.

No século V, a comunidade da cultura clássica sofreu golpes terríveis. As invasões bárbaras foram destruindo pouco a pouco o sistema escolar romano nas províncias do Ocidente. As cidades entraram em declínio.

O público culto foi reduzido a números insignificantes — mesmo nos melhores momentos, havia sido uma minoria em meio à população, mas uma minoria tão considerável que em alguns lugares formava uma verdadeira multidão. Novamente, os leitores voltaram a ser tão poucos que, em suas pequenas ilhas, perderam o contato uns com os outros.[240]

Depois de uma longa e lenta agonia, o Império Romano do Ocidente veio abaixo no ano 476, quando Rômulo Augústulo — o último imperador — abdicou sem fazer muito barulho. As tribos germânicas que se sucederam no poder das províncias não se sentiam atraídas pela leitura. É provável que aqueles bárbaros que assaltaram os edifícios públicos e confiscaram as mansões particulares não fossem ativamente hostis à ciência nem ao estudo, mas tampouco tinham o menor interesse em conservar os livros que abrigavam os tesouros intangíveis do conhecimento e da criação. Os romanos expropriados de suas mansões, transformados em escravos ou relegados a alguma quinta rústica perdida, tinham necessidades mais prementes e lutos mais profundos do que a nostalgia de suas bibliotecas perdidas. Preocupações angustiantes absorveram os leitores de outra época: a insegurança, as doenças, as colheitas ruins, a violência dos coletores de impostos que espremiam até a última gota o trabalho dos humildes, as pragas, a elevação dos preços dos alimentos, o medo de ficar no lado errado do limiar de subsistência.

Começou uma época, um longo trajeto de centenas de anos, em que grande parte das ideias que nos definem estiveram à beira do abismo. Com as tochas dos soldados e o lento trabalho secreto das traças, o sonho de Alexandria voltou a correr perigo. Até a invenção da imprensa, milênios de saber ficaram nas mãos de muito pouca gente, que embarcou numa heroica e quase inverossímil tarefa de salvamento. Se nem tudo afundou no nada; se as ideias, as façanhas científicas, a imaginação, as leis e as rebeldias de gregos e romanos sobreviveram, devemos agradecer à perfeição simples que os livros haviam atingido, depois de séculos de busca e experimentação. Graças a eles, e apesar das viagens noite adentro, a história europeia é, como escreveu a filósofa María Zambrano, um caminho sempre aberto aos renascimentos e iluminismos.

Com o lento desmoronar do Império Romano, começaram os séculos em que os livros viveram sob perigo. No ano 529, o imperador Justiniano proibiu que aquelas pessoas que permaneciam "sob a loucura do paganismo" exercessem a docência, "para que não possam mais corromper as almas dos discípulos". Seu decreto levou ao fechamento da Academia de Atenas, cuja origem remontava orgulhosamente ao milênio anterior, ao próprio Platão.[241] As almas extraviadas precisavam da proteção das autoridades contra os perigos da literatura pagã. Desde o princípio do século IV, funcionários fervorosos irrompiam nos banhos e em casas particulares para confiscar os livros "heréticos e mágicos", que depois viravam fumaça nas fogueiras públicas. Não é de estranhar que a cópia de obras clássicas — e de qualquer outro texto — tenha despencado.

Imagino um daqueles filósofos proscritos dando seus melancólicos passeios por uma Atenas fantasmagórica. Não lhe faltam razões para o pessimismo. Os templos pagãos permanecem fechados, quase desmoronando devido ao abandono, e as maravilhosas estátuas de outros tempos foram sendo desfiguradas ou retiradas. Os teatros emudeceram, as bibliotecas são reinos de poeira e vermes atrás dos seus ferrolhos. Na capital das luzes, os últimos discípulos de Sócrates e Platão são proibidos de ensinar filosofia. Não podem ganhar a vida. Os que não aceitam ser batizados têm que ir para o exílio. Os bárbaros que invadem e saqueiam o velho império que se afunda atearam fogo com ferocidade — ou, pior, com indiferença — às maravilhas da cultura antiga. Qual será o destino das ideias que não podem mais ser ensinadas, dos livros condenados ao fogo?

É o fim.

Então, como num sonho, o filósofo é assaltado por uma verdadeira turba de visões estranhas. Numa Europa dominada por caudilhos guerreiros analfabetos, quando o ocaso parece inevitável, as fábulas, ideias e mitos de Roma encontram um refúgio paradoxal nos monastérios. Cada abadia, com sua escola, biblioteca e *scriptorium*, abriga uma faísca do Museu de Alexandria em tempos minguantes.[242] Nelas, alguns monges — e também freiras — se tornam infatigáveis leitores, conservadores e artesãos de livros. Aprendem a laboriosa arte da fabricação de pergaminhos. Letra por letra, palavra por palavra, copiam e preservam os melhores livros pagãos. E até inventam a arte da iluminação, que transforma as páginas dos códices medievais em pequenos vitrais nos quais brilham selvas cheias de imagens, ouro e cores.[243] Graças à paciência minuciosa desses copistas e miniaturistas — homens e mulheres —, o saber resiste ao embate contra o caos em rincões isolados e bem protegidos.

Mas tudo isso é tão improvável — dizem, recaindo no fatalismo — que só pode ser um sonho.

De repente, o filósofo é invadido pela imagem buliçosa das primeiras universidades nas cidades de Bolonha e Oxford — a Academia ressuscitada —, alguns séculos depois. Os professores e estudantes, sedentos de alegria e beleza, voltam a buscar as palavras dos velhos clássicos, como se estivessem voltando para casa.[244] E novos livreiros abrem suas portas de par em par para lhes fornecer o alimento das palavras.

De distâncias inverossímeis, pelas rotas muçulmanas e por territórios de fronteira entre várias civilizações, mercadores empoeirados trazem da China e de Samarcanda uma novidade maravilhosa para a Península Ibérica: o papel, assim denominado porque lembra o velho papiro. Se tudo acontecer na hora certa, esse novo material, muito mais barato do que o pergaminho e mais fácil de produzir em grandes quantidades, chegará às encruzilhadas da Europa a tempo de contribuir para a decolagem dos prelos que revolucionarão a cultura ocidental.

Mas todas essas fantasias — pensa ele, recorrendo à lógica fria — só podem ser alucinações provocadas por uma digestão difícil; imagens criadas por um pedaço de queijo bolorento ou um prato de peixe rançoso.

Vislumbra então, empunhando penas de ave, as figuras de uns sonhadores teimosos, os humanistas, decididos a restaurar o esplendor da Antiguidade.[245] Todos eles se põem a ler, copiar, editar e comentar com entusiasmo os textos pagãos ao alcance: os restos do naufrágio. Os mais corajosos se aventuram a cavalo por rotas distantes, vales nevados, bosques escuros e trilhas quase perdidas entre as dobras das montanhas para procurar alguns livros únicos que ainda estão resguardados em solitários monastérios medievais. Com esses manuscritos náufragos da velha sabedoria, tentarão modernizar a Europa.

Enquanto isso, um lapidador de pedras preciosas chamado Gutenberg inventa um estranho copista de metal, que não descansa nunca. Os livros voltam a se expandir. Os europeus recuperam o sonho alexandrino das bibliotecas infinitas e do saber sem limites. O papel, a imprensa e a curiosidade livre de medos e pecados os levarão até as portas da modernidade.

Mas todas essas visões — pensa o filósofo, mergulhado outra vez no pessimismo — não passam de disparates.

E quando sua imaginação transbordante avança mais alguns séculos, vislumbra homens com perucas esquisitas que, em homenagem à antiga *paideia*, embarcam na aventura de uma enciclopédia para expandir o conhecimento e derrotar o trabalho obstinado da destruição. Os revolucionários intelectuais desse longínquo século XVIII erguerão o edifício da sua fé na razão, na ciência e no direito sobre os alicerces do esplendor antigo.[246]

E, ainda que as pessoas do futuro século XXI cultuem as novidades e as tecnologias — especialmente umas estranhas tabuletas luminosas que todos acariciam com as pontas dos dedos —, elas continuarão a moldar suas ideias fundamentais sobre o poder, a cidadania, a responsabilidade, a violência, o império, o luxo e a beleza em diálogo com os livros dos quais os clássicos falam. E é assim que tudo o que amamos será salvo por um caminho acidentado e aventuresco, repleto de bifurcações e desvios, que em muitos momentos ameaçará se perder no nada.

Mas tudo isso é inverossímil como um sonho, pensa ele: ninguém em seu perfeito juízo acreditaria numa hipótese tão disparatada. Só um prodígio — ou um milagre desses com que os cristãos se iludem — poderia salvar nossa sabedoria e abrigá-la nas bibliotecas impossíveis do amanhã.

48

A invenção dos livros foi talvez o maior triunfo na nossa luta tenaz contra a destruição. Confiamos aos juncos, ao couro, aos trapos, às árvores e à luz toda a sabedoria que não estávamos dispostos a perder. Com tal ajuda, a humanidade viveu uma fabulosa aceleração da história, o desenvolvimento e o progresso. A gramática compartilhada que nossos mitos e conhecimentos nos proporcionaram multiplica nossas possibilidades de cooperação, unindo leitores de diferentes partes do mundo e de gerações sucessivas ao longo dos séculos. É como diz Stefan Zweig no memorável final de *Mendel dos livros*: "Os livros são escritos para, depois de deixarmos de respirar, unir os seres humanos e defender-nos, assim, perante o inexorável avesso de toda existência: a transitoriedade e o esquecimento."[247]

Em épocas diferentes, experimentamos livros de fumaça, de pedra, de terra, de folhas, de juncos, de seda, de couro, de trapos, de árvores e, agora, de luz — os computadores e e-books. Variaram no tempo os gestos de abrir e fechar os livros ou de viajar pelo texto. Mudaram as formas, a rugosidade ou lisura, o interior labiríntico, a maneira de ranger e sussurrar, a duração, os bichos que os devoram e a experiência de lê-los em voz alta ou baixa. Tiveram muitos formatos, mas o sucesso avassalador desse achado é incontestável.

Devemos aos livros a sobrevivência das melhores ideias projetadas pela espécie humana. Sem eles, provavelmente teríamos nos esquecido daquele punhado de gregos temerários que decidiram entregar o poder ao povo e chamaram esse ousado experimento de "democracia"; dos médicos hipocráticos, que criaram o primeiro código deontológico da história, no qual se comprometiam a cuidar também dos pobres e dos escravos: "Leva em consideração os meios do seu paciente. Em determinadas ocasiões deves prestar teus serviços até gratuitamente; e, se tiveres oportunidade de atender um estrangeiro que se encontra em dificuldades econômicas, dá-lhe plena assistência"; de Aristóteles, que fundou uma das primeiras universidades e dizia aos alunos que a diferença entre o sábio e o ignorante é a mesma que entre o vivo e o morto; de Eratóstenes, que usou o poder do raciocínio para calcular a circunferência da Terra, com uma pequena margem de erro de oitenta quilômetros, utilizando apenas um pedaço de pau e um camelo; ou dos códigos legais daqueles romanos doidos que um dia concederam a cidadania a todos os habitantes do seu enorme império; ou daquele grego cristão, Paulo de Tarso, que pronunciou o que possivelmente foi o primeiro discurso igualitário quando disse: "Não há judeu nem grego, não há escravo nem homem livre, não há homem nem mulher." Conhecer todos esses precedentes nos inspirou ideias tão extravagantes no reino animal quanto direitos humanos, democracia, confiança na ciência, saúde universal, educação obrigatória, direito a um julgamento justo e preocupação social pelos mais fracos. Quem seríamos hoje se tivéssemos perdido a memória de todos esses achados, tal como esquecemos durante séculos as línguas e os saberes das civilizações egípcia e mesopotâmica? O escritor Elias Canetti, búlgaro sefardi de língua alemã e sobrenome espanhol — seus antepassados paternos trocaram Cañete por Canetti —, respondeu: se cada época perdesse o contato com as anteriores, se cada século cortasse seu cordão umbilical, só poderíamos construir uma fábula sem futuro. Seria a asfixia.

Não pretendo omitir as zonas de sombra desta história. A palavra "cooperação" tem um halo benéfico e altruísta que às vezes pode encobrir realidades obscuras. Muitas vezes as redes de colaboração servem também para explorar e oprimir o próximo. Muitas sociedades se organizaram para garantir a continuidade do seu sistema escravagista; e os nazistas, para orquestrar a solução final. Os livros também podem ser veículo de ideias nocivas. Platão, que acreditava em reencarnação, inventou um mito para explicar a existência do sexo feminino: nascer mulher é o castigo e a expiação daqueles homens que não foram justos em uma vida anterior. Aristóteles escreveu que os escravos são seres inferiores por natureza. Em sua coleção de epigramas, Marcial não parece ter escrúpulos morais quando adula asquerosamente um imperador cruel, nem quando faz piadas à custa de gente com deficiência física. A maioria dos escritores romanos considerava os combates de gladiadores parte de sua civilização, nos quais o público se divertia assistindo à agonia dos lutadores. Os livros nos transformam em herdeiros de todos os relatos: os melhores, os piores, os ambíguos, os problemáticos, os de dois gumes. Contar com todos eles é bom para pensar, e permite escolher. É difícil não se assustar perante a estranha mistura de criatividade, esplendor, violência e abusos tão característica das civilizações que construíram os alicerces da Europa. Esse desassossego é quase um axioma da modernidade tardia. Em 1940, um dos anos mais sombrios da história europeia, Walter Benjamin, fugitivo na França ocupada, escreveu sua célebre reflexão incendiária: "Não há documento de cultura que não seja ao mesmo tempo de barbárie."[248] Diante da desanimadora evidência de que a barbárie persistia nos territórios da razão e de que o iluminismo não havia dissipado o mal, outro europeu entusiasta, Stefan Zweig, também se suicidou, em 1942.

A esta altura, sabemos que qualquer imagem melíflua ou reverencial da cultura é ingênua, além de estéril. Petrarca, cego em sua admiração sentimental pela antiga Roma, ficou furioso ao descobrir as epístolas de Cícero, a quem sempre havia considerado uma alma gêmea. Os documentos íntimos do seu *alter ego* revelaram um personagem ambicioso, às vezes mesquinho, às vezes cínico, e muito pouco clarividente em suas manobras políticas. Petrarca resolveu a questão escrevendo uma carta moralizante ao morto, cheia de recriminações. Todos nós poderíamos fazer recriminações justas aos nossos imperfeitos antepassados — e com certeza receberemos as saraivadas disparadas por nossos descendentes, que diagnosticarão todas as contradições e insensibilidades que habitam em nós. No entanto, se resistirmos ao impulso de simplificar a literatura com juízos indiscutíveis, leremos melhor. Quanto mais sensata e perspicaz for nossa compreensão histórica, mais capazes seremos de proteger aquilo que valorizamos. Como escreve o poeta e viajante Fernando Sanmartín: "O passado nos define, nos dá uma identidade, nos leva à psicanálise ou ao disfarce, aos narcóticos ou ao misticismo. Nós, que somos leitores, temos um passado dentro dos livros. Para o bem ou para o mal. Porque já lemos muitas coisas que hoje nos causariam perplexidade, e até tédio. Mas também lemos páginas que ainda nos trazem entusiasmo ou certezas. Um livro é sempre uma mensagem."

Os livros legitimaram, é verdade, fatos terríveis, mas também sustentaram os melhores relatos, símbolos, saberes e invenções que a humanidade construiu no passado. Na *Ilíada* assistimos ao lancinante encontro entre um velho e o assassino do seu filho; nos versos de Safo descobrimos que o desejo é uma forma de rebeldia; em *História*, de Heródoto, aprendemos a buscar a versão do outro; em *Antígona* vislumbramos a existência da lei internacional; nas *Troianas* nos deparamos com a barbárie própria; numa epístola de Horácio encontramos a máxima iluminista "atreva-se a saber"; na *Arte de amar*, de Ovídio, fizemos um curso intensivo de prazer; nos livros de Tácito compreendemos os mecanismos da ditadura; e na voz de Sêneca ouvimos o primeiro grito pacifista. Os livros nos legaram algumas ideias dos nossos antepassados que realmente não envelheceram de todo mal: a igualdade entre os seres humanos, a possibilidade de escolher os nossos dirigentes, a intuição de que talvez seja melhor para as crianças ficarem na escola do que trabalhando, a vontade de usar — e gastar — o erário para cuidar dos doentes, dos velhos e dos desvalidos. Todos esses inventos foram lampejos dos antigos, estes que agora chamamos de clássicos, e chegaram até nós por um caminho incerto. Sem os livros, as melhores coisas do nosso mundo teriam se dissipado no esquecimento.

EPÍLOGO

OS ESQUECIDOS, AS ANÔNIMAS

Um pequeno exército de cavalos e mulas se aventura diariamente pelas encostas escorregadias e pelos vales dos montes Apalaches, com os alforjes carregados de livros. Os cavaleiros dessa tropa são, em sua maioria, mulheres — amazonas das letras. De início, os aldeãos do leste do Kentucky, em seus vales isolados dos Estados Unidos e do restante do mundo, as observam com sua ancestral desconfiança.[1] Quem, em sã consciência, cavalgaria no inverno frio por esse território desprovido de estradas, uma terra de trilhas incertas, pontes frágeis que balançam sobre o abismo e arroios em cujo leito as patas dos animais derrapam entre enxurradas de pedregulhos? E aguçam o olhar, cospem com energia. Em outros tempos viram forasteiros chegando para trabalhar nas minas ou nas serrarias, mas isso foi antes da Grande Depressão. Sem dúvida, não estão acostumados à imagem sinistra dessas mulheres solitárias, jovens, com um ar preocupante de que servem a autoridades distantes, rondando por ali como caçadoras. Quando uma delas chega, a presença sombria de uma ameaça pesa no ambiente. As famílias dos condados das serras sentem um medo difuso, primário, da chegada de estranhos. São pobres e temem tanto as autoridades quanto os criminosos. Apenas um terço dessa boa gente rural sabe ler, mas até estes se assustam quando um desconhecido lhes mostra um papel. Uma dívida sem pagar, uma denúncia mal-intencionada ou um pleito incompreensível poderiam arrasar suas escassas propriedades. Eles jamais admitiriam, mas essas mulheres a cavalo lhes dão medo. Esse temor se transforma em surpresa quando as veem desmontar, abrir os alforjes e tirar — horror e dentes rangendo — livros.

O mistério se resolve, mas os aldeãos não acreditam. É isso mesmo? Bibliotecárias a cavalo? Abastecimento literário? Não entendem bem o estranho jargão que as mulheres empregam: projeto federal, New Deal, serviço público, planos para estimular a leitura. Começam a sentir alívio. Ninguém menciona impostos, tribunais ou despejos. Além do mais, as jovens bibliotecárias têm um aspecto amistoso, parecem acreditar em Deus e na bondade.

Combater o desemprego, a crise e o analfabetismo com fortes doses de cultura subsidiada pelo Estado: este era um dos objetivos da Work Progress Administration. Por volta de 1934, quando o projeto foi concebido, as estatísticas no estado do Kentucky registravam apenas um livro *per capita*. Naquele empobrecido território montanhoso do Leste, sem estradas nem eletricidade, era impensável implementar um sistema de bibliotecas móveis em veículos, como aquelas que estavam obtendo tanto sucesso em outras regiões do país. A única alternativa era enviar aquelas aguerridas bibliotecárias pelas trilhas dos Apalaches, transportando livros até os redutos mais isolados. Uma delas, Nan Milan, brincava dizendo que seus cavalos tinham as patas mais curtas de um lado do que de outro para não escorregar nas subidas íngremes da serra. Toda semana cada uma delas percorria três ou quatro rotas diferentes, com trajetos de até trinta quilômetros por dia. Os livros, recebidos em doação, eram armazenados em agências de correios, barracões, igrejas, tribunais ou em residências particulares. As mulheres levavam seu trabalho tão a sério quanto os incansáveis carteiros da época: iam buscar os lotes de livros em diversos lugares e depois os distribuíam em escolas rurais, centros comunitários e lares camponeses. Não faltava épica em suas cavalgadas solitárias: os documentos registram episódios de cavalos extenuados no meio do nada, o que obrigava as mulheres a continuar a pé, carregando o pesado alforje de mundos imaginários. "Traga um livro para eu ler", era o grito das crianças quando viam as forasteiras chegando. Embora o circuito tenha alcançado 50 mil famílias e 155 escolas em 1936, num total de 8 mil quilômetros percorridos por mês, as bibliotecárias a cavalo do Kentucky não atendiam nem 10% dos pedidos. Superado o primeiro surto de desconfiança, os montanheses se transformaram em ávidos leitores. Em Whitley County, as tropeiras literárias encontravam comitês de boas-vindas às vezes de trinta moradores. Certa vez, uma família não quis se mudar para outro condado porque lá não havia serviço de bibliotecárias. Uma velha fotografia em preto e branco mostra uma jovem amazona lendo em voz alta junto à cama de um ancião doente. A afluência de livros melhorou a saúde e os hábitos de higiene na região; as famílias aprenderam, por exemplo, que lavar as mãos era muito mais eficaz para evitar cólicas do que soprar fumaça de tabaco numa colherada de leite. Os adultos e as crianças se apaixonaram pelo senso de humor de Mark Twain, mas o título mais pedido, de longe, era *Robinson Crusoé*. Os clássicos puseram os novos leitores em contato com um tipo de magia que sempre lhes fora negada. As crianças alfabetizadas liam para seus pais analfabetos. Um jovem disse à sua bibliotecária: "Esses livros que você nos trouxe salvaram nossa vida."

Esse programa empregou quase mil bibliotecárias a cavalo durante uma década. O financiamento terminou em 1943, ano da dissolução da WPA, quando a guerra mundial substituiu a cultura como antídoto para o desemprego.

Nós somos os únicos animais que fabulam, que afugentam a escuridão com histórias, que, graças aos relatos, aprendem a conviver com o caos, que avivam o rescaldo das fogueiras com o ar das suas palavras, que percorrem longas distâncias para levar histórias a estranhos. E quando compartilhamos os mesmos relatos, deixamos de ser estranhos.

Há algo de impressionante no fato de termos conseguido preservar ficções criadas há milênios. Desde que alguém narrou pela primeira vez a *Ilíada*, as peripécias do velho duelo entre Aquiles e Heitor nas praias de Troia nunca caíram no esquecimento. Como escreve Harari, um sociólogo arcaico que tivesse vivido há 20 mil anos bem poderia ter chegado à conclusão de que a mitologia tinha pouquíssimas possibilidades de sobreviver.[2] Afinal de contas, o que é uma história? Uma sequência de palavras. Um sopro. Uma corrente de ar que sai dos pulmões, atravessa a laringe, vibra nas cordas vocais e adquire sua forma definitiva quando a língua acaricia o palato, os dentes ou os lábios. Parece impossível salvar algo tão frágil. Mas a humanidade desafiou a soberania absoluta da destruição ao inventar a escrita e os livros. Graças a esses achados, nasceu um espaço imenso de encontro com os outros e houve um fantástico incremento nas expectativas de vida das ideias. De uma forma misteriosa e espontânea, o amor aos livros forjou uma corrente invisível de gente — homens e mulheres — que ao longo do tempo, sem se conhecer, salvou o tesouro dos melhores relatos, sonhos e pensamentos.

Esta é a história de um romance coral ainda por escrever. O relato de uma fabulosa aventura coletiva, a paixão calada de tantos seres humanos unidos por essa misteriosa lealdade: narradoras orais, inventores, escribas, iluminadores, bibliotecárias, tradutores, livreiras, vendedores ambulantes, professoras, sábios, espiões, rebeldes, viajantes, freiras, escravos, aventureiras, impressores. Leitores em seus clubes, em suas casas, no topo das montanhas, diante do mar fremente, nas capitais onde a energia se concentra e nos rincões distantes onde o saber se refugia em tempos de caos. Gente comum cujos nomes em muitos casos a história não registra. Os esquecidos, as anônimas. Pessoas que lutaram por nós, pelos rostos nebulosos do futuro.

AGRADECIMENTOS

Muitas pessoas me ajudaram, de diversas maneiras, na travessia da escrita. Meus agradecimentos a todas elas:

Rafael Argullol, que imaginou este livro antes de mim mesma, e abriu diante dos meus olhos o mapa desta viagem.

Julio Guerrero, por me estender a mão.

Ofelia Grande, por sua delicada generosidade, que me presenteou sabedoria e esperança.

Elena Palacios, por uma amizade inesquecível e por tornar realidade o que eu não ousava sonhar.

A equipe editorial da Siruela, pela prodigiosa magia no velho ofício dos juncos infinitos.

Marina Penalva, María Lynch, Mercedes Casanovas e tantas pessoas na Casanovas & Lynch, por serem as asas que fizeram este livro voar até uma luminosa constelação de países e idiomas.

Alfonso Castán e Francisco Muñiz, pela insólita generosidade.

Carlos García Gual, que me guiou com seus sinais de luz.

Agustín Sánchez Vidal, que compartilhou comigo seus conhecimentos e a chave mestra.

Luis Beltrán, por aguçar meu olhar.

Ana María Moix, que me acolheu num jardim vislumbrado do lado de fora.

Guillermo Fatás, por suas lições de história, jornalismo e ironia.

Encarna Samitier, pelas primeiras oportunidades e a amizade duradoura.

Antón Castro, que sustenta a nossa frágil paisagem de letras.

Fergus Millar, por me abrir as portas de Oxford e pelas viagens no tempo.

Mario Citroni, por sua hospitalidade florentina, sua sabedoria e sua atenção.

Ángel Escobar, por me ensinar o rigor.

A equipe das bibliotecas de Oxford, Cambridge, Florença, Bolonha, Roma, Madri e Zaragoza, por me facilitarem a exploração dessas regiões de papel.

Minhas professoras inesquecíveis Pilar Iranzo, Carmen Romeo, Inocencia Torres e Carmen Gómez Urdáñez.

Anna Caballé, que amplia horizontes com suas palavras.

Carmen Peña, Ana López-Navajas, Margarita Borja, Marifé Santiago, por me inspirar.

Andrés Barba, pelas conversas sobre o riso e o futuro.

Luis Landero, por acreditar em mim.

Belén Gopegui, pelos ecos de uma conversa e pelo misterioso princípio da amizade.

Jesús Marchamalo, pela jovialidade e um chapéu compartilhado.

Fernando López, pelos dias dionisíacos.

Stefania Ferchedau e Natalie Tchernetska, presenças na distância.

Minhas amigas criadoras Ana Alcolea, Patricia Esteban, Lina Vila, Sandra Santana e Laura Bordonaba.

As pessoas que tornam a vida mais acolhedora: María Ángeles López, Francisco Gan, Teresa Azcona, Valle García, Reyes Lambea, Leticia Bravo, Albano Hernández, María Luisa Grau, Cristina Martín, Gloria Labarta, Pilar Pastor, María Jesús Pardos, María Gamón, Liliana Vargas, Diego Prada, Julio Cristellys e Ricardo Lladosa.

Os primeiros leitores, os livreiros Pepe Fernández, Julia Millán e Pablo Muñío.

Todos os professores de colégio que são semeadores de entusiasmo, em particular Chus Picot, Ana Buñola, Paz Hernández, David Mayor, Berta Amella, Laura Lahoz, Fernando Escanero, José Antonio Escrig, Marcos Guillén, Amaia Zubilaga, Eva Ibáñez, Cristóbal Barea, Irene Ramos, Pilar Gómez, Mercedes Ortiz, Félix Gay e José Antonio Laín.

A fabulosa equipe de pediatria neonatal do hospital Miguel Servet de Zaragoza, as enfermeiras que nos deram tanta vida e todas as crianças que, hoje também, estão lutando com todas as suas forças para se agarrar à vida.

As cuidadoras: Esther, Pilar, Cristina, Zara, Nuria e minha babá, María.

Minha mãe, Elena, a domadora do caos.

Enrique, meu farol e minha bússola.

O pequeno Pedro, doutorando em sabotagem, que me ensinou em que consiste a esperança.

Minha família, meus amigos e os leitores, que são outra família de amigos.

NOTAS

PRÓLOGO

[1] Apuleio, *El asno de ouro*, III, 28.
[2] Horácio, *Sátiras*, I, 5, 7.
[3] L. Casson, *Las bibliotecas del mundo antiguo*, Bellaterra, Barcelona, 2003, p. 44.
[4] *Carta de Aristeas*, 9
[5] Galeno, *Comentario a "Sobre los humores de Hipócrates"*, editado por Kühn, XVII, p. 607.
[6] Galeno, *Comentario a "Sobre los humores de Hipócrates"*, editado por Kühn, XVII, p. 601.
[7] Epifânio, *Sobre medidas y pesos*, XLIII, p. 252, Migne, *Patrologia Graeca*.
[8] Galeno, *Comentario a "Sobre los humores de Hipócrates"*, editado por Kühn, XV, p. 109.
[9] Marcelino, *Vida de Tucídides*, 31-34.
[10] *Carta de Aristeas*, 10.

PARTE I — A GRÉCIA IMAGINA O FUTURO

A CIDADE DOS PRAZERES E OS LIVROS

[1] Herodas, *Mimiambos*, I, 26-32.
[2] Plínio, o Velho, *Historia natural*, IX, 58, 119-121.
[3] Plutarco, *Vidas paralelas. Antonio*, 58, 5 e 27.

ALEXANDRE: O MUNDO NÃO É O BASTANTE

[4] Plutarco, *Sobre la fortuna o virtude de Alejandro*, I, 5 = *Moralia*, 328C.
[5] Plutarco, *Vidas paralelas. Alexandre*, 8, 2.
[6] Plutarco, *Vidas paralelas. Alexandre*, 26, 5.
[7] Homero, *Odisea*, canto IV, 351-359.
[8] Estrabão, *Geografía*, XVII, 1, 8.
[9] Plutarco, *Vidas paralelas. Alexandre*, 21.
[10] Plutarco, *Vidas paralelas. Alexandre*, 26,1.
[11] Arriano, *Anábase de Alexandre*, V, 25-29.

O AMIGO MACEDÔNIO

[12] Arriano, *Anábase de Alexandre*, VII, 4.
[13] Asura XVIII, versículos 82-98.
[14] Antigo Testamento, Livro dos Macabeus, 1, 19.
[15] Diodoro Sículo, *Biblioteca histórica*, XVII, 72.
[16] Estrabão, *Geografía*, II, 1, 9.
[17] A. J. Sachs e H. Hunger (eds.), *Astronomical Diaries from Babylonia*, v. I, 207.
[18] Plutarco, *Vidas paralelas. Alexandre*, 77.
[19] Diodoro Sículo, *Biblioteca histórica*, XVIII, 1, 4ss.
[20] Estrabão, *Geografía*, XV, 2, 9.

EQUILÍBRIO À BEIRA DO ABISMO: A BIBLIOTECA E O MUSEU DE ALEXANDRIA

[21] P. J. Rhodes e R. G. Osborne (eds.), *Greek Historical Inscriptions 404-323 BC*, 433.
[22] Diodoro Sículo, *Biblioteca histórica*, XVIII, 4, 4.
[23] Tzetzes, *De comoedia*, editado por Koster, p. 43.
[24] *Carta de Aristeas*, 30ss.
[25] Plínio, o Velho, *Historia natural*, XXX, 2, 4.
[26] Flávio Josefo, *Contra Apión. Sobre la antigüedad del pueblo judío*, I, 14.
[27] Flávio Josefo, *Antigüedades judías*, III, 6.
[28] Arriano, *Anábase de Alexandre*, V, 6, 2.
[29] Lawrence Durrell, *Justine*, terceira parte.
[30] Plínio, o Velho, *Historia natural*, XIII, 22, 71.
[31] Antigo Testamento, Êxodo, 2, 3.

[32] Enciclopédia bizantina *Suda*, *sub voce* Leonatos.
[33] Plutarco, *Vidas paralelas. Eumenes*, 13, 68.
[34] Pausânias, *Descripción de Grecia*, I, 6, 2, e Teócrito, *Idilio XVII. Encomio da Ptolomeo*, 20-34.
[35] Diodoro Sículo, *Biblioteca histórica*, XIX, 15, 3-4.
[36] Diodoro Sículo, *Biblioteca histórica*, XVIII, 26-28.
[37] Olaf B. Rader, *Tumba y poder: El culto político a los muertos desde Alejandro Magno hasta Lenin*, editora Siruela, Madri, 2006, pp. 165-186.
[38] Suetônio, *Vida de los doce Césares. Augusto*, 18, 1.
[39] Dião Cássio, *Historia romana*, LI, 16, 5.
[40] *Vita Marciana*, 6.
[41] Estrabão, *Geografía*, XIII, 1, 54.
[42] *Carta de Aristeas*, 29.
[43] *Carta de Aristeas*, 35-40.
[44] *Carta de Aristeas*, 301-307.
[45] Plutarco, *Sobre la fortuna o virtud de Alejandro*, I, 5 = *Moralia*, 328D.
[46] Flávio Josefo, *Contra Apión*, II, 35.
[47] Diodoro Sículo, *Biblioteca histórica*, XL, 3, 4.
[48] Diodoro Sículo, *Biblioteca histórica*, I, 83, 8-9.
[49] Tucídides, *Historia de la guerra del Peloponeso*, II, 41.
[50] Plutarco, *Non posse suaviter vivi secundum Epicurum*, 1095d.
[51] Estrabão, *Geografía*, XVII, 1, 8.
[52] Dião Cássio, *Historia romana*, LXXVIII, 7.
[53] Ateneo, *Banquete de los eruditos*, I, 22D.
[54] Calímaco, *Iambos* I.
[55] Judith McKenzie, *Architecture of Alexandria and Egypt 300 B.C. to A.D. 700*, p. 41.
[56] Estrabão, *Geografía*, XVII, 1, 6.
[57] Sinésio, *Elogio de la calvicie*, 6.
[58] Agostinho, *Confesiones*, VI, 3.
[59] Estrabão, *Geografía*, XVII, 1, 8.
[60] Aftônio, *Progymnásmata*, XII.
[61] Tzetzes, *De comoedia*, XX.
[62] Epifânio, *Sobre medidas y pesos*, 324-329.
[63] *Carta de Aristeas*, 10.
[64] Aulo Gélio, *Noches áticas*, VII, 17, 3, e Amiano Marcelino, *Histórias*, XXII, 16, 13.

UMA HISTÓRIA DE FOGO E PASSADIÇOS

[65] Disponível em: <http://www.bodleian.ox.ac.uk/bodley/news/2015/oct-19>.
[66] Disponível em: <http://www.oxfordtoday.ox.ac.uk/features/oxfordunderground>.
[67] Disponível em: <http://www.cherwell.org/2007/11/16/feature-the-bods-secret-underbelly>.
[68] H. M. Vernon, *A History of the Oxford Museum*, p. 15.
[69] L. Casson, *Las bibliotecas del mundo antiguo*, Bellaterra, Barcelona, 2003, p. 23.
[70] Diodoro Sículo, *Biblioteca histórica*, I, 49, 3.
[71] F. Báez, *Los primeros libros de la humanidad: El mundo antes de la imprenta y el libro electrónico*, Fórcola, Madri, 2013, p. 108.
[72] *Bulletin de la Société Française d'Égyptologie*, 131, 1994, pp. 16-18.
[73] Disponível em: <http://rosettaproject.org>.

A PELE DOS LIVROS

[74] N. Lewis, *Papyrus in Classical Antiquity*, p. 92.
[75] Plínio, o Velho, *Historia natural*, XIII, 23, 74-77.
[76] Enciclopédia bizantina *Suda*, sub voce Aristophanes Byz.
[77] Plínio, o Velho, *Historia natural*, XIII, 21, 70.
[78] Heródoto, *Historia*, V, 35, 3, e Polieno, *Estratagemas*, I, 24.
[79] P. Watson, *Ideas, historia intelectual de la humanidad*, 2006, p. 601.
[80] P. Nelles, "Renaissance Libraries", in D. H. Stam, *International Dictionary of Library History*, 2001, p. 151.

UMA TAREFA DETETIVESCA

[81] Sêneca, *Epístolas a Lucilio*, 88, 37.
[82] Quintiliano, *Instituciones oratorias*, I, 8, 20.
[83] Plínio, o Velho, *Historia natural*, pref., 25.

HOMERO COMO ENIGMA E COMO OCASO

[84] Heródoto, *Historia*, II, 53, 2.
[85] B. Graziosi, *Inventing Homer*, 2002, p. 98ss.

86 Ateneu, *Banquete de los eruditos*, VIII, 277E.
87 Platão, *La República*, X, 606d-607a.
88 Vitrúvio, *Arquitectura*, VII, pref., 8-9.
89 *Ilíada*, XXIV, 475ss.
90 Homero, *Odisea*, V, 1-270.

O MUNDO PERDIDO DA ORALIDADE: UMA TAPEÇARIA DE ECOS

91 Robin Lane Fox, *El mundo clásico: La epopeya de Grecia y Roma*, p. 52.
92 Mathias Murko, *La poésie populaire épique en Yougoslavie au début du XXe siècle*, Paris, 1929.
93 Homero, *Odisea*, I, 356-359.
94 Homero, *Ilíada*, I, 545-550.
95 Homero, *Ilíada*, II, 212ss.
96 Mary Beard, *Mujeres y poder: Un manifiesto*, Crítica, Barcelona, 2008, p. 15.
97 Eric A. Havelock, *La musa aprende a escribir*, 1994, p. 135ss.
98 Evangelho segundo São João, 8, 8.
99 Albert B. Lorde, *The Singer of Tales*, 1960, pp. 272-275.
100 Daniel Sánchez Salas, *La figura del explicador en los inicios del cine español*, Biblioteca Virtual Miguel de Cervantes, 2002.
101 Vários autores, *No lo comprendo, no lo comprendo: Conversaciones con Akira Kurosawa*, Confluencias, 2014, p. 41ss.

A PACÍFICA REVOLUÇÃO DO ALFABETO

102 Fernando Báez, *Los primeros libros de la humanidad*, Fórcola, Madri, 2013, p. 36.
103 Ewan Clayton, *La historia de la escritura*, Siruela, Madri, 2015, p. 19ss.
104 Chinua Achebe, *Me alegraría de otra muerte*, Debolsillo, Barcelona, 2010, p. 146.
105 Sergio Pérez Cortés, "Un aliento poético: el alfabeto", *Éndoxa*: Series filológicas n. 8, 1997, UNED, Madri.
106 Sergio Pérez Cortés, "Un aliento poético: el alfabeto", *Éndoxa*: Series filológicas n. 8, 1997, UNED, Madri.
107 Homero, *Odisea*, VIII, 382.

VOZES QUE SAEM DA NÉVOA, TEMPOS INDECISOS

[108] Hesíodo, *Trabajos y días*, 633-640.
[109] Hesíodo, *Teogonía*, 22ss.
[110] Hesíodo, *Trabajos y días*, 27ss.
[111] Eric A. Havelock, *La musa aprende a escribir*, 1994, p. 123.
[112] Platão, *Fedro o de la belleza*, 274dss.
[113] B. Sparrow, J. Liu e D. M. Wegner, "Google Effects on Memory: Cognitive Consequences of Having Information at Our Fingertips", *Science*, ago. 2011, v. 333, pp. 776-778. Disponível em: <http://science.sciencemag.org/content/333/6043/776>.
[114] Jorge Luis Borges, *Borges oral*, Madri, 1999, p. 9.
[115] Hölderlin, "Grecia", *Poesía completa. Edição bilíngue*, Barcelona, 1995, p. 37.
[116] Fernando Báez, *Nueva historia universal de la destrucción de libros*, Barcelona, 2011, pp. 50 e 102.
[117] Anna Caballé, *El bolso de Ana Karenina*, Barcelona, 2009, p. 27.
[118] Agostinho de Hipona, *Naturaleza y origen del alma*, IV, 7, 9.

APRENDER A LER SOMBRAS

[119] Tucídides, *Historia de la guerra del Peloponeso*, I, 6, 3.
[120] Pausânias, *Descripción de Grecia*, VI, 9, 6.
[121] Alberto Manguel, *Una historia de la lectura*, Alianza Editorial, Madri, 2002, p. 109.
[122] Herodas, *Mimiambos*, III, 59-73.

O SUCESSO DAS PALAVRAS REBELDES

[123] Arquíloco, fragmento 6 Diehl.
[124] Arquíloco, fragmento 72 Diehl.
[125] Arquíloco, fragmento 64 Diehl.
[126] Richard Jenkyns, *Un paseo por la literatura de Grecia y Roma*, Barcelona, 2015, p. 45.

O PRIMEIRO LIVRO

[127] Diógenes Laercio, *Vidas de los filósofos ilustres*, IX, 5.
[128] Diógenes Laercio, *Vidas de los filósofos ilustres*, IX, 56.

[129] Cícero, *Del supremo bien y del supremo mal*, II, 5, 15.
[130] Jorge Manrique, *Coplas por la muerte de su padre*, 25-27.
[131] Jorge Luis Borges, *Obra poética*, Madri, Alianza, 1993, p. 322.
[132] Heráclito, fragmentos 111 e 62 DK; Platão, *Crátilo*, 402a.
[133] Estrabão, *Geografía*, XIV, 1, 22; Valério Máximo, *Hechos y dichos memorables*, VIII, 14, ext. 5; e Eliano, *Historia de los animales*, VI, 40.
[134] Plutarco, *Vidas paralelas. Alexandre*, 3, 5.

AS LIVRARIAS AMBULANTES

[135] Aristómenes, fr. 9K; Teopompo, fr. 77K; Nicofonte, fr. 19, 4K.
[136] Éupolis, fr. 304K e Platão, *Apología de Sócrates*, 26 d-e.
[137] Luciano, *El solecista*, 30.
[138] Aristófanes, *Las ranas*, 943.
[139] Alexis, fr. 135K.
[140] Xenofonte, *Anábasis*, 7, 5, 14.
[141] Zenóbio, 5, 6.
[142] Estrabão, *Geografía*, XIII 1, 54.
[143] Diógenes Laércio, *Vidas de los filósofos ilustres*, IV, 6.
[144] Aristóteles, *Retórica*, 1413b, 12-13.
[145] Dionísio de Halicarnasso, *Sobre los oradores antiguos. Sobre Isócrates*, 18.
[146] Disponível em: <http://elpais.com/elpais/2014/11/24/eps/1416840075_461450.html>.

A RELIGIÃO DA CULTURA

[147] Aulo Gélio, *Noches áticas*, XIII, 17, 1.
[148] Pseudo-Platão, *Axiochos*, 371 CD.
[149] H.-I. Marrou, *Historia de la educación en la Antigüedad*, Akal, 2004, 136-137.
[150] Pseudo-Plutarco, *La educación de los hijos*, 8.
[151] Disponível em: <http://elpais.com/diario/1984/06/27/cultura/457135204_850215.html>.
[152] P. E. Easterling e B. M. W. Knox (eds.), *Historia de la literatura clásica*, Gredos, 1990, pp. 36-39.
[153] W. Dittemberger, *Sylloge inscriptionum Graecarum*, 577-579.

[154] Vitrúvio, *Arquitectura*, VII, pref., 4-7.
[155] Enciclopédia bizantina *Suda*, sub voce Kallímachos.
[156] Diógenes Laércio, *Vidas de los filósofos ilustres*, III, 4.
[157] G. Murray (ed.), *Aeschylus: The Creator of Tragedy*, 1955, Oxford, p. 375.
[158] R. Pfeiffer (ed.), *Callimachus I. Fragmenta*, 1949, Oxford.
[159] Fragmento 434-435.
[160] Bibliotecas públicas espanholas em números: <http://www.mecd.gob.es/cultura-mecd/areas-cultura/bibliotecas/mc/ebp/portada.html>; F. Báez, *Nueva historia universal de la destrucción de libros*, Barcelona, 2011, p. 49.
[161] Ángel Esteban, *El escritor en su paraíso*, Cáceres, 2014.
[162] E. Rodríguez Monegal, *Borges por él mismo*, Barcelona, Laia-Literatura, 1984, p. 112.
[163] Julia Wells, "The female librarian in film: Has the image changed in 60 years?", *SLIS Student Research Journal*, 2013, 3(2).
[164] Rosa San Segundo Manuel, "Mujeres bibliotecarias durante la II República: de vanguardia intelectual a la depuración", *CEE Participación Educativa*, edição especial, 2010, pp. 143-164.
[165] Disponível em: <http://www.mecd.gob.es/revista-cee/pdf/extr2010-san-segundo-manuel.pdf>.
[166] Imaculada de la Fuente, *El exilio interior: La vida de María Moliner*, Turner, Madri, 2011, pp. 175-198.
[167] Gabriel Zaid, *Los demasiados libros*, Debolsillo, Barcelona, 2010, p. 20.
[168] Enciclopédia bizantina *Suda*, sub voce Deínarchos e Lykourgos; Focio, *Biblioteca*, 20b 25.
[169] Enciclopédia bizantina *Suda*, sub voce Télephos.
[170] Enciclopédia bizantina *Suda*, sub voce Philón.
[171] Ateneu, *Deipnosofistas*, IX, 379E.
[172] Plutarco, *Moralia*, 841f.

TECEDORAS DE HISTÓRIAS

[173] Alberto Bernabé Pajares e Helena Rodríguez Somolinos (eds.), *Poetisas griegas*, Ediciones Clásicas, Madri, 1994.
[174] Gwendolyn Leick, *The A to Z of Mesopotamia*, 2010, sub voce Enheduanna.

[175] Clara Janés, *Guardar la casa y cerrar la boca*, Siruela, Madri, 2015, p. 17ss.
[176] Demócrito, fragmentos B110 e B274 DK.
[177] Platão, *La República*, IX, 575d.
[178] Heródoto, *Historias*, VII, 99.
[179] Heródoto, *Historias*, VIII, 94.
[180] Plutarco, *El banquete de los siete sabios*, 3 = *Moralia*, 148 c-e.
[181] Enciclopédia bizantina *Suda*, sub voce Kleoboulíne.
[182] Diógenes Laércio, *Vidas de los filósofos ilustres*, I, 89.
[183] Carlos García Gual, *Los siete sabios (y tres más)*, 2007, p. 117.
[184] Sêneca, *Epístolas a Lucílio*, 88, 37.
[185] Fernando Báez, *Nueva historia universal de la destrucción de libros*, Destino, Barcelona, 2011, p. 441.
[186] Pseudo-Demóstenes, *Contra Neera*, 122.
[187] Plutarco, *Vidas paralelas. Péricles*, 24, 8.
[188] Platão, *Menexeno*, 236b.
[189] Tucídides, *Historia de la guerra del Peloponeso*, II, 36ss.
[190] Juan Carlos Iglesias-Zoido, *El legado de Tucídides en la cultura occidental: Discursos e historia*, Coimbra, 2011, p. 228.
[191] Eurípides, *Medea*, 230ss.
[192] Eurípides, *Medea*, 1088-1089.
[193] Platão, *Timeo*, 90e-91d.
[194] Platão, *La República*, V, 455c-456b.
[195] José Soalheiro Dueso, *Aspasia de Mileto y la emancipación de las mujeres: Wilamowitz frente a Bruns*, Amazon E-book, 2014.
[196] Diógenes Laércio, *Vidas de los filósofos ilustres*, III, 46.
[197] Diógenes Laércio, *Vidas de los filósofos ilustres*, X, 4-6.
[198] Cícero, *Sobre la naturaleza de los dioses*, I, 93.
[199] Diógenes Laércio, *Vidas de los filósofos ilustres*, VI, 96-98.

É O OUTRO QUEM ME CONTA A MINHA HISTÓRIA

[200] Pseudo-Plutarco, *Vidas de los diez oradores. Licurgo*, 10 = *Moralia*, 841F, e Pausânias, *Descripción de Grecia*, I, 21, 1-2.
[201] Pausânias, *Descripción da Grecia*, I, 14, 5, e Ateneu, *Deipnosofistas*, XIV, 627C.
[202] Jacques Lacarrière, *Heródoto y el descubrimiento de la tierra*, Espasa-Calpe, Madri, 1973, p. 56.
[203] Heródoto, *Historias*, I, 1-5.

[204] Emmanuel Levinas, *Totalidad e infinito: Ensayo sobre la exterioridad*, Salamanca, Sígueme, 2006, p. 100.
[205] Ovídio, *Metamorfosis*, II, 833.
[206] Hatem N. Akil, *The Visual Divide between Islam and the West*, 2016, p. 12.
[207] Ryszard Kapuściński, *Viajes con Heródoto*, 2006, pp. 56, 292 e 305.
[208] Heródoto, *Historias*, III, 38.
[209] Luciano Canfora, *Conservazione e perdita dei classici*, pp. 9 e 29.
[210] Plínio, o Velho, *Historia natural*, XIII, 26, 83.
[211] J. M. Coetzee, "'Qué es un clásico?', una conferencia", in *Costas extrañas: Ensayos 1986-1999*, 2004, p. 27.

O DRAMA DO RISO E NOSSA DÍVIDA COM O LIXO

[212] Umberto Eco, *El nombre de la rosa*, Lumen, Barcelona, 1983, pp. 574-577.
[213] Luis Beltrán, *Anatomía de la risa*, 2011, pp. 14-25.
[214] Andrés Barba, *La risa caníbal*, 2016, p. 35.
[215] Ortega y Gasset, *Meditaciones del Quijote*, *Obras completas I*, 1983, p. 396.
[216] Isócrates, *Panegírico*, 50.
[217] Juliano, o Apóstata, *Contra los galileus*, 229 E.
[218] W. Dittenberger, *Sylloge Inscriptionum Graecarum*, Leipzig, 1917, 578.21-3.
[219] W. Dittenberger, *Sylloge Inscriptionum Graecarum*, Leipzig, 1917, 577.45, 50-53.

UMA RELAÇÃO APAIXONADA COM AS PALAVRAS

[220] Plutarco, *Vidas paralelas. Nícias*, 29, 2.
[221] E. G. Turner, *Greek Papyri: An Introduction*, Oxford, 1980, p. 77.
[222] L. Casson, *Las bibliotecas del mundo antiguo*, Bellaterra, Barcelona, 2003, pp. 61-67.
[223] Quintiliano, *Instituciones oratorias*, X, 3, 30.
[224] Plutarco, *Vidas paralelas. Nícias*, Demóstenes, 4 e 11.
[225] Aristófanes, *Las avispas*, 836ss.
[226] Heródoto, *Historias*, VIII, 74-83.
[227] Pseudo-Plutarco, *Vida de los diez oradores*, I, 18.
[228] H.-I. Marrou, *Historia de la educación en la Antigüedad*, Akal, Madri, 2004, p. 248.
[229] Górgias, *Encomio de Helena*, 8.
[230] Evangelho segundo São Mateus, 8.

[231] Disponível em: <https://www.nytimes.com/roomfordebate/2011/01/05/does-one-word-change-huckleberry-finn>.
[232] James Finn Garner, *Cuentos infantiles políticamente correctos*, Barcelona, 1995, p. 15.
[233] Pausânias, *Descripción de Grecia*, I, 30, 1.
[234] Platão, *La República*, VI, 514a-517a.
[235] Platão, *La República*, III, 386a-398b.
[236] Platão, *Leyes*, VII, 801d-802b.
[237] George Orwell, *1984*, Barcelona, 2000, pp. 58-60.
[238] Platão, *Leyes*, VII, 811 c-e.
[239] Flannery O'Connor, "La esencia y el alcance de la ficción", in *El negro artificial y otros escritos*, Madri, 2000, p. 12.
[240] Santiago Roncagliolo, "Cuentos para niños malos", *El País*, 15/12/2013.
[241] Disponível em: <http://www.independent.co.uk/news/uk/home-news/soas-university-of-london-students-union-white-philosophers-curriculum-syllabus-a7515716.html>.

O VENENO DOS LIVROS. SUA FRAGILIDADE

[242] Calímaco, *Epigramas*, 25.
[243] Ramón Andrés, *Semper dolens. Historia del suicidio en Occidente*, Acantilado, Barcelona, 2015, pp. 325-328.
[244] H. P. Lovecraft, "Historia del Necronomicón", in *Narrativa completa. Volume 2*, 1ª revisão Valdemar, Madri, 2007, pp. 227-229.
[245] Rafael Llopis Paret, prólogo a *Los mitos de Cthulhu*, Alianza, Madri, 1969, pp. 43-44.
[246] *Las mil y una noches* traduzidas e comentadas por Juan Vernet, Planeta, Barcelona, 1990, p. 44.
[247] Alexandre Dumas, *La reina Margot*, Cátedra, Madri, 1995, pp. 655-663.
[248] Umberto Eco, *El nombre de la rosa*, Lumen, Barcelona, 1983, p. 572.
[249] Fernando Báez, *Nueva historia universal de la destrucción de libros*, Destino, Barcelona, 2011, pp. 390-391.
[250] Galeno, XV, p. 24, editado por Kühn.
[251] J. Marchamalo, *Tocar los libros*, Fórcola, Madri, 2016, p. 92.
[252] F. Báez, *Nueva historia universal de la destrucción de libros*, Destino, Barcelona, 2011, pp. 270 e 297.
[253] Heinrich Heine, *Almanzor*, versos 242-243.

[254] Jorge Luis Borges, "El congreso", in *Obras completas* (tomo III), Emecé, Barcelona, 1989, p. 31.

AS TRÊS DESTRUIÇÕES DA BIBLIOTECA DE ALEXANDRIA

[255] Plutarco, *Vidas paralelas. César*, 49.
[256] Lucano, *Farsalia*, X, 439-454.
[257] Lucano, *Farsalia*, X, 486-505.
[258] César, *Guerra civil*, III, 111.
[259] Hírcio, *Guerra de Alejandría*, 1.
[260] Sêneca, *Sobre la tranquilidad del espíritu*, 9, 5.
[261] Dião Cássio, *Historia romana*, XLII, 38, 2.
[262] Orósio, *Historias*, VI, 15, 31.
[263] Dião Cássio, *Historia romana*, LXXVII, 7, 3.
[264] Dião Cássio, *Historia romana*, LXXVII, 22, 1-23, 3.
[265] Amiano Marcelino, *Historias*, XXII, 16, 15.
[266] Paul Auster, *El país de las últimas cosas*, Edhasa, Barcelona, 1989, pp. 106-132.
[267] Michael Holquist, prólogo à edição de *The Dialogic Imagination*, de M. Bakhtin, Texas University Press, 1981, p. 24.
[268] Amiano Marcelino, *Historias*, XXII, 16, 15.
[269] Rufino, XI, 22-30, e Sozomeno, *Historia eclesiástica*, VII, 15.
[270] Sócrates Escolástico, *Historia eclesiástica*, V, 16.
[271] Sócrates Escolástico, *Historia eclesiástica*, VI, 15.
[272] Enciclopédia bizantina *Suda*, *sub voce* Théon.
[273] Damascio, *Vida de Isidoro*, fragmento 102.
[274] João Niquiu, *Crónica*, LXXXIV, 87-103.
[275] Maria Dzielska, *Hipatia de Alejandría*, Siruela, Madri, 2004.
[276] Páladas, *Antología griega*, IX, 400.
[277] Eutiquio, *Anales*, II, p. 316, editado por Pococke.
[278] Ibn al Kifti, *Cronica de hombres sabios*.
[279] Luciano Canfora, *La biblioteca desaparecida*, Trea, Gijón, 1998, pp. 79-92.
[280] Fernando Báez, *Nueva historia universal de la destrucción de libros*, Destino, Barcelona, 2011, pp. 78-81.
[281] Disponível em: <http://news.bbc.co.uk/2/hi/middle_east/2334707.stm>.

BOTES SALVA-VIDAS E BORBOLETAS PRETAS

[282] Ivan Lovrenović, "The Hatred of Memory", *The New York Times*, 28 maio 1994.
[283] Arturo Pérez-Reverte, "Asesinos de libros", *Patente de corso (1993-1998)*, Suma de Letras, Madri, 2001, pp. 50-53.
[284] Ray Bradbury, *Fahrenheit 451*, Debolsillo, Barcelona, 2015, p. 90.
[285] Nações Unidas, Comissão de Peritos da ex-Iugoslávia, 1994, anexo VI, parágrafos 183-193.
[286] Juan Goytisolo, *Cuaderno de Sarajevo, anotaciones de un viaje a la barbarie*, El País Aguilar, Madri, 1993, pp. 56-57.
[287] Jorge Carrión, *Librerías*, Anagrama, Barcelona, 2014, p. 111.
[288] L. D. Reynolds e N. G. Wilson, *Copistas y filólogos*, Gredos, Madri, 1995, p. 18ss.
[289] Jesús Marchamalo, *Tocar los libros*, Fórcola, Madri, 2016, p. 51.
[290] Leonora Carrington, *Memorias de abajo*, Alpha Decay, Barcelona, 2017, p. 68.
[291] Nico Rost, *Goethe en Dachau*, ContraEscritura, Barcelona, 2016, p. 35.
[292] Nico Rost, *Goethe en Dachau*, ContraEscritura, Barcelona, 2016, p. 237.
[293] Nico Rost, *Goethe en Dachau*, ContraEscritura, Barcelona, 2016, p. 146.
[294] Nico Rost, *Goethe en Dachau*, ContraEscritura, Barcelona, 2016, p. 251.
[295] Nico Rost, *Goethe en Dachau*, ContraEscritura, Barcelona, 2016, p. 56.
[296] Monika Zgustova, *Vestidas para un baile en la nieve*, Galaxia Gutenberg, Barcelona, 2017, pp. 13-14 e 215.
[297] Viktor Frankl, *El hombre en busca de sentido*, Herder, Barcelona, 1983, p. 24.
[298] Michel del Castillo, *Tanguy*, Ikusager, Vitoria-Gasteiz, 2010, p. 104.
[299] Javier Barrio, "Eulalio Ferrer, la memória de *El Quijote*", *El País*, 26 abr. 1990.
[300] Viktor Frankl, *El hombre en busca de sentido*, Herder, Barcelona, 1983, p. 44.

ASSIM COMEÇAMOS A SER TÃO ESTRANHOS

[301] Amelia Valcárcel em conversa com Emilio Lledó, in "Crisis de valores y ética democrática", palestra dada em 22 de novembro de 2013 dentro do ciclo intitulado "El mundo que queremos". Disponível em: <https://www.youtube.com/watch?v=c_gZcZFq-YE>.
[302] René Berger e Solange Ghernaouti-Hélie, *Technocivilisation*, EPFL Press, 2010, p. 1.

303 Paul Auster, *The invention of Solitude*, Sun Publishing, 1982, p. 136.
304 Plutarco, *Sobre a fortuna ou a virtude de Alexandre*, I, 6, 329cd.
305 Luca Scuccimarra, *Los confines del mundo: Historia del cosmopolitismo desde la Antigüedad hasta el siglo XVIII*, KRK Ediciones, Oviedo, 2017, pp. 88-94.
306 George Steiner, *La ideia de Europa*, Siruela, Madri, 2005, p. 68.
307 Rafael Argullol, *Visión desde el fondo del mar*, Acantilado, Barcelona, 2010, p. 708.

PARTE II —— OS CAMINHOS DE ROMA

UMA CIDADE DE MÁ REPUTAÇÃO

1 Tito Lívio, *Historia de Roma desde su fundación*, I, 7.
2 Tito Lívio, *Historia de Roma desde su fundación*, I, 8.
3 Tito Lívio, *Historia de Roma desde su fundación*, I, 9.
4 Mitrídates em Salústio, *Historias*, IV, 69, 17.
5 Orósio, *Historias contra los paganos*, IV, 12.
6 Mary Beard, *SPQR*, Crítica, Barcelona, 2016, p. 187ss.
7 Júlio César, *La guerra de las Galias*, II, 33.

A LITERATURA DA DERROTA

8 Michael von Albrecht, *Historia de la literatura romana*, Herder, Barcelona, 1997, p. 78.
9 Mary Beard e John Henderson, *El mundo clásico: Una breve introducción*, Alianza Editorial, Madri, 2015, p. 38.
10 Horácio, *Epístolas*, II, 1, 156.
11 Valério Máximo, *Hechos y dichos memorables*, II, 2, 3.
12 George Steiner e Cécile Ladjali, *Elogio de la transmisión*, Siruela, Madri, 2005, p. 159.
13 Cícero, *Brutus*, 72.
14 Hipólito Escolar, *Manual de historia del libro*, Gredos, Madri, 2000, p. 88.
15 Tito Lívio, *Historia de Roma desde su fundación*, XXVII, 37, 7.
16 Michael von Albrecht, *Historia de la literatura romana*, Herder, Barcelona, 1997, p. 127.
17 Jesús Marchamalo, *Tocar los libros*, Fórcola, Madri, 2016, p. 62.

[18] Plutarco, *Vidas paralelas. Paulo Emílio*, 28, 6.
[19] Estrabão, *Geografía*, XIII, 1, 54.
[20] Canfora, *La biblioteca desaparecida*, Trea, Gijón, 1998, pp. 29-32 e 51-56.
[21] Isidoro, *Etimologías*, VI, 5, 1.
[22] Plutarco, *Vidas paralelas. Lúculo*, 42, 1.
[23] F. Scott Fitzgerald, *El gran Gatsby*, Plaza y Janés, Barcelona, 1975, p. 56.
[24] Juvenal, *Sátiras*, III, 60.
[25] Terêncio, *La suegra*, segundo prólogo.
[26] Mary Beard, *SPQR*, Crítica, Barcelona, 2016, p. 215.
[27] Francine Prose, *Peggy Guggenheim: The shock of the Modern*, Yale University Press, 2015, p. 28ss.
[28] Irving Sandler, *El triunfo de la pintura norteamericana*, Alianza Editorial, Madri, 1996, p. 65.
[29] Serge Gilbaut, *De cómo Nueva York robó la idea de arte moderno*, Mondadori, Madri, 1990, pp. 86-93.
[30] Jackson Pollock, "My Painting", in Barbara Rose (ed.), *Pollock: Painting*, Nova York, 1980, p. 97.
[31] Vladimir Nabokov, "Carta a Altagracia de Jannelli de 16 de novembro de 1938", in Dmitri Nabokov, *Vladimir Nabokov Selected Letters, 1940-1977*, Harcourt Brace Jovanovich Edições, 1989.
[32] Román Gubern, *Historia del cine*, Edições Dánae, Barcelona, 1971, p. 117.
[33] Agustín Sánchez Vidal, *Historia del cine*, Historia 16, Madri, 1997, p. 79.
[34] Joseph McBride, *Tras la pista de John Ford*, T&B Editores, Madri, 2004, p. 40.

O UMBRAL INVISÍVEL DA ESCRAVIDÃO

[35] Diógenes Laércio, *Vidas de los filósofos ilustres*, III, 19.
[36] P. Hunt, *Ancient Greek and Roman Slavery*, Wiley-Blackwell Editores, Hoboken, 2017, p. 93ss.
[37] Mary Beard, *SPQR*, Crítica, Barcelona, 2016, p. 351.
[38] L. Casson, *Las bibliotecas del mundo antiguo*, Bellaterra, Barcelona, 2003, p. 76ss.
[39] Cícero, *Epístolas a Ático*, 4, 4a, 1.
[40] Cícero, *Epístolas familiares*, 13, 77, 3.
[41] Janet Duisman Cornelius, *When I Can Read My Title Clear: Literacy, Slavery, and Religion in the Antebellum South*, Columbia S. C., 1991.

[42] Alberto Manguel, *Una historia de la lectura*, Alianza Editorial, Madri, 2002, p. 388.
[43] Jesper Svenbro, "La Grecia arcaica y clásica: La invención de la lectura silenciosa", in G. Cavallo e R. Chartier (eds.), *Historia de la lectura en el mundo ocidental*, editora Taurus, Madri, 2001, pp. 81-82.

NO PRINCÍPIO ERAM AS ÁRVORES

[44] Plínio, *Historia natural*, XIII, 21.
[45] Calímaco, *Aitia*, fragmento 73 Pfeiffer.
[46] Virgílio, *Églogas*, X, 53-54.

ESCRITORES POBRES, LEITORES RICOS

[47] Charles W. Hedrick Jr., "Literature and communication", in Michael Peachin (ed.), *The Oxford Handbook of Social Relations in the Roman World*, Oxford University Press, Nova York, 2011, p. 180ss.
[48] Plínio, o Jovem, *Epístolas*, IV, 7, 2.
[49] Marcial, *Epigramas*, V, 16, 10.
[50] Marcial, *Epigramas*, VI, 82.
[51] Catão citado por Aulo Gélio em *Noches áticas*, X, 2, 5.
[52] Tácito, *Anales*, III, 6, 4.
[53] Mario Alighiero Manacorda, *Historia de la educación, 1. De la antigüedad al 1500*, Siglo XXI Editores, México, 2006, p. 131ss.
[54] Cícero, *Cartas a Ático*, XIII, 21a, 2.
[55] Valério Máximo, *Hechos y dichos memorabeles*, IV, 4.
[56] Plutarco, *Vidas paralelas. Caio Graco*, 19.
[57] Salústio, *La conjuración de Catilina*, 25, 2.
[58] Cícero em Lactâncio, *Instituciones divinas*, I, 15, 20.
[59] Plutarco, *Vidas paralelas. Pompeio*, 55.
[60] Suetônio, *Sobre los gramáticos ilustres*, 16, 1.
[61] Juvenal, *Sátiras*, VI, 434-456.
[62] Martha Asunción Alonso, *Wendy*, Pre-Textos, Valência, 2015, pp. 74.
[63] W. V. Harris, "Literacy and Epigraphy", *ZPE*, 1983, 52, p. 87-111.
[64] Ausônio, *Libro de exhortación a mi nieto*, 2, 15ss.
[65] Agostinho, *La ciudad de Dios*, XXI, 14.

66 H.-I. Marrou, *Historia de la educación en la Antigüedad*, Akal, Madri, 2004, p. 347.
67 Horácio, *Sátiras*, I, 6, 74.
68 Ovídio, *El arte de amar*, II, 395.
69 Elisa Ruiz García, *Introducción a la codicología*, Fundación Germán Sánchez Ruipérez, Madri, 2002, pp. 96 e 122.
70 Pérsio, *Sátiras*, III, 10-14.
71 Prudêncio, *Peristephanon*, IX.
72 Quintiliano, *Instituciones oratorias*, I, 3, 14-17.
73 H.-I. Marrou, *Historia de la educación en la Antigüedad*, Akal, Madri, 2004, pp. 352-353.
74 Horácio, *Sátiras*, I, 25-26.
75 Petrônio, *Satíricon*, IV, 1.

UMA JOVEM FAMÍLIA

76 Yuval Noah Harari, *Sapiens: de animales a dioses. Una breve historia de la humanidad*, Debate, Barcelona, 2014, p. 15.
77 Ewan Clayton, *La historia de la escritura*, Siruela, Madri, 2015, p. 328.
78 Vladimir Nabokov, *Pálido fuego*, Anagrama, Barcelona, 2006, p. 143.
79 Marcial, *Epigramas*, XIV, 5.
80 Quintiliano, *Instituciones oratorias*, X, 3, 31.
81 Plínio, o Velho, *Historia natural*, XXXVII, 16, 64.
82 Edward Grom e Leon Broitman, *Ensayos sobre historia, ética, arte y oftalmología*, Caracas, 1988.
83 Umberto Eco, *El nombre de la rosa*, Lumen, Barcelona, 1983, p. 95.
84 Plínio, *Historia natural*, XIII, 23, 74-77.
85 Marcial, *Epigramas*, I, 117, 16.
86 Marcial, *Epigramas*, IV, 89, 2.
87 Vitrúvio, *Arquitectura*, II, 9, 13.
88 Luciano de Samósata, *Contra un ignorante que compraba muchos libros*, Barcelona, 2013, pp. 46 e 67.
89 Catulo, *Poemas*, XIV.
90 Marcial, *Epigramas*, II, 1, 5.
91 Marcial, *Epigramas*, I, 117, 9.
92 Marcial, *Epigramas*, I, 2 e 113, e IV, 72.
93 Horácio, *Epístolas*, I, 20.

[94] Mario Citroni, *Poesia e lettori in Roma Antica*, Laterza, Roma-Bari, 1995, pp. 12-15.

LIVREIRO: OFÍCIO DE RISCO

[95] Jorge Carrión, *Librerías*, Anagrama, Barcelona, 2014, pp. 53-54.
[96] Suetônio, *Vida de los doce Césares. Domiciano*, 10, 1.
[97] George Borrow, *La Biblia en España*, Edições Cid, Madri, 1967, pp. 223, 234, 247, 289 e 300.
[98] Françoise Frenkel, *Una librería en Berlín*, Seix Barral, Barcelona, 2017, p. 20.
[99] Disponível em: <http://www.abc.es/cultura/libros/abci-mein-kampf-exito--vendas-alemania-201801180148>.
[100] Jorge Carrión, *Librerías*, Anagrama, Barcelona, 2013, pp. 112-114.
[101] Jonathan Spence, *Mao Zedong: A Life*, Penguin Books, Nova York, 2006.
[102] C. Pascal, F. Puche e A. Rivero, *Memoria de la librería*, Trama Editorial, Madri, 2012.
[103] *Barómetro de los hábitos de lectura y compra de libros en España en 2017* da Federación de Gremios de Editores de España.
[104] Jon Kimche, in Stephen Wadhams (ed.), *Remembering Orwell, vol. 1: An Age to Read*, Harmondsworth, 1984.
[105] Aránzazu Sarría Buil, *Atentados contra librerías en la España de los setenta, la expresión de una violencia política*, in Marie-Claude Chaput, Manuelle Peloille (eds.), *Sucesos, guerras, atentados*, Pilar Editores, Paris, 2009, pp. 115-144.
[106] Disponível em: <https://elpais.com/diario/1976/05/25/sociedad/201823203_850215.html>.
[107] Disponível em: <https://elpais.com/diario/1976/11/27/ultima/217897202_850215.html>.
[108] Salman Rushdie, *Joseph Anton*, Barcelona, 2012, e Fernando Báez, *Nueva historia universal de la destrucción de libros*, Barcelona, 2011, pp. 300-301.

INFÂNCIA E SUCESSO DOS LIVROS DE PÁGINAS

[109] John W. Maxwell, *Tracing the Dynabook: A Study of Technocultural Transformations*, University of British Columbia, 2006.
[110] Ewan Clayton, *La historia de la escritura*, Siruela, Madri, 2015, p. 322.
[111] Izet Sarajlić, *Después de mil balas*, Seix Barral, Barcelona, 2017, p. 90.

[112] C. H. Roberts e T. C. Skeat, *The Birth of the Codex*, Cambridge University Press, Cambridge, 1987, p. 76.
[113] Plínio, *Historia natural*, VII 21, 85.
[114] Guglielmo Cavallo, "Entre el *volumen* y el *codex*: La lectura en el mundo romano", in G. Cavallo e R. Chartier (eds.), *Historia de la lectura en el mundo occidental*, Taurus, Madri, 2001, p. 111ss.
[115] E. G. Turner, *Greek Papyri: An introduction*, Oxford, 1980, p. 204.
[116] Marcial, *Epigramas*, X, 8.
[117] Marcial, *Apophoreta*, 183-196.
[118] Marcial, *Epigramas*, I, 2.
[119] Guglielmo Cavallo, "Entre el *volumen* y el *codex*: La lectura en el mundo romano", in G. Cavallo e R. Chartier (eds.), *Historia de la lectura en el mundo occidental*, Taurus, Madri, 2001, p.143.
[120] Elisa Ruiz García, *Introducción a la codicología*, Fundación Germán Sánchez Ruipérez, Madri, 2002, pp. 120-135.
[121] Hipólito Escolar, *Manual de historia del libro*, Gredos, Madri, 2000, pp. 99-100.
[122] Disponível em: <https://elpais.com/tecnologia/2019/01/07/actualidad/1546837065_279280.html>.
[123] Agustín Sánchez Vidal, *Historia del cine*, Historia 16, Madri, 1997, pp. 9-10.
[124] Temístio, *Discursos*, IV 59d-60c, e Jerônimo, *Epístolas*, 141.

BIBLIOTECAS PÚBLICAS NOS PALÁCIOS DA ÁGUA

[125] Suetônio, *Vida de los doce Césares. Caio Júlio César*, 82, 2.
[126] Barry Strauss, *La muerte de Cesar*, Edições Palabra, Madri, 2016.
[127] Suetônio, *Vida de los doce Césares. Caio Júlio César*, 44, 2.
[128] Jerônimo, *Epístolas*, 33, 2.
[129] Plínio, o Velho, *Historia natural*, VII, 30, 115, e XXXV, 2; Isidoro, *Etimologías*, 6, 5, 1.
[130] T. Keith Dix, "Public Libraries in Ancient Rome: Ideology and Reality", *Libraries & Culture* 29, 1997, p. 289.
[131] Marcial, *Epigramas*, IX, pref.
[132] Aulo Gélio, *Noches áticas*, XIX, 5.
[133] Frontão, *Epístolas*, IV, 5, 2.
[134] Filippo Coarelli, *La Colonna Traiana*, Colombo, Roma, 1999.

[135] L. Casson, *Las bibliotecas del mundo antiguo*, Bellaterra, Barcelona, 2003, pp. 88-94.
[136] L. Casson, *Las bibliotecas del mundo antiguo*, Bellaterra, Barcelona, 2003, pp. 95-98.
[137] Marcial, *Epigramas*, VII, 34, 4-5.
[138] Sêneca, *Epístolas a Lucilio*, 56, 1-2.
[139] *Vida de San Teodoro de Siqueón*, 20.
[140] Clemente de Alexandria, *Stromata*, VII, 7, 36.
[141] Jerry Tonner, *Setenta millonees de romanos*, Crítica, Barcelona, 2012, pp. 230-231.
[142] *Corpus Inscriptionum Latinarum* (*CIL*), 5.5262.
[143] *CIL*, 10.4760.
[144] *CIL*, 11.2704.
[145] W. V. Harris, *Ancient Literacy*, Harvard University Press, Cambridge, Mass., e Londres, 1989, p. 273.
[146] Apuleio, *Florida*, XVIII, 8.
[147] L. Casson, *Las bibliotecas del mundo antiguo*, Bellaterra, Barcelona, 2003, p. 113ss.

DOIS HISPÂNICOS: O PRIMEIRO FÃ E O ESCRITOR MADURO

[148] Oliver Hilmes, *Franz Liszt: Musician, Celebrity, Superstar*, Yale University Press, 2016.
[149] Horácio, *Odes*, II, 20; Propércio, *Elegías*, II, 7, e Ovídio, *Tristia*, IV, 9 e 10.
[150] Plínio, o Jovem, *Epístolas*, II, 3.
[151] Marcial, *Epigramas*, VII, 88, e XI, 3.
[152] Plínio, o Jovem, *Epístolas*, IX, 11.
[153] Juvenal, *Sátiras*, XV, 108.
[154] Suetônio, *Vida de Virgílio*, 6, 11.
[155] Marcial, *Epigramas*, XII, 31.
[156] Marcial, *Epigramas*, prefácio do livro XII.

HERCULANO: A DESTRUIÇÃO QUE PRESERVA

[157] Mary Beard, *Pompeya*, Crítica, Barcelona, 2009, p. 7ss.
[158] Stephen Greenblatt, *El giro*, Crítica, Barcelona, 2014, p. 65ss.
[159] Cícero, *Contra Pisón*, 22.

OVÍDIO EM CONFLITO COM A CENSURA

[160] Ovídio, *Tristia*, IV, 10, 21-26.
[161] Mario Citroni, *Poesia e lettori in Roma Antica*, Laterza, Roma-Bari, 1995, pp. 459-464.
[162] Marcial, *Epigramas*, V, 34, V, 37 e X, 61.
[163] Ovídio, *Arte de amar*, II, 665ss.
[164] Pascal Quignard, *O sexo e o espanto*, Minúscula, Barcelona, 2014, p. 15.
[165] Ovídio, *Tristia*, II, 212.
[166] Plutarco, *Vidas paralelas. Catão, o Jovem*, 25.
[167] Ovídio, *Tristia*, II, 207.
[168] Ovídio, *Tristia*, I, 1, 67.
[169] Aurélio Vítor, *Epítome de los Césares*, I, 24.
[170] Ovídio, *Tristia*, III, 1.

A DOCE INÉRCIA

[171] Tácito, *Historias*, I, 1.
[172] Suetônio, *Vida de los doce Césares. Tibério*, 45, e Tácito, *Anais*, IV, 34.
[173] Sêneca, *Consolación a Marcia*, XVI, 1.
[174] Tácito, *Anales*, IV, 35.
[175] Luis Gil, *Censura en el mundo antiguo*, Alianza Editorial, Madri, 2007, p. 190ss.
[176] Suetônio, *Vida de los doce Césares. Calígula*, 34.
[177] Elio Lampridio, *Historia Augusta. Cômodo*, 10, 2.
[178] Dião Cássio, *Historia romana*, LXXVIII, 7.
[179] Tácito, *Vida de Agrícola*, 2.

VIAGEM AO INTERIOR DOS LIVROS E COMO NOMEÁ-LOS

[180] K. Houston, *The Book: A Cover-to-Cover Exploration of the Most Powerful Object of Our Time*, W. W. Norton & Company, Londres, 2016, introdução. Disponível em: <http://www.nytimes.com/2009/07/18/technology/companies/18amazon.html>.
[181] L. D. Reynolds e N. G. Wilson, *Copistas y filólogos*, Gredos, Madri, 1995, p. 19.
[182] Alberto Manguel, *Una historia de la lectura*, Alianza Editorial, Madri, 2002, pp. 76-79.

[183] Elisa Ruiz García, *Introducción a la codicología*, Fundación Germán Sánchez Ruipérez, coleção Biblioteca del Libro, Madri, 2002, p. 283.
[184] Plínio, *Historia natural*, XXXV, 11.
[185] Marcial, *Epigramas*, XIV, 186.
[186] F. Báez, *Los primeros libros de la humanidad*, Fórcola, Madri, 2013, p. 501.
[187] L. Casson, *Las bibliotecas del mundo antiguo*, Bellaterra, Barcelona, 2003, pp. 19-20.
[188] Xaverio Ballester, *Los mejores títulos y los peores versos de la literatura latina*, publicações da Universidade de Barcelona, 1998, e "La titulación de las obras en la literatura romana", *Cuadernos de Filología Clásica* 24, 1990, pp. 135-156.
[189] Agostinho de Hipona, *Epístolas* II, 40, 2.
[190] Leila Guerriero, "El alma de los libros". Disponível em: <http://cultura.elpais.com/cultura/2013/06/26/actualidad/1372256062_358323.html>.

O QUE É UM CLÁSSICO?

[191] Suetônio, *Vida de los doce Césares. Vespasiano*, 18.
[192] Quintiliano, *Instituciones oratorias*, VI, pref., 10.
[193] Quintiliano, *Instituciones oratorias*, I, 3, 14-17.
[194] Quintiliano, *Instituciones oratorias*, II, 5, 13.
[195] Quintiliano, *Instituciones oratorias*, X, 1, 4.
[196] Quintiliano, *Instituciones oratorias*, X, 1, 46-131.
[197] Steven Pinker, *En defesa de la Ilustración*, Paidós, Barcelona, 2018, p. 113.
[198] Aulo Gélio, *Noches áticas*, VI, 13, 1.
[199] Frontão chamado por Aulo Gélio, *Noches áticas*, XIX, 8, 15.
[200] Cícero, *Academica Prioresa*, 73.
[201] Silvia Rizzo, *Il lessico filologico degli umanisti*, Edizioni di Storia e Letteratura, Roma, 1973, p. 379.
[202] Irene Vallejo, "Una fábula con porvenir", in Luis Marcelo Martino e Ana María Risco (comp.), *La profanación del Olimpo*, Teseo, Buenos Aires, 2018, pp. 335-355.
[203] Italo Calvino, *Por qué leer los clásicos*, Siruela, Madri, 2009; Mark Twain, *Disappearance of Literature*. Disponível em: <https://www.gutenberg.org/files/3188/3188-h/3188-h.htm#link2H_4_0053>.
[204] Pierre Bayard, *Cómo hablar de los libros que no se han leído*, Anagrama, Barcelona, 2007.
[205] Eurípides, *Troyanas*, 1295ss.

[206] Sêneca, *Epístolas a Lucílio*, 95, 30-31.
[207] Hannah Arendt, *Entre el pasado y el presente*, Península, Barcelona, 1996, p. 16.

CÂNONE: HISTÓRIA DE UM JUNCO

[208] Herbert Oppel, "KANWN. Zur Bedeutungsgeschichte des Wortes und seiner lateinischer Entsprechungen (Regula-norma)", *Philologus Supplementband* XXX, 1-116.
[209] Plínio, o Velho, *Historia natural*, XXXIV, 19, 55.
[210] Aristóteles, *Ética nicomaqueia*, 1113a, 29.
[211] Eusébio, *Historia eclesiástica*, VI, 25, 3.
[212] David Ruhnken, *Historia critica oratorum Graecorum*, Leiden, 1786, p. 386.
[213] Terry Eagleton, *Cómo leer literatura*, Península, Barcelona, 2016, pp. 195-227.
[214] J. M. Coetzee, "'Qué es um clásico?', una conferencia", in *Costas extrañas. Ensayos 1986-1999*, 2004, p. 25.
[215] Suetônio, *Sobre los gramáticos ilustres*, 16, 2.
[216] Mary Beard, *SPQR*, Crítica, Barcelona, 2016, p. 503.
[217] Horácio, *Odes*, I, 1, 35-36.
[218] Horácio, *Odes*, III, 30, 1.
[219] Ovídio, *Metamorfosis*, XV, 871.
[220] Marcial, *Epigramas*, III, 2.
[221] Miguel de Cervantes, *Don Quijote de la Mancha*, primeira parte, capítulo IX.
[222] William Blades, *Los enemigos de los libros*, Fórcola, Madri, 2016, p. 62.
[223] Alberto Olmos, "Los nazis no quemaron tantos libros como nosotros". Disponível em: <https://blogs.elconfidencial.com/cultura/mala-fama/2016-07-20/nazis-queimar-destruir-libros_1235594/>.
[224] Disponível em: <http://www.elconfidencial.com/cultura/2015-06-27/asi-morrem-los-livros-que-no-se-venden_899696/>.

CACOS DE VOZES FEMININAS

[225] Tibulo, *Elegías*, III, 13 (= IV, 7) e III, 14, 6.
[226] Tradução livre dos versos de Sulpícia inspirada na reescritura de Leonor Silvestri.
[227] Suetônio, *Vida de los doce Césares. Tibério*, 35, 2; Tácito, *Anais*, II, 85, 1, e *Digesto*, 48, 5, 11.

[228] Juvenal, *Sátiras*, II, 37.
[229] Ovídio, *Fastos*, II, 583-616.
[230] María Dolores Mirón, "Plutarco y la virtud de las mujeres", in Marta González González (ed.), *Mujeres de la Antigüedad: texto e imagem*, edições eletrônicas da Universidade de Málaga, 2012.
[231] Eva Cantarella, *Pasado próximo: Mujeres romanas de Tácita a Sulpícia*, Ediciones Cátedra, Universitat de València e Instituto de la Mujer, Madri, 1997, pp. 181-188.
[232] Aurora López, *No solo hilaron lana: Escritoras romanas en prosa y en verso*, Ediciones Clásicas, Madri, 1994.
[233] Agustín Sánchez Vidal, *La especie simbólica*, Universidad Pública de Navarra, Cátedra Jorge Oteiza, Pamplona, 2011, p. 38ss.

O QUE SE JULGAVA ETERNO SE REVELOU EFÊMERO

[234] Dião Cássio, *Historia romana*, LXXVIII, 9, 4.
[235] Mary Beard, *SPQR*, Crítica, Barcelona, 2016, p. 561.
[236] Elio Arístides, *Encomio de Roma*, XXVI, 60.
[237] Luca Scuccimarra, *Los confines del mundo. Historia del cosmopolitismo de la Antigüedad hasta el siglo XVIII*, KRK Ediciones, Oviedo, 2017, pp. 127-140.
[238] Stephen Greenblatt, *El giro: De cómo un manuscrito olvidado contribuyó a crear el mundo moderno*, Crítica, Barcelona, 2014, p. 81.
[239] Amiano Marcelino, *Historias*, XIV, 6, 18.
[240] Erich Auerbach, *Lenguaje literario y público en la Baja Latinidad y en la Edad Media*, Seix Barral, Barcelona, 1966, p. 229ss.
[241] Catherine Nixey, *La edad de la penumbra: Cómo el cristianismo destruyó el mundo clásico*, Taurus, Barcelona, 2018, p. 19ss.
[242] L. D. Reynolds e N. G. Wilson, *Copistas y filólogos*, Gredos, Madri, 1995, p. 81ss.
[243] F. Báez, *Los primeros libros de la humanidad*, Fórcola, Madri, 2013, p. 501ss.
[244] L. D. Reynolds e N. G. Wilson, *Copistas y filólogos*, Gredos, Madri, 1995, p. 121.
[245] S. Greenblatt, *El giro*, Crítica, Barcelona, 2014, p. 23ss.
[246] Reinhard Wittmann, "Hubo una revolución en la lectura a finales del siglo XVIII?", in G. Cavallo e R. Chartier (ed.), *Historia de la lectura en el mundo occidental*, Taurus, Madri, 2001, pp. 497-537.

[247] Stefan Zweig, *Mendel el de los libros*, Acantilado, Barcelona, 2015, p. 57.
[248] Walter Benjamin, "Tesis de filosofía de la historia", in *Discursos interrumpidos I*, Taurus, Madri, 1973, p. 182.

EPÍLOGO — OS ESQUECIDOS, AS ANÔNIMAS

[1] Jeanne Cannella Schnitzer, "Reaching Out to the Mountains: The Pack Horse Library of Eastern Kentucky", *The Register of the Kentucky Historical Society*, v. 95, n. 1, 1997, pp. 57-77.
[2] Yuval Noah Harari, *Sapiens: de animales a dioses. Una breve historia de la humanidad*, Debate, Madri, 2014, p. 122.

BIBLIOGRAFIA

ADICHIE, C. N. *El peligro de la historia única*, tradução de Cruz Rodríguez Juiz. Barcelona: Random House, 2018 [edição original: *The Danger of a Single Story*, 2009] [edição brasileira: *O perigo de uma história única*, Companhia das Letras, 2019].

AGUIRRE, J. *Platón y la poesía*. Madri: Plaza y Valdés, 2013.

ALTARES, G. *Una lección olvidada: Viajes por la historia de Europa*. Barcelona: Tusquets Editores, 2018.

ANDRÉS, R. *Semper dolens: Historia del suicidio en Occidente*. Barcelona: Acantilado, 2015.

ARGULLOL, R. *Visión desde el fondo del mar*. Barcelona: Acantilado, 2010.

AUERBACH, E. *Lenguaje literario y público en la Baja Latinidad y en la Edad Media*, tradução de Luis López Molina. Barcelona: Seix Barral, 1966 [edição original: *Literatursprache und Publikum in der lateinischen Spätantike und im Mittelalter*, 1957].

BÁEZ, F. *Los primeros libros de la humanidad: El mundo antes de la imprenta y el libro electrónico*. Madri: Fórcola, 2013.

_____. *Nueva historia universal de la destrucción de los libros: De las tablillas sumerias a la era digital*. Barcelona: Destino, 2011.

BAKHTIN, M. *La cultura popular en la Edad Media y en el Renacimiento: El contexto de François Rabelais*, tradução de Julio Forcat e César Conroy. Barcelona: Barral Editores, 1971 [edição original: *Tvoscerstvo Fransua*

Rable i narodnaja kul'tura srednevekov'ja Renessansa, 1965] [edição brasileira: *A cultura popular na Idade Média e no Renascimento*, Hucitec, 2010].

BARBA, A. *La risa caníbal: Humor, pensamiento cínico y poder*. Barcelona: Alpha Decay, 2016.

BASANTA, A. (ed.). *La lectura*. Madri: CSIC e Los libros de la Catarata, 2010.

_____. *Leer contra la nada*. Madri: Siruela, 2017.

BAYARD, P. *Cómo hablar de los libros que no se han leído*, tradução de Albert Galvany. Barcelona: Anagrama, 2008 [edição original: *Comment parler des livres que l'on n'a pas lus?*, 2007].

BEARD, M. *Mujeres y poder: un manifiesto*, tradução de Silvia Furió. Barcelona: Crítica, 2018 [edição original: *Women & Power*, 2017].

_____. *SPQR. Una historia de la antigua Roma*, tradução de Silvia Furió. Barcelona: Crítica, 2016 [edição original: *SPQR. A History of Ancient Rome*, 2015].

BEARD, M. e HENDERSON, J. *El mundo clásico: Una breve introducción*, tradução de Manuel Cuesta. Madri: Alianza Editorial, 2016 [edição original: *Classics: A Very Short Introduction*, 1995].

BELTRÁN, L. *Estética de la risa: Genealogía del humorismo literario*. México: Ficticia Editorial, 2016.

_____. *La imaginación literaria: La seriedad y la risa en la literatura occidental*. Barcelona: Montesinos, 2002.

BENJAMIN, W. *Desembalo mi biblioteca: Un discurso sobre el coleccionismo*, tradução de Fernando Ortega. Mallorca: José J. de Olañeta Editor, 2015 [edição original: *Ich packe meine Bibliothek aus. Eine Rede über das Sammeln*, 1931] [edição brasileira: *Desempacotando minha biblioteca*, Brasiliense, 1987].

_____. *Discursos interrumpidos I*, tradução de Jesús Aguirre. Madri: Taurus, 1973.

BERNAL, M. *Atenea negra*, tradução de Teófilo de Lozoya. Barcelona: Crítica, 1993 [edição original: *Black Athena: The Afroasiatic Roots of Classical Civilization*, 1987].

BLADES, W. *Los enemigos de los libros: Contra la biblioclastia, la ignorancia y otras bibliopatías*, tradução de Amelia Pérez de Villar. Madri: Fórcola, 2016 [edição original: *The Enemies of Books*, 1896].

BLOM, P. *El coleccionista apasionado: Una historia íntima*, tradução de Daniel Najmías. Barcelona: Anagrama, 2013 [edição original: *To Have and to Hold*, 2002].

_____. *Gente peligrosa: El radicalismo olvidado de la Ilustración europea*, tradução de Daniel Najmías. Barcelona: Anagrama, 2012 [edição original: *A Wicked Company*, 2010].

BLOOM, H. *El canon occidental*, tradução de Damián Alou. Barcelona: Anagrama, 1995 [edição original: *The Western Canon: The Books and School of Ages*, 1994].

BOARDMAN, J.; GRIFFIN, J. e MURRAY, O. *Historia Oxford del mundo clásico. 1. Grecia*, tradução de Federico Zaragoza. Madri: Alianza Editorial, 1993 [edição original: *The Oxford History of the Classical World*, 1986].

BROTTMAN, M. *Contra la lectura*, tradução de Lucía Barahona. Barcelona: Blackie Books, 2018 [edição original: *The Solitary Vice: Against Reading*, 2008].

CABALLÉ, A. *Una breve historia de la misoginia*. Barcelona: Lumen, 2005.

CALVINO, I. *Por qué leer los clásicos*, tradução de Aurora Bernárdez. Madri: Siruela, 2009 [edição original: *Perché leggere i classici*, 1995] [edição brasileira: *Por que ler os clássicos*, Companhia das Letras, 2007].

CANFORA, L. *Conservazione e perdita dei classici*. Bari: Stilo, 2016.

_____. *A biblioteca desaparecida*, tradução de Xilberto Plano Caelles. Gijón: Edições Trea, 1998 [edição original: *La biblioteca scomparsa*, 1990].

CANTARELLA, E. *Pasado próximo: Mujeres romanas de Tácita a Sulpicia*, tradução de Isabel Núñez. Madri: Ediciones Cátedra, Universitat de València e Instituto de la Mujer, 1997 [edição original: *Passato prossimo: donne romane da Tacita a Sulpicia*, 1996].

_____. *La calamidad ambigua: condición e imagen de la mujer en la Antigüedad griega y romana*, tradução de Andrés Pociña. Madri: Ediciones Clásicas,

1991 [edição original: *L'ambíguo malanno: A Donna nell'antichità greca e romana*, 1981].

CARRÈRE, E. *El Reino*, tradução de Jaime Zulaika. Barcelona: Anagrama, 2015 [edição original: *Le Royaume*, 2014].

CARRIÓN, J. *Librerías*. Barcelona: Anagrama, 2014 [edição brasileira: *Livrarias*, Bazar do Tempo, 2018].

CARSON, A. *Eros: Poética del deseo*, tradução de Imaculada C. Pérez Parra. Madri: Dioptrías, 2015 [edição original: *Eros the Bittersweet*, 1986].

CASSON, L. *Las bibliotecas del mundo antiguo*, tradução de María José Aubet. Barcelona: Bellaterra, 2003 [edição original: *Libraries in the Ancient World*, 2001] [edição brasileira: *Bibliotecas no Mundo Antigo*, Vestígio, 2018].

CAVALLO, G. e CHARTIER, R. (eds.). *Historia de la lectura en el mundo occidental*, tradução de María Barberán e Mari Pepa Palomero. Madri: Taurus, 2001 [edição original: *Histoire de la lecture dans le monde occidental*, 1997].

CERVELLÓ, J. *Escrituras, lengua y cultura en el antiguo Egipto*. Coleção El Espejo y la Lámpara. Barcelona: Ediciones UAB, 2016.

CITRONI, M. *Poesia e lettori in Roma antica*. Roma-Bari: Edições Laterza, 1995.

CLAYTON, E. *La historia de la escritura*, tradução de María Condor. Madri: Siruela, 2015 [edição original: *The Golden Thread. The Story of Writing*, 2013].

COETZEE, J. M. *Costas extrañas: Ensayos 1986-1999*, tradução de Pedro Tena. Barcelona: Debate, 2004 [edição original: *Stranger Shores*, 2001].

CRIBIORE, R. *Gymnastics of the Mind: Greek Education in Hellenistic and Roman Egypt*. Princeton: Princeton University Press, 2001.

DE LA FUENTE, I. *El exilio interior: La vida de María Moliner*. Madri: Turner, 2011.

DZIELSKA, M. *Hipatia de Alejandría*, tradução de José Luis López Muñoz. Madri: Siruela, 2009 [edição original: *Hypatia of Alexandria*, 1995].

EAGLETON, T. *Cómo leer literatura*, tradução de Albert Vitó i Godina. Barcelona: Península, 2016 [edição original: *How to Read Literature*, 2013] [edição brasileira: *Como ler literatura*, L&PM, 2017].

EASTERLING, P. E. e KNOX, B. M. W. (eds.). *Historia de la literatura clásica. Cambridge University. 1. Literatura griega*, tradução de Federico Zaragoza Alberich. Màdri: Gredos, 1990 [edição original: *The Cambridge History of Classical Literature. 1. Greek Literature*, 1985].

ECO, U. *El vértigo de las listas*. Barcelona: Lumen, 2009 [edição original: *Vertigine della lista*, 2009] [edição brasileira: *A vertigem das listas*, Record, 2010].

ECO, U. e CARRIÈRE, J.-C. *Nadie acabará con los libros. Entrevistas realizadas por Jean-Philippe de Tonnac*, tradução de Helena Lozano Miralles. Barcelona: Lumen, 2010 [edição original: *N'espérez pas vous débarraser des livres*, 2009].

ESCOLAR, H. *Manual de historia del libro*. Madri: Gredos, 2000.

ESTEBAN, Á. *El escritor en su paraíso*. Cáceres: Periférica, 2014.

FRÄNKEL, H. *Poesía y filosofía de la Grecia arcaica*, tradução de Ricardo Sánchez Ortiz. Madri: Visor, 1993 [edição original: *Dichtung und Philosophie des frühen Griechentums*, 1962].

GARCÍA GUAL, C. *La muerte de los héroes*, Madri: Turner, 2016.

_____. *Los siete sabios (y tres más)*. Madri: Alianza Editorial, 2007.

GENTILI, B. *Poesía y público en la Grecia antigua*, tradução de Xavier Riu. Barcelona: Quaderns Crema, 1996 [edição original: *Poesia e pubblico nella Grecia antica*, 1984].

GIL, L. *Censura en el mundo antiguo*. Madri: Alianza Editorial, 2007.

GÓMEZ ESPELOSÍN, F. J. e GUZMÁN GUERRA, A. *Alejandro Magno*. Madri: Alianza Editorial, 2005.

GREENBLATT, S. *El giro: De cómo un manuscrito olvidado contribuyó a crear el mundo moderno*, tradução de Juan Rabaseda e Teófilo de Lozoya. Barcelona: Crítica, 2014 [edição original: *The Swerve: How the World Became Modern*, 2011].

HARARI, Y. N. *Sapiens: de animales a dioses. Una breve historia de la humanidad*, tradução de Joandomènec Ros. Madri: Debate, 2014 [edição original: *Sapiens: A Brief History of Humankind*, 2011] [edição brasileira: *Sapiens — Uma breve história da humanidade*, Companhia das Letras, 2020].

HARRIS, W. V. *Ancient Literacy*. Cambridge, Mass. e Londres: Harvard University Press, 1989.

HAVELOCK, E. A. *La musa aprende a escribir: Reflexiones sobre oralidad y escritura desde la Antigüedad hasta el presente*, tradução de Luis Bredlow Wenda. Barcelona: Paidós, 1996 [edição original: *The Muse Learns to Write*, 1986].

_____. *Prefacio a Platón*, tradução de Ramón Buenaventura. Madri: Visor, 1994 [edição original: *Preface to Plato*, 1963].

HOUSTON, K. *The Book: A Cover-to-Cover Exploration of the Most Powerful Object of Our Time*. Londres: W. W. Norton & Company, 2016.

HUSTVEDT, S. *Vivir, pensar, mirar*, tradução de Cecilia Ceriani. Barcelona: Anagrama, 2013 [edição original: *Living, Thinking, Looking*, 2012].

JANÉS, C. *Guardar la casa y cerrar la boca: En torno a la mujer y la literatura*. Madri: Siruela, 2015.

JENKYNS, R. *Un paseo por la literatura de Grecia y Roma*, tradução de Silvia Furió. Barcelona: Crítica, 2015 [edição original: *Classical Literature*, 2015].

JULLIEN, F. *De lo universal, de lo uniforme, de lo común y del diálogo entre las culturas*, tradução de Tomás Fernández e Beatriz Eguibar. Madri: Siruela, 2010 [edição original: *De l'universel, de l'uniforme, du commun et du dialogue entre les cultures*, 2008].

_____. *La identidad cultural no existe*, tradução de Pablo Cuartas. Barcelona: Taurus, 2017 [edição original: *Il n'y a pas d'identité culturelle*, 2016].

KAPUŚCIŃSKI, R. *Viajes con Heródoto*, tradução de Agata Orzeszek. Barcelona: Anagrama, 2006 [edição original: *Podróze z Herodotom*, 2004] [edição brasileira: *Minhas viagens com Heródoto*, Companhia das Letras, 2006].

LAÍN ENTRALGO, P. *La curación por la palabra en la Antigüedad clásica*. Barcelona: Anthropos, 2005.

LANDA, J. *Canon City*. México: Afínita, 2010.

LANDERO, L. *El balcón en invierno*. Barcelona: Tusquets, 2014.

_____. *Entre líneas: el cuento o la vida*. Barcelona: Tusquets, 2001.

LANE FOX, R. *Alejandro Magno: Conquistador del mundo*, tradução de Maite Solana Mir. Barcelona: Acantilado, 2007 [edição original: *Alexander the Great*, 1973].

LEVINAS, E. *Totalidad e infinito: Ensayo sobre la exterioridad*, traduzido por Daniel E. Guillot. Salamanca: Ediciones Sígueme, 2006 [edição original: *Totalité et infini*, 1971]

LEWIS, N. *Papyrus in Classical Antiquity*. Oxford: Clarendon Press, 1974.

LLEDÓ, E. *Los libros y la libertad*. Barcelona: RBA, 2013.

_____. *El silencio de la escritura*. Barcelona: Austral, 2015.

_____. *Sobre la educación*. Barcelona: Taurus, 2018.

LÓPEZ, A. *No solo hilaron lana: Escritoras romanas en prosa y en verso*. Madri: Ediciones Clásicas, 1994.

LORAUX, N. *Los hijos de Atenea: Ideas atenienses sobre la ciudadanía y la división de sexos*, traduzido por Montserrat Jufresa Muñoz. Barcelona: Acantilado, 2017 [edição original: *Les enfants d'Athéna: Idées athéniennes sur la citoyenneté et la division des sexes*, 1981].

LORD, A. B. *The Singer Resume the Tale*. Ithaca e Londres: Cornell University Press, 1995.

MADRID, M. *La misoginia en Grecia*. Madri: Cátedra, 1999.

MANGUEL, A. *Una historia de la lectura*, tradução de José Luis López Muñoz. Madri: Alianza Editorial, 2002 [edição original: *A History of Reading*, 1996] [edição brasileira: *Uma história da leitura*, Companhia das Letras, 2004].

MARCHAMALO, J. *Tocar los libros*. Madri: Fórcola, 2016.

MARROU, H.-I. *Historia de la educación en la Antigüedad*, tradução de Yago Barja de Quiroga. Madri: Akal, 2004 [edição original: *Histoire de l'éducation dans l'Antiquité*, 1948].

MARTINO, G. e BRUZZESE, M. *Las filósofas: Las mujeres protagonistas en la historia del pensamiento*, tradução de Mercè Otero Vidal. Madri: Cátedra, 1996 [edição original: *Le filosofe: Le donne protagoniste nella storia del pensiero*, 1994].

MÉNAGE, G. *Historia de las mujeres filósofas*, tradução de Mónica Poole. Madri: Cátedra, 2000 [edição original: *Historia mulierum philosopharum*, 1690].

MORSON, G. S. e SCHAPIRO, M. *Cents and Sensibility: What Economics Can Learn from the Humanities*. Princeton: Princeton University Press, 2017.

MOVELLÁN, M. e PIQUERO, J. (eds.). *Los pasos perdidos: Viajes y viajeros en la Antigüedad*. Madri: Abada, 2017.

MUÑOZ PÁEZ, A. *Sabias*. Barcelona: Debate, 2017.

MURRAY, S. A. P. *Bibliotecas: Una historia ilustrada*, tradução de J. M. Parra Ortiz. Madri: La Esfera de los Libros, 2014 [edição original: *The Library: An Illustrated History*, 2009].

NIXEY, C. *La edad de la penumbra: Cómo el cristianismo destruyó el mundo clásico*, tradução de Ramón González Férriz. Barcelona: Taurus, 2018 [edição original: *The Darkening Age*, 2017].

ORDINE, N. *Clásicos para la vida*, tradução de Jordi Bayod Brau. Barcelona: Acantilado, 2017 [edição original: *Classici per la vita*, 2017].

OTRANTO, R. *Antiche liste di libri su papiro*. Roma: Edizioni di Storia e Letteratura, 2000.

PADRÓ, J. *Historia del Egipto faraónico*. Madri: Aliança Universidade, 1999.

PASCUAL, C. PUCHE, F. e RIVERO, A. *Memoria de la librería*. Madri: Trama Editorial, 2012.

PENNAC, D. *Como una novela*, tradução de Joaquín Jordá. Barcelona: Anagrama, 1993 [edição original: *Comme un roman*, 1992] [edição brasileira: *Como um romance*, Rocco, 1993].

PFEIFFER, R. *Historia de la filología clásica: De los comienzos hasta el final de la época helenística*, tradução de Justo Vicuña e Mª. Rosa Lafuente. Madri: Gredos, 1981 [edição original: *History of Classical Scholarship. From the Beginnings to the End of the Hellenistic Age*, 1968].

PINKER, S. *En defensa de la Ilustración: Por la razón, la ciencia, el humanismo y el progreso*, tradução de Pablo Hermida Lazcano. Barcelona: Paidós, 2018 [edição original: *Enlightment Now*, 2018].

POPPER, K. R. *La sociedad abierta y sus enemigos*, tradução de Eduardo Loedel Rodríguez. Barcelona: Paidós, 2010 [edição original: *The Open Society and Its Enemies*, 1945].

QUIGNARD, P. *El sexo y el espanto*, tradução de Ana Becciú. Barcelona: Minúscula, 2014 [edição original: *Le sexe et l'effroi*, 1994].

RADER, O. B. *Tumba y poder: El culto político a los muertos desde Alejandro Magno hasta Lenin*, tradução de María Condor. Madri: Siruela, 2006 [edição original: *Grab und Herrschaft. Politischer Totenkult von Alexander dem Großen bis Lenin*, 2003].

REYNOLDS, L. D. e WILSON, N. G. *Copistas y filólogos*, tradução de Manuel Sánchez Mariana. Madri: Gredos, 1995 [edição original: *Scribes and Scholars*, 1974].

ROBERTS, C. H. e SKEAT, T. C. *The Birth of the Codex*, Cambridge: Cambridge University Press, 1987.

ROBINSON, M. *Cuando era niña me gustaba leer*, tradução de Vicente Campos González. Barcelona: Galáxia Gutenberg, 2017 [edição original: *When I Was a Child I Read Books*, 2012].

RUIZ GARCÍA, E. *Introducción a la codicología*. Coleção Biblioteca del Libro. Fundación Germán Sánchez Ruipérez, Madri, 2002.

SÁNCHEZ VIDAL, A. *La especie simbólica*. Pamplona: Universidad Pública de Navarra, Cátedra Jorge Oteiza, 2011.

SAUNDERS, N. J. *Alejandro Magno: El destino final de un héroe*, tradução de Emma Fondevila. Barcelona: Círculo de Lectores, 2010 [edição original: *Alexander's Tomb: The Two-Thousand Year Obsession to Find the Lost Conquerer*, 2007].

SCUCCIMARRA, L. *Los confines del mundo: Historia del cosmopolitismo desde la Antigüedad hasta el siglo XVIII*, tradução de Roger Campione. Oviedo: KRK Edições, 2017 [edição original: *I confini del mondo. Storia del cosmopolitismo dall'Antichità al Settecento*, 2006].

SOLANA DUESO, J. *Aspasia de Mileto: Testimonios y discursos*. Barcelona: Anthropos, 1994.

_____. *Aspasia de Mileto y la emancipación de las mujeres*. Amazon e-Book, 2014.

STEINER, G. *La idea de Europa*, tradução de María Condor. Madri: Siruela, 2005 [edição original: *The Idea of Europe: An Essay*, 2004].

STRATEM, G. *Historia de los libros perdidos*, tradução de María Pons. Barcelona: Pasado & Presente Ediciones, 2016 [edição original: *Storie di libri perduti*, 2016].

SULLIVAN, J. P. *Martial: The Unexpected Classic*. Cambridge: Cambridge University Press, 2004.

TODOROV, T. *La literatura en peligro*, tradução de Noemí Sobregués. Barcelona: Galáxia Gutenberg, 2009 [edição original: *La Littérature en péril*, 2007] [edição brasileira: *A literatura em perigo*, Bertrand Brasil, 2008].

TONNER, J. *Sesenta millones de romanos: La cultura del pueblo en la antigua Roma*, tradução de Luis Noriega. Barcelona: Crítica, 2012 [edição original: *Popular Culture in Ancient Rome*, 2009].

TURNER, E. G. *Greek Papyri: An Introduction*. Oxford: Clarendon Press, 1980.

VALCÁRCEL, A. *Sexo y filosofía. Sobre "mujer" y "poder"*. Madri: Horas y Horas, 2013.

VEYNE, P. *Sexo y poder en Roma*, tradução de María José Furió. Barcelona: Paidós, 2010 [edição original: *Sexe et pouvoir à Rome*, 2005].

WATSON, P. *Ideas, historia intelectual de la humanidad*, tradução de Luis Noriega. Barcelona: Crítica, 2006 [edição original: *Ideas: A History of Thought and Invention, from Fire to Freud*, 2006].

ZAFRA, R. *El entusiasmo: Precariedad y trabajo creativo en la era digital*. Barcelona: Anagrama, 2017.

ZAID, G. *Los demasiados libros.* Barcelona: Debolsillo, 2010.

ZAMBRANO, M. *La agonía de Europa.* Madri: Trotta, 2000.

ZGUSTOVA, M. *Vestidas para un baile en la nieve.* Barcelona: Galáxia Gutenberg, 2017.

ÍNDICE ONOMÁSTICO

A
Achebe, Chinua 125
Ácia 423
Aconia 422
Adriano 242, 314, 369
Agostinho de Hipona 64, 138, 312, 394
Agripina 422, 423
Ahiram de Biblos 124
Akhmátova, Anna 138, 139
Alcrudo, José 342
Alexandre 14, 28, 29, 30, 31, 32, 33, 34, 35, 36, 37, 38, 39, 40, 41, 45, 47, 48, 49, 52, 54, 58, 61, 65, 77, 96, 138, 150, 156, 212, 213, 223, 242, 254, 268, 270, 271, 272, 282, 284, 387, 398, 427
Allan Poe, Edgar 78
Ambrósio de Milão 64
Amiano Marcelino 66, 243, 429
Amr ibn al-As 252
Andersen, Hans Christian 226
Aníbal 280, 281
Aniés, Chema 339
Antifonte 223
Antígono 39

Antilo 138
Apião 53, 93
Apolônio de Rodes 54, 56
Arenas, Reinaldo 260
Arendt, Hannah 295, 406
Argento, Dario 316
Aristarco 56
Aristeas 52, 66
Aristófanes 152, 161, 162, 208, 210, 211, 212, 221, 238
Aristófanes de Bizâncio 83, 160, 161, 390
Aristóteles 28, 31, 49, 52, 55, 112, 132, 154, 156, 160, 163, 164, 169, 192, 207, 219, 235, 242, 254, 271, 289, 365, 379, 380, 387, 408, 409, 434, 435
Arquíloco 145, 146
Arquimedes 56
Arriano 37
Artemísia de Halicarnasso 180
Ashmole, Elias 71, 72
Asínio Polião 363
Aspásia 136, 185, 186, 188
Assurbanipal 40, 74
Ateneu 241

Atwood, Margaret 190
Auden, W. H., 260
Augusto 48, 61, 363, 365, 382, 384, 385, 409, 419, 420
Aulo Gélio 66, 365, 400
Aureliano 243
Ausônio 312
Auster, Paul 243, 246, 270, 402
Axioteia 188

B

Bacon, Roger 321
Báez, Fernando 236
Bakhtin, Mikhail 209, 245
Balzac, Honoré de 369
Barba, Andrés 211
Basquiat, Jean-Michel 319
Bassani, Giorgio 55
Baudelaire, Charles 396
Bauman, Zygmunt 148
Bayard, Pierre 402
Beard, Mary 178, 280, 284, 292, 414, 425
Beatles 330, 371
Bécquer, Gustavo Adolfo 375
Beltrán, Luis 209
Benavente, Jacinto 410
Benjamin, Walter 40, 436
Bergman, Ingmar 58
Berners-Lee, Timothy John 43
Beroso 41
Bingham, Hiram 114
Bíró, László 315
Blades, William 416
Blaisten, Isidoro 395
Blom, Philipp 161
Bohr, Niels 295
Bolaño, Roberto 396

Borges, Jorge Luis 16, 42, 43, 135, 148, 167, 175, 238, 394, 402, 410
Borrow, George 332, 333, 334
Bradbury, Ray 136, 138, 139, 257
Brainard, Joe 175
Brassens, Georges 182
Breton, André 293
Brodsky, Joseph 260
Bruno, Giordano 402
Bruto 279, 386
Bryce Echenique, Alfredo 120
Buda 114
Byron, George Gordon 229

C

Caerellia 308
Calderón de la Barca, Pedro 402
Calígula 387, 409
Calímaco 56, 162, 163, 164, 167, 170, 172, 232, 233, 304
Calvino, Italo 175, 393, 401, 402
Canetti, Elias 435
Capra, Frank 167, 168
Caracalla 367, 387, 409, 424, 425, 427
Caravaggio 307
Carfânia 423
Carrère, Emmanuel 130
Carrington, Leonora 260
Carrión, Jorge 154, 331, 338
Carroll, Lewis 68, 167
Carver, Raymond 395
Casanova, Giacomo 167
Cássio 386
Castillo, Michel del 264
Catão de Útica 384
Catarina de Médici 235
Cervantes, Miguel de 307, 335, 402, 414, 415

Chabrol, Claude 120
Chagall, Marc 293
Champollion, Jean-François 79
Chaplin, Charles 210, 211, 294
Chaucer, Geoffrey 229
Cheever, John 264
Chesterton, G. K. 259, 394
Churchill, Winston 218
Cícero 138, 157, 188, 299, 302, 306, 307, 308, 309, 352, 356, 378, 390, 398, 410, 436
Cipião Emiliano 289
Cipião, o Africano 291
Cirilo 251
Cláudio 279
Clemente de Alexandria 369
Cleobulina 176, 180, 181
Cleópatra 25, 50, 79, 239, 240, 242, 243
Clódia 423
Coetzee, J. M. 206, 411
Colette 336
Cômodo 387
Conan Doyle, Arthur 78
Conrad, Joseph 98, 266
Constantino 246
Corina 176
Cornélia 308, 422, 423
Cornifícia 423
Cosculluela, Eva 340
Cosme de Médici 90
Crates de Tebas 189
Cremúcio Cordo 386
Cúrcio Rufo, Quinto 37

D
Dalí, Salvador 293
Damáscio 250
D'Annunzio, Gabriele 236
Da Ponte, Lorenzo 162
Dario III 30, 34
De Kooning, Willem 293
Demétrio de Faleros 18, 49, 253
Demócrito 179
Demóstenes 217, 220, 223, 390, 398
De Niro, Robert 221
Descartes, René 232
Dião Cássio 241, 243, 296, 425
Dickens, Charles 53, 118
Dickinson, Emily 182, 410
Dick, Philip K. 395
Dídimo 93
Diocleciano 243, 387
Diodoro 41, 53
Diógenes 114
Dionísio de Trácia 56
Disney, Walt 226
Domiciano 332, 334, 336, 397
Donoso, José 120
Duchamp, Marcel 293
Dumas, Alexandre 235
Durrell, Lawrence 27
Dylan, Bob 116

E
Eco, Umberto 167, 171, 207, 208
Edwards, Jorge 120
Einsenstein, Serguei 411
Einstein, Albert 295
Eleazar 51
Elio Arístides 427
Emílio Paulo 289
Ende, Michael 266
Enheduana 178, 180
Epicuro 188, 380

487

Eratóstenes 56, 271, 435
Erina 176
Ernaux, Annie 130
Ernst, Max 293
Erotión 383
Escher, M. C. 43
Esopo 413
Ésquilo 16, 95, 164, 173, 192, 193, 194, 195, 380
Estrabão 60, 61, 154, 241
Estratão 56
Euclides 56, 249
Eugenides, Jeffrey 233
Eumenes II 82
Eurípides 98, 173, 187, 217, 218, 220, 296, 404, 405
Eusébio de Cesareia 408

F
Faulkner, William 98, 148, 394
Fedro 413
Fernando VII 332, 334
Ferrer, Eulalio 264
Fídias 150
Filipe 223
Finn Garner, James 226
Fitzgerald, Francis Scott 290
Fontane, Theodor 119
Ford, John 294
Foucault, Michel 157
Fra Angelico 90
Frame, Janet 182
Franklin, Benjamin 257
Frankl, Viktor 224, 263
Frenkel, Françoise 335, 341
Freud, Sigmund 144, 224, 406
Frisch, Max 119

Fromm, Erich 394
Frontão 365
Fuertes, Gloria 167
Fúlvia 423

G
Galeno 214, 237
Galiano 243
Galileu 56
García Berlanga, Luis 358
García Gual, Carlos 181
García Lorca, Federico 98
García Márquez, Gabriel 120
Gates, Bill 215
Gelman, Juan 395
Genet, Jean 307
Getty, Jean Paul 378
Gide, André 336, 410
Ginzburg, Natalia 395
Glück, Louise 191
Goethe, Johann Wolfgang 118, 233, 235, 262
González, Félix 340
Górgias 224
Gorodischer, Angélica 395
Goytisolo, Juan 258
Gracián, Baltasar 342, 409
Grant, Cary 408
Greenblatt, Stephen 428
Grimm, irmãos 167, 181, 226
Guerriero, Leila 395, 396
Guggenheim, Peggy 293
Guggenheim, Salomon R. 72

H
Haneke, Michael 316
Hanff, Helene 330

Harari, Yuval Noah 442
Havelock, Eric A. 108, 111, 131
Hecateu de Abdera 53, 75
Heine, Heinrich 237
Heráclito 147, 148, 149, 151, 402
Hermógenes de Tarso 332
Hernández, Miguel 130
Herodas 144
Heródoto 85, 94, 113, 195, 196, 197, 198, 201, 202, 203, 204, 205, 206, 221, 245, 272, 398, 402, 437
Herófilo 56
Heron de Alexandria 57
Heróstrato 150
Hesíodo 130, 131, 144, 153, 217, 228, 394
Hipárquia 189
Hipátia 249, 250, 251
Hipócrates 214
Hírcio 241
Hitchcock, Alfred 294
Hitler, Adolf 37, 210, 260, 337, 338, 341
Hölderlin, Friedrich 135, 136, 167
Homero 52, 92, 94, 96, 97, 99, 104, 112, 114, 117, 128, 144, 151, 153, 160, 162, 178, 191, 217, 218, 228, 262, 295, 310, 352, 387, 398, 401, 409
Horácio 284, 313, 327, 354, 372, 414, 437
Hortênsia 423
Hóstia 423
Hrabal, Bohumil 417, 418
Hurt, William 245

I

Iranzo, Pilar 176
Iron Maiden 37
Isócrates 214

J

Jerônimo de Estridão 361, 390
Jesus de Nazaré 114
Jiménez, Juan Ramón 295
Johnson, Samuel 306
Jones, Terry 237
Joyce, James 17, 97, 148, 174, 190, 237, 393, 401
Júlia Domna 427
Júlia Drusila 423
Juliano, o Apóstata 214
Júlio César 239, 240, 281, 362, 363, 377, 386, 398, 410
Justiniano 77, 358, 431
Juvenal 291, 310, 373, 421

K

Kadaré, Ismail 395
Kafka, Franz 17
Kant, Immanuel 232
Kapuściński, Ryszard 201, 203, 204
Kay, Alan 348
Kennedy, J. F. 186
Kennedy Toole, John 395
King, Stephen 167
Kubrick, Stanley 209
Kundera, Milan 210
Kurosawa, Akira 116

L

Landero, Luis 395
Lang, Fritz 294
Lastênia 188
Lee, Harper 223, 395
Lênin, Vladimir 48
Leôncia 188
Leopardi, Giacomo 402

Levinas, Emmanuel 198
Lichtenberg, Georg Christoph 262
Lincoln, Abraham 363
Liszt, Franz 372, 374
Lívio Andrônico 287
London, Jack 266
López, Aurora 422
Lord, Albert 102
Lovecraft, H. P. 234
Lubitsch, Ernst 294
Luciano de Samósata 152
Lúcio Calpúrnio Pisão 377
Lucrécio 402, 409
Lúculo 289

M
Machado, Antonio 304, 420
Mahfouz, Naguib 254
Mallarmé, Stéphane 170
Manetão 41
Manguel, Alberto 68, 301
Manrique, Jorge 148
Mao Tsé-Tung 338, 339
Marcela de Bílbilis 376
Marchamalo, Jesús 260
Márcia 384, 386
Marcial 306, 321, 325, 326, 328, 332, 347, 354, 355, 356, 357, 360, 362, 364, 367, 371, 373, 375, 376, 383, 393, 410, 415, 417, 435
Marco Antônio 25, 26, 242
Marco Aurélio 139, 365
Marías, Javier 395
Marx, Karl 335, 402, 406
Matídia 369
Matute, Ana María 395
Maurois, André 336

McCullers, Carson 395
Mecenas 414
Meirelles, Fernando 394
Méliès, Georges 361
Mello Breyner, Sophia de 189
Menandro 160, 212, 217, 220
Mesala Corvino 419
Mésia 423
Millán, Julia 444
Milton, John 229
Mirtis 176
Moix, Ana María 120
Molière 111, 181
Moliner, María 169
Mondrian, Piet 293
Montaigne 402
Montero, Rosa 395
Monterroso, Augusto 395
Morley, Christopher 155
Mozart, W. A. 102, 162
Muñío, Pablo 444
Murko, Mathias 102
Murnau, F. W. 294
Musil, Robert 167
Myers, Belle 300

N
Nabokov, Vladimir 294, 320
Napoleão 33, 44, 77
Nelson, Horatio 78
Nero 244, 256, 318, 321, 367, 422
Niccoli, Niccolò 90
Nietzsche, Friedrich 262, 406
Nolan, Christopher 86
Northup, Solomon 297
Nóside 176

O

Obama, Barack 186, 238
O'Connor, Flannery 231
Octávia Menor 423
Oe, Kenzaburo 395
Olmos, Alberto 416
Omar I 252
Onetti, Juan Carlos 167, 396
Orestes 251
Orósio 241
Ortega y Gasset, José 212
Orwell, George 229, 340, 389
Ovídio 199, 314, 353, 354, 356, 372, 373, 382, 383, 384, 385, 386, 388, 393, 394, 402, 409, 415, 419, 437

P

Páladas 248, 252
Parker, Charlie 342
Parry, Milman 102, 114
Paulo de Tarso 435
Pausânias 141
Pavese, Cesare 395
Peck, Gregory 223
Pérdicas 48
Perec, Georges 167, 175, 360, 395
Pérez-Reverte, Arturo 257
Péricles 16, 55, 185, 186, 211
Pérsio 315
Petrarca, Francesco 87, 88, 436
Petrônio 318, 353
Picasso, Pablo 294
Píndaro 113, 204, 402
Pinker, Steven 399
Piranesi, Giovanni Battista 43
Pizarnik, Alejandra 394
Platão 52, 56, 81, 95, 113, 133, 134, 136, 139, 148, 152, 153, 159, 163, 180, 186, 188, 212, 217, 227, 228, 229, 230, 231, 232, 233, 235, 250, 296, 302, 387, 398, 408, 409, 431, 435
Plauto 205, 291, 292, 296, 427
Plínio, o Jovem 369, 373, 374
Plínio, o Velho 206, 303
Plotino 250
Plutarco 25, 28, 37, 52, 185, 217, 221, 239, 241, 261, 271, 290, 394, 398, 421
Pólia 423
Políbio 279
Policleto 150, 407
Pollock, Jackson 293
Pompeu 309, 362
Popper, Karl 230
Pratolini, Vasco 83
Praxila 176
Preminger, Otto 294
Presley, Elvis 49, 371
Propércio 372, 373
Proust, Marcel 147, 285, 395, 410
Prudêncio 316, 317
Ptolomeu I 65, 75
Ptolomeu II 17, 65
Ptolomeu III 16, 65, 271
Ptolomeu IV 65
Ptolomeu V 78, 82
Ptolomeu X 65
Ptolomeu XIII 239, 240
Publília 423
Puche, Paco 339
Pushkin, Aleksandr 263

Q

Quintiliano 317, 321, 397, 398
Quinto Cecílio Epirota 309, 414

491

R

Rábago, Andrés (El Roto) 255
Rabelais, François 409
Rendell, Ruth 120
Rhys, Jean 394
Ricoeur, Paul 263
Riefenstahl, Leni 411
Rilke, Rainer Maria 262
Rommel, Erwin 44
Roncagliolo, Santiago 231
Rossellini, Roberto 377
Rost, Nico 260
Rothko, Mark 293
Roxana 38
Rulfo, Juan 98
Rushdie, Salman 255
Russell, Bertrand 139

S

Sade, Marquês de 409
Safo 151, 176, 181, 182, 183, 313, 380, 402, 409, 437
Saladino 253
Salústio 398
Sánchez, Gervasio 256
Sánchez Vidal, Agustín 360
Sanmartín, Fernando 436
Sanz, Marta 395
Sarajlić, Izet 351
Sargão I da Acádia 178, 373
Sartre, Jean-Paul 150
Schiller, Friedrich 118
Schlink, Bernhard 118
Schopenhauer, Arthur 402
Schwob, Marcel 150
Scorsese, Martin 246, 361
Sebald, W. G. 344, 346
Seeger, Pete 108
Seleuco 38
Semprônia 309
Sender, Ramón J. 295
Sêneca 183, 241, 367, 386, 402, 405, 437
Septímio Severo 427
Servília 423
Shakespeare, William 98, 178, 192, 229, 307, 402, 409, 416
Sharon, Ariel 247
Shelley, Mary 401
Shi Huangdi 417
Shônagon, Sei 174
Sila 289
Simeão, o Estilita 368
Sinésio de Cirene 249
Sirk, Douglas 294
Smart, Elizabeth 395
Sócrates 113, 114, 132, 133, 135, 152, 183, 186, 211, 230, 232, 431
Sófocles 16, 52, 164, 173, 192, 205, 220, 380
Sontag, Susan 258
Spielberg, Steven 404
Staël, Madame de 309
Stendhal 262
Stevenson, Robert Louis 266
Stone, Oliver 35
Suetônio 241, 332, 353, 362, 387
Sulpícia 419, 420, 421, 422, 423
Szymborska, Wislawa 175

T

Tácito 261, 308, 311, 374, 386, 387, 388, 437
Tarantino, Quentin 54, 316
Tchekhov, Anton 119

Telesila 176
Temístio 361
Teodósio 246, 247
Teodósio I 77
Teófilo 247, 251
Teofrasto 188
Téon 249
Terência 423
Terêncio 289, 291
Teresa de Ávila 262
Thoreau, Henry David 139
Tibério 366, 370, 386
Tibulo 419, 422
Tiranion 299
Tito 377
Tito Lívio 356, 372, 398, 428
Tolkien, J. R. R. 36, 38
Tolstói, Lev 118, 264, 396
Trajano 350
Tucídides 17, 140, 159, 217, 261, 398
Túlia 309, 423
Twain, Mark 225, 231, 402, 441
Tzetzes, Ioannes 66

U
Unamuno, Miguel de 260

V
Valle-Inclán, Ramón María del 410
Vallejo, César 331
Van Gogh, Vincent 307
Vargas Llosa, Mario 120
Varrão 157, 363, 364, 391
Vásquez, Juan Gabriel 395
Vatsiaiana 314
Veloso, Caetano 37
Vespasiano 366, 397

Virgílio 138, 262, 304, 310, 356, 372, 374, 378, 398, 414
Vitrúvio 161

W
Watt, James 57
Wegner, Daniel M. 134, 135
Wenders, Wim 62
Wharton, Edith 395
Whitehead, Alfred North 229
Wilde, Oscar 47, 385
Wilder, Billy 294
Williams, Tennessee 395
Woolf, Virginia 402

X
Xantipa 113
Xenofonte 153

Y
Young, Thomas 79

Z
Zayas, María 409
Zenóbia de Palmira 243
Zgustova, Monika 263
Zoilo, o fustigador de Homero 95
Zoroastro ou Zaratustra 139
Zweig, Stefan 434, 436

1ª edição	DEZEMBRO DE 2022
impressão	PANCROM INDÚSTRIA GRÁFICA
papel de miolo	POLEN SOFT 70G/M²
papel de capa	CARTÃO SUPREMO ALTA ALVURA 250G/M²
tipografia	ITC NEW BASKERVILLE